Über das Buch

»Der Dativ ist dem Genitiv sein Tod« ist eines der erfolgreichsten Bücher der letzten Jahre. Mit Kenntnisreichtum und Humor hat uns Bastian Sick durch den Irrgarten der deutschen Sprache geführt. Jetzt liegen die ersten drei Folgen in einem Band vor. Mit neuem, alle drei Bände umfassenden Register.

»Egal also, ob Sick nun über die Fallstricke der deutschen Sprache doziert oder einfach nur Witze macht: Er ist eine grandiose Erscheinung des Showbiz.« *Donaukurier*

»Der Herr der Genitive« *NRZ*

»Sick ist ein Phänomen. Er tritt den Beweis an, dass Grammatik eine lebende Materie ist, mit der man Menschen fesseln kann.« *Nordbayrischer Kurier*

»Er ist witzig, charmant und lernen kann man auch noch was von ihm. Dabei ist Bastian Sick vor allem eins: ein großartiger Entertainer.« *Lübecker Nachrichten*

»Gekonnt bringt Bastian Sick Licht ins Dickicht der Sprachverwirrungen. Er erklärt Zweifelsfälle, die jeder selbst nachschlagen könnte. Aber warum selbst blättern, wenn ein begnadeter Unterhalter wie Sick richtiges Deutsch so humoristisch vermitteln kann?« *Magdeburger Volksstimme*

»Der POPSTAR unter den Pflegern der deutschen Sprache« *MDR, ›Fröhlich Lesen‹*

»Sick bestreitet seine Schau allein, souverän, liebenswürdig, ein begnadeter Unterhalter für durchaus nicht nur leichte Sprachkost.« *FAZ*

»Vergessen Sie den verwirrenden neuen Duden! Gutes Deutsch lernen Sie schneller bei Bastian Sick!« *ttt-Beitrag ARD*

Der Autor

Bastian Sick, geboren in Lübeck, studierte Geschichtswissenschaft und Romanistik. Seit 1999 ist er Mitglied der Redaktion von »Spiegel Online«. Im Mai 2003 konnte man zum ersten Mal den »Zwiebelfisch«

lesen, Sicks heitere Kolumne über die deutsche Sprache, aus der später die Buchreihe »Der Dativ ist dem Genitiv sein Tod« werden sollte. Es folgten zahlreiche Fernsehauftritte und eine Lesereise, die in der »größten Deutschstunde der Welt« gipfelte, zu der 15.000 Menschen in die Köln-Arena strömten. 2006 ging Bastian Sick erstmals mit einem eigenen Bühnenprogramm auf Tournee, einer Mischung aus Lesung, Kabarett und fröhlicher Show. Zuletzt erschien von ihm »Happy Aua«.

Weitere Titel bei Kiepenheuer & Witsch
»Der Dativ ist dem Genitiv sein Tod. Ein Wegweiser durch den Irrgarten der deutschen Sprache«, KiWi 863, 2004 (liegt auch als gebundene Schmuckausgabe vor). »Der Dativ ist dem Genitiv sein Tod – Folge 2. Neues aus dem Irrgarten der deutschen Sprache«, KiWi 900, 2005. »Der Dativ ist dem Genitiv sein Tod – Folge 3. Noch mehr Neues aus dem Irrgarten der deutschen Sprache«, KiWi 958, 2006. »Happy Aua. Ein Bilderbuch aus dem Irrgarten der deutschen Sprache«, KiWi 996, 2007. »Zu wahr, um schön zu sein, Verdrehte Sprichwörter, 16 Postkarten«, KiWi 1050, 2008. »Happy Aua – Folge 2. Ein Bilderbuch aus dem Irrgarten der deutschen Sprache, KiWi 1065, November 2008.

Bastian Sick

Der Dativ ist dem Genitiv sein Tod

Folge 1–3

Ein Wegweiser durch den Irrgarten
der deutschen Sprache

Kiepenheuer & Witsch

1. Auflage 2008

Der Dativ ist dem Genitiv sein Tod.
Ein Wegweiser durch den Irrgarten der deutschen Sprache
© 2004 (KiWi-Ausgabe), 2006 (geb. Ausgabe), 2008 by Verlag
Kiepenheuer & Witsch, Köln
© SPIEGEL ONLINE GmbH Hamburg
Der Dativ ist dem Genitiv sein Tod.
Neues aus dem Irrgarten der deutschen Sprache
© 2005, 2008 by Verlag Kiepenheuer & Witsch, Köln
© SPIEGEL ONLINE GmbH Hamburg
Der Dativ ist dem Genitiv sein Tod.
Noch mehr Neues aus dem Irrgarten der deutschen Sprache
© 2006, 2008 by Verlag Kiepenheuer & Witsch, Köln
© SPIEGEL ONLINE GmbH Hamburg
Umschlaggestaltung: Barbara Thoben, Köln, unter Verwendung einer
Montage von Klaus Gierden, Köln
Autorenfoto: www.zitzlaff.com
Gesetzt aus der DTL Documenta und der Meta Plus
Satz: Greiner & Reichel Köln (Folge 1, 2), Felder KölnBerlin (Folge 3)
Druck und Bindearbeiten: CPI – Clausen & Bosse, Leck
ISBN: 978-3-462-04053-1

Inhalt

Der Dativ ist dem Genitiv sein Tod

Ein Wegweiser durch den Irrgarten der
deutschen Sprache

Jeder Fehler erscheint unglaublich dumm,
wenn andere ihn begehen.
Georg Christoph Lichtenberg (1742–1799)

Der Unterschied zwischen dem richtigen Wort
und dem beinahe richtigen ist derselbe Unterschied
wie zwischen dem Blitz und dem Glühwürmchen.
Mark Twain (1835–1910)

Mit dem Wissen wächst der Zweifel.
Johann Wolfgang von Goethe (1749–1832)

Die deutsche Sprache sollte sanft und ehrfurchtsvoll
zu den toten Sprachen abgelegt werden, denn nur die
Toten haben die Zeit, diese Sprache zu lernen.
Mark Twain (1835–1910)

Inhalt

Ein paar Worte vorweg

Willkommen im Todestal des Genitivs! Dieses Buch wird Ihnen als Reiseführer auf einem abenteuerlichen Rundgang durch die Wildnis der deutschen Sprache dienen. Es zeigt Ihnen, wie man sich mit der Machete einen Weg durch widerspenstiges grammatisches Gestrüpp schlagen kann, es führt Sie um syntaktische Fallgruben herum, weist Sie auf orthographischen Treibsand hin und bringt Sie sicher übers stilistische Glatteis.

Lehrbücher über die deutsche Sprache gibt es viele. Aber nur wenige davon werden freiwillig gelesen. Das liegt vermutlich an ihrer Rezeptur: größtmögliche Akribie und pädagogischer Eifer, geringstmöglicher Unterhaltungswert. Dieses Buch ist anders.
Zunächst einmal ist es kein Lehrbuch, allenfalls ein lehrreiches Buch. Sie können es von vorn nach hinten lesen oder von hinten nach vorn oder einfach irgendwo mittendrin anfangen. Die Orientierung verlieren können Sie dabei nicht, denn überall sind Hinweisschilder aufgestellt, die Ihnen helfen, sich im Irrgarten der deutschen Sprache zurechtzufinden.

Dieses Buch versammelt die Artikel der Kolumne »Zwiebelfisch«, die wöchentlich auf SPIEGEL ONLINE erscheint. Im Mai 2003 nahm ich als frisch gebackener Kolumnist die Herausforderung an und zog mit flatternden Fahnen und bunt bemalten Schilden gegen falsches Deutsch und schlechten Stil zu Felde. Da die Rolle des grimmigen Erbsenzählers und desillusionierten Sprachzynikers, der den Untergang des Abendlandes für unausweichlich hält, bereits von zahlreichen anderen Autoren besetzt ist, versuchte ich es als ironischer Geschichtenerzähler. Meine ersten Attacken galten abgedroschenen Phrasen, unerträglichen Modewörtern, lästigen Anglizismen und Unwörtern aus dem Journalisten- und Politikerjargon. Ein Kampf gegen Windmühlen, daran konnte von Anfang an kein Zweifel bestehen.

Doch mit erstaunlicher Geschwindigkeit verbreiteten sich die kleinen Botschaften des »Zwiebelfischs« im Internet und riefen von Mal zu Mal stärkere Resonanz hervor. Der Don Quichotte fand Tausende Sancho Pansas, die bereit waren, ihm die Lanze zu halten, und die Windmühlen landauf, landab begannen zu zittern.

Längst geht es in meiner Kolumne nicht mehr allein um Fragen des journalistischen Stils. Die wöchentlich steigende Flut von E-Mails mit Anregungen und Fragen zeigte alsbald, dass das Interesse der »Zwiebelfisch«-Leser weit über die kleineren und größeren Unfälle der Nachrichtensprache hinausging. Es richtete sich auf die vielen Zweifelsfälle der deutschen Sprache im Allgemeinen: Wann wird eigentlich noch der Genitiv gebraucht, wie werden englische Verben im Deutschen konjugiert, wo setzt man ein Fugen-s und wo nicht, wie lautet der Plural von diesem oder jenem Fremdwort, was verbirgt sich hinter dieser oder jener Redewendung?

Das Bedürfnis nach Aufklärung und Klarstellung ist immens. Das liegt aber keinesfalls daran, dass das Volk der Dichter und Denker geistig auf den Hund gekommen wäre, auch wenn PISA und das sprachliche Niveau in den Krawalltalkshows der privaten Fernsehsender einen solchen Schluss nahe legen. In Wahrheit ist unsere Schulbildung immer noch besser als ihr Ruf, und viele der Fehler, die heute gemacht werden, sind gar nicht neu, sondern haben schon frühere Generationen geplagt.

Die große Verunsicherung darüber, was richtiges und gutes Deutsch ist, hat viele verschiedene Ursachen. Eine lautet, dass wir, egal ob Nord- oder Süddeutsche, Rheinländer oder Sachsen, Österreicher oder Schweizer, allesamt Dialektsprecher sind. Die meisten Dialekte greifen nicht nur in die Aussprache ein, sondern auch in die Grammatik, und jede Mundart hat ihr eigenes Vokabular.

Im Zuge der Wiedervereinigung waren Millionen Ostdeutsche gezwungen, sich mit einer Sprache auseinanderzusetzen, die sie so bisher nicht kannten. Das von Amerikanismen und modischen Blähwörtern durchsetzte Deutsch der Westdeutschen war den Einwohnern der neuen Bundesländer in vielerlei Hinsicht genauso unverständlich wie das für sie neue Steuer- und Versicherungssystem.

Eine rapide Zunahme der Verunsicherung ergab sich auch aus der Rechtschreibreform, deren Urheber eigentlich vieles einfacher und logischer machen wollten. Seitdem ist Deutschland ein Jammertal, durch das orientierungslose Wanderer zwischen alter und neuer Orthografie verwirrt umhergeistern.

Dabei haben die meisten von uns im Grunde ein völlig intaktes Sprachgefühl und wissen, an welcher Stelle sie welches Wort zu gebrauchen haben und wie es geschrieben wird. Aber Werbesprache, unverständliches Politikerdeutsch und leider auch bisweilen schlechter Journalismus werfen immer wieder neue Fragen auf und schaffen Verwirrung: Ist »Deutschlands meiste Kreditkarte« richtig gesteigert? Warum wird auf Schildern plötzlich jedes »s« apostrophiert: »Für Sie unterweg's«, »nächste Ausfahrt recht's«? Muss man ein Wort wie Anti-Terror-Kampf mit Bindestrichen schreiben, ist Antiterrorkampf womöglich falsch?

Heißt es wirklich »im Sommer diesen Jahres« und nicht »dieses Jahres«? Kann etwas, das sinnvoll ist, »Sinn machen«? Wenn es *anscheinend* einen Unterschied zwischen »scheinbar« und »anscheinend« gibt, warum kennt ihn dann *offenbar* niemand? All dies sind Fragen, denen dieses Buch auf den Grund geht.

Wie wird man eigentlich Sprachpfleger, werde ich manchmal gefragt. Muss man dafür Germanist sein? Nein, das muss man nicht. Ich zum Beispiel habe Geschichte und Französisch studiert und bin über Umwege zum Kolumnenschreiben gekommen. Aber die Geheimnisse der deutschen Sprache haben mich fasziniert, seit ich sprechen kann. Meine Lektorin meinte einmal verschmitzt, Sprachpflege sei etwas für kleine Jungen, die gerne Tabellen anlegen. Ich fühlte mich ein bisschen ertappt, weil ich tatsächlich Tabellen für sehr nützlich halte (wie diesem Buch unschwer anzusehen ist). Aber es ging mir nie darum, Sprache in Tabellen zu pressen. Denn wer sich genauer mit Sprache auseinander setzt, der gelangt sehr bald zu folgender Erkenntnis: Eine lebende Sprache lässt sich nicht auf ein immergültiges, fest zementiertes Regelwerk reduzieren. Sie ist in ständigem Wandel und passt sich veränderten Bedingungen und neuen Einflüssen an. Darüber hinaus gibt es oft mehr als eine mögliche Form. Wer nur die Kriterien richtig oder falsch kennt, stößt schnell an seine Grenzen, denn in vielen Fällen gilt sowohl das eine als auch das andere.

Daher kann und will ich mir auch nicht anmaßen, in diesem Buch absolute Wahrheiten zu verkünden. Meine Texte sprechen allenfalls Empfehlungen aus. Die muss nicht jeder annehmen, manchmal weichen sie sogar von dem ab, was in einigen Grammatikwerken steht. Wenn ich mich mit einer gedankenlosen Sprachmode auseinander setze, bedeutet dies nicht gleich, dass ich ihre vollständige Abschaffung verlange. Mir geht es vor allem darum, das sprachliche Bewusstsein zu schärfen und meine Leser zu ermutigen, nicht alles widerspruchslos hinzunehmen, was ihnen an bizarren Formulierungen in den Medien, in der Werbung, in der Politik, im Geschäfts- und Amtsdeutsch geboten wird.

Zuletzt muss natürlich noch eine Frage beantwortet werden, die sich jeder stellt, der das Wort »Zwiebelfisch« zum ersten Mal hört oder liest: Was bedeutet dieser seltsame Name, woher stammt er, und was hat er mit deutscher Sprache zu tun?

Laut Lexikon ist der Zwiebelfisch zunächst mal tatsächlich ein Fisch, Anglern besser bekannt als Ukelei, aus der Familie der Karpfenfische, wissenschaftliche Bezeichnung *Alburnus alburnus*. Er gilt als »geselliger Oberflächenfisch« und ist in stehenden und nicht zu stark strömenden Gewässern nördlich der Alpen zu finden. Derartige Eigenschaften (gesellig, oberflächlich, strömungsscheu) ließen ihn nur bedingt als Paten für eine Kolumne geeignet erscheinen, die sich anschickte, in die Tiefen der deutschen Sprachniederungen hinabzutauchen.

Doch das Wort hat noch eine zweite Bedeutung: Im Buch- und Zeitungsdruck bezeichnet »Zwiebelfisch« einen Buchstaben innerhalb eines Wortes, der (versehentlich) in einer falschen Schriftart gesetzt wurde. Irgendjemand hatte mal die Assoziation, dass ein Haufen durcheinander geratener Schrifttypen wie ein Schwarm Zwiebelfische aussähe. Da die Setzersprache bildhafte Ausdrücke sehr schätzt (man denke an »Hurenkind« und »Schusterjunge«), hat sich der »Zwiebelfisch« als Bezeichnung für falsch gesetzte Lettern etabliert. Und da diese Kolumne es sich zur Aufgabe gemacht hat, »falsch gesetzte« Wörter in deutschen Texten aufzuspießen, also »Zwiebelfische« im übertragenen Sinn, schwamm ihr der Name buchstäblich zu.

Die Idee, den Begriff »Zwiebelfisch« aus der Schriftsetzer-sprache auf einen weiter gefassten sprachlichen Kontext zu übertragen, ist allerdings nicht ganz neu. Bereits von 1910 bis 1934 gab es eine bibliophile Zeitschrift für Literatur und Kunst dieses Namens, die im Münchner Hyperion-Verlag erschien. Heute ziert der Name »Zwiebelfisch« einen klei-nen Buchverlag in Berlin, ein Magazin für Gestaltung von der Freien Hochschule für Grafik-Design in Freiburg, eine seit über 30 Jahren bestehende Kneipe in Berlin-Charlotten-burg sowie etliche Kochrezepte, in denen Fischfilet und jede Menge Gemüsezwiebeln eine Rolle spielen. Und schließlich auch diese sprachpflegerische Kolumne, die schaurige, trau-rige, unsägliche, unerträgliche, abgehobene und verschro-bene Erscheinungen der deutschen Sprachkultur unter die Lupe und aufs Korn nimmt.

Bastian Sick
Hamburg, im August 2004

Begleiten Sie den »Zwiebelfisch« auf seinen wöchentlichen Streifzügen im Internet: http://www.spiegel.de/zwiebelfisch

Der Dativ ist dem Genitiv sein Tod

Nicht nur die SPD hat es in Bayern schwer. Auch der Genitiv wird nicht ernst genommen. Freilich ist es das gute Recht eines jeden Volksstammes, sich außer seiner Regierung auch seine eigene Grammatik zu wählen. Bedenklich wird es erst, wenn »wegen dem« Dialekt die Hochsprache verflacht. Ein Traktat zugunsten des zweiten Falles.

»Wegen dir«, sang die bayerische Sängerin Nicki 1986. Das Lied war damals ein großer Erfolg und erlangte Bekanntheit weit über die Grenzen Bayerns hinaus. Ein deutscher Schlager, der nicht auf Hochdeutsch getextet war. Die Bayern, das weiß man, haben's net so mit dem Wes-Fall (Woos is des?), sie lieben den Dativ wie das Weißbier und die Blasmusik. Daher verzieh man der Sängerin auch gerne den dritten Kasus im Zusammenhang mit dem Wörtchen »wegen«.
Als müsse er diesem genitivfeindlichen Tiefschlag etwas entgegenhalten, brachte im selben Jahr der Österreicher Udo Jürgens eine Platte mit ähnlich klingendem Titel heraus: »Deinetwegen« hieß das Album, und es wurde ein großer Erfolg weit über die Grenzen Österreichs hinaus. Zum Glück: So wurden die Radiohörer im deutschsprachigen Raum daran erinnert, dass man in Bayern »wegen dir« sagen kann, dass die richtige Form aber »deinetwegen« lautet. Denn was Udo Jürgens singt, ist immer bestes Hochdeutsch. Ein Jahr lang ging er mit »Deinetwegen« auf Tournee, ein beispielloser Kreuzzug für die Rettung des Genitivs.

Die Wirkung indes blieb begrenzt; in den Neunzigerjahren erschienen immer mehr Lieder und CDs, die »Wegen dir« im Titel führten. Und hier war der dritte Fall nicht mehr mit Dialekt zu entschuldigen; denn die Sänger artikulierten sich in Hochdeutsch, beziehungsweise in etwas, das sie dafür hielten. Im Sängerkrieg der Schlagerbarden ist der Genitiv unterlegen. Muss man ihn unter Artenschutz stellen? Einen Verein zu seiner Rettung ins Leben rufen?

In deutschen Grammatikwerken ist nachzulesen, dass hinter »wegen« in besonderen Fällen der Dativ stehen kann. Ein solcher besonderer Fall ist gegeben, wenn die Präposition vor einem »unbekleideten« Nomen steht, also einem Hauptwort, das weder Artikel noch Attribut mit sich führt: »Wegen Umbau geschlossen« – das ist erlaubt, es muss nicht »wegen Umbaus« heißen. Ist das Hauptwort jedoch »bekleidet«, bleibt der Genitiv die bessere Wahl: »wegen des Umbaus«, »wegen kompletten Umbaus«. Dennoch hört man immer häufiger »wegen dem« statt »wegen des«. Auch hinter »laut« scheint sich der Dativ durchgesetzt zu haben. Immer seltener hört man »laut eines Berichts« und immer häufiger dafür »laut einem Bericht«.
Führt der Genitiv nur noch verzweifelte Rückzugsgefechte? Ganz so gefährdet, wie es auf den ersten Blick aussieht, ist der zweite Fall in Wahrheit nicht. Er versteht es durchaus, sich zu wehren, und macht sogar Anstalten, fremdes Terrain zu erobern. Immer wieder tauchen Fälle auf, in denen hinter Präpositionen, die den Dativ erfordern, plötzlich ein Genitiv zu finden ist: »gemäß des Protokolls«, »entsprechend Ihrer Anweisungen«, »entgegen des guten Vorsatzes«, »nahe des Industriegebietes«. Dies geht so weit, dass sich die Grammatikwerke bemüßigt fühlen, diese Präpositionen mit dem ausdrücklichen Hinweis zu versehen, dass ihnen NICHT der Genitiv folge, sondern der Dativ.

Im Falle der Präposition »trotz« ist dem Genitiv die feindliche Übernahme gelungen: Standardsprachlich wird heute hinter »trotz« der Wes-Fall verwendet. Dass dies nicht immer so war, beweisen Wörter wie »trotzdem« und »trotz al-

lem«. In Süddeutschland, Österreich und der Schweiz wird
»trotz« weiterhin mit dem Dativ verbunden. Nicki würde
auf Bayerisch singen: »Trotz dem damischen Zwiebelfisch«
und Udo Jürgens auf Hochdeutsch kontern: »Trotz des ner-
vigen Zwiebelfisch(e)s«.

Der Dativ ist des Genitivs Freund und Gehilfe. Er springt zum Beispiel dann ein, wenn es gilt, einen doppelten Genitiv zu vermeiden (»laut dem Bericht des Ministers« statt »laut des Berichts des Ministers«), und wenn im Plural der Genitiv nicht erkennbar ist (»wegen Geschäften« statt »wegen Geschäfte«).

angesichts	mit Genitiv	angesichts des dichten Verkehrs; angesichts vieler neuer Probleme
aufgrund / auf Grund	mit Genitiv	aufgrund schlechten Wetters; aufgrund falscher Vorhersagen; aufgrund seines Geständnisses
aufgrund von / auf Grund von	mit Dativ	aufgrund von schlechtem Wetter; aufgrund von Zeugenaussagen
dank	mit Genitiv	dank seines guten Rufs
einschließlich (vor bekleidetem Hauptwort)	mit Genitiv	einschließlich seines Vermögens; einschließlich des Portos
einschließlich (vor unbekleidetem Hauptwort)	mit Genitiv / mit Dativ	einschließlich Portos / einschließlich Porto
entgegen	mit Dativ	entgegen anders lautenden Behauptungen; entgegen seinem Wunsch
entsprechend	mit Dativ	entsprechend seinen Angaben; entsprechend dem Gesetz
gemäß	mit Dativ	gemäß dem Gesetz; dem Alter gemäß
infolge	mit Genitiv	infolge des letzten Krieges; infolge (des) schlechten Wetters
infolge von	mit Dativ	infolge von Krieg und Hungersnot
innerhalb / außerhalb	mit Genitiv	innerhalb des Geländes; außerhalb der Öffnungszeiten

kraft	mit Genitiv	kraft seines Amtes; kraft des ihm verliehenen Titels
laut (vor bekleidetem Hauptwort)	mit Genitiv	laut eines Zeitungsberichtes; laut seines Befehls
laut (vor unbekleidetem Hauptwort)	mit Dativ	laut Zeitungsbericht; laut Befehl
mittels	mit Genitiv	mittels eines Zauberspruchs; mittels vieler kleiner Schritte
nahe	mit Dativ	nahe dem Dorf; nahe dem Fluss; ein Grundstück nahe dem Flugplatz
namens	mit Genitiv	namens ihres Vaters; namens des Vereins
seitens	mit Genitiv	seitens seiner Eltern; seitens des Publikums
statt	mit Genitiv	statt des Vaters kam der Sohn; statt der Frau öffnete ihm das Kind
trotz (vor bekleidetem Hauptwort)	mit Genitiv	trotz des schlechten Wetters; trotz deiner gut gemeinten Worte
trotz (vor unbekleidetem Hauptwort)	mit Genitiv / mit Dativ	trotz Regen(s); trotz Stau(s)
unweit	mit Genitiv	unweit des Dorfes; unweit des Flusses; ein Platz unweit des Eingangs
während	mit Genitiv	während des Krieges; während seines zweiten Besuchs
wegen (vor bekleidetem Hauptwort)	mit Genitiv	wegen des schlechten Wetters verschoben; wegen ausbleibender Gäste geschlossen
wegen (vor unbekleidetem Hauptwort)	mit Genitiv / mit Dativ	wegen Mord(es) angeklagt; wegen Umbau(s) geschlossen
zufolge (vorangestellt) (selten)	mit Genitiv	zufolge des Berichtes; zufolge seiner Freunde
zufolge (nachgestellt)	mit Dativ	dem Bericht zufolge; seinen Freunden zufolge

Krieg der Geschlechter

Die oder das Nutella – diese Frage hat schon Tausende Gemüter am Frühstückstisch bewegt. Seit Generationen wird in Wohnküchen debattiert, gezankt und gestritten. Der, die, das – wieso, weshalb, warum – welchen Artikel haben Markenartikel?

Am Morgen sitzt das junge Paar am Frühstückstisch. Er rührt – noch reichlich unausgeschlafen – in seinem (deutschen!) Kaffee und liest, nur um sich nicht unterhalten zu müssen, in einem drei Wochen alten Magazin. Sie schmiert sich ordentlich Butter aufs Brötchen, streift sich kontrollierend über die Problemzonen in der Hüftgegend und sagt dann zu ihm: »Kannst du mir mal die Nutella rüberreichen?« Und als hätte er nur darauf gewartet, kommt es wie aus der Pistole geschossen: »Du meinst ja wohl *das* Nutella.« – »Nein«, stellt sie richtig, »ich meine *die* Nutella!« – »Produktnamen sind grundsätzlich sächlich«, behauptet er. »Wie kommst du denn darauf?«, fragt sie fassungslos, »es heißt doch schließlich *die* Haselnusscreme!« – »Es heißt aber trotzdem *das* Nutella. Glaub mir, Schatz, isso!«
»Isso« ist die Kurzform für »Ich schrei sonst« und bedeutet sinngemäß: »Weitere Argumente fallen mir im Moment nicht ein.« Damit ist das Thema jedoch noch lange nicht vom Tisch.

Die oder das Nutella – diese Frage hat schon zu manch hitziger Debatte geführt. Weiblich oder sächlich, aber ganz bestimmt nicht nebensächlich. Intakte Wohngemeinschaften sind sich deswegen urplötzlich in die Haare geraten, glückliche Beziehungen sind daran zerbrochen; kaum ein Scheidungsanwalt, der nicht schon einen »Nutella«-Fall gehabt hätte. Eine definitive Lösung des Problems ist bis heute nicht in Sicht. Eines steht fest: So einfach, wie es sich der Mann mit seiner Erklärung gemacht hat, ist es nicht.

Nach dem Frühstück springt er unter die Dusche, anschließend stylt er sich die Haare und cremt sich mit seiner Lieblings-»Looschn« ein. »Schatz, die Nivea ist alle«, ruft er in männertypischer Hilflosigkeit, »haben wir noch irgendwo eine neue?« Sie spielt die Überraschte: »*Die* Nivea? Hast du nicht eben behauptet, Produktnamen seien prinzipiell sächlich?« – »Du, ich hab's leider eilig und absolut keinen Nerv auf deine Spielchen. Also wo ist die Nivea?« – »Im Unterschrank – wo auch *das* Colgate und *das* Always stehen!«, erwidert sie gelassen.
Der Punkt geht an sie. Um das Geschlecht eines Produktnamens bestimmen zu können, muss man sich Klarheit darüber verschaffen, was das Produkt darstellt. Namen wie Colgate, Blendamed, Sensodyne, Elmex und Dentagard sind weiblich, weil sie für die weiblichen Begriffe Zahnpasta und Zahncreme stehen.

Ariel, Omo, Dash, Persil und Lenor hingegen sind sächlich, weil es *das* Waschmittel heißt. Bifi ist weiblich, weil man an *die* Salami denken soll, Labello ist männlich, weil es *der* Lippenstift heißt, Tempo und Kleenex sind sächlich, weil dahinter *das* Papiertaschentuch steckt.
Ausnahmen bilden gelegentlich solche Produktnamen, die sich aus bekannten Hauptwörtern zusammensetzen: der Weiße Riese (obwohl *das* Waschmittel), der General (obwohl *das* Putzmittel), der Flutschfinger (obwohl *das* Speiseeis). Doch auch diese Ausnahmeregel gilt nicht immer: Bei einigen Markennamen ist das dahinter stehende Produkt einfach zu mächtig, es dominiert selbst dann noch das Geschlecht des Namens, wenn dieser sein eigenes Geschlecht hat.

Dies ist zum Beispiel bei Bieren der Fall. Die sind immer sächlich, selbst wenn sie »König« (»Das König unter den Bieren«) oder »Urquell« heißen. Ähnliches gilt für Automarken und -modelle. Sie sind fast immer männlich*, auch wenn der Rasensport *das* Golf und die spanische Feier *die* Fiesta heißt – als Markennamen haben diese Hauptwörter gegen die Übermacht des männlichen Wortes »Wagen« keine Chance. Unsere Nachbarn, die Franzosen, verfahren übrigens nach demselben Prinzip: Bei ihnen sind alle Automarken weiblich (la DS, la Peugeot, la Volkswagönn), weil es *la voiture* heißt.

Somit findet man in der deutschen Sprache sowohl *das* Astra (Bier) als auch *den* Astra (Auto). Wer Astra trinkt und Astra fährt, kann Sterne sehen, denn »astra« ist der Plural des lateinischen Wortes »astrum«, und das bedeutet »Stern«. Auch Zigarettenmarken sind durchgehend gleichen Geschlechts, nämlich weiblich, daran vermögen weder *das* Kamel noch *der* Prinz etwas zu ändern.
Medikamente sind – als Heilmittel oder Packung gesehen – sächlich: das Aspirin, das Viagra. Wenn jedoch eine einzelne Pille gemeint ist, kann es durchaus auch *die* Aspirin oder *die* Viagra heißen.

In grammatischer Hinsicht ist die Haselnuss eine ziemlich harte Nuss – nicht nur als Creme, sondern auch zwischen Waffeln: Heißt es *das* oder *die* Hanuta? Man mag argumentieren, dass Hanuta die Abkürzung für HAselNUssTAfel sei – und dass die Tafel ja nun unbestreitbar weiblich sei. Doch wer weiß denn schon, dass der Name Hanuta ein Akronym** ist? Wenn Hanuta weiblich ist, weil »Tafel«

---

  * Abgesehen von Isetta, DS, Corvette und einigen Cabrios.
 ** Akronym = Initialwort; so steht zum Beispiel »Haribo« für Hans Riegel, Bonn, und »Hakle« für Hans Klenk.

weiblich ist, dann müsste eigentlich auch Duplo weiblich sein; denn werben die Hersteller nicht mit dem Slogan, dass es sich um eine Praline handelt? Eine besonders lange sogar?

Trotzdem sind Schokoriegel in der Regel sächlichen Geschlechts: Kitkat, Mars, Bounty, Snickers, Milky Way, Twix – wann immer man sie mit Artikel nennt, so ist es »das«. Obwohl es doch *der* Schokoriegel heißt. Aber Mars, Bounty und Co. gibt es schon länger, als es das Wort »Schokoriegel« gibt. Früher sagte man dazu noch »Süßigkeiten« oder »Naschwerk«. Eine sprachwissenschaftlich fundierte Begründung, warum Schokoriegel immer sächlich sind, hat der Verfasser dieses Textes momentan nicht zur Hand. Daher bedient er sich des ultimativen Arguments: Isso! Und damit zurück zur Anfangsfrage:

Bei Ferrero, dem Hersteller von Nutella, hat man die Frage nach dem Geschlecht des Markennamens natürlich schon oft gehört. Auf der firmeneigenen Homepage gibt es daher einen erklärenden Eintrag, der den Kunden allerdings auch nicht vollständig befriedigen kann: »Nutella ist ein im Markenregister eingetragenes Phantasiewort«, heißt es dort, »das sich einer genauen femininen, maskulinen oder sachlichen Zuordnung entzieht.«

Manchmal ist eben einfach Fantasie gefragt – nicht nur bei der Suche nach neuen Namen, sondern auch bei der Suche nach einem passenden Geschlecht – oder einer Möglichkeit, die Geschlechterfrage zu umgehen: »Schatz, reich mir doch bitte mal das Nutella-Glas rüber!«

Die reinste Puromanie

Sie wollen Action, Spannung, Erotik, Leidenschaft? Was immer Ihr Herz begehrt, Sie sollen es bekommen – und zwar pur. In anderer Form werden diese Artikel heute auch gar nicht mehr angeboten.

Wer sich auf die Suche nach Entspannung begibt, dem wird in Anzeigen, Katalogen, im Fernsehen und auf Internetseiten jede Menge davon versprochen, zu unterschiedlichsten Preisen und von unterschiedlichster Art und Weise. Doch eines haben alle Angebote gemein: Sie verheißen »Entspannung pur«.

Dieselbe Feststellung macht, wer das Abenteuer sucht: Ob beim Bergwandern in den Pyrenäen, beim Kanufahren auf der Müritz, selbst beim virtuellen Rundgang im Cyberspace – stets versprechen die Veranstalter »Erlebnis pur«. Wer einen Afrikaurlaub plant, der kann »Afrika pur erleben«. Wer lieber mit einem nostalgischen Zug durch heimische Gefilde dampfen mag, den erwartet »Bahnspaß pur«. Niemand muss auf »pur« verzichten. Wer gar nicht verreisen will, wer also »zu Hause pur erleben« will, für den halten die Fernsehmacher allabendlich »Action pur«, »Unterhaltung pur«, »Romantik pur« und – zu späterer Stunde – »Erotik pur« bereit. Die Puromanie hat die Werbesprache fest im Griff. Was immer angepriesen wird, erhält den Nachsatz »pur«. Darauf gibt's Garantie pur.

Selbst die Schrecknisse dieser Welt findet man derart fragwürdig verschönt: Hass pur, Horror pur, Verbrechen pur. Früher unterschied man zwischen Optimisten, die die Zukunft in Rosarot sahen, und Pessimisten, die vorzugsweise schwarz sahen. Heute gibt es anscheinend nur noch Puristen, die alles in Purpur sehen. Der Film »Apocalypse now« würde in diesen Zeiten von einem deutschen Verleih vermutlich unter dem Titel »Apocalypse pur« in die Kinos gebracht.

Ob die fünf Musiker aus Bietigheim angesichts des inflationären »pur«-Gebrauchs ihre Band heute noch so genannt hätten? Als sie sich 1986 den Namen »Pur« gaben, war das Wort noch unverbraucht und halbwegs originell. Heute geht »Pur« im purpurnen Einerlei unter. Sucht man die Band im Internet, so muss man schon etwas Geduld aufbringen, um im Wildwuchs zwischen Literatur pur, Popkultur pur, Natur pur Pur pur zu entdecken.

Bemerkenswert ist, was hier mit der Syntax geschieht: Das Attribut wird dem Hauptwort nachgestellt, ein in der deutschen Sprache eher ungewöhnlicher Vorgang, denn normalerweise steht das Attribut vor dem Hauptwort. Doch in der Reklamesprache setzt man sich über Grammatikregeln gern hinweg und verbiegt die natürliche Syntax, um Aufmerksamkeit zu erregen. So hat man den Kunden schon früher »Bargeld sofort«, »Spargel satt«, »Kühlschränke neu«, »Urlaub mediterran« und »Telefonieren kostenlos« versprochen. Und vor dem sagenhaften Aufstieg des Adjektivs »pur« gab es das alles schon einmal mit »total«: Spannung total, Liebe total, Fußball total. Diese Form der Anpreisung hat sich über die Jahre gründlich abgenutzt, da kam den Werbestrategen das Wörtchen »pur« gerade recht.

Dabei ist »pur« gar nicht mal neu. Das Adjektiv, dem lateinischen »purus« entlehnt, gelangte bereits im 14. Jahrhundert in die deutsche Sprache und wirkte an der Entstehung von Begriffen wie Püree und Puritanismus mit. Über lange Zeit hatte »pur« im deutschen Sprachtheater ein Engagement als

Zweitbesetzung für das Adjektiv »rein«. Wer »reines Gold« durch einen Latinismus noch weiter veredeln wollte, konnte dies tun, indem er von »purem Gold« sprach. Auch purer Luxus und purer Genuss wurden immer gern beschrieben und angepriesen. Mittlerweile gibt es sie nur noch als »Luxus pur« und »Genuss pur«.

In einer Kunstform wie der Reklamesprache ist so etwas möglich. Man sollte es sich allerdings gut überlegen, ehe man sich die Werbung zum Vorbild für seine Alltagssprache macht:

»Du Schatz, es wird heute wieder später«, sagt der geplagte Ehemann am Telefon, »hier ist mal wieder Hektik pur!« – »Du Armer«, seufzt sie verständnisvoll, »aber mach dir keine Sorgen um mich, ich bin nachher noch mit einer Schulfreundin verabredet, die ich heute in der Stadt getroffen habe: Zufall pur!« – »Sonst alles klar zu Haus?« – »Jonas ist heute vom Klettergerüst gefallen, aber ihm ist nichts passiert.« – »Wer hat ihn denn da raufgelassen? Das war ja Leichtsinn pur!« – »Beim nächsten Mal ist er vorsichtiger. Du weißt doch: Nichts macht klüger als Erfahrung pur!«

Dem halbwegs sprachsensiblen Konsumenten stößt das Adjektiv »pur« aufgrund seiner Häufung inzwischen sauer auf. Man kann nur hoffen, dass der pure Überfluss bald in irgendeinem Abwasserkanal versickert. Und zwar bevor das Beispiel der Attribut-Umstellung weiter Schule macht. Was würde aus dem normalen Alltag, dem perfekten Moment, den losen Gedanken? Alltag normal, Moment perfekt, Gedanken los? Wird die unterhaltsame und lehrreiche Sendung »Genial daneben« eines Tages »Daneben genial« heißen? Das wäre der reinste Wahnsinn. Um nicht zu sagen: Wahnsinn pur.

Abschied von Lila-Grün

Sie glauben, Sie kennen sich aus mit den Farben in der Politik? Rot
für links, Schwarz für rechts, dazwischen und daneben Gelb, Grün,
Dunkelrot, Blassrosa, Taubengrau und Igittibraun – aber wofür bitte schön steht Blau, und was kommt raus, wenn man die Farben
mischt? Werfen wir doch mal einen Blick zu unseren Nachbarn im
Westen.

Was dem Hobby-Soziologen die Schubladen, das sind dem
Amateur-Politologen die Farbtöpfe. Wann immer der Name
einer Partei ins Spiel kommt, wird flugs zum Pinsel gegrif-
fen und das erwähnte Lager mit einem knalligen Anstrich
versehen: Rot, Gelb, Schwarz, Grün, Grau, bunt – was die
Palette hergibt. Es ist wie mit den Brandzeichen bei Rin-
dern: Keine Gruppierung, Absplitterung, Vereinigung oder
Bewegung, die ohne Farbmarkierung frei herumlaufen
dürfte. Da entstünde ja das völlige Chaos, und niemand
würde sich mehr zurechtfinden.

Farben schaffen Klarheit. Sie sind Erkennungszeichen, Signal und Synonym. Die Kommunisten haben den Anfang gemacht, sie wählten die Farbe Rot, weil die so schön kämpfe-
risch und leidenschaftlich wirkt, die Konservativen wurden
schwarz, weil dies die Farbe der Kirche war, die Ökos tarn-
ten sich mit dem Grün des Waldes, und wer von den Liberalen spricht, hat meistens die Farbe Gelb im Kopf. Diese ist
schön grell und knallig, historisch betrachtet aber nicht eben
positiv besetzt: Gelb galt lange Zeit als »Schandfarbe« und
wurde Juden, Dirnen und Ketzern aufgezwungen. Vielleicht haben die Liberalen das Gelb aber auch von den Kirgi-
sen, denn bei denen ist es die Farbe der Trauer und der Ge-
dankenversunkenheit. Und traurig war in den letzten Jahren

schließlich so manches Wahlergebnis der Liberalen, was genügend Grund zu Grübeleien gab. Doch außerhalb Deutschlands sind Liberale oft alles andere als gelb – nämlich blau. So zum Beispiel in den Niederlanden und in Belgien. Darum trägt die FDP zusätzlich zur Farbe Gelb auch noch Blau, gewissermaßen als Untertitel, damit sie auch im Ausland verstanden wird.

In Belgien haben im Mai 2003 die Liberalen und die Sozialdemokraten die Parlamentswahlen gewonnen. Prompt schrieb ein deutscher Redakteur von einem »Wahlsieg für Gelb-Rot«. Nur sind die belgischen Liberalen eben nicht gelb, sondern blau, aber wer könnte sich hierzulande auch schon etwas unter einer blau-roten Koalition vorstellen? Vielleicht ist der schnelle Griff zum Farbtopf doch nicht immer ganz so empfehlenswert. Wer die Parteienlandschaft unserer westlichen Nachbarn mit Hilfe von Farben erklären will, muss sich nämlich in der Farbenlehre auskennen.

Wim Kok, von 1994 bis 2002 Ministerpräsident der Niederlande, führte eine sozialliberale Koalition an. Die Niederländer nannten sie aber nicht rot-blau, sondern mischten die beiden Farben kurzerhand zusammen. Und Rot und Blau ergibt? Richtig: Violett. So wurde Koks Kabinett »Paars« genannt, das niederländische Wort für Violett.

Vor der Wahl hatten die Belgier sogar eine Dreierfarbkombi aus Blau, Rot und Grün, verkürzt »Paars-Groen«, »Lila-Grün«, genannt. Wieder einmal zeigt das alte Europa, dass es vielfältiger ist als die USA, wo das Farbspektrum vom amtierenden Präsidenten auf Schwarz und Weiß reduziert worden ist.

In Großbritannien, dem Land, in dem bekanntlich vieles, wenn nicht gar alles verkehrt herum funktioniert, bedeuten auch die Farben etwas anderes: Blau steht dort für die Konservativen, und die sozialliberale Koalition der Schotten ist rot-rot-gelb, da die Liberalen die Farben Rot und Gelb tragen. Gelb als Solofarbe ist schon von den schottischen Nationalisten besetzt, und wer im Vereinten Königreich von »Rot-Grün« spricht, der hat womöglich nicht Sozis und Ökos, sondern die walisischen Nationalisten im Sinn.

Wer im europäischen rot-gelb-grün-lila-blauen Durcheinander den Überblick zu verlieren droht, der ist möglicherweise besser beraten, den Pinsel aus der Hand zu legen und die Parteien einfach bei ihrem Namen zu nennen.

Deutschland, deine Apostroph's

Über dem hölzernen Kahn prangte in grellen Neonbuchstaben der Schriftzug »Noah's Arche«. Und sie kamen alle: Petra's Hamster, Susi's Meerschweinchen, Indien's Elefanten, Australien's Känguru's, selbst Marabu's und Kolibri's. Sie flohen vor dem alles verheerenden Häk'chen-Hagel. Doch es war zu spät: Die Welt versank, und übrig blieb am Ende – nicht's.

Zähneknirschend nahm man es hin, dass im trüben Fahrwasser der Rechtschreibreform mit einem Mal »Helga's Hähncheneck« und »Rudi's Bierschwemme« höchste Weihen erhielten und offiziell sanktioniert wurden. Der von vielen gescholtene so genannte Deppen-Apostroph war über Nacht salonfähig geworden. Nun ja, vielleicht noch nicht salonfähig, aber zumindest imbissbudenfähig. Wenn Oma morgens ihr kleines Restaurant aufschließt und die Beleuchtung einschaltet, braucht sie sich nicht mehr zu schämen, dass draußen die mondäne Aufschrift »Oma's Küche« prunkt. Stolz erhobenen Hauptes kann sie sagen: »Was habt ihr denn? Ist doch richtig so! Steht sogar im Duden's!«
Tatsächlich: Dort – wie auch in anderen Standardwerken zur deutschen Sprache – heißt es in Übereinstimmung mit den neuen amtlichen Regeln: »Gelegentlich wird das Genitiv-s zur Verdeutlichung der Grundform des Namens auch durch einen Apostroph abgesetzt.«

Man beachte die Wortwahl: gelegentlich. Das klingt wie: »Einige können es eben nicht lassen.« Und um sein Unwohlsein noch deutlicher zum Ausdruck zu bringen, fügt der Duden fast trotzig an: »Normalerweise wird vor einem Genitiv-s kein Apostroph gesetzt.«

Ach ja, die gute alte Normalität! – als »Clarissa's Hairstudio« noch »Frisörsalon Lötzke« hieß –, wo ist sie hin?

»Man sieht sich immer zweimal!«, weissagte der sächsische Genitiv nicht ohne Häme, als er sich anschickte, im Gefolge der Angeln und Sachsen nach Britannien auszuwandern. Er sollte Recht behalten. Er kehrte zurück – und wie! Doch kurioserweise nicht aus dem Westen (wo man allgemein den Ursprung aller Anglizismen vermutet), sondern aus dem Osten. Denn im Verbund mit D-Mark und Marktwirtschaft wurde nach der Wende in Ostdeutschland auch der Apostroph eingeführt. Keine Geschäftseröffnung, kein neues Ladenschild ohne das obligatorische Häkchen. Die Apostroph-Euphorie schwappte in den Westen zurück und schwappt seitdem gesamtdeutsch hin und her, vorzugsweise in den seichten Niederungen des »Internet's«.

»Seither hat sich dieser Genitiv, der bis dahin bei *Beck's Bier* und ein paar vergleichbaren Labels ein leise belächeltes Exotendasein geführt hatte, wie die schwarzen Blattern ausgebreitet«, stöhnte die »Süddeutsche Zeitung« in einem »Streiflicht« im Jahre 1998.

Nun, es scheint, als müssten wir mit diesen Blattern leben. Wir haben uns an Phänomene wie Modern Talking und die »Oliver Geissen Show« gewöhnt und an Wörter wie »Airline«, »Basement« und »Lifestyle« (Wer sagt schon noch Fluggesellschaft, Untergeschoss und Lebensart?), also werden wir auch damit fertig.

Doch es ist wie immer im Leben: Kaum hat man sich mit dem einen Schicksalsschlag abgefunden, da zieht schon die nächste Katastrophe herauf. Mit erschreckender Geschwindigkeit breitet sich eine neue, noch schlimmere Apostrophenpest in Deutschland aus. Befallen ist diesmal nicht der Genitiv, sondern der Plural.

Plötzlich liest man überall von »Kid's« und »Hit's« und wird permanent mit »Info's« bombardiert. Zunächst konnte man noch vermuten, dass diesem Kuriosum eine schlichte Verwechslung zugrunde liegt, zumal hauptsächlich aus dem Englischen stammende Wörter betroffen sind: Womöglich war das Plural-s für ein Genitiv-s gehalten worden.

Doch inzwischen werden auch andere Begriffe zer-apostrophiert: Der Obsthändler an der Ecke verkauft neuerdings *Mango's* und *Kiwi's*, die Anzeigenblätter im Briefkasten werben für günstige *Caravan's*, *Kombi's* und extra dicke *Pizza's*, die *Kid's* entpuppen sich als *Mädel's und Jungen's*, man ersteigert bei Ebay modische *Accessoire's*, überrascht einander mit lustig bedruckten *T-Shirt's*, staunt über die Vielzahl von *Tee's* auf der Getränkekarte, und wem mit *Tee's* nicht gedient ist, der bestellt *Kognak's* oder *Martini's*. Im Hotelzimmer schaut man sich später ein paar *Video's* an, und bezahlt wird das Ganze selbstverständlich in *Euro's*, und zwar bar, denn an vielen Kassen werden »*keine Scheck's*« angenommen. Halten Sie's noch aus, oder müssen Sie schon wegschauen? Es kommt noch schlimmer:

Gar keine Aussicht auf Rettung besteht mehr für Abkürzungen. Lastkraftwagen (kurz: Lkw, auch in der Mehrzahl) sind zu »LKW's« geworden, Personenfahrzeuge werden entsprechend »PKW's« abgekürzt, und immer wieder stolpert man über »CD's« und »DVD's«.

Liest man in der Sauna den Hinweis »Kein Schweiß auf's Holz«, so brennt es einem in den Augen. Ebenso beim Anblick von Läden, die »Alles für's Kind« anbieten. Zwar ist der Apostroph hier überflüssig, aber immerhin scheint sich der

Schildermaler noch was dabei gedacht zu haben. »Eigentlich heißt's ja ›auf das Holz‹ und ›für das Kind‹, da mach ich vorsichtshalber mal 'n Apo-dingsda, na, so 'n Häkchen halt«, wird er sich gesagt haben – und schon war's passiert. Lästig, aber lässlich. Aber viele Menschen setzen den Apostroph bereit's auch dort, wo gar nicht's ausgelassen wurde. Da! Haben Sie es bemerkt? Ist Ihnen nicht's aufgefallen? Dann schauen Sie mal nach recht's! Und dann noch mal nach link's! Merken Sie es jetzt?

Manche Deutsche scheinen von der Vorstellung besessen, dass generell jedes »s« am Wortende apostrophiert werden müsse. Als sei das Endungs-s *eigen's* dafür geschaffen, vom Wortstamm abgespalten zu werden. Dabei geht die Tendenz in der Standardsprache genau in die entgegengesetzte Richtung: Nicht immer mehr, sondern immer weniger Apostrophe empfiehlt die neue amtliche Regelung. »Ich sing' ein Lied« und »Mir geht's gut« kann, darf oder sollte heute »Ich sing ein Lied« und »Mir gehts gut« geschrieben werden.

Doch die Gemeinde der Neu-Apostrophiker wächst und wächst. Sie setzt den Apostroph *stet's* und überall, *nirgend's* ist man noch vor ihm sicher. Und weil das abgespaltene Endungs-s manchen noch nicht reicht, machen sie das Häkchen auch vor »z« und »n« und überhaupt vor allem, was am Wortende steht. Schon wurden an mehreren Stellen in Deutschland Schilder mit der Aufschrift gesichtet: »Futter'n wie bei Mutter'n«. Ist das moder'n – oder einfach nur depper't? Wohin soll das noch führen? Droht die totale Apostrophe? Der alles verheerende Häk'chen-Hagel? Oder stecken wir schon mittendri'n? Na dann pros't, du Volk der Dichte'r und Denke'r!

Der Gebrauch des Apostrophs im Überblick

Wo ein Apostroph gesetzt werden **kann**:

Der Apostroph kann dort gesetzt werden, wo das Pronomen »es« zu »s« verkürzt ist:
Wie geht's? Nimm's leicht! Hat's geschmeckt? Hat er's kapiert? Sag's mir! So steht's geschrieben. Wirf's weg! Mach's gut, Alter! Hol's der Teufel! Wenn's weiter nichts ist. Um's kurz zu machen ...

Seit Zulassung der Rechtschreibreform gilt hier der Apostroph als entbehrlich, man darf daher auch schreiben:
Wie gehts? Nimms leicht! Hats geschmeckt? Hat ers kapiert? Sags mir! So stehts geschrieben. Wirfs weg! Machs gut, Alter! Hols der Teufel! Wenns weiter nichts ist. Ums kurz zu machen ...

Der Apostroph kann dort gesetzt werden, wo jemand ein Gewerbe eröffnen und dazu ein Schild mit Genitiv anbringen will:
Bellini's Bar; Gerti's Grillstation; Willi's Weinkontor

Der Apostroph kann gesetzt werden, wenn der unbestimmte Artikel »ein/eine« zu »n« verkürzt ist, was vor allem bei der Wiedergabe von gesprochener Sprache auftritt:
Was 'n Glück! Haste mal 'nen Euro? So 'n Blödsinn! Steffi ist 'ne tolle Sportlerin.

In allen Fällen dieser »Kann«-Kategorie bleibt es dem Schreibenden selbst überlassen, ob er einen Apostroph setzen will oder nicht.

Wo ein Apostroph **nicht** (mehr) gesetzt werden **sollte**:

Für das weggefallene Endungs-e bei Verben in der ersten Person Singular:
Ich steh im Regen und warte auf dich. Heute back ich, morgen brau ich, übermorgen hol ich mir der Königin Kind. Das lass ich mir von dir nicht sagen!

Für das weggefallene Endungs-e beim Imperativ der zweiten Person Singular:
Lass es bleiben! Mach die Tür zu! Halt den Mund! Nun heul nicht schon wieder, Daniel!

Im Unterschied zur alten Regelung steht für das weggefallene Endungs-e heute grundsätzlich kein Apostroph mehr. Schon früher entfiel er bei Redewendungen und Fügungen, die häufig gebraucht werden und als unmissverständlich gelten:
Freud und Leid; gut Wetter machen; ruhig Blut bewahren; öd und leer; heut und hier

Wo ein Apostroph **nicht** gesetzt werden **darf**:

Der Apostroph wird nicht gesetzt bei Verschmelzung von bestimmtem Artikel und vorangehender Präposition:
aufs Dach, unters Bett, ins Haus, hinterm Deich, unterm Tisch, beim Essen, vorm Tor, fürs Kind, durchs Fenster, vors Auto, übern Harz

Absolut fehl am Platz ist der Apostroph beim Plural-s:
Autos, Babys, Clubs, Dias, E-Mails, Gullys, Parks, Ponys, Singles, Shorts, Taxis, Tees, Videos, Zoos

Dasselbe gilt für Abkürzungen, die im Plural stehen. Auch hier wird kein Apostroph gesetzt, oftmals braucht nicht mal ein s angehängt zu werden:
alle ABM(s), meine CDs, deine DVDs, die GmbHs, alte LPs, drei Lkw(s), viele Pkw(s)

Völlig indiskutabel ist auch die Apostrophierung von Wörtern, die auf -s enden:
nichts, rechts, allseits, bereits, stets, nirgends, eigens, unterwegs

Wo ein Apostroph gesetzt werden **muss**:

Bei Auslassungen im Wortinneren:
Ku'damm, M'gladbach, Lu'hafen, D'dorf

Bei der Kennzeichnung des Genitivs von Namen, die auf s, ss, ß, tz, z und x auslauten. Der Apostroph ersetzt hier das Genitiv-s:
Hans' Mutter, Max' Cousine, Grass' Romane, Ministerin Zypries' Gesetzentwurf, Ringelnatz' Gedichte

Dies gilt aber nicht, wenn vor dem Namen ein bestimmter Artikel (plus Attribut) steht:
die Mutter des alten Hans, die Cousine des strammen Max, die Romane des Günter Grass, der Gesetzentwurf der Ministerin Zypries, die Gedichte des Joachim Ringelnatz

Wir bitten um Ihr Verständnis

»Fahrstuhl momentan außer Betrieb«, steht in großen Lettern auf einem Zettel, den jemand an die Aufzugstür geklebt hat. Und etwas kleiner darunter: »Wir bitten um Ihr Verständnis.« Verständnis? Würde man ja gerne aufbringen, sogar hier und jetzt im Parkhaus des Einkaufszentrums, mit all den schweren Tüten in der Hand, wenn man nur wüsste, wofür!

»Dieser Artikel ist nicht mehr lieferbar. Wir bitten um Verständnis«, erscheint auf der Angebotsseite eines Internet-Händlers. Das ist bedauerlich. Ganz offensichtlich ist aber auch eine zweite Sache nicht lieferbar, nämlich eine Verständnis schaffende Erklärung.

»Es können Wartezeiten von bis zu 45 Minuten entstehen«, säuselt die Lautsprecherdurchsage im Freizeitpark. »Wir bitten um Ihr Verständnis.« Jetzt reicht's! Schluss, aus, genug! Man möge mich um Pardon bitten, um Verzeihung, um Vergebung für dieses hochgradig unprofessionelle Management, das es nicht schafft, den Besucherandrang vor der Wildwasserbahn in einer Zeit zu bewältigen, die ungeduldig herumhüpfenden Kindern und vor allem den zunehmend entnervten Erwachsenen gerade noch zuzumuten ist. Sprich: in 45 Sekunden.
Ganz besonders lästig sind auch immer diese stark verrauschten Durchsagen im Feierabendverkehr, die wie folgt beginnen: »Sehr geehrte Fahrgäste! Hier spricht die Leitstelle der U-Bahn«, und die regelmäßig mit der Beschwörungsformel enden: »Für eventuell entstehende Unannehmlichkeiten bitten wir um Ihr Verständnis.« Die erste Unannehmlichkeit war schon mal diese schwer verständliche Ansage, und Verständnis habe ich dafür nicht im Geringsten.

Die Bitte um Einsicht hat sich in den letzten Jahren zu einer wahren Volksseuche entwickelt. Allenthalben wird man um Verständnis angebettelt. Defekte Aufzüge, kaputte Automaten, Vorstellung fällt aus, heute keine Sprechstunde. Ohne Angabe von Gründen, aber immer: Wir bitten um Verständnis.

Noch dreister wird's, wenn das Verständnis ungefragt vorausgesetzt wird. So ist es inzwischen gängige Praxis, nach kilometerlangen Baustellen – auch solchen, auf denen keinerlei Bautätigkeit festzustellen ist – den aus dem Stau kommenden Autofahrer mit Schildern zu verabschieden, auf denen ihm für sein Verständnis gedankt wird. Nach zehn Kilometern im zäh fließenden Verkehr, eingezwängt zwischen Brummis, Wohnmobilen und Reisebussen, wirkt das »Danke für Ihr Verständnis« nur noch abgeschmackt, fast schon hämisch.

Früher sagte man noch: »Es tut uns Leid« oder »Wir bitten um Entschuldigung«. Da wusste man noch, was sich gehört. Und stand zu seinen Fehlern. Wer nicht liefern konnte oder eine Leistung versprach, die er nicht erbringen konnte, wand sich in Demut und wartete – auch ungefragt – gleich mit einem Dutzend glaubwürdiger und unglaubwürdiger Erklärungen für sein Missgeschick auf. Heute ist es der Kunde, der sich in Demut üben muss. Wer einen öffentlichen Service in Anspruch nehmen möchte, sollte sichergehen, dass er nicht nur Kleingeld, sondern auch immer ein wenig Verständnis im Portemonnaie hat. Man kann nie wissen, wofür.

Die traurige Geschichte von drei englischen Ladys

Es waren einmal drei englische Ladys mit gleichen Hobbys. Sie sammelten alte Pennys, besuchten Derbys und Wohltätigkeitspartys, züchteten Guppys und hatten eine Schwäche für stramme Bobbys und rührselige Shantys. Es gab nur eines, vor dem sie sich zutiefst fürchteten: Rowdies! Die in Cities lebten und nachts aus den Gullies krochen, um armen Babies die Teddies wegzunehmen.

»Die Mehrzahl von Story schreibt sich mit -ies«, behauptete unlängst mal wieder ein Freund – und setzte triumphierend nach: »Du hast wohl im Englischunterricht nicht aufgepasst?« Würde er in London wohnen, dann hätte er Recht. Aber auf deutschem Boden, in einem deutschen Wohnzimmer mit Regalen voll deutscher Bücher, da befindet er sich im Irrtum. Lehnwörtern aus dem Englischen, die auf -y enden, wird im Plural einfach nur ein »s« angehängt, das »y« bleibt unverändert: Babys, Hobbys, Ladys, Lobbys, Partys, Ponys und eben Storys. So ist das mit den Lehnwörtern: Ob friedlich importiert, freiwillig übergelaufen oder gewaltsam verschleppt, wenn sie einmal in den deutschen Wortschatz aufgenommen wurden, dann sind sie auch den Regeln der deutschen Grammatik unterworfen. Das wäre ja auch noch schöner – wenn man mit der Übernahme eines Fremdwortes auch noch die landesspezifische Grammatik importieren müsste. Das wäre ja so, als würden die Amerikaner mit der Einverleibung des irakischen Erdöls bei sich auch noch den Koran einführen.

In der hoch exklusiven Kaffeebar, wo man sich nach Feierabend gerne trifft, ist diese Regel selbstverständlich außer Kraft gesetzt: Da bestellt man in gepflegtestem Italienisch seine »Espressi« und »Cappuccini«. Wer ganz sichergehen will, dass ihn die asiatische Bedienung auch verstanden hat, hängt noch mal ein »s« an: »Zwei Cappuccinis, bitte!«

Von geradezu unerbittlicher sprachlicher Konsequenz zeugt es, wenn in Werbetexten oder Zeitungsartikeln »Handies« angepriesen werden. Da werden – in einer Art blind voraus-eilendem Gehorsam – englische Regeln auf original deut-sche Wortschöpfungen angewandt. Denn den Terminus »Handy« in der Bedeutung von Mobiltelefon kennt die eng-lische Sprache nicht. Die Briten sagen »mobile phone«, die Amerikaner »cellular phone«. Sollte man im Umkehrschluss von ihnen erwarten, dass sie »kindergaerten« und »rucksae-cke« schreiben? Und die korrekte Pluralform des Export-schlagers »bratwurst« kennen? Wahrscheinlicher ist, dass es genau umgekehrt kommt: Irgendwann werden wir in deut-schen Texten Kindergartens, Rucksacks und Bratwursts be-gegnen.

Die deutsch-englische Verwirrung betrifft aber längst nicht nur gestandene Ladys, sondern zunehmend auch unbedarf-te Teenies. Besonders kurios wird es nämlich, wenn engli-sche Lehnwörter, die im Singular auf -ie enden, im Plural dann plötzlich ein y erhalten: Wenn also Teenies zu Teenys werden oder Hippies zu Hippys. Entweder herrschte hier-bei bereits Unklarheit über die korrekte Endung im Singular, oder es wurde der – falsche – Umkehrschluss gezogen, dass man das -ie im Plural zu einem -y auflösen müsse.

So sorgt die Vorfahrt der englischen Grammatik auf deut-schen Straßen für Missverständnisse und Chaos. Wen wun-dert es da noch, wenn die drei englischen Ladies von Row-dies überfallen und ihrer letzten Ypsilons beraubt werden.

Licht am Ende des sturmverhangenen Horizonts

Redewendungen sind das Salz in der Buchstabensuppe, in der wir alle Tag für Tag herumrühren. Mit bildhaften Vergleichen und lockeren Sprüchen lassen sich selbst fade Sachverhalte noch würzen und schmackhaft machen. Im Überschwang passiert es bisweilen, dass der Salzstreuer in den Kochtopf fällt.

Vom »Licht am Ende des sturmverhangenen Horizonts« schrieb mal ein junger Redakteur eines Hamburger Stadtmagazins in einem Text, ohne zu ahnen, was er sich damit einhandelte. Denn seine Schöpfung wurde zum geflügelten Wort in der Redaktion und immer gern zitiert, wenn es galt, ein Beispiel für außer Kontrolle geratene Idiome zu nennen. Heute hat der Kollege neben dem Duden-Band 11 (»Redewendungen«) auch Georg Büchmanns klassischen Zitatenschatz auf dem Schreibtisch stehen und schaut lieber erst mal nach, ehe er sich erneut zu sturmverhangenen Horizonten aufmacht.

Aber nicht nur bei Jungredakteuren, auch bei erfahrenen Journalisten kommt es bisweilen vor, dass die Metaphorik-Dampflok übermütig wird und plötzlich aus den Gleisen hüpft. »Geschickt fährt er zurzeit zweigleisig auf der Medienschiene«, stand in einem renommierten Online-Magazin über Gerhard Schröder zu lesen. Dem Kanzler ist ja manches zuzutrauen, aber dass er auf einer Schiene zweigleisig fährt – das soll er den Bahnfahrern dieser Republik erst mal vormachen!

Redewendungen sind populär, doch auch tückisch. Wie Sirenen säuseln sie dem nach Worten Ringenden ins Ohr, locken ihn an, um sein Boot im nächsten Moment am Felsen von Kalau zerschellen zu lassen. Die Gefahr, mit ihnen Schiffbruch zu erleiden, ist umso größer, je weiter sich die ursprüngliche Bedeutung eines geflügelten Wortes im Nebel der Sprachgeschichte verliert.

So ist zum Beispiel kaum noch bekannt, woher der Ausdruck »jemanden am Schlafittchen packen« stammt. Es hat jedenfalls nichts mit »Schneewittchen« zu tun, wie man meinen könnte, wenn mal wieder jemand »am Schlawittchen gepackt« wird. Das Schlafittchen kommt von den Schlagfittichen, den Schwungfedern des Vogels. Das Wort mit einem »w« in der Mitte zu sprechen ist erlaubt und vor allem im süddeutschen Raum üblich, doch wer es schreibt, sollte rechtzeitig auf »f« umschalten.

»Ich habe meinem Chef heute mal die Meinung gegeigt und unter anderem auch das Thema Überstunden aufs Trapez gebracht«, berichtet der junge Mann seiner Freundin am Abend. Sie stutzt und fragt: »Heißt es nicht *aufs Tablett gebracht*?« – Nein, die beiden liegen gleichermaßen daneben, denn die Redewendung lautet richtig *etwas aufs Tapet bringen*. *Tapet* ist Französisch und bezeichnet den Stoffüberzug eines Konferenztisches. Das kommt davon, wenn heute überall am Stoff gespart wird.

Dass Redewendungen im sprachlichen Alltag durcheinander gewürfelt werden, ist nichts Außergewöhnliches und meistens verzeihlich. Wer hat nicht schon mal wie ein Rohrspatz gefroren, wie ein Schneider geschimpft, sich wie ein Honigkuchenpferd gefreut und wie ein Schneekönig gestrahlt?

Etwas anderes ist es, wenn solche Schnitzer so genannten Profis unterlaufen, also Menschen, die ihr Geld damit verdienen, dass sie anderen die Welt erklären. Wie soll man ihnen glauben, dass sie wissen, wovon sie sprechen, wenn sie offenbar die Redewendungen nicht kennen, die sie gebrauchen?

So war im Zusammenhang mit der Krise der SPD die Behauptung zu lesen, »dass Lafontaine wieder Oberwasser wittert«. Man darf davon ausgehen, dass »Oberwasser« im Allgemeinen geruchlos ist, folglich gibt es auch nicht viel zu wittern. Es sei denn, man vermutete Lafontaine in der Kanalisation. Tatsächlich lautet die Redewendung »Oberwasser bekommen«. Wittern tut man (bei Shakespeare) die berühmte Morgenluft. Und auch die wird meistens falsch gedeutet, nämlich als Chance für ein Comeback, dabei bedeutet sie im »Hamlet« genau das Gegenteil, nämlich dass es höchste Zeit ist zu verschwinden.

Auch die Feststellung, dass Gerhard Schröder und Jacques Chirac »auf derselben Wellenlänge schwimmen«, ist in Wahrheit ein Mix aus zwei Wendungen, die nicht zusammenpassen. Es sei denn, man hat den Physikunterricht im Hallenbad absolviert. Entweder schwimmt man auf derselben Welle, oder man liegt/funkt auf derselben Wellenlänge.

Der Irrungen, Verwechslungen und Entgleisungen gibt es unzählige, die Suche danach ist die Suche nach dem buchstäblichen Balken im Heuhaufen und der Kampf dagegen ein Kampf gegen Windkrafträder.

Brutalstmöglichst gesteigerter Superlativissimus

Darf's vielleicht ein bisschen mehr sein? Wenn Politik und Werbung Versprechungen machen, dann lassen sie sich nicht lumpen, da wird aus dem Optimalen noch das Optimalste herausgequetscht. Die Superlativierungs-Euphorie kennt keine Gnade, dafür umso mehr sprachliche Missgeschicke.

Schon als Kind bekam man beigebracht, dass man »das einzige« nicht steigern könne. »Das einzigste« gab's nicht. Das ging einfach nicht. War nicht korrekt. Denn »das einzige« war schon wenig genug, »das einzigste« folglich Unfug. Die Eltern haben's verbessert, der Lehrer hat's rot angestrichen. Die Schulzeit ging vorbei, die Wege trennten sich, die einen gingen in die Werbung, die anderen in den Journalismus, und wer für beides nicht taugte, der versuchte sich in der Politik. Hier wie dort wurden die Ermahnungen der Lehrer schnell vergessen, denn man begriff, dass es ohne falsche Superlative nicht geht. Immer sollte man kreativ sein oder innovativ, das lässt sich auf Dauer ohne Drogen und super, super Superlative nicht bewerkstelligen.

Und was gibt es nicht alles für verrückt steigerbare Wörter! Der totale Krieg war gestern, heute herrscht der totalste Wahnsinn! »Deutschlands meiste Kreditkarte« war sicherlich nur ein Slogan, der bewusst provozierend mit der Sprache spielte. Ob alle, die mit diesem lockeren Spruch bombardiert wurden, das auch so verstanden haben, muss dahingestellt bleiben. Das Bedürfnis, Wörter zu steigern, die sich eigentlich nicht steigern lassen, ist jedenfalls »enormst«. Nehmen wir uns nur ein Beispiel an jenem Rennfahrer in Monte Carlo, der die denkwürdigen Worte sprach: »Gewinnen ist das Maximalste.« Das könnte übrigens auch als Motto in goldenen Lettern über dem Eingang des dortigen Casinos stehen.

Manche Momente sind zu schön, um einfach nur perfekt zu sein; für sie wurde die Steigerung zum »perfektesten Moment« erfunden. Und wo wäre die Auto fahrende Bevölkerung ohne »aktuellste Verkehrshinweise«? Vermutlich völligst hinterm Mond. Doch das ist noch gar nichts gegen die Steigerungsfähigkeit des kleinen Wörtchens »optimal«. Wenn es darum geht, Menschen von irgendetwas zu überzeugen, dann ist das Beste einfach nicht bestens genug. Vom Berliner Finanzsenator bis zum Schweizer Verkehrsminister sind alle emsigst auf der Suche nach dem übersteigerten Optimum: So lautet die Vorgabe für den Berliner Haushalt, die »finanziell optimalste Lösung zu finden«, und ein Vertrag mit Deutschland über die Luftüberwachung wird zur »optimalsten Lösung für die Schweiz«.

Was die Politik kann, kann die Werbung schon lange: »Dies alles garantiert Ihnen beste Beratung und optimalsten Service«, behauptet ein Schweizer Optiker im Internet. Und dabei ist er noch bescheiden, denn man hätte, mit ein bisschen Fantasie, den Bogen durchaus noch weiter spannen können, zur »bestmöglichen Beratung« zum Beispiel, wenn nicht gar zur »idealsten«.
Dabei bedeutet »optimal« nichts weiter als »das Beste im Rahmen der Möglichkeiten«, und das kann manchmal sehr wenig sein. Optimal ist nicht dasselbe wie perfekt, und die Steigerung zu »optimalst« macht es nicht besser. In keinster Weise.
Diverse Computer-Anbieter werben mit der angeblich »optimalsten Hardware«, sinnieren öffentlich über die »optimalste Systemanpassung« und die »optimalste Datenübertragungsrate«. Eine Firma verspricht sogar die »optimalste,

effizienteste und möglichst kostengünstigste Lösung«; da fühlt man sich als Kunde vom König zum Königst befördert.

Apropos König: Schon Ludwig XIV., Frankreichs »L'Etat c'est moi«-Regent, herrschte ja nicht bloß absolut, sondern absolutistisch. Beim Anhängen der Silbe »-istisch« handelt es sich zwar im streng grammatischen Sinne nicht um eine Steigerung, sondern bloß um eine Ableitung, doch für unser Ohr hört es sich nach »mehr« an. In Zeiten von terroristischen Anschlägen durch Glaubenseiferer wird das »-istisch« gern verwendet, um das Böse, Gefährliche, Unberechenbare zu markieren. Manchem Schreiber ist ein -istisch nicht genug, er geht lieber auf Nummer sicher und verdoppelt den Effekt, auch wenn meistens keine sprachliche Notwendigkeit dazu besteht. Denn was ist, abgesehen von ein paar zusätzlichen Silben, der Unterschied zwischen einem fundamental-islamischen Extremisten und einem fundamentalistischen islamistischen Extremisten? Eines ist immerhin erwiesen: Wörter auf »-istisch« lösen Alarm aus, da gehen die Leser instinktiv in Deckung.

Das tun sie natürlich auch beim Super-GAU, aber nicht beim stinknormalen GAU. Ohne den Super-Vorsatz vermag der »größte anzunehmende Unfall« heute offenbar niemandem mehr Angst einzuflößen. Kein Wunder, denn bei all den Hyper-, Ultra- und Megalativen in der Werbung und im Infotainment ist man gegen steigerungsfreie Ankündigungen »ganz normaler Katastrophen« schon völlig immun.
Dass sich auch der Super-GAU noch steigern lässt und die Mitte ungefähr dort liegt, wo es am zentralsten ist, führt uns jener Politiker vor Augen, der in der »Frankfurter Allgemeinen Zeitung« sagte: »Das wäre der größte Super-GAU in der Arbeitsmarktpolitik, den ich je erlebt habe. Wir liefen Ge-

fahr, eine der zentralsten Reformen vor die Wand laufen zu lassen.«

Eine Fallgrube, in die immer mal wieder jemand stolpert, ist das aus zwei Teilen, nämlich aus Adjektiv und Partizip, gebildete Attribut. Wie herrlich einfach werden da aus »weit reichenden« Vollmachten erst weitreichendere Vollmachten und schließlich weitreichendste Vollmachten. Die korrekte Steigerung von »weit reichend« lautet indes »weiter reichend«, »weitest reichend«. Unlängst war in der »Tagesschau« zu hören, der Ärmelkanal sei eine der »vielbefahrensten« Seestraßen der Welt, statt »meist befahrenen«. Selbst das eine oder andere angesehene Internet-Nachrichtenmagazin lässt sich gelegentlich dazu hinreißen, über »tiefgehendere« Reformen zu schreiben. Kein Wunder, dass es mit den Reformen nicht richtig vorangeht, wenn der erste Teil des Attributs übersprungen wird und man sich im zweiten verbeißt. Pferde soll man nicht von hinten aufzäumen, und mehrteilige Attribute nicht von hinten steigern!
Im Wissen um diese Fehlerquelle haben die Väter der viel gescholtenen Rechtschreibreform übrigens beschlossen, dass solche Attribute nicht mehr zusammengeschrieben werden. So wurde »weitreichend« zu »weit reichend«, »schwerverständlich« zu »schwer verständlich« und »gutaussehend« zu »gut aussehend«. Damit man nicht mehr so leicht in Versuchung gerät, den falschen Teil zu steigern. Die Regel lautet: »Ist der erste Bestandteil ein Adjektiv, das gesteigert oder erweitert werden kann, dann schreibt man getrennt.«

Dies wird andere aber nicht davon abhalten, weiterhin von höchstqualifiziertesten Bewerbern, meistbesuchtesten Veranstaltungen und bestangezogensten Filmstars zu sprechen. So bejubelte ein Plattenkritiker in der »Süddeutschen

Zeitung« das neue Album eines Rap-Sängers als »eines der schnellstverkauftesten der Popgeschichte«.

Hübsch ist in diesem Zusammenhang auch der Kommentar Heiner Geißlers zur Garderobe seiner Parteivorsitzenden Angela Merkel: »Am besten« sei das klassische unauffällige Kostüm, sagte er, »noch besser der Hosenanzug«. Komparativ als Steigerung des Superlativs, das ist nicht unbedingt logisch, in diesem Fall aber immerhin originell.

Der Erfinder des »brutalstmöglichen« Superlativs überraschte abermals mit einer eigenwilligen Steigerung, die es prompt in den »Hohlspiegel« schaffte: Wer ein Beschäftigungsangebot ablehne, so Roland Koch, müsse mit Sanktionen »bis hin zur vollständigen Streichung« der Sozialhilfe rechnen. »Bei fortgesetzter Weigerung wird die Sozialhilfe noch stärker gekürzt.«

Auch Hamburgs Erster Bürgermeister Ole von Beust bereicherte die deutsche Sprache um einen neuen Superlativ: Den Justizsenator Roger Kusch bezeichnete er als einen seiner »langjährigsten« Freunde. Welch ein Prädikat! Glücklich, wer engste, beste, vertrauteste, wertvollste oder älteste Freunde hat. Dem fällt die angemessene Wortwahl sicherlich leichter.

Wer mit Hochstapelei nichts im Sinn hat, wird es begrüßen, wenn nicht alles bis ins Unermesslichste gesteigert wird. Manchmal dient es einer Sache mehr, wenn man auf Komparativ und Superlativ verzichtet und einfach auf dem Teppich bleibt. Den nennen die Grammatiker übrigens »Positiv«. Ebenfalls ein Wort, das man nicht zu steigern braucht. Denn wie viel positiver als positiv wäre das positivste Ergebnis bei einem Schwangerschaftstest?

Stop making sense!

Seit einiger Zeit hat sich im deutschen Sprachraum eine Phrase breit gemacht, die auf die alte Frage nach dem Sinn eine neue Antwort zu geben scheint. Mit ihr feiert die Minderheitensprache Denglisch ungeahnte Triumphe, grammatischer Unsinn »macht« plötzlich Sinn.

»Früher war alles besser«, sagen ältere Menschen gern. »Früher war alles schlechter«, pflegt der Großvater der Opodeldoks zu sagen. Wie auch immer man die Vergangenheit bewertet, sicher ist: Früher war einiges anders. Früher sagte man zum Beispiel noch: »Das ist sinnvoll.« Dieser Ausdruck scheint inzwischen vollständig verschwunden. Neuerdings hört man nur noch »Das macht Sinn«, in der Negation »Das macht keinen Sinn« oder, im besten Kauderdeutsch: »Das macht nicht wirklich Sinn ...«.

Herkunftsland dieser Sprachmutation ist wieder einmal »Marlboro Country«, das Land, wo angeblich alles möglich ist, solange der Strom nicht ausfällt. »That makes sense« mag völlig korrektes Englisch sein, aber »Das macht Sinn« ist alles andere als gutes Deutsch. Irgendwer hat es irgendwann zum ersten Mal verkehrt ins Deutsche übersetzt, vielleicht war es sogar derselbe, dem wir die unaussprechlichen »Frühstückszerealien« zu verdanken haben und das schulterklopfende »Er hat einen guten Job gemacht« (»He did a good job«), welches die bis dahin gültige Feststellung »Er hat seine Sache gut gemacht« abgelöst zu haben scheint. Wie auch immer, jedenfalls hat der Erfinder damit einen grandiosen Hit gelandet, um den ihn jede Plattenfirma beneiden würde. Denn »macht Sinn« läuft auf allen Kanälen, dudelt aus sämtlichen Radios, schillert durch Hunderte Illustrierte, hallt aus den Schluchten des Zeitgeistmassivs und verliert sich in den tiefsten Niederungen unserer Spaßgesellschaft.

Es gibt Menschen, die finden die Phrase »schick«, weil »irgendwie total easy und aktuell mega angesagt«. Diese Menschen haben ihr Sprachgefühl vor vielen Jahren im Babyhort irgendeiner Shopping-Mall abgegeben und »voll im Endstress« vergessen, es hinterher wieder abzuholen.
Es gibt andere, denen kommt die Phrase wie gerufen, weil sie modern und hemdsärmelig-zupackend zugleich klingt: »Das macht Sinn« ist prima geeignet, um über ein mangelndes Profil oder fehlende Sachkompetenz hinwegzutäuschen und von politischen Missständen abzulenken. Da wird von »machen« gesprochen und gleichzeitig Sinn gestiftet! Das ist der Stoff, aus dem große politische Reden geschrieben werden: »Ich sag mal, das macht Sinn, das ist so in Ordnung ...«

Die breite Masse der »macht Sinn«-Sager denkt sich nichts dabei, vielleicht hält sie die Redewendung sogar für korrektes Deutsch. Schließlich hört man es doch täglich im Fernsehen; da kommt einem das »macht Sinn« irgendwann wie von selbst über die Lippen. Es ist ja auch so schön kurz, prägnant und praktisch. Ob nun richtig oder falsch, was »macht« das schon, solange es jeder versteht.

Es macht vielleicht wirklich nicht viel, nicht mehr als ein Fettfleck auf dem Hemd, als Petersilie zwischen den Zähnen, als ein kleines bisschen Mundgeruch. Doch schon der Kolumnist und Satiriker Max Goldt geißelte den »primitiven Übersetzungsanglizismus« und warnte davor, dass Menschen, die »macht Sinn« sagen, von anderen weniger ernst genommen würden. Das Wort »machen«, so Goldt, komme ohnehin schon häufig genug vor in der deutschen Sprache.

Womit er allerdings Recht hat. Deutsch ist die Sprache der Macher und des Machens. Das fängt bei der Geburt an (den ersten Schrei machen) und endet mit dem Tod (den Abgang machen). Dazwischen kann man das Frühstück machen und die Wäsche, einen Schritt nach vorn und zwei zurück; man kann Pause machen, Urlaub oder blau, eine Reise ins Ungewisse und plötzlich Halt; man kann eine gute Figur machen und trotzdem einen schlechten Eindruck; man kann den Anfang machen, seinen Abschluss machen, Karriere machen; man kann drei Kreuze machen, Handstand oder Männchen machen; man kann die Nacht durchmachen, ein Opfer kaltmachen, Mäuse, Kies und Kohle und sich ins Hemd machen; man kann andere zur Schnecke machen und sich selbst zum Affen; man kann sogar Unsinn machen – aber Sinn?

»Sinn« und »machen« passen einfach nicht zusammen. Das Verb »machen« hat die Bedeutung von fertigen, herstellen, tun, bewirken; es geht zurück auf die indogermanische Wurzel *mag-*, die für »kneten« steht. Das Erste, was »gemacht« wurde, war demnach Teig. Etwas Abstraktes wie Sinn lässt sich jedoch nicht kneten oder formen. Er ist entweder da oder nicht. Man kann den Sinn suchen, finden, erkennen, verstehen, aber er lässt sich nicht im Hauruck-Verfahren erschaffen.

Die deutsche Sprache bietet viele Möglichkeiten, den vorhandenen oder unvorhandenen Sinn auszudrücken. Neben »Das ist sinnvoll« ist ebenso richtig: »Das ergibt einen Sinn«, »Das hat einen Sinn«, »Ich sehe einen Sinn darin«. Um nur eine Ahnung der vielfältigen Möglichkeiten zu geben, sei hier ein Auszug aus dem monumentalen Lamento-Monolog des sagenumrankten Sinnfried Sinnstifter zitiert, der die Aufforderung, einen sinnvollen Satz ohne »machen« zu formulieren, empört mit folgenden Worten zurückwies: »Warum sollte das sinnvoll sein? Ich sehe keinen Sinn darin! Welcher Sinn sollte sich dahinter verbergen? Das ist vollkommen unsinnig! Ich kann keinen Sinn darin erkennen. Das ist absolut ohne Sinn, es ergibt nicht den geringsten Sinn. Ich frage Sie, wo bleibt da der Sinn? Liegt denn überhaupt ein Sinn darin? Der Sinn des Ganzen ist unergründbar! Mir vermag sich der Sinn nicht zu erschließen, und je länger ich den Sinn zu ergründen, zu erhaschen, zu begreifen suche, desto deutlicher sehe ich, dass es keinen Sinn hat!«

In ein paar Jahren steht »macht Sinn« vermutlich im Duden-Band 9 (»Richtiges und gutes Deutsch«), dann haben es die Freunde falscher Anglizismen mal wieder geschafft. So wie mit »realisieren«, das auf Deutsch lange Zeit nur »verwirklichen« hieß und neuerdings laut Duden auch die im Englischen übliche Bedeutung »begreifen«, »sich einer Sache bewusst werden« haben kann. Dass an der Börse Gewinne realisiert werden, ist lange bekannt, denn die Wirtschaft kennt »realisieren« als Fachterminus für »in Geld verwandeln«; aber neu ist, wenn der Sieger eines Radio-Quiz gefragt wird, ob er seinen Gewinn von 18 000 Euro denn schon realisiert habe? Oder wenn eine Schwimmweltmeisterin nach ihrem dreifachen Triumph in Barcelona im Fernsehen verkündet, sie könne ihre Siege noch gar nicht realisieren, obwohl ihr die Medaillen bereits um den Hals hingen. Und dann dieser tragische Fall aus Vorarlberg, auf www.orf.at vermeldet: Da war von einer geistig verwirrten Frau die Rede, die neben ihrem toten Mann im Bett lag und die »aufgrund ihrer Krankheit nicht in der Lage« war, »den Tod zu realisieren«.
Wohin das noch führen soll? Womöglich zu neudeutschen Drehbuchtexten wie diesem: »Wie bitte, dein Mann betrügt dich mit deiner besten Freundin? Das realisier ich einfach nicht! Das macht doch irgendwie total keinen Sinn!«

Visas – die Mehrzahl gönn ich mir

Sind Antibiotikas schädlich? Lohnen sich Praktikas? Was man nicht selber weiß, das muss man sich erklären. Oder man schlägt's im Lexika nach. Viele kennen sich im Einzelfall nicht aus, und erst recht nicht mit der Mehrzahl.

Neulich im Café, Mutter und Tochter bringen sich bei Schokosahnetorte mit Schlag (Mutter) und Vollkorn-Möhrenkuchen (Tochter) auf den neuesten Stand der Dinge. Die Mutter löst vier Stück Würfelzucker in ihrem Tee auf und sagt: »Ach, ihr wollt in die Türkei? Na ja, machen ja viele in letzter Zeit. Die Hotels sollen ja auch ganz anständig sein. Aber sag mal, Kleines, die Türkei ist ja nicht EU, braucht ihr denn da keine Visas?«

Da war es wieder, dieses Wort mit der doppelten Pluralendung. Nicht erst seit PISA leidet Deutschland am Visa. Die massive Werbung der gleichnamigen Kreditkarte hat offenbar dafür gesorgt, dass die Einzahl Visum weiträumig in Vergessenheit geraten ist. So steht dem »Veni, vidi, vici!« (Ich kam, sah und siegte) des humanistisch gebildeten Einzelfalls heute das »Visums, Visas, Visi?« der orientierungslosen Mehrheit gegenüber.
Ganz betroffen sind wir auch von all den vielen »Praktikas«, die junge Menschen heute absolvieren müssen, um herauszufinden, was sie später definitiv *nicht* machen wollen. Immer mehr Musiker spielen gerne »Solis«, und mit erschreckender Geschwindigkeit machen vertrauliche »Internas« die Runde. Wenn nicht gar »Internatas«.

Kann man es den Deutschen aber überhaupt zum Vorwurf machen, wenn sie Fremdwörter falsch benutzen? Immerhin hat Mutti im Café doch gewusst, dass man an Wörter, die mit einem Vokal enden, ein -s anhängen muss, um die Mehrzahl zu bilden. So wie bei Galas, Omas, Kobras und Zebras. Woher soll sie wissen, dass die Endung -a in diesem Fall bereits die Pluralform markiert? Muss man das kleine Latinum gemacht haben, um mitreden zu können?

Der Umgang mit Fremdwörtern stellt die Deutschen immer wieder vor große Herausforderungen. Erstens gilt es in Erfahrung zu bringen, was das fremde Wort genau bedeutet: (Visum = Ein- oder Ausreiseerlaubnis, Sichtvermerk im Reisepass). Dann ist es nützlich zu wissen, wie man es richtig ausspricht (»Wiesumm«). Und schließlich soll man es noch korrekt beugen und in die Mehrzahl bringen können: des Visums, mit den Visa oder Visen ...

Schon gibt es Menschen, die meinen, das Visa-Prinzip begriffen zu haben, und sich anschicken, andere Begriffe nach demselben Prinzip in die Mehrzahl zu wuchten: Da werden aus einem »Universum« plötzlich mehrere »Universa«. So heißen vielleicht Sportvereine und Versicherungen, aber auf Deutsch spricht man nach wie vor von Universen, daran hat sich auch durch die Rechtschreibreform nichts geändert.

Und dann gibt es Menschen, die sich immer wieder freiwillig in die Quadratur des Kreises verbeißen, indem sie versuchen, von ohnehin schon unbequemen Fremdwörtern auch noch die Mehrzahl zu bilden.

»Wie lautet der Plural des Wortes Lapsus?«, will ein Kollege von mir wissen, »Lapsi? Lapsusse?« Da ich weiß, dass ihn die Antwort nicht zufrieden stellen wird, empfehle ich ihm, es mit einem anderen Wort zu probieren. »Dann nehme ich Fauxpas«, sagt er, »wie lautet da die Mehrzahl?«

Ähnlich harte Nüsse haben Menschen aus der IT-Branche zu knacken, die immer wieder aus heiterem Himmel in Notsituationen geraten, in denen sie Wörter wie Status und Modus in die Mehrzahl zwängen wollen.

Der Plural des lateinischen Wortes *status* lautet *statūs*, mit langem u. Und die deutsche Sprache sieht keine anders lautende Nebenform vor. Also: zwei Status, wie auch zwei Lapsus.

Der Drang der deutschen Zunge, an die Endung noch ein -se anzuhängen, ist kaum zu bezähmen. So gibt es im gesprochenen Deutsch jede Menge »Lapsusse« und »Statusse«, die nicht mit dem Lateinischen konform gehen, aber immerhin in Analogie zu einem berühmten Fall aus der Pflanzenwelt gebildet scheinen: Kaktus, Kaktusse.

Sagte ich gerade Kaktusse? Es heißt natürlich Kakteen, wie jeder weiß. Mit den Analogien ist das so eine Sache. Im Moment blühen übrigens gerade die Krokeen – ganz entzückend sieht das aus, diese vielen kleinen orange und violetten Blüten ...

Status und Lapsus gehören übrigens in eine Reihe lateinischer Lehnwörter, die zwar im Singular auf -us enden, im Plural dann aber wider Erwarten kein -i bekommen. Das Lateinische unterscheidet fünf Deklinationstypen, und am tückischsten ist der vierte, die so genannte u-Deklination. Zu ihr gehören auch der Passus und der Kasus.

Ein angehender Medizinstudent wollte von mir wissen, wie die Mehrzahl von Exitus lautet. »Als Arzt muss man doch – leider – auch immer mal den Exitus eines Patienten feststellen. Wenn man nun mehrere ›Exitusse‹ benennen will, wie sagt man dann richtig: Exiti?« – Nein, antwortete ich ihm, Exiti heißt es nicht, auch nicht Exits, das sind die Ausgänge im Englischen. Tatsächlich zählt Exitus zur Gruppe der unzählbaren Hauptwörter, also zu jenen, von denen sich gar keine Mehrzahl bilden lässt. Der Plural von Exitus lautet Todesfälle, sagte ich. Das klingt zwar nicht so gelehrt, wie es die Mediziner lieben, aber dem Tod ist es egal, ob man ihn auf Deutsch oder Latein anredet.

Chaos, Chaosse oder Chaoti? Noch so ein unzählbarer Fall: Kann es mehr als ein Chaos geben? Nehmen wir nur mal das Chaos auf meinem Schreibtisch im Büro und dann das bei mir zu Hause, das wären schon mal zwei. Und wenn man sich ein bisschen umblickte, fände man bestimmt noch weitere. Eine Mehrzahlform für Chaos sieht unsere Sprache trotzdem nicht vor.

Damit zurück ins Café. Dort ist die Mutter inzwischen beim dritten Stück Torte und ihrem Lieblingsthema Gesundheit angelangt. »Ich war gestern beim Arzt«, stöhnt sie, »der hat mir wieder ein Antibiotika verschrieben. Dabei ist doch genug davon im Schweinefleisch. Die pumpen die armen Viecher doch voll mit ihren Pharmakas.« Die Tochter, ernährungsbewusste Chemielaborantin, blickt ihre Mutter voller Mitleid an und sagt: »Es heißt Pharmaka. Und Antibiotikum. Antibiotika ist die Mehrzahl!« – »Mehr zahlen muss ich außerdem dafür«, erwidert die Mutter und setzt noch einen beliebten Plural obendrauf: »Volle zehn Euros!«

Wenn Fremdwörter sich lange genug im Land aufhalten,

werden sie irgendwann nicht mehr als fremd empfunden. Den häufig gebrauchten Wörtern gelingt es in der Regel, sich zu assimilieren: Sie nehmen deutsche Schreibweisen an und erhalten deutsche Endungen.
Das lateinische Wort »focus« (das ursprünglich »Herd«, »Feuerstelle« bedeutete) ist im Deutschen zum Fokus (= Brennpunkt) geworden, die Mehrzahl, die im Lateinischen noch »foci« lautet, heißt im Deutschen Fokusse.
Der Plural des berühmten Kommas darf sich neben der wissenschaftlichen
Form »Kommata« längst Kommas nennen, und »mehrere Atlanten« sind
auf Deutsch inzwischen auch als »mehrere Atlasse« zu haben.

Manche Fremdwörter assimilieren sich sogar doppelt, sodass sie am Ende
mehrere gültige deutsche Formen vorweisen können: So erging es zum
Beispiel der Pizza, die analog zu anderen mit einem Vokal endenden Wörtern wie Auto, Kino, Tipi, Lady, Rikscha zunächst ein Plural-s erhielt. Es
zeigte sich, dass die Deutschen derart vernarrt in die Pizza waren, dass
das Wort einen weiteren Anpassungsschritt vollzog. Die Mehrzahl erhielt
eine typisch deutsche Endung auf -en, wie man sie von Frauen, Herren,
Affen und Läusen kennt. Seitdem schwirren die beliebten »Mafiatorten«
bei uns sowohl als Pizzas als auch als Pizzen herum.

Problematische Fremdwörter in Einzahl und Mehrzahl

Agenda	Agenden
Album	Alben
Antibiotikum	Antibiotika
Apostroph	Apostrophe
Atlas	Atlanten, Atlasse
Causa	Causae
Chaos	– (unzählbar)
Corpus Delicti	Corpora Delicti
Datum	Daten
Dementi	Dementis
Exitus	– (unzählbar)
Fauxpas	Fauxpas
Forum	Foren, Fora (lat.)
Genus	Genera
Globus	Globen, Globusse
Grand Prix	Grands Prix
Humus	– (unzählbar)
Index	Indizes, Indexe
Internum	Interna
Kaktus, Kaktee	Kakteen
Kasus	Kasus
Klima	Klimata, Klimas (selten), Klimate (fachspr.)
Kodex	Kodizes, Kodexe
Komma	Kommata, Kommas
Lapsus	Lapsus
Lexikon	Lexika, Lexiken

Problematische Fremdwörter in Einzahl und Mehrzahl

Liga	Ligen
Modus	Modi
Niveau	Niveaus (»niveaux« nur frz.)
Nomen	Nomina, Nomen
Opus	Opera
Passus	Passus
Periodikum	Periodika
Perpetuum mobile	Perpetua mobilia
Pharmakon	Pharmaka
Plenum	Plenen
Praktikum	Praktika
Schema	Schemata, Schemas, Schemen (selten)
Semikolon	Semikola, Semikolons
Status	Status
Szenario	Szenarios
Szenarium	Szenarien
Thema	Themata, Themen
Tonikum	Tonika
Topos	Topoi
Turnus	Turnus, Turnusse
Universum	Universen
Visum	Visa, Visen
Vita	Viten, Vitae (lat.)

Eine vitale Rolle

Hat jemand schon mal die Möglichkeit in Betracht gezogen, dass das Verhältnis zwischen Deutschland und den USA vor allem deshalb so angespannt ist, weil wir die Amerikaner einfach nicht richtig verstehen? Nicht immer hapert's mit der Diplomatie, manchmal hapert's einfach nur mit der Übersetzung.

Kurz nach dem Sturz Saddam Husseins rauschte die Aussage George W. Bushs durch den deutschen Blätterwald, der UNO solle beim Wiederaufbau des Irak »eine vitale Rolle« zukommen. Immer und immer wieder war das zu hören, in den Fernsehnachrichten, im Radio, jeder plapperte es nach, die mysteriöse Kunde verbreitete sich über sämtliche Kanäle und Vertriebswege. »A vital role« hatte der amerikanische Präsident der UNO anlässlich eines Treffens mit seinem britischen Waffenbruder Tony Blair in Nordirland im April 2003 versprochen. Seitdem ergingen sich Kommentatoren aller Nachrichtenredaktionen der Bundesrepublik in Mutmaßungen darüber, was man unter einer »vitalen Rolle« zu verstehen habe. Vital, das wissen wir aus der Doppelherz-Werbung, heißt so viel wie »munter«, »lebenskräftig« und »unternehmungsfreudig«. So und nicht anders steht es auch im Fremdwörterbuch aus dem Dudenverlag.

Was um alles in der Welt mag Bush aber mit einer »munteren Rolle« für die UNO gemeint haben? Das klingt nach einem diplomatischen Trick. Unternehmungsfreudig hört sich noch sonderbarer an – da schöpft man doch sofort Verdacht: Wiener Kongress, ick hör dir tanzen! Bush will die UNO-Vertreter im Irak auf Ausflugstouren schicken und mit einem bunten Unterhaltungsprogramm ablenken, während er still und heimlich eine neue Weltordnung etabliert.

Drinnen wiegen sich die Vereinten Nationen im vitalen Dreivierteltakt, während draußen Lastwagenkolonnen die irakischen Ölreserven abtransportieren!

Da will uns doch jemand verschaukeln, das habe ich mir schon gleich gedacht, als ich das erste Mal von »präemptiver Außenpolitik« und von »imbettierten Journalisten« hörte. Und nun also noch eine vitale Rolle – das könnte ihm so passen, diesem texanischen Imperialisten! Nein, damit wird sich die UNO nicht zufrieden geben, nicht solange die *Schröder-Administration* noch ein Wörtchen mitzureden hat! Deutschland fordert nicht mehr und nicht weniger als eine *maßgebliche* Rolle für die UNO, und wenn Sie das nicht akzeptieren, Mister President, dann bleibt das deutsch-amerikanische Verhältnis eben weiter so, wie es ist, nämlich frosty!

Ist doch wahr, wie soll man nach all dem bösen Blut, das es gab, mit dem Amerikaner je wieder warm werden, wenn er der UNO nicht mal beim Wiederaufbau des Irak eine tragende Rolle zubilligen will?

Ehe wir die amerikanische Botschaft dichtmachen und das diplomatische Corps ausweisen, schlagen wir aber doch noch mal im Englisch-Wörterbuch nach. Nur zur Sicherheit. Deutsche Gründlichkeit eben. Da steht unter dem Stichwort »vital«: hochwichtig, entscheidend, maßgeblich, wesentlich, grundlegend.
Na bitte, Mister President, warum denn nicht gleich so?

Phrasenalarmstufe Gelb

Obwohl Journalisten sich nur ungern dem Vorwurf aussetzen, unzeitgemäß zu sein, ziehen viele von ihnen beharrlich einen Marketenderkarren voll Gerümpel hinter sich her. Darauf befinden sich alte Hüte, Kappen, Fahnen, Hörner, Nähkästchen und jede Menge geplatzter Kragen. Wer ihnen den Krempel abkaufen soll? Die Leser natürlich.

Wer regelmäßig die Zeitungen studiert, der stößt immer wieder auf bedauernswerte Kreaturen, die von irgendjemandem »im Regen stehen gelassen« wurden. Mal sind es die Ärzte, die von der Gesundheitsministerin im Regen stehen gelassen wurden, dann wieder die Arbeitnehmer, die von den Gewerkschaften im Regen stehen gelassen wurden, und immer wieder werden Fußballspieler von ihren Clubs und Bürgermeister von ihrer Partei im Regen stehen gelassen. Kein Wunder, dass es heißt, in Deutschland regne es andauernd, wenn schon die Nachrichten derart triefend daherkommen.

Wie schnell der Regen in Hagel übergehen kann, zeigt sich immer wieder, wenn Kritik ins Spiel kommt. Kritik, Proteste, Absagen und Parteiaustritte gibt es offenbar nur in Form von Hagel. Dabei ist manche Kritik so dürftig, dass sie allenfalls zu einem leichten Nieseln im Stande wäre. Die Behauptung, es hagle Kritik, wird aber automatisch erhoben, sobald irgendwo mehr als zwei Gegenstimmen gezählt werden.

Vor Regen schützt ein Schirm, gegen Hagel hilft eine feste Kopfbedeckung. Und weil es in Stadien so oft hagelt (Proteste, Buhrufe, Pfiffe), gehört neben dicken Socken und Reklametrikot auch eine Kappe zur Standardausrüstung eines Fußballspielers. Wie oft liest man, dass ein Torwart oder ein Mannschaftskapitän etwas »auf seine Kappe« nehmen musste.

Auch Politiker müssen häufiger was »auf ihre Kappe« nehmen, diese Erkenntnis gewinnt man längst nicht nur zu Karnevalszeiten. Mancher trägt zur Abwechslung auch mal einen Hut; denn immer wieder kann man lesen, dass der eine oder die andere mit einer bestimmten Weltanschauung »nichts am Hut« habe: »Mit penibler Aktenführung hatte Helmut Kohl wohl nichts am Hut« (SPIEGEL); »Dabei hat Brandenburgs neuer Verkehrsminister mit Musik nichts am Hut« (»Bild«).

Stattdessen haben sie sich nicht selten irgendetwas »auf die Fahnen geschrieben«. Das klingt beeindruckend, hört sich aber nach mehr an, als es in Wahrheit ist: Auf der CDU-Fahne steht »CDU«; auf der SPD-Fahne stand mal »Freiheit, Gleichheit, Brüderlichkeit« und »Einigkeit macht stark«, heute meistens nicht mehr als »SPD«. Offenbar aber können es manche nicht lassen, den Politikern diverse antiquierte Gegenstände an die Hand zu geben, zum Beispiel Hörner, in die sie nacheinander hineinblasen dürfen. Anderntags liest man dann, Angela Merkel habe »ins selbe Horn gestoßen«, in das zuvor schon Roland Koch getrötet hatte.

Und dann das berühmte Nähkästchen! Das tragen die Stars immer mit sich herum, damit sie jederzeit daraus plaudern können, wenn sie sich mit einem Journalisten zum Tee treffen. Darin befindet sich auch immer ein zusammengefaltetes Stück Papier, das aber selten herausgekramt wird, denn regelmäßig heißt es, der Befragte habe »kein Blatt vor den Mund« genommen. Eine hübsche altmodische Wendung, die übrigens auf eine Theatersitte zurückgeht. Dabei hielten sich die Schauspieler ein Blatt als eine Art Maske vor den Mund, um für ihre kritischen oder lästerlichen Äußerungen später nicht zur Rechenschaft gezogen zu werden. Es empfiehlt sich, kein Blatt vor den Mund zu nehmen, wenn man ins selbe Horn stoßen will. Der Ton könnte sonst etwas mickrig klingen.

Wem alles zu viel wird, dem platzt zwangsläufig der Kragen: »Dem Polizeihauptmeister platzte der Kragen, als er sich den rostigen Ford-Transit ansah« (»Dresdner Morgenpost«). Bei einer Uniform mag das noch angehen, aber wie viel Wut gehört dazu, einen Rollkragen zum Platzen zu bringen? Oder einen labberigen T-Shirt-Kragen? Schließlich platzen nicht nur Hemdträgern die Kragen. Auch »Ulla Schmidt platzt der Kragen«, wusste eine Zeitung unlängst zu berichten. Wenn der Ministerin aber der Hals schwillt, platzt erst mal die Perlenkette. In deutschen Zeitungen hört man ständig irgendwelche Kragen platzen, manchmal sind es gleich mehrere auf einmal, wenn es zum Beispiel heißt: »Den Gladbach-Fans platzte der Kragen« (»Bild am Sonntag«). An jenem Tag waren mehrere Tausend Gladbach-Fans im Stadion. Welch ein Knall muss das gewesen sein!

Das muss dann wieder irgendjemand auf seine Kappe nehmen, auch wenn er damit nichts am Hut hat, weil er sich etwas völlig anderes auf die Fahnen geschrieben hat, aber sonst hagelt es wieder Proteste, und man lässt ihn am Ende womöglich im Regen stehen.

Babylonische Namensverwirrung

Und der Herr stieg hinab und verwirrte ihre Sprache, damit keiner mehr den anderen verstehe. Wie immer leistete er ganze Arbeit. Den Rest erledigten die Amerikaner. So wirkt die Verwirrung, die über die Babylonier kam, bis heute nach. Vor allem herrscht Unklarheit darüber, wie das Volk zwischen Euphrat und Tigris wirklich heißt.

Zugegeben, kaum ein Wortfeld ist so unübersichtlich und mit so vielen Unregelmäßigkeiten und Ausnahmen übersät wie das der Ländernamen und ihrer Ableitungen. Wenn die Engländer keine Engel sind, warum heißen dann die Finnen nicht Finnländer? Und warum nennen wir unsere Nachbarn im Südwesten nicht Frankreicher? Die im Südosten heißen ja schließlich auch nicht Österrosen! Je weiter man in die Ferne schweift, desto komplizierter wird es: Monegassen, Andorraner, Togolesen, Jemeniten, Venezolaner, da verliert man schnell die Übersicht. Nie aufhören wird der Streit, ob die Bewohner Zyperns Zyprioten oder Zyprer heißen. Die Uno vermittelt seit Jahrzehnten vergeblich ...

Wo das Schulwissen versagt, bildet der Mensch Analogien. Fernöstliche Völker enden gerne mal auf »-esen«, daher werden die Bewohner Taiwans fälschlicherweise oft Taiwanesen genannt, zumal sie doch Chinesen sind. Dass es in Wahrheit schlicht und einfach »Taiwaner« heißt, steht zum Beispiel im Duden. Genauso wenig heißen die Bewohner der chinesischen Hauptstadt Pekinesen. Außer -esen nichts gewesen mit der Analogie.

Der jüngste Krieg im Nahen Osten hat ein Volk in den Mittelpunkt des Interesses gerückt, das von den Amerikanern »the Iraqis« genannt wird. Prompt hört man deutsche Korrespondenten auf allen Kanälen über »die Irakis« berichten. Vielleicht gilt ja die Regel, dass alle Völker des Nahen und Mittleren Ostens auf »-is« enden: Israelis, Saudis, Kuwaitis, Pakistanis? Aber was ist dann mit den Syrern und Jordaniern? Die Sache verhält sich wie so oft komplizierter als gewünscht: Nur zwei -is von vieren sind richtig. Die Bewohner Kuwaits heißen Kuwaiter, und Pakistanis sind im Deutschen Pakistaner. Auch hier hilft das Analogisieren nicht weiter und Abschreiben von den Amerikanern schon gar nicht. Daher gibt es im Deutschen auch keine Bangladeschis und Sri Lankis, sondern nur Bangladescher und Sri Lanker.

Jeder Name hat seine eigene Geschichte; einige Ableitungen gelten heute als veraltet. Inzwischen wird in der Regel die einfache Endung auf -er bevorzugt, also Liberier statt Liberianer, Zyprer statt Zyprioten, Sudaner statt Sudanesen.

Was aber nicht heißen soll, dass die ältere Form nicht mehr gültig oder gar verboten wäre. In vielen Fällen findet man im Wörterbuch zwei mögliche Formen, so wie für die Tibeter, die auch noch als Tibetaner geführt werden. (Aber nicht als Tibetesen ...)

Den »Irakis« bleibt im Deutschen indes nur die Benennung als Iraker, alles andere kommt nicht in die Tütis. Deswegen braucht jetzt aber niemand Azubis in Azuber umzutaufen.

Land	Bewohner
Andorra	Andorraner
Angola	Angolaner
Bangladesch	Bangladescher
Barbados	Barbadier
Elfenbeinküste	Ivorer
Ghana	Ghanaer
Irak	Iraker
Irland	Irländer, Iren
Jemen	Jemeniten
Kongo	Kongolesen
Kuwait	Kuwaiter
Laos	Laoten
Madagaskar	Madagassen
Monaco	Monegassen
Myanmar (Birma, Burma)	Burmesen, Burmanen
Namibia	Namibier
Nepal	Nepalesen
Niger	Nigrer
Nigeria	Nigerianer
Pakistan	Pakistaner
Panama	Panamaer
Paraguay	Paraguayer
Philippinen	Philippiner
Sansibar	Sansibarer
Slawonien (Teil Kroatiens)	Slawonen
Slowakei	Slowaken

Land	Bewohner
Slowenien	Slowenen
Taiwan	Taiwaner
Thailand	Thailänder
Tibet	Tibeter, Tibetaner
Togo	Togoer, Togolesen
Venezuela	Venezolaner
Zypern	Zyprer, Zyprioten (veraltet)

Sagt man »im Irak« oder »in Irak«? Heißt es »auf Kuba« oder »in Kuba«?

Zunächst einmal gilt es eine Unterscheidung zu treffen zwischen Landschaftsnamen und Staatennamen. Namen von Landschaften und Regionen werden in der Regel mit Artikel genannt: der Breisgau, die Toskana, das Elsass, der Balkan, die Pfalz, das Kosovo.
Staatennamen hingegen sind meistens artikellos: Afghanistan, Deutschland, Österreich, Zypern ...
Doch es gibt ein paar Ausnahmen: Ist der Name *weiblich*, so wird er mit Artikel gebraucht: die Schweiz, die Türkei, die Ukraine. Ebenfalls mit Artikel werden Staatennamen *im Plural* gebraucht: die USA, die Vereinigten Arabischen Emirate, die Niederlande. Und schließlich steht ein Artikel, wenn der Staatenname *männlich* ist. Allerdings gibt es keine fest definierte Gruppe von männlichen Staatennamen. Vielmehr haben alle, die hier in Frage kommen, ein schwankendes Genus, sie können sowohl männlich als auch neutral ein. Dazu gehören Irak, Libanon, Jemen, Iran, Sudan, Tschad und Kongo. Während das Auswärtige Amt empfiehlt, diese Staaten ohne Artikel zu nennen, wird im allgemeinen Sprachgebrauch die Nennung mit Artikel praktiziert. Da heißt es dann entsprechend *im Kongo, in den Jemen, aus dem Libanon, durch den Tschad, in den Irak.*
Wenn in Nachrichtentexten über den Irak der Artikel fehlt, so geht dies seltener auf die Empfehlung des Auswärtigen Amtes zurück; häufiger lässt es auf eine englischsprachige Quelle schließen. Briten und Amerikaner verwenden das Wort »Iraq« grundsätzlich artikellos. Beim Übersetzen aus dem Englischen wird der deutsche Artikel bisweilen vergessen.
Mal mit und mal ohne Artikel findet man auch (den) Iran genannt. Während »Persien« eindeutig neutral war (jedenfalls in grammatischer Hinsicht), ist

das Genus bei »Iran« im Deutschen nicht eindeutig festgelegt. Auch hier ist die Landessprache ausschlaggebend: Da das Persische keine Artikel kennt, hat »Iran« (was übrigens »Land der Arier« bedeutet) keinen.

Es gibt in dieser Frage kein richtig oder falsch; jedem steht es frei, sich im Falle von Irak, Iran etc. zwischen dem traditionellen Gebrauch mit Artikel und dem amtlichen Gebrauch ohne Artikel zu entscheiden.

Eine andere häufig gestellte Frage im Zusammenhang mit Staatennamen lautet: Heißt es »auf Kuba« oder »in Kuba«? Wenn eine Insel im geografischen Sinn gemeint ist, dann heißt es »auf«. Wenn die Insel aber zugleich ein Land im politischen Sinne ist, kann man auch »in« sagen. »Auf Kuba« bezeichnet die Insel, »in Kuba« bezeichnet den Staat. Ein Malteser kann sowohl *auf* als auch *in* Malta geboren sein, je nachdem, ob seine Nationalität oder seine geografische Herkunft betont werden soll. Dasselbe gilt für die Präpositionen »aus« und »von«.

Eine CD mit kubanischer Musik kann demnach sowohl *von* als auch *aus* Kuba stammen: von der Insel oder aus dem Land. Ein Souvenir von Sylt oder Rügen hingegen kommt nicht *aus* Sylt oder *aus* Rügen, da die beiden Inseln schwerlich als Länder bezeichnet werden können. Ein korsischer Ziegenkäse ist nach diesem Verständnis ein Käse *von* Korsika, da die Insel Korsika kein Land im politischen Sinne ist. Etliche Korsen sehen das allerdings anders.

Der älteste Mann der Welt lebt!

Seit Einstein wissen wir, dass alles relativ ist. Durchs tägliche Zeitunglesen erfahren wir außerdem, dass so manches paradox ist. Eine erhellte Insel, die unbehelligt ist; ein gestorbener Mann, der nicht tot sein kann; Bahnen, die auf Gleisen rasen – die Nachrichtenwelt steckt voller Überraschungen. Und Unsinn.

Nach den USA und Kanada erlebte Italien einen totalen Stromausfall. Stundenlang war die Apenninenhalbinsel ohne Elektrizität. Ausgerechnet! Wo es doch geheißen hatte, in Europa könne so etwas nicht passieren, da unsere Kraftwerke klüger geschaltet seien als in Amerika. Aber darum geht es hier nicht. In der »Süddeutschen Zeitung« war zu lesen: »Kurz nach drei Uhr morgens gingen im nachtschwärmenden Italien die Lichter aus. Von den Alpen bis zum Ätna – nur die Insel Sardinien blieb unbehelligt.«
Paradox, so eine scherzhafte Definition, ist, wenn ein Goethedenkmal durch die Bäume schillert. Paradox ist aber auch, wenn eine Insel bei Dunkelheit von ausbleibendem Licht unbehelligt bleibt. Die Feststellung enthält eine unfreiwillige Komik; denn aus »unbehelligt« hört man »hell« heraus, also das Gegenteil von »dunkel«. Zwar hat dieses »hell« eine andere sprachgeschichtliche Wurzel als das tatsächliche »hell«, es geht auf das mittelhochdeutsche *helligen* zurück, welches zunächst »ermüden«, später dann »stören«, »belästigen« bedeutete, doch wer weiß das schon? Jedes Wort sollte auf seine Tauglichkeit geprüft werden, ehe es in einen klingenden Zusammenhang gesetzt wird. Manche erzeugen nämlich ein Nebengeräusch.

Ein anderes Beispiel für einen Widersinn. Als der Japaner Yukichi Chuganji im Alter von 114 Jahren starb, meldeten einige Zeitungen: »Der älteste Mann der Welt ist tot«. Auch das klingt nach einem Paradoxon: Wenn er nämlich tot ist, kann er nicht mehr der älteste Mann der Welt sein. In der Sekunde seines Todes rückt automatisch der zweitälteste Mann der Welt zum ältesten auf. Es gibt somit immer einen ältesten Mann der Welt, und zwar solange es Männer gibt. Der älteste Mann der Welt kann sterben, doch er kann nicht tot sein. Wir haben es mit dem Phänomen der »Untotbarkeit« des ältesten Mannes der Welt zu tun. Ein logisches Dilemma.

Es ist genau wie mit den Königen in Frankreich. Wir alle kennen doch den berühmten Ruf: »Der König ist tot! Es lebe der König!« In dem Moment, da der alte König die Augen schließt, ist sein Thronfolger bereits der neue König. Selbst wenn der gerade in Italien ist und auf Grund eines Stromausfalls nichts mitbekommt. In Anlehnung daran hätte man den Artikel über das bedauernswerte Ableben des 114-jährigen Seidenraupenzüchters aus Japan vielleicht so überschreiben können: Der älteste Mann der Welt ist tot! Es lebe der älteste Mann der Welt!

Auch die Überschrift »Regionalbahn raste auf Abstellgleis« (»Bild.de«) enthält einen Widerspruch. Die Bahn kann nämlich nicht rasen, sie liegt meist flach auf dem Boden und bewegt sich nur innerhalb einer kalkulierten Dehnungsspanne. Was da raste, war ein Zug. Nun wird das Wort »Bahn« im Volksmund zwar oft als Synonym für Zug verwendet, aber erzählen Sie das mal einem Eisenbahner oder, noch folgenreicher, einem Eisenbahn-Enthusiasten. Unter einem 20-Minuten-Vortrag kommen Sie da nicht weg. Vielleicht ist der Server von »Bild.de« unter dem Proteststurm der Freunde der Eisenbahn zwischenzeitlich kollabiert. Vielleicht blieb er auch unbehelligt.

Wem diese Ausführungen zu haarspalterisch sind, dem empfehle ich, das Buch beiseite zu legen und einen gemütlichen Spaziergang zu unternehmen. Sollten Sie dabei einen Zug sehen, können Sie rufen: »Nun brat mir einer einen Zwiebelfisch: Die Bahn kommt!«

Das Elend mit dem Binde-Strich

»Herr Doktor, mir geht es gar nicht gut«, jammerte das Strich-Männchen. »Ich habe Verdauungs-Probleme, Magen-Schmerzen und Kopf-Weh. Hinzu kommen Vitamin-Mangel, Schlaf-Defizit und Arbeits-Stress.« Der Arzt nickte mitleidig und notierte dann: »Schwerer Fall von Koppelitis!«

Eines der besonderen Merkmale der deutschen Sprache ist die Fähigkeit, durch Zusammensetzung von Wörtern neue Begriffe entstehen zu lassen. Aus Sport und Platz wird Sportplatz, aus Dampf und Schiff wird Dampfschiff, aus Auto und Bahn wird Autobahn. Dies gilt nicht nur für zwei Wortteile, sondern für beliebig viele: Sportplatztribüne, Dampfschifffahrtsgesellschaft, Autobahnraststättenbetreiber. Irgendwann droht so ein Wort allerdings unleserlich zu werden, und für diesen Fall empfiehlt sich dann die Verwendung eines Bindestrichs: Sportplatztribünen-Hinterausgang, Dampfschifffahrtsgesellschafts-Vizechef, Autobahnraststättenbetreiber-Ehepaar.

Die Lesbarkeit sollte neben der Verständlichkeit stets oberste Maxime beim Schreiben sein. Eine Wortkette aus mehr als 30 Buchstaben erweist sich für das lesende Auge bisweilen als Stolperstein und führt zu Irritationen. Ein sinnvoll gesetzter Bindestrich kann Abhilfe schaffen und den Lesefluss verbessern. So weit – so gut.

Manche Menschen halten den Bindestrich allerdings für die coolste Sache seit Seligsprechung des Apostrophs in »Hertha's Bierstübchen«. Sie setzen ihn geradezu verschwenderisch, bei jeder sich bietenden Gelegenheit. »Sieht irgendwie besser aus«, lautet eine der häufigsten Begründungen.

So entstehen zerrupfte Gebilde wie Atom-Krieg, Jahrhundert-Flut, Gedenk-Veranstaltung und Ausnahme-Zustand: Wortzusammensetzungen, die nur noch Wort-Zusammensetzungen sind. Selbst Miniwörter werden noch zu Mini-Wörtern zerbindestricht: Partei-Tag, Spar-Plan, Golf-Platz, Seh-Test. Der Bindestrich wird dabei seinem Namen immer weniger gerecht; denn er trennt mehr, als dass er bindet. Deshalb heißt er in der Druckersprache wohl auch Divis.

Wie in vielen anderen Bereichen hat die Rechtschreibreform auch in puncto Bindestrich die Regeln gelockert. Durften ehedem nur Zusammensetzungen aus mindestens vier Wortgliedern gekoppelt werden, so kann inzwischen auch bei drei oder nur zwei Wortgliedern ein Divis eingefräst werden, sofern dies der Lesbarkeit dient. Koppelungen in Wörtern wie Umsatzsteuer-Tabelle und Lotto-Annahmestelle sind erlaubt. Dennoch ist die Rechtschreibreform keine Rechtschreib-Reform.

Wer darin ein Signal zum vollständigen Verzicht auf Zusammenschreibung zu erkennen glaubte, hat das Regelwerk gründlich missverstanden. Was wiederum nichts Außergewöhnliches ist, denn wer könnte schon von sich behaupten, die Rechtschreibreform verstanden zu haben?

Natürlich gibt es nach wie vor bestimmte Fälle, in denen der Bindestrich angebracht ist. Die berühmte Tee-Ernte, die als Teeernte aussieht, als hätte die »e«-Taste geklemmt, ist so einer; die Schwimm-Meisterschaft ein weiterer. Grundsätzlich ist festzuhalten: Ein Bindestrich ist immer dort willkommen, wo es gilt, ein Missverständnis zu vermeiden oder einen Bestandteil hervorzuheben; er dient also dem Ziel, Klarheit zu schaffen.

Allein: Wie Sätze im Sinne des Klaren schaffen, wo Binde-strichlücken in Scharen klaffen? Sind Wörter wie »Atom-waffenarsenal«, »Uranmunition« und »Verkehrschaos« zu komplex, um zusammengeschrieben zu werden? Ist der durchschnittlich geübte Leser mit dem Wort »Antiterror-komitee« bereits überfordert? Kann unser Gehirn nur ein »Anti-Terror-Komitee« erfassen und verstehen? Manche Schreiber muten ihren Lesern statt Kraftnahrung nur Bröck-chen-Kost zu. Doch vielleicht unterschätzen sie sie. Zu welch erstaunlichen Leistungen unser Hirn im Stande ist, beweist jener Text, der unlängst in mehreren Varianten im Internet kursierte:

Gmäeß eneir Sutide eneir elgnihcesn Uvinisterät ist es ncith witihcg, in wlecehr Rneflogheie die Bstachuebn in eneim Wrot snid, das ezniige, was wcthiig ist, ist dsas der estre und der leztte Bstabchue an der ritihcegn Pstoiion sehten. Der Rset knan ttoaelr Bsinöldn sien, todzterm knan man ihn onhe Pemoblre lseen. Das legit daarn, dsas wir nihct jeedn Bstachuebn enzelin leesn, snderon das Wrot als Gnaezs.

Wenn Sie den Text trotz aller orthographischen Kapriolen lesen konnten, dann ist Ihr Hirn auch in der Lage, mit einem Antiterrorkomitee fertig zu werden. Buchstäblich, nicht wörtlich.

Um es bildhaft auszudrücken: Wo ein Bindestrich steht, da holt das Auge gewissermaßen Luft. Um bei längeren Wort-ketten nicht aus der Puste zu kommen oder um ein Element besonders zu betonen, ist das Luftholen eine sinnvolle Sa-che. Doch in einem Text, in dem Auto-Bombe, Polizei-Ein-satz, Verkehrs-Chaos und Rettungs-Maßnahmen gekoppelt stehen, fängt das Auge vom vielen Luftholen förmlich zu japsen an.

Besonders hässlich ist es, Wörter auseinander zu reißen, die über ein so genanntes Fugen-s verfügen. Denn dieses »s« erfüllt ja bereits die Funktion eines Bindezeichens: Botschaftsgebäude, Regierungskurs, Entwicklungshilfe, Kriegsmaschinerie und Zeitungsente sind Zusammensetzungen, mit denen das Auge spielend fertig wird. Botschafts-Gebäude, Regierungs-Kurs, Entwicklungs-Hilfe, Kriegs-Maschinerie und Zeitungs-Ente erwecken den Eindruck, die deutsche Sprache gehe am Stock. Texte werden nicht lesbarer, sondern verkommen graphisch zu einer trostlosen Strich-Landschaft.

Manch einer meint vielleicht, dass Zusammensetzungen mit Namen grundsätzlich auseinander geschrieben werden. Doch das kann nur behaupten, wer beim Monopoly noch nie an der Goethestraße oder der Lessingstraße ein Hotel gebaut hat. Die fürs Deutsche so charakteristische Tendenz zur Zusammenschreibung nimmt auch Namen nicht aus. Verbindungen mit einem Personennamen oder einem geografischen Namen, die ihren Platz in der Geschichte gefunden haben, werden zusammengeschrieben: Bachkantate, Marshallplan, Adenauerzeit, Vietnamkrieg. Was jünger oder weniger bekannt ist, darf getrost noch gekoppelt werden: Webber-Musical, Hartz-Pläne, Kohl-Ära, Irak-Krieg. Die Zeit wird zeigen, ob diese Begriffe dauerhaft zusammenwachsen oder wieder in ihre Einzelteile zerfallen. Beim Irak-Krieg lässt sich schon heute eine starke Neigung zur Zusammenschreibung feststellen. In die Geschichtsbücher wird er wohl als Irakkrieg eingehen.

Wenn Vereine, Organisationen, Firmen und Marken im Spiel sind, dann kann der Name mit einem Bindestrich hervorgehoben werden: Tempo-Taschentuch, Golf-Händler. Wenn aber kein Teil des Wortes hervorgehoben werden soll, besteht auch kein Grund, einen Bindestrich zu setzen. Bei Tempolimit oder Golfschläger ist das Divis schlichtweg überflüssig.

Immer wieder appelliert irgendjemand an die Volksgesundheit, die Moral oder die Vernunft mit Aufrufen wie »Deutsche, treibt mehr Sport!« oder »Deutsche, esst mehr Schweinefleisch!«. Der Bundesverband der Fachärzte gegen Bindestrichmissbrauch empfiehlt: »Deutsche, schreibt mehr zusammen!«

Der Bindestrich (Divis), nicht zu verwechseln mit dem (längeren) Gedankenstrich, erfüllt die Funktion einer Lesehilfe. Bei Zusammensetzungen mit Fremdwörtern gilt: Der Bindestrich dient zur Hervorhebung des Unbekannten, Unerwarteten, Ungewöhnlichen. Für viele deutschsprachige Menschen sind Wörter wie Computer, Internet und online heute nichts Ungewöhnliches mehr, sodass sie in Zusammensetzungen wie Computerbranche, Internetfirma und Onlinedienste auf den Bindestrich verzichten. Dies entspricht durchaus dem Prinzip der deutschen Sprache: Wortzusammensetzungen, die sich bewährt haben, werden als ein Wort geschrieben. Zusammensetzungen mit Fachfremdwörtern, die noch keinen festen Platz im deutschen Wortschatz haben, dürfen/sollten gekoppelt werden: Remote-Rechner, Viren-Patch, Consulting-Unternehmen.

Die Sucht nach Synonymen

Unter Journalisten ist ein Sport besonders beliebt: die Jagd auf Ersatzwörter. Gesucht werden einprägsame Stellvertreter und dynamische Platzhalter, die dem Text eine Extraportion Curry verleihen. Die Verwendung von Synonymen ist in manchen Ressorts so unverzichtbar wie der Reifenwechsel in der Formel 1.

Jedes Kind weiß, dass Michael Schumacher aus Kerpen stammt und Jan Ullrich in Rostock geboren wurde. Seltsamerweise weiß kaum jemand, wo Angela Merkel, Edmund Stoiber und Gerhard Schröder das Licht der Welt erblickten oder aufgewachsen sind. Haben Profisportler einen höheren Bekanntheitsgrad als Spitzenpolitiker? Das kann nicht sein, wie Umfragen bestätigen. Immerhin geben sich die PR-Berater von Merkel, Stoiber und Schröder alle Mühe, ihre »Schützlinge« bekannt und populär zu machen, und wenn man sich die Nachrichten anschaut, dann sieht man Schröder, Stoiber und Merkel auch immer als Erstes; Schumacher und Ullrich kommen erst ganz am Ende, vor dem Wetter.

Im Journalismus gibt es viele Absprachen und Regeln. Eine davon scheint zu sein, dass man den Namen der Person, um die es gerade geht, erst dann ein zweites Mal erwähnen darf, wenn man zwischendurch mindestens zwei Synonyme verwendet hat. Dies gilt besonders im Sport. So lesen wir in Texten über Michael Schumacher regelmäßig wiederkehrende Ersatzbezeichnungen wie »der Ferrari-Pilot«, »der sechsmalige Formel-1-Weltmeister«, »der 35-Jährige« und eben »der Kerpener«. Steffi Graf war immer »die Brühlerin« und Boris Becker »der Leimener«. Kein Mensch hatte je zuvor von Leimen oder Brühl gehört, aber dank ihres häufigen

Gebrauchs als Platzhalter haben sich diese Ortschaften dauerhaft ins öffentliche Bewusstsein eingebrannt.

Mit Sportler-Synonymen ließe sich manch unterhaltsames Quiz bestreiten: Wer ist »der Bayern-Kapitän«, »der Rekord-Keeper« und »der Torwart-Titan«? Natürlich: Oliver »Olli« Kahn. Und wer ist »der Überflieger«, »der Hinterzartener« und »der Vierfach-Sieger der Vierschanzentournee«? Richtig: Sven »Hanni« Hannawald. Aber wer ist »der Oberaudorfer«, »der zweimalige Bayern-Sieger« und der »Bambi-Preisträger 1993«? Das wissen Sie nicht? Edmund »Eddy« Stoiber! Diesen Mann hätten Sie fast zum Bundeskanzler gemacht, und Sie wissen nicht mal, dass er aus Oberaudorf stammt!

Der Test bestätigt: Der Sport kommt ohne Antonomasien (denn so lautet der Fachterminus für das Ersetzen von Eigennamen durch ein besonderes Merkmal) nicht aus und macht sie notfalls so berühmt wie den Namensträger selbst. Was sich hingegen in Sporttexten nur sehr begrenzt findet, obwohl seit vielen Jahrhunderten fester Bestandteil der deutschen Sprache, das sind Personalpronomen wie »er« und »sie«. Angesichts ihrer sparsamen Verwendung muss man sich die Frage stellen, ob Pronomen unsportlich sind? Ein Beispiel aus einer Meldung über Franziska van Almsick: Statt »Am Samstag wird *sie* im Rahmen des ZDF-Sportstudios ab 22.25 Uhr die Paarungen für die zweite Hauptrunde im DFB-Vereinspokal auslosen« steht dort »die fünffache Goldmedaillen-Gewinnerin der Europameisterschaften«. Das ist zwar nicht kürzer, enthält aber einen weiteren »hammerharten Fakt« und hilft, ein vermeintlich weiches, kraftloses Pronomen zu vermeiden.

Unsportlich ist auf jeden Fall auch die »ungetunte« Sportsparte. Ein Ersatzwort für Schumacher findet man nämlich ausgesprochen selten: Rennfahrer. Pilot, ja; Weltmeister, immerzu; doch Rennfahrer? Steffi Graf wurde auch selten »Tennisspielerin« genannt, obwohl sie vor allem eines toll konnte: Tennis spielen. Stattdessen wurde sie so oft als »Tennis-Star« tituliert, dass der ursprüngliche Glamour des Wortes »Star« irgendwann verblasste. Nach der tausendsten Wiederholung bleibt in der Wahrnehmung des Lesers nur noch der matte Glanz eines Blechsterns.

Nehmen wir mal an, die Politikredaktionen würden derselben Synonymitis verfallen: Namen würden plötzlich selten, Pronomen tabu und Antonomasien allmächtig; dann hörten sich Berichte über den Bundeskanzler womöglich so an:

Zum Auftakt der Konferenz stellte sich der 60-jährige SPD-*Star den Fragen der Presse. »Ich bin sehr zuversichtlich«, so der Hannoveraner, »dass das, was wir uns vorgenommen haben, in seiner Machbarkeit auch umsetzbar ist.« Der Profi-Politiker, der zurzeit mit einer Reform-Verstauchung zu kämpfen hat, wird auch 2006 wieder an den Start gehen. »Joschka und ich sind uns einig, und Doris ist auch dafür«, verriet der zweimalige Wahlgewinner von 1998 und 2002.*

Die Suche (oder die Sucht) nach Ersatzwörtern beherrscht aber nicht nur den Sport allein, auch im Wirtschaftsjournalismus geht man immer wieder gerne auf die Pirsch. Folgender Dialog aus einer Wirtschaftsredaktion ist überliefert:

»He, sag mal schnell ein anderes Wort für Frankfurt!«
»Mainmetropole!«
»Mainmetropole hab ich schon. Sag noch mal was anderes.«
»Bankenstadt.«
»Steht bereits in der Bildunterschrift. Weißt du nicht noch was?«

»Wie wär's mit Mainhattan?«
»Ja, das ist hübsch, aber ›Main‹ hatte ich doch oben schon.«
»Dann schreibst du oben ›Hessenmetropole‹ und unten ›Mainhattan‹.«
»Hessenmetropole? Hört sich komisch an. Klingt das nicht irgendwie ... provinziell?«
»Wenn du schon mal in Frankfurt gewesen wärst, dann wüsstest du: Frankfurt ist *provinziell!«*
»Also schön, dann eben Hessenmetropole. Klingt trotzdem komisch. Wie nackter Arsch im Persianer.«

Kennen Sie den Unterschied zwischen dem »Glücksrad« und einer Nachrichtenredaktion? Beim »Glücksrad« werden immer nur einzelne Vokale gekauft; in der Redaktion hält man sich mit solchem Kleckerkram nicht auf, da heißt es gleich: »Ich kaufe ein Synonym!«

Leichensäcke aus dem Supermarkt

Für Verkaufsstrategen ist der Griff in die Englisch-Schublade längst zur Selbstverständlichkeit geworden. Um hiesige Produkte »hipper« und »cooler« zu machen, wird alles bedenkenlos mit englischen Vokabeln beklebt. Der Griff zum Wörterbuch hingegen wird oft vergessen. Da bleiben peinliche Irrtümer nicht aus.

Eine wahrhaft gruselige Geschichte erlebte ein Student aus Oldenburg. Als er gedankenverloren in der Mensa speiste, wurde er plötzlich auf eine Gruppe von amerikanischen Austauschstudenten aufmerksam, die sich am Nebentisch erregt über einen Werbeprospekt einer Supermarktkette unterhielten. Es ging um irgendein supertolles Angebot, doch ganz offensichtlich war es nicht der günstige Preis, der die Amerikaner in Erstaunen versetzte, sondern der angepriesene Artikel selbst. Der Student stellte die Lauscher auf und verstand irgendetwas mit »bag«. Er konnte sich zunächst noch keinen Reim drauf machen und aß daher sein gar köstliches Mensa-Menü in Ruhe zu Ende.
Als der Student anderntags zum Einkaufen ging, prallte er im Supermarkt gegen eine Werbetafel, auf der »body bags« angeboten wurden. Tatsächlich handelte es sich dabei um mehr oder weniger modische Rucksäcke. Nachdenklich blieb der Student vor dem Angebot stehen und kramte in seiner Erinnerung: »Hmm ... body bags? Da war doch was!« Kein Zweifel, er hatte den Begriff schon mal gehört, aber in einem anderen Zusammenhang. Und dann fiel es ihm wieder ein: Ein Kinofilm war's. Einer über den Vietnamkrieg. Mit viel Blut und vielen Toten. Eine ungute Ahnung beschlich ihn. Sowie er zurück in seiner Wohnung war, griff er nach dem Englisch-Wörterbuch und schlug nach. Und da stand es, schwarz auf weiß: »body bag« bedeutet Leichen-

sack! Nun verstand der junge Mann, was die Gemüter der amerikanischen Austauschstudenten so erregt hatte: Leichensäcke im Supermarkt. Und dann auch noch im Sonderangebot!

Wer sich die Mühe macht und ein bisschen recherchiert, der wird feststellen, dass es in deutschen Verkaufsangeboten von Leichensäcken nur so wimmelt. Allein bei Ebay finden sich Dutzende von »body bags«, in allen Größen und Farben. Die Interpretation, was genau ein solcher sei, geht da von Bauchtäschchen über Umhängetasche bis hin zum Tornister.

Auf internationalen Flügen der Lufthansa soll es schon vorgekommen sein, dass das Bordpersonal den Reisenden »body bags« zum Verkauf angeboten hat. Gemeint waren damit diese praktischen Sets mit Augenklappen, Pantoffeln und Ohrstöpseln. Über dadurch ausgelöste Fälle von Massenhysterie oder gehäufter Ohnmacht unter den englischsprachigen Passagieren ist zum Glück bislang nichts bekannt.

Meistens soll »body bag« wohl aber nichts anderes als Rucksack bedeuten. Das Wort Rucksack scheint jedoch völlig aus der Mode gekommen zu sein. Vermutlich klingt es zu deutsch, zu sehr nach Bergwandern, nach Matterhorn und Kuhglockengeläut. Das schreckt die Jugend ab, die schließlich Englisch gewohnt ist, auch wenn sie es gar nicht immer versteht. Fazit: kein Verkaufsschlager ohne englisches Etikett (cooler: Label). Aber wenn »body bag« nun gar nicht das bedeutet, was die Anbieter meinen, was heißt »Rucksack« dann tatsächlich auf Englisch? Machen wir rasch die Gegenprobe im Englisch-Wörterbuch. Da steht zum einen *backpack*, als Bezeichnung für die großen Wanderrucksäcke, aber noch davor, gleich an erster Stelle, steht zu lesen, man glaubt es kaum: *rucksack*.

So weit ist es also schon gekommen, dass deutsche Werbemacher und Marketingstrategen sich neue englische Begriffe ausdenken müssen, weil das englische Wort zu deutsch klingt. Mit *lawn mower* und *outdoor grill* wird sich dann wohl bald auch nichts mehr verdienen lassen. Wie wär's also mit *lawn shaver* und *outdoor roast*? Wie bitte, Sie haben noch keinen? Dann aber nix wie los!

Im Bann des Silbenbarbaren

Aus dem Silbensumpf hat sich ein Suffix erhoben, den deutschsprachigen Raum zu erobern. Und zwar bar jeder Rücksicht: Was früher unverwüstlich war, ist heute unverwüstbar, wenn nicht unkaputtbar. Produkte werden kaufbar, Entscheidungen akzeptierbar, Menschen erinnerbar. Der Siegeszug des Silbenbarbaren scheint unaufhaltbar.

Die Endsilbe -bar ist auf dem Vormarsch. Und im Moment sieht es so aus, als wäre sie durch nichts *aufhaltbar*. Wie ein Heer grimmiger Orks rückt sie voran und nimmt ihren schwächeren Konkurrenten Lich, Abel und Sam eine Bastion nach der anderen ab. Die Genannten sind nicht etwa Hobbits, sondern Suffixe.

Innerhalb kurzer Zeit ist die Macht der Silbe ins *Unermessbare* gestiegen. Sagen Sie noch »unerklärlich« oder schon »unerklärbar«? Sind Vergangenheit und Schicksal für Sie unveränderliche oder unveränderbare Größen? Ist das Unaussprechliche für Sie bereits zum Unaussprechbaren geworden?
Wenn ja, dann befinden Sie sich möglicherweise im Bann des Silbenbarbaren. Dann hat er Sie erfolgreich auf seine Seite gezogen. Sie waren anscheinend fangbar. Nun sind Sie ihm dienstbar. Unaufhörbar.

Besonders starke Faszination übt der Barbar auf Politiker aus. Die haben nämlich festgestellt, dass ihre Sprache dynamischer klingt, wenn sie ihre inhaltsleeren Phrasen mit ein paar Bar aufpumpen. Dinge sind machbar, Risiken kalkulierbar, Forderungen verhandelbar und Reformen umsetzbar. Manches ist »ad hoc nicht entscheidbar«, und nicht jedes Problem von heute auf morgen »bewältigbar«, doch Solidarität jederzeit »leistbar«. Mit solch markanten, wie in Marmor gemeißelten Ausdrücken wirkt selbst der mickerigste Politiker noch wählbar. Stilistisch wird er allerdings zunehmend *unertragbar*.

Für »nicht akzeptabel« sagt man heute auch gerne schon mal »nicht akzeptierbar«. Regierende halten Forderungen der Nichtregierenden in der Regel für »nicht diskutierbar«. Adieu, du schöne Endsilbe -abel. Wie wohl klangest du in unseren Ohren. Dein Niedergang ist äußerst blambar, aber offenbar unverhinderbar.

Judas mag käuflich gewesen sein, doch das ist Geschichte. Die Verräter von heute sind *kaufbar*! So wie jene Wahlstimme, die im Internet »ersteigerbar« und »für 990 Euro sofort kaufbar« ist. Kaufbar sind auch noch ganz andere Sachen. Zum Beispiel Algen. Die »Sächsische Zeitung« zitiert einen Tiefseespeise-Experten mit den Worten: »Solche Algen sind bereits kaufbar und im deutschen Lebensmittelrecht zugelassen.«

Nichts gegen Kreativität in der Sprache! Dass Musik »tanzbar« sein kann, hat man den Vor- und Nachsprechern der MTV- und Viva-Generation noch durchgehen lassen. Doch es ist nicht mehr verzeihlich, wenn ein Seitensprung für »verzeihbar« gehalten wird. Unübertrefflich schlecht wird es, wenn eine Schlechtigkeit als »unübertreffbar« bezeichnet wird. Nicht zuletzt geht es um den Klang der Worte: Ein Wort wie »erübrigbar« klingt wie der berühmte Schrankkoffer, der die Treppe hinunterpoltert – nicht alles, was sich grammatikalisch verwirklichen lässt, ist stilistisch »verwirklichbar«.

Wohnungssuchenden wird gern geraten, sich »positiv erinnerbar zu machen«. Manch einer möchte aber gar nicht erinnerbar sein. Erinnernswert, das ließe man sich noch gefallen. Aber *erinnerbar*?

Grundsätzlich ist gegen Wörter auf -bar nichts einzuwenden; viele von ihnen sind sogar unentbehrlich. Doch eben nicht unentbehrbar. Wenn die Endung unkrautartig wuchernd anstelle anderer Silben tritt, natürliche Infinitive verdrängt und uns zu Wortschöpfungen verleitet, die unsere Sprache nicht braucht, dann sollte man alle Kraft zusammennehmen und das barbarische Suffix abschütteln.

Unser Wortschatz ist wie eine prall gefüllte Tonne bunter Lego-Steine, die sich immer wieder anders zusammenfügen lassen. Doch nicht jede Konstruktion ist sinnvoll. Und längst nicht jede hält der baupolizeilichen Prüfung stand. Manche verstößt gegen grammatikalische Prinzipien.
Eines dieser Prinzipien lautet, dass Adjektive auf -bar nur von transitiven Verben gebildet werden können. Transitive Verben sind Verben, die – im Unterschied zu intransitiven – ein Objekt haben können oder sogar benötigen.
Puristen wollen daher nicht einmal »unverzichtbar« gelten lassen, da »verzichten« nicht transitiv ist. Das Wort existiert allerdings schon seit dem 19. Jahrhundert und dürfte inzwischen als anerkannte Ausnahme der Regel gelten.
So gesehen war übrigens die historische Behauptung, die »Titanic« sei »unsinkbar«, nicht nur inhaltlich, sondern auch grammatikalisch unhaltbar.

Unglücklicherweise müssen Wirtschaftsjournalisten irgendwann beschlossen haben, dass das Verb »handeln« transitiv sei, denn ständig liest man von »handelbaren« Waren und Wertpapieren.
Die buntesten Blüten aber treibt der Sport. »Bochum unabsteigbar«, sagte man dem VfL gerne nach. Was einst eine

spaßige Wortschöpfung war, wurde von der Presse derart häufig wiedergekäut, dass der Originalitätsbonus inzwischen restlos verbraucht ist. »Unabsteigbar« stieg zum Lieblingswort der Bundesliga-Berichterstatter auf und lieferte die Vorlage für zahlreiche weitere sportsprachliche Offen-bar-ungen. Trainer sind plötzlich »uneintauschbar«, Spieler »unbeschädigbar« und Schiedsrichter »unbeleidigbar«. Hier herrscht die Endsilbenbarbarei völlig unhemmbar.

Es bleibt die Frage, wie lange die Macht des Barbaren erhaltbar ist. Denn schon hat sich aus dem schlammigen Morast des Silbensumpfs ein weiteres Suffix erhoben, um die Welt das Fürchten zu lehren. Es fällt über hilflose Verben und Verbalsubstantive her und geht mit ihnen groteske Verbindungen ein. Wozu es »fähig« ist, zeigt es bevorzugt in Hauswurfsendungen: »Die Küche ist erweiterungsfähig«, verspricht ein Hersteller, »das Regal ist verstellfähig«, behauptet ein anderer, und ein Altkleidersammler bittet darum, »nur tragfähige Kleidung« abzugeben. Autobahnfahrer, die rechts fahren und nicht zu schnell sind, sind »überholfähig«, und Politiker behaupten gern, das bisher Erreichte sei »verbesserungsfähig«. Das würde ja bedeuten, das Erreichte sei in der Lage, sich aus eigener Kraft zu verbessern! Wie wunderbar! Wozu brauchen wir dann eigentlich noch Politiker?

Wie der Kampf der Silben ausgeht, bleibt abwartbar. Oder abwartungsfähig. Vielleicht haben wir es in ein paar Jahren mit akzeptierungsfähigen Entscheidungen zu tun, mit kauffähigen Produkten und erinnerungsfähigen Menschen.

Die Übermacht der -ierungen

Kennen Sie diese Phone-in-Shows, wo der Anrufer möglichst lange Sätze mit vielen Hauptwörtern bilden muss? Sowie er ein Verb sagt, ertönt ein hässliches Geräusch, und er hat verloren. Diese Shows haben diverse Formate und laufen auf vielen Kanälen. Man sieht sie überall dort, wo Menschen mit amtlichem Auftrag in ein Mikrofon sprechen.

»Willst du nicht mal was über die unsinnige Akkumulation von Substantiven in der Politikersprache schreiben?«, wurde ich gefragt. »Na klar doch«, antwortete ich prompt, »die Konkretisierung einer solchen Möglichkeit befindet sich bereits im Stadium zielorientierter Maßnahmenergreifung.«

Es ist ja wahr: Das Pfropfen von gewöhnlichen Verben mit dem Ziel, sie zu bedeutsam klingenden Hauptwörtern zu veredeln, scheint eine heimliche Leidenschaft der Reden-Züchter in deutschen Landen zu sein.
Das Phänomen ist nicht neu. Über den fatalen Hang zur Substantivierung gerade im Amtsdeutsch haben sich schon Generationen von Sprachverbesserern ausgelassen. Leider ohne erkennbare Wirkung, denn noch immer wimmelt es in der Sprache von Substantiven, sowie der Ton offiziell klingt.

Dafür gibt es eine Reihe guter Gründe: Substantive haben Kraft, sie signalisieren Entschlossenheit und suggerieren Sachverstand. Substantive sind männlich, selbst wenn sie weiblich sind. Sie sind mächtig. Wer mitmischen will da oben, braucht Substantive. Viele. Am besten einen ganzen Koffer voll. Koffer kommen in Politikerkreisen immer gut an. Hinter Substantiven kann man sich auch gut verstecken. Wenn man selbst eigentlich keinen Plan hat oder im Zweifel ist, ob man die richtige Entscheidung getroffen hat, dann kann man seine Unsicherheit durch Errichtung eines Palisadenzauns aus Nomen geschickt verbergen.

Um den Zustand totaler Ratlosigkeit zu verschleiern, spricht man gerne vom »Prozess des Auslotens«; wenn etwas ausnahmsweise mal nicht reformiert werden soll, so wie die Wehrpflicht zum Beispiel, dann ist die Rede von »Beibehaltung« (geradezu erstaunlich, dass noch niemand »Beibehalt« daraus gemacht hat), und wenn der Haushalt zu kollabieren droht, ist die »Deckelung der Ausgaben« in aller Munde.

An Wortschöpfungen wie »Nachhaltigkeit« haben wir uns inzwischen schon gewöhnt, an Blähwörter wie die von Bundesumweltminister Trittin gern erwähnte »Zielerreichung« zum Glück noch nicht.

Häufig war auch die Rede vom »Vorziehen der Steuerreform«. Das Wort steht so nicht im Duden, aber das muss nichts heißen. Im Duden steht nicht alles. Gallseife zum Beispiel steht auch nicht drin, obwohl das ein seit Generationen bewährtes Hausmittel ist. Und in der Erklärung des Kanzlers zu Berlusconis Nazi-Vergleich heißt es: »Ich habe die Erwartung, dass der italienische Ministerpräsident sich in aller Form ... entschuldigt.« Warum eigentlich »Ich habe die Erwartung«? Wenn er gesagt hätte »Ich erwarte«, hätte das energischer und vor allem verbindlicher geklungen. So lässt er ein Hintertürchen offen, um, wenn es hart auf hart kommt, sagen zu können: »War doch nicht so gemeint, lieber Silvio! Von ›erwarten‹ habe ich doch nie was gesagt.«

Erinnern Sie sich noch an die Debatte über die »Bereitstellung der Mittel zur Gewährung von Leistungen an ehemalige Zwangsarbeiter und von anderem Unrecht aus der Zeit des Nationalsozialismus Betroffene«? So heißt es jedenfalls in einer Drucksache des Deutschen Bundestages aus dem Jahre 2001. Und das ist vermutlich noch harmlos.

Natürlich ist gegen die Substantivierung von Verben generell nichts einzuwenden. Aber in erhöhter Konzentration machen diese Nomen die Sprache sperrig und hölzern. Sie mögen wichtig klingen, tragen aber nicht zur besseren Verständlichkeit bei.

Schuld am Substantivierungswahn sind aber möglicherweise gar nicht die Politiker, sondern die Juristen. Die Parlamentarier müssen ja stapelweise Akten, Anträge und Gesetzesvorlagen durchlesen, aus denen der Nominalstil ebenso wenig wegzudenken ist wie der Stau von deutschen Autobahnen. Da ist von »Feststellung der Auslotung der Vergleichsmöglichkeiten« die Rede, von »Abschmelzung der für Unternehmen des produzierenden Gewerbes und der Landwirtschaft aus Wettbewerbsgründen geschaffenen Begünstigungen« und von »Zulassung der Arbeitnehmerüberlassung zwischen Unternehmen unterschiedlicher Wirtschaftszweige«, um nur ein paar Beispiele aus einem unerschöpflichen Quell nominaler Wortschöpfungen zu nennen.

Anfangs sperrt man sich vielleicht noch dagegen und denkt: »Was für ein Quatsch! Das lässt sich doch auch klarer ausdrücken!« Doch irgendwann ist selbst der eloquenteste Abgeordnete weich gekocht und ergibt sich der Übermacht der -ierungen, -nahmen und -barkeiten.

Wer soll's wissen? Unsereiner steckt da nicht drin, wie es so schön heißt. Die Drinnensteckung ist nicht gegeben, würde der Parlamentarier wohl sagen.

Das Verflixte dieses Jahres

»Wir haben zum 1. Januar diesen Jahres die Steuern gesenkt«, verkündet die Regierung stolz. Das ist natürlich erfreulich, auch wenn es leider nicht richtig ist; denn diese Aussage enthält einen Fehler. Der ist allerdings so weit verbreitet, dass er kaum noch auffällt. Gerechnet wird immer mit dem schlimmsten Fall, nur nicht mit dem zweiten.

Munter singend läuft das Rotkäppchen durch den Wald, in der Hand den Korb mit Kuchen und Wein für die Großmutter. Da erscheint der Wolf und spricht: »Hallo, mein Kind, so spät noch unterwegs?« – »Grüß dich, Wolf!«, ruft das Rotkäppchen furchtlos, »wie geht's?« – »Fantastisch!«, sagt der Wolf, »ich habe mir Anfang diesen Jahres einen roten Sportwagen gekauft, der ist einsame Spitze! Wenn du willst, kann ich dich ein Stück mitnehmen!« – »Einen Sportwagen? Ich glaub dir kein Wort!« – »Doch, doch, er steht gleich dort drüben zwischen den dunklen, finsteren Tannen, hähä.« – »Der ist doch bestimmt geklaut!«, sagt das Rotkäppchen. Der Wolf hebt feierlich die Pfote: »Ich schwör bei deiner roten Kappe, ich habe ihn gekauft! Das heißt, vorläufig noch geleast, aber spätestens im Sommer diesen Jahres gehört er mir. Was ist, Bock auf eine Spritztour?« – »Nein danke«, erwidert das Rotkäppchen, »ich gehe lieber zu Fuß.« Und naseweis fügt es hinzu: »Übrigens heißt es ›zu Anfang und im Sommer *dieses* Jahres‹.« Damit springt es singend davon. Der Wolf denkt verächtlich: »Blöde Göre! Ob ich dich im Sommer diesen Jahres oder im Sommer dieses Jahres fresse, worin liegt da der Unterschied? Fressen werde ich dich so oder so!«

Jacob Grimm war nicht nur ein berühmter Märchensammler, sondern auch ein bedeutender Sprachwissenschaftler. Mit seinem »Deutschen Wörterbuch« legte er den Grundstein für die Vereinheitlichung der deutschen Sprache. Sein Wolf hätte daher auch die korrekte Beugung des Demonstrativpronomens »dieses« gewusst. Der Wolf in obiger Rotkäppchen-Variation indes kennt sich nicht aus mit der Grammatik, vielleicht handelt es sich bei ihm um einen Wes-Wolf (eine Nebenform des Wer-Wolfs), vielleicht hat er aber auch einfach nur zu viel ferngesehen oder Zeitung gelesen, denn dort wird einem die falsche Genitiv-Form pausenlos um die Ohren geschlagen.

»Die Bundesregierung will ... den Zivildienst im Herbst diesen Jahres von zehn auf neun Monate kürzen«, schreibt zum Beispiel die »Bild«-Zeitung. Und die »WAZ« weist darauf hin, dass die Bewerbungsfrist für die Kulturhauptstadt Europas »im März diesen Jahres« abläuft.

Die Wes-Wölfe hausen überall: »Nach derzeitigem Stand will die EU Ende diesen Jahres über einen solchen Fahrplan entscheiden«, berichtet die »Süddeutsche Zeitung«. Und der »Tagesspiegel« meldet: »Mit einem neuen Gesetz will die rot-grüne Bundesregierung ab Sommer diesen Jahres die Schwarzarbeit in Deutschland stärker bekämpfen.«

Besonders schwer haben es die Rotkäppchen in Ostdeutschland – im sächsischen Blätterwald lauern die Wölfe gleich rudelweise. In der »Sächsischen Zeitung« gibt es fast täglich mindestens eine Stelle, an der die falsche Genitiv-Form zum Einsatz kommt. Drei Beispiele, alle in einer einzigen Ausgabe gefunden:

Im Sommer diesen Jahres soll der Umbau des Gebäudes abgeschlossen werden.
Ende diesen Jahres wird bestimmt wieder ein immergrüner Baum in Bischofswerda den Altmarkt schmücken.

Bei der Sportlerehrung im Landratsamt Bautzen wurden im
März diesen Jahres auch zwei Wehrsdorfer ... geehrt.

Man ist schon versucht zu glauben, dies sei der berühmte
sächsische Genitiv, von dem man im Schulunterricht gehört
hat. Doch die Ver-Beugung dieses Pronomens ist ein ge-
samtdeutsches Phänomen. Mag die Sprache uns bisweilen
auch trennen, die Sprachirrtümer führen uns wieder zusammen.

Die inflationäre Ausbreitung der falschen Fallbildung vor
dem »Jahres«-Wort erregt Besorgnis und sorgt für Erregung.
Dabei lässt die deutsche Grammatik hier keine zwei Möglichkeiten zu. Die Regel ist eindeutig. Man spricht ja auch
nicht vom »Zauber diesen Augenblicks« oder vom »Ende
diesen Liedes«, und ebenso wenig war Maria »die Mutter
diesen Kindes«.

Wer *dieses* sagt, der muss auch *jenes* sagen. Wer also vom
»Herbst diesen Jahres« spricht, der muss auch den »Frühling
jenen Jahres« für richtig halten. Und tatsächlich: An die
»Terroranschläge vom 11. September jenen Jahres« erinnert
man sich bei der »WAZ«, und die »Frankfurter Rundschau«
schreibt zum Jubiläum einer bunten Schweizer Armband-
uhr: »Ganze zwölf Modelle waren es zunächst, die im Herbst
jenen Jahres für einheitlich 50 Franken in den Handel kamen.«

Das Verflixte dieses Jahres liegt an seiner Ähnlichkeit mit
anderen Wendungen, die ihrerseits völlig korrekt sind: im
Herbst *letzten* Jahres, im Mai *vergangenen* Jahres, im Sommer *nächsten* Jahres – stets endet das Attribut auf -n; und
auch »die Wurzel allen Übels« mag als Vorbild gedient haben, denn: *im Fall des zweiten Falles heißt* »alles« *nicht mehr*

»alles«. So trat »diesen« durch Analogiebildung vor das Wort »Jahres« und vertrieb »dieses« von seinem angestammten Platz.

Die Rotkäppchen dieses Landes trifft ein hartes Los. Im Haus der Großmutter angekommen, findet das brave Kind die alte Dame seltsam verändert vor. »Großmutter, was hast du für große Ohren?«, fragt es verwundert. Die vermeintliche Großmutter lässt die Zeitung sinken, schielt über den Rand der dicken Brille und sagt: »Kindchen, Kindchen, nerv mich nicht mit deinen Fragen! Stell den Wein auf den Tisch und scher dich weg! Ich verdaue gerade deine zähe Oma und will bis zum Ende diesen Winters meine Ruhe!«

dieser, diese, dieses			
	männlich	**weiblich**	**sächlich**
Nominativ	dieser Mann	diese Frau	dieses Jahr
Genitiv	dieses Mannes	dieser Frau	dieses Jahres
Dativ	diesem Mann(e)	dieser Frau	diesem Jahr(e)
Akkusativ	diesen Mann	diese Frau	dieses Jahr

Italienisch für Anfänger

Da sitzt es, das junge Paar, im gemütlichen »Ristorante Napoli« und studiert die Speisekarte. Kerzenschein, italienische Musik, alles umwerfend romantisch. Der Kellner kommt, um die Bestellung aufzunehmen. Sie macht den Mund auf – da nimmt das Unheil seinen Lauf.

Jeder kennt ihn, den »typischen Italiener« an der Ecke, bei dem man sich so richtig italienisch fühlt. Aus dem Lautsprecher quäkt Al Bano, an der umbrafarbenen Wand hängen Ölbilder von Neapel und Palermo, die Kellner sind klein, robust und flink und heißen Luigi, Sergio oder Alfredo. Die Luft ist geschwängert von Rotwein und Pesto. In einer solchen Atmosphäre regt sich in uns unweigerlich das Bedürfnis, die deutsche Identität abzustreifen und die Illusion von »la dolce vita« und »bella Italia« nicht durch falsche Aussprache all der Köstlichkeiten auf der Speisekarte frühzeitig zerplatzen zu lassen.

Sie bestellt einen Insalata mista und die überbackenen Spinat-Gnocchi, wobei sie die dicken Kartoffellarven »Gnotschi« ausspricht. Da sagt er zu ihr: »Schatz, es heißt nicht Gnotschi, sondern Njokki!« – »Woher willst du das wissen?«, gibt sie leicht pikiert zurück. »Weil das h das c erhärtet, so wie in Pinocchio. Der heißt ja schließlich nicht Pinotschio«, sagt er. Sie schaut zum Kellner auf und lächelt irritiert: »Also gut, dann nehme ich doch lieber die Spaghetti alla rabiata« – »Schatz, es heißt all'arrabbiata«, flüstert er und tätschelt ihre Hand. »Das hab ich doch gesagt!«, erwidert sie gereizt und zieht ihre Hand zurück. »Aber du hast es falsch betont«, sagt er. »Weißt du was?«, sagt sie, »dann bestell du doch das Essen!« – »Wie du willst, mein Schatz! Möchtest du nun die Gnocchi oder die Spaghetti?« – »Ist mir ganz egal.« – »Gut. Dann nehmen wir zwei Insalate miste und zweimal die *Njokki*.« – »Sehr recht«, sagt der Kellner in fließendem Deutsch und notiert die Order. »Und welchen Wein wollen Sie trinken?« – Der Gast blickt seine Begleiterin an und fragt: »Schatz, welchen Wein möchtest du?« Ihr Blick fliegt über die Karte auf der Suche nach irgendetwas, das ihr bekannt vorkommt. »Tschianti«, sagt sie schließlich, woraufhin er sich zu verbessern beeilt: »Du meinst *Kianti*!« Während des Essens ist die Stimmung so lala; aus lauter Angst, etwas Falsches zu sagen, lenkt sie das Gespräch freiwillig auf Themen wie Tennis, Fernsehen und sogar Politik. Beim Nachtisch kommt es dann zur Katastrophe. Als der Kellner fragt, ob sie noch einen Kaffee wünschen, sagt sie zu ihrem Liebsten: »Ach ja, einen Espresso können wir noch trinken, nicht wahr?« Er nickt, woraufhin sie zum Kellner sagt: »Also zwei Espressos, bitte.« Da sagt er zu ihr: »Schatz, es heißt Espressi! Ein Espresso, zwei Espressi.« Sie zieht einen Schmollmund, der Kellner notiert: »Zwei caffè, kommt sofort!« – »Nein, warten Sie, nicht Kaffee, wir wollen zwei Espressi«, stellt er klar. »Sì, sì«, sagt der Kellner, »due caffè! In Italia ist caffè immer ein espresso!« Und mit einem verschmitzten Lächeln fügt er hinzu: »Das, was man in Deutschland unter Kaffee versteht, würde ein Italiener niemals anrühren!«

Den Triumph in ihrem Blick kann er nicht verwinden, und auf dem Nachhauseweg sprechen die beiden kein Wort miteinander.

So kann es kommen, wenn man in typisch deutscher Manier mal wieder besonders vorbildlich sein und alles genau richtig machen will. Dabei sind wir Deutschen so ziemlich das einzige Volk auf der Welt, das sich bemüht, Wörter aus einer fremden Sprache korrekt auszusprechen, und vermeintlich falsche, das heißt zu deutsch klingende Aussprache bei anderen kritisiert. Über einen derartigen Eifer können beispielsweise die Franzosen nur verständnislos den Kopf schütteln. Zwar entlehnen auch sie zunehmend häufig Wörter aus dem Englischen, aber einem Nicht-Franzosen fällt dies kaum auf, denn die Franzosen sorgen mit ihrer Aussprache dafür, dass jedes noch so fremde Wort wie ein original französisches klingt.

Schon so manche Hausfrau hat ihren Freundinnen voller Stolz ihre neue »Expresso-Maschine« vorgeführt und ist dafür belächelt worden. Tatsächlich hat sie nichts anderes getan, als ein Fremdwort einzudeutschen. Die leichte Veränderung des Zischlautes hinter dem »E« ist nicht gravierender als bei der Umwandlung der »cigarette« zur »Zigarette«.

Dabei ist es eher peinlich, ein italienisches Wort in einer Weise auszusprechen, die man für italienisch hält, ohne es beweisen zu können. Latte macchiato, der umgekehrte Milchkaffee, wird nicht etwa »latte matschiato« oder »latte matschato« ausgesprochen, sondern »latte mackiato«. Das Wort »macchiato« ist übrigens mit dem deutschen Wort »Makel« verwandt und bedeutet »befleckt«. Ein »caffè macchiato« ist ein (mit Milch) »befleckter« (das heißt gestreckter) Espresso, umgekehrt ist eine »latte macchiato« ein mit Kaffee versetztes Milchgetränk.

Von fast noch größerer Bedeutung als die möglichst authentische Aussprache ist für den Hobby-Italiener die korrekte Bildung der Mehrzahl. Grundsätzlich gilt: Italienische Wörter auf -o erhalten im Plural die Endung -i. Aus einem Cappuccino werden also zwei Cappuccini, aus einem Espresso zwei Espressi. Es ist im Deutschen aber ebenso erlaubt, »Cappuccinos« und »Espressos« zu sagen. Was spräche dagegen – die italienische Grammatik etwa? Seit wann gilt die in Deutschland?

Dass der Wunsch nach korrekter Pluralbildung bisweilen ins Lächerliche kippen kann, beweist das Beispiel der Pizza: Die bunt belegten Teigfladen werden im Italienischen in der Mehrzahl »pizze« genannt, was in den Ohren der meisten Deutschen jedoch ungewohnt klingt. Daher sollte man Abstand nehmen von der Idee, Verkäuferinnen in einem Supermarkt mit dem Wort »Tiefkühlpizze« zu konfrontieren. Hier hat die deutsche Sprache die Mehrzahl nach ihren eigenen Regeln gebildet: Man kann Pizzas sagen oder Pizzen, beides ist richtig.

Viele italienische Spezialitäten befinden sich bereits im Plural, wenn sie bei uns in Deutschland eintreffen. Die oben erwähnten Kartoffelklößchen zum Beispiel heißen in der Einzahl Gnocco (gesprochen Njokko). Da selten ein Klößchen allein serviert wird, kennen wir sie nur als Gnocchi. Die Annahme, durch Anhängen eines Plural-s ließen sich aus Gnocchi viele, viele »Gnocchis« gewinnen, ist daher nicht korrekt.

Genauso wenig, wie einem »Spaghettis« an den Fingern kleben können. Die Einzahl der langen schlanken Nudel lautet *spaghetto*, demnach ist »Spaghetti« bereits die gemehrte Zahl. Wem das zu spitzfindig ist, der kann auch einfach *Nudeln* sagen. Mit Deutsch ist man im Zweifelsfall auch beim Italiener richtig beraten.

Unlängst berichtete mir ein befreundeter Jurist von seinem Besuch in einem Restaurant namens »Don Pepito«, das er an jenem Abend zum ersten Mal betrat. Und wohl auch zum letzten Mal, denn es stimmte einiges nicht mit diesem »original italienischen Ristorante«. Auf der Karte gab es Crevetten mit »Advocato«, was ihn als Anwalt gleich misstrauisch stimmte. Die Tortellini gab es wahlweise vegetarisch und »con cane«, was allerdings nicht »mit Fleisch« (con carne), sondern »mit Hund« bedeutet. Der Milchkaffee schließlich wurde als »Cappucchino« angeboten – und müsste nach italienischen Regeln »Kapukino« ausgesprochen werden. Wie sich herausstellte, war die Bedienung ein fröhlicher Mix aus Türken und Kroaten, die Bilder an der Wand zeigten Balkan-Idylle, und die Musik aus dem Lautsprecher war nicht Al Bano, sondern albanisch. Allein das Lächeln, mit dem »Don Pepito« die Rechnung präsentierte, hatte etwas »unverwechselbar Sizilianisches«. »Wie ein waschechter Mafiosi«, schloss der Freund seinen Bericht und verbesserte sich sogleich: »Wie ein Mafioso.«

Für alle, die es trotzdem genauer wissen wollen, hier ein paar **Regeln zur Aussprache von c und g** im Italienischen:

(c) Der Buchstabe c wird vor den hellen Vokalen e und i wie »tsch« ausgesprochen; vor den dunklen Vokalen a, o und u wird er wie »k« ausgesprochen. Circo, das italienische Wort für Zirkus, wird also »tschirko« ausgesprochen, caldo, das Wort für heiß, wird dagegen »kaldo« gesprochen – was schon bei Tausenden deutscher Touristen zu Verbrennungen geführt hat.

(g) Der Buchstabe g wird vor den hellen Vokalen e und i wie »dsch« ausgesprochen (genauer: wie das J in Job); vor den dunklen Vokalen a, o und u wird er wie »g« ausgesprochen: gondola (die Gondel) = »gondola«, gelato (Speiseeis) = »dschelato«.

(ch/gh) Das h hinter c oder g dient der Verhärtung, es macht das »tsch« zum »k« und das »dsch« zum »g«. Stünde es nicht, so hieße es »Spadschetti« und »Njotschi«. Bruschetta wird »Brusketta« gesprochen.

(ci/gi) Das i hinter c oder g dient der Erweichung, es macht c und g zu »tsch« und »dsch« und wird selbst nicht mitgesprochen: Der berühmte Gruß ciao wird also nicht »tsch-i-au« gesprochen, sondern eben nur »tschau«. Würde das i nicht stehen (cao), so müsste man es »kau« aussprechen. Das Vanilleeis mit Schokoladenstücken, Stracciatella, wird »Stratschatella« ausgesprochen, der Vorname Giovanni wird »Dschovanni« ausgesprochen, nicht »Dschiovanni«. Und das leckere Ciabatta einfach »Tschabatta«.

Alles Weitere erfahren Sie im Italienischkurs an Ihrer örtlichen Volkshochschule.

Einzahl und Mehrzahl italienischer Lehnwörter			
Singular	Plural	Singular	Plural
Broccolo (nur ital.)	Broccoli, Brokkoli	Palazzo	Palazzi
Cappuccino	Cappuccino, Cappuccini, Cappucinos	Papagallo	Papagalli
Cello	Celli, Cellos	Paparazzo	Paparazzi
Espresso	Espresso, Espressi, Espressos	Pizza	Pizzas, Pizzen, Pizze (nur ital.)
Gnocco	Gnocchi	Solo	Solos, Soli
Graffito	Graffiti	Spaghetto	Spaghetti (neudeutsch: Spagetti)
Lira	Lire	Torso	Torsi, Torsos
Mafioso	Mafiosi	Zucchino	Zucchini

Bratskartoffeln und Spiegelsei

Heißt es Schadensersatz oder Schadenersatz? Zahlt man Einkommensteuer oder Einkommenssteuer? Immer mehr Begriffen scheint der vertraute S-Laut in der Mitte abhanden zu kommen. Das muss man sich jedoch nicht gefallen lassen. Ein Plädoyer für gut geschmierte Sprache und gegen unsinniges Amt[s]deutsch.

»Das heißt Essenmarken und nicht Essensmarken«, bellt der Unteroffizier den Rekruten an, »es heißt ja auch nicht Bratskartoffeln und Spiegelsei!« Diesen Spruch wiederholt er am Tag mindestens zwanzig Mal, und es bereitet ihm immer wieder Genuss, einem unbedarften Brenner* eine laute Lektion in Sachen Amtsdeutsch erteilen zu können. Das gibt ihm ein Gefühl von Überlegenheit und Macht. Zum Glück kommen jedes Quartal neue Wehrpflichtige, die ihn garantiert fragen werden, ob sie bei ihm »Essensmarken« bekommen können. Und wenn es nicht die Marken sind, dann ist es das berühmte »Dreiecktuch«, das früher oder später jemand »Dreieckstuch« nennen wird. So wird der Unteroffizier noch viel zu bellen haben und sich immer wieder der Illusion von Überlegenheit und Macht hingeben können.

Wenn ihm einer frech kommt, kann er sich auf die Dienstvorschriften berufen, denn da steht »Essenmarken«. Und Vorschrift ist Vorschrift, wie jeder weiß, dagegen kann selbst ein Literaturnobelpreisträger nichts ausrichten. Außerhalb seiner Kaserne gilt diese Vorschrift allerdings nicht. Außerhalb seiner Kaserne sagen die meisten Menschen »Essensmarken«, mit so genanntem Fugen-s, und das mit Fug und

---

* Brenner, auch: Zecken, Rotärsche – Bundeswehrjargon für Anfänger, Rekruten, Wehrpflichtige in der Grundausbildung

Recht. Außerhalb der Kaserne sagen sie auch Dreieckstuch. Dort herrscht Freiheit der Sprache, und Freiheit bedeutet Vielfalt und nicht selten Verunsicherung.

Warum heißt es Mordsspaß, aber Mordopfer? Warum sagen wir Rindsleder, aber Rindfleisch? Warum haben Schiffstaufe und Schiffsschraube ein Fugen-s, Schifffahrt und Schiffbruch aber nicht? Wer legt fest, ob und womit die Nahtstelle zwischen zwei zusammengeschweißten Wörtern verfugt wird?
Die Antwort auf diese Fragen liegt irgendwo im Nebel der Sprachgeschichte. Die meisten dieser Fügungen sind historisch gereift. Bei einigen handelt es sich um zusammengewachsene Wortgruppen, bei denen das Fugenzeichen den Genitiv markierte: Des Königs Hof wurde zum Königshof, des Herzens Freude zur Herzensfreude.
Andere Fügungen wurden in Analogie zu bereits bestehenden Formen gebildet: Auch wenn sich auf einer Bischofskonferenz mehrere Bischöfe zu treffen pflegen, heißt es dennoch nicht Bischöfekonferenz, denn man orientierte sich bei der Wortbildung an bekannten Komposita wie Bischofsstab und Bischofswürde. Der Versuch, eindeutige Regeln zu definieren, ist zum Scheitern verurteilt. Dafür ist das Gebiet zu unübersichtlich, sind vermeintliche Gesetzmäßigkeiten zu widersprüchlich und von Ausnahmen durchlöchert wie ein mottenzerfressener Umhang. Aber wir haben uns daran gewöhnt. Dass es nicht Bratskartoffeln und Spiegelsei heißt, sagt uns unser Sprachgefühl. Was uns heute am meisten zu schaffen macht, ist die Tatsache, dass immer wieder neue Begriffe auftauchen, denen das vertraute Fugen-s abhanden gekommen zu sein scheint.

Wer schuldlos in einen Unfall verwickelt wird, hat in der Regel Anspruch auf Schadensersatz. Die Versicherung gewährt ihm aber allenfalls Schadenersatz. Beflissentlich ignoriert sie Schadensfälle und Schadensmeldungen; wenn überhaupt, dann registriert sie einen Schadenfall und eine Schadennummer und verlangt Angaben zu Schadentag und Schadenhergang.

Ist das nun richtig oder falsch? Heißt es nicht »des Schadens Ersatz«, und wäre dann nicht Schadensersatz die korrekte Form? Es gibt einiges, was dafür spricht. Zum Beispiel das Bürgerliche Gesetzbuch (BGB), dort ist ausschließlich von Schadensersatz die Rede.

Wie man weiß, nehmen Versicherungen gerne Geld ein, tun sich aber mit dem Auszahlen schwer. Daher behalten sie bei Schadensersatzzahlungen wenigstens das »s« ein, das gibt ihnen das Gefühl, den Versicherungsnehmer am Ende doch noch ein bisschen übervorteilt zu haben. Ein kleiner Triumph in der Niederlage, kein Schaden ohne Schadenfreude.

Ähnliches Kopfzerbrechen wie der Schadensersatz bereitet vielen Deutschen immer wieder ihre Einkommenssteuererklärung. Man hört und sieht alle Arten der Steuer nämlich auch immer mal ohne das Fugen-s, vorzugsweise in amtlichen Schreiben, aber auch in Zeitungen und Magazinen wie dem SPIEGEL. Einkommen[s]steuer, Vermögen[s]steuer, Unternehmen[s]steuer – wer soll sich da noch auskennen? In ihrem Bestreben, alles zu vereinheitlichen, hat die behördliche Sprachregelung das Fugen-s vor jeglicher Form der -steuer für abgeschafft erklärt. Da es auch nicht Tabakssteuer und Hundessteuer heiße, könne es folgerichtig auch nur Grunderwerb- und Körperschaftsteuer heißen.

Genauso wird mit Zusammensetzungen im Rechtswesen verfahren: Mit der Begründung, dass es schließlich nicht Mietsrecht und Tarifsrecht heiße, wird in einigen Amt[s]-

stuben bereits nur noch von »Vertragrecht« und »Wirtschaftrecht« gesprochen.

Behördendeutsch ist von jeher bemüht, sich allgemeiner Verständlichkeit zu entziehen, und so ist die Einsparung des Fugenzeichens nur eine weitere Kürzungsmaßnahme auf dem Weg zur vollständigen Entfremdung von den Bürgern und ihrer Sprache.
Dienstvorschriften, Versicherungsschreiben, Steuererklärungen – der Zusammenhang ist offenkundig: Es sind die Bürokraten, die das Fugen-s verschwinden lassen, eines nach dem anderen, so wie es die grauen Herren in Michael Endes »Momo« mit der Zeit taten. Der Schwund des Fugenzeichens breitet sich immer weiter aus, vom Praktikum[s]bericht über den Studium[s]beginn bis zur Diplom[s]feier, und macht aus Wohnungssuchenden Wohnungsuchende und aus Arbeitssuchenden Arbeitsuchende, wenn nicht gar Arbeit Suchende. Das braucht man allerdings nicht widerspruch[s]los hinzunehmen, so wie auch Momo sich den Diebstahl der Zeit nicht gefallen ließ. Denn sowohl im Schadensfall als auch beim Vertragsrecht und erst recht bei der Körperschaftssteuer hat das Fugen-s durchaus seine Berechtigung. Neben historischen Gründen zählt nämlich auch die Sprechbarkeit der Wörter.

Dort, wo das Fugen-s unaussprechlich wäre, gehört es auch nicht hin. Es soll ja die Fuge zwischen zwei Wörtern glätten, nicht dieselbe zu einer Zungenhürde machen. Doch sprechen Sie einmal Verwaltunggebäude, Entwicklunghilfe und Kündigunggrund ohne »s« aus, und Sie werden feststellen, dass es nicht nur blöde klingt, sondern auch schwerer zu artikulieren ist. Das Fugen-s wurde auch deshalb eingefügt, um das Wort leichter über Zunge und Lippen zu bringen. Eine Aussprachehilfe, gewissermaßen.

Wer das Gefühl hat, dass bei Wörtern wie Schadenersatz, Einkommensteuer, Diplomparty und Essenmarke die
Scharniere quietschen, der soll getrost zum Ölkännchen
greifen und ein Fugen-s hineinträufeln. So wie die Kehle regelmäßig geschmiert werden muss, so müssen auch manche
Wortfugen geschmiert werden, damit die Sprache nicht ins
Stocken gerät.

Ein Versicherungsangestellter, der täglich »Schadenfälle«
und »Schadennummern« bearbeitet, mutiert irgendwann
zum Versicherung-Angestellten, und ein Unteroffizier, der
nicht fähig ist, über den Tellerrand seiner »Essenmarken«-
Vorschrift hinauszublicken, wird hoffentlich nie einen Offi-
ziersgrad erlangen.

Der Gebrauch des Fugen-s im Überblick

Das Fugen-s steht im Allgemeinen

bei Zusammensetzungen mit Wörtern auf -tum, -ling, -ion, -tät, -heit, -keit,
-schaft, -sicht, -ung

*Altertumsforschung, Frühlingserwachen, Kommunionsfest, Realitätsver-
lust, Einheitsfeier, Heiterkeitsanfall, Eigenschaftswort, Ansichtskarte, Erin-
nerungsvermögen*

bei Zusammensetzungen, deren erster Bestandteil auf -en endet (subs-
tantivierter Infinitiv)

*Essensreste, Lebensfreude, Leidensweg, Redensart, Schlafenszeit,
Sehenswürdigkeit, Sterbenswörtchen, Wissenslücke* und daher auch
Schadensersatz, aber: *Schadenfreude*

Das Fugen-s steht im Allgemeinen nicht

bei Zusammensetzungen, deren erster Bestandteil weiblich ist und nicht
auf -ion, -tät, -heit, -keit, -schaft, -sicht, -ung oder einen Zischlaut endet

*Weltkugel, Nachtzug, Fruchtsaft, Kammerdiener, Lageplan, Redezeit,
Musikzimmer, Naturschutz, Schurwolle*

Ausnahmen (u. a.): *Armut, Hilfe, Liebe, Geschichte, Weihnacht* bei Zusammensetzungen, deren erster Bestandteil auf -er endet

Anglerlatein, Bäckermütze, Bohnerwachs, Feierabend, Folterknecht, Jägerschnitzel, Kellertür, Metzgerladen, Peterwagen, Räuberhauptmann, Ritterburg, Steuererklärung, Zigeunerjunge

Ausnahmen: *Hungersnot, Henkersmahlzeit, Jägersmann, Petersberg* und ähnliche altertümliche Begriffe

bei Zusammensetzungen, deren erster Bestandteil auf -el endet

Hagelschauer, Hebelgesetz, Kabeltrommel, Kegelklub, Mandelaugen, Nebelhorn, Paddelboot, Penduluhr, Wendeltreppe

Ausnahmen: *Engel* (z. B. *Engelsgesicht*), *Himmel* (z. B. *Himmelstor*), *Esel* (z. B. *Eselsohr*)

bei Zusammensetzungen, deren erster Bestandteil auf -en endet und kein substantiviertes Verb ist

Bodensatz, Ebenbild, Gartentor, Nebenstraße, Ladenpassage, Rasenfläche, Wagenachse

bei Zusammensetzungen, deren erster Bestandteil mit einem Zischlaut endet (-sch, -s, -ss, -ß, -st, -tz, -z)

Waschsalon, Preisliste, Hasskappe, Grußkarte, Lastwagen, Sitzkissen, Putzmittel, Herzkammer

Schwankender Gebrauch des Fugen-s

bei Zusammensetzungen mit -steuer, -straße

Einkommen[s]steuer, Vermögen[s]steuer, Bahnhof[s]straße, Frieden[s]straße

bei Zusammensetzungen mit einem Partizip als zweitem Bestandteil

verfassung[s]gebend, richtung[s]weisend, krieg[s]führend, staat[s]erhaltend

Bestimmungswörter mit und ohne Fugen-s

Einige Bestimmungswörter erhalten in manchen Zusammensetzungen ein Fugen-s, andere nicht: Dies ist dann der Fall, wenn es gilt, zwei Bedeutungen voneinander abzugrenzen.

Mordsspaß, Mordshunger, Mordsgaudi haben ein Fugen-s; Mordanschlag, Mordopfer und Mordprozess nicht. Das Fugen-s dient hier zur Unterscheidung zwischen dem verstärkenden Präfix und der Bluttat.

Zusammensetzungen mit »Schiff« erhalten ein Fugen-s, wenn »Schiff« im engeren Sinne als »Schiffskörper« gemeint ist: *Schiffsschraube, Schiffs-*

rumpf, Schiffsmannschaft. Kein Fugen-s steht bei Zusammensetzungen, wenn »Schiff« im weiteren Sinne für »Seefahrt« steht: *schiffbar, Schiffbruch, Schifffahrt.*

Ein Dreieck ist immer ein Dreieck, ob in der Geometrie, im Möbelbau oder im Beziehungsleben. Das Dreieckstuch ist genauso dreieckig wie ein Dreieckstisch oder eine Dreiecksgeschichte. Das Weglassen des Fugen-s gaukelt eine mögliche Bedeutungunterscheidung vor, die es aber nicht gibt.

Das kuriose Arsenal des Krieges

Womit, glauben Sie, sind die Waffendepots der Terror-Organisationen gefüllt? Mit Propellergeschossen und Kanonenwatte! US-Soldaten laufen derweil mit Colts und tragbaren Radios durch die Wüste. Das geht nicht mit rechten Dingen zu? Stimmt: Durch Übersetzungsfehler verkommt moderne Waffentechnik gelegentlich zum Scherzartikel.

Sehr oft war in der Vergangenheit von manipulierten Geheimdienstinformationen die Rede, aus denen sich die US-Regierung eine Rechtfertigung für ihren Krieg gegen Saddam Hussein zusammengebogen haben soll. Die amerikanische Öffentlichkeit fühlte sich getäuscht und desinformiert. Darüber können wir eigentlich nur milde lächeln. Denn Verwirrung der Öffentlichkeit durch abenteuerliche Informationen gehört im deutschsprachigen Raum zum täglichen Geschäft.

So gewährte eine Agenturmeldung Einblick in den bedauerlich rückständigen Fuhrpark der irakischen Armee. Da war von großen Summen Bargeldes die Rede, die mit Hilfe von »Traktoren« aus der irakischen Nationalbank abtransportiert wurden. Man sah es buchstäblich vor sich: wie Saddams Getreue Säcke voller Geld auf einen Anhänger werfen und mit mörderischen 25 Kilometern in der Stunde Richtung Grenze davonknattern. Eine Recherche ergab dann allerdings, dass es sich in Wahrheit um »tractor trailers« handelte, also Sattelzüge, die nicht ganz fachgerecht ins Deutsche übersetzt worden waren.

Ein anderer Artikel beschrieb den Alltag der Alliierten im Irak. In einer Aufzählung der vielen Gefahren, die im Hinterhalt lauern, hieß es: »Propellerbetriebene Granaten werden auf Konvois abgeschossen.« Das klingt etwas rätselhaft. Was hat man sich unter einer »propellerbetriebenen Granate« vorzustellen? Eine fliegende Bombe, die sich knatternd durch die Luft schraubt? Kein Wunder, dass die Iraker gegen die Amerikaner keine Chance hatten, wenn sie derart anachronistische Geschosse verwenden. Das Ganze klingt eher nach einem »Yps«-Gimmick als nach einem gefährlichen Projektil. So als würde sich der Erfinder der legendären Plastikdreingaben jetzt als Waffenlieferant im Orient betätigen. Es wäre immerhin nicht das erste Mal, dass Deutschland bedenkliche Produkte in den Irak exportiert. Oder hat womöglich nur jemand den Begriff »Rocket Propelled Grenade«, kurz RPG, falsch übersetzt? Dann hätten wir es nämlich mit einer Panzerfaust zu tun, und schon sähe die Sache anders aus.

Die viel beschworene technische Überlegenheit der Amerikaner will allerdings auch nicht so recht einleuchten, wenn man lesen muss, dass die Soldaten über »tragbare Radios« miteinander in Verbindung stehen. Diese Radios hätten auf dem Weg von Kuwait quer durch die Wüste den Dienst versagt, da sich die Batterien auf Grund der Hitze zu schnell erschöpften. Wieso gibt man den Soldaten auch tragbare Radios mit, wundert sich der Leser. Erst später dämmert ihm, dass da im Originaltext wohl »mobile radios« gestanden hatte und jemand nicht darauf gekommen war, dies mit »Funkgeräten« zu übersetzen.

Auch die gern zitierten »smoking guns« sind nur unzureichend mit »rauchenden Colts« wiedergegeben; das englische »gun« bedeutet nämlich sehr viel mehr als nur Pistole oder Gewehr, es heißt genauso Kanone, Geschütz. In Anlehnung an die Western-Serie mit dem deutschen Titel

»Rauchende Colts« lassen deutschsprachige Medien die US-Amerikaner auch heute noch mit Revolvern herumballern; das Mündungsfeuer der modernen Artillerie wird zur Wildwest-Schießerei verniedlicht. Ganz abgesehen davon, dass der Ausdruck »smoking gun« im Englischen als Metapher für einen »unumstößlichen Beweis« verwendet wird.

Auf ihre Weise putzig war die Meldung der Nachrichtenagentur dpa, in der von »Kanonenwatte« die Rede war. Das Terrornetz al-Qaida arbeite an der Herstellung von Sprengsätzen auf Zellulose-Basis, hieß es da. Die Sprengsätze sollten mit einer Substanz namens Nitrozellulose hergestellt werden, die sehr leicht entflammbar sei und in geschlossenen Behältern eine explosive Wirkung habe. Diese Substanz werde auch »Kanonenwatte« genannt. Donnerwetter! Es dauerte nicht lange, da erhob sich ein Proteststurm von chemiekundigen Lesern, die darüber aufklärten, dass die angebliche »Kanonenwatte« auf Deutsch »Schießbaumwolle« genannt werde. Ein Blick ins Lexikon verschaffte Klarheit: »Schießbaumwolle«, auch »Schießwolle« oder Nitrozellulose genannt, ist eine altbekannte chemische Zusammensetzung aus Salpetersäure und Baumwolle. Also nichts mit Kanonen und Watte. Da wurde der englische Ausdruck »gun cotton« zu flauschig übersetzt. Schießbaumwolle wäre die korrekte deutsche Entsprechung gewesen.

Traktoren, Propellergeschosse und Kanonenwatte – man kann nur hoffen, dass die Regierenden in Berlin ihre Entscheidungen über Kriegs- und Friedenseinsätze nicht auf Grundlage von übersetzten Agenturmeldungen fällen. Sollten Sie sich mit dem Gedanken tragen, demnächst in eine Krisenregion zu reisen, dann rüsten Sie sich gut! Nehmen Sie ein Englisch-Wörterbuch mit!

Schrittweise Zunahme der Adjektivierung

Mit wachsender Besorgnis registrieren deutsche Sprachwächter ein Phänomen, das als illegale Adjektivierung von Umstandswörtern bezeichnet werden kann. Ausgehend von der Wirtschaft, hat es inzwischen auch Politik und Journalismus erfasst. Selbst der Bundeskanzler trägt zu seiner Verbreitung bei.

Da sitzt man nichts Böses ahnend beim Frühstück, schlürft seinen Kaffee, blättert noch ein wenig schläfrig in der Zeitung, und dann auf einmal das: »EZB-Präsident Wim Duisenberg sagte auf der Pressekonferenz vorsichtig, dass eine schrittweise Zunahme des Wachstums in Richtung Potenzialwachstum das Hauptszenario der EZB darstelle.« Eine *schrittweise* Zunahme? Klingelt da nicht was? Aber hallo! In der Zentrale der deutschen Sprachpolizei schrillen in diesem Moment sämtliche Alarmglocken. Wörter, die auf -weise enden, gehören zur Familie der modalen Adverbien, auch Umstandswörter der Art und Weise genannt. Die Daseinsberechtigung von Adverbien besteht darin, Verben zu beschreiben, und nicht Nomen. Dafür gibt es die so genannten Adjektive, eine mit den Adverbien zwar unbestreitbar verwandte, aber dennoch andere Wortart. Adjektive haben den Adverbien vor allem eines voraus: Sie können als Attribute gebraucht werden, das heißt unmittelbar vor einem Hauptwort platziert werden. Der Roman ist mehrteilig – also ist er »ein mehrteiliger Roman«, und »mehrteilig« ist das Attribut. Die Zunahme erfolgt schrittweise, also handelt es sich um eine allmähliche, langsame, stetige Zunahme, aber nicht um eine schrittweise Zunahme.

Würde es sich um einen Einzelfall handeln, wäre es ja nicht weiter schlimm. Duisenberg würde von der Sprachpolizei eine gebührenpflichtige Verwarnung erhalten und dürfte in seinem Vortrag fortfahren. Doch leider finden sich derartige Adverbialattacken zuhauf. Manager wie Politiker lieben gleichermaßen die großzügige Streuung von Wörtern der Art und der Weise, wo sie nicht hingehören.

Ein unablässig sprudelnder Quell sind die Berichte von Vorstandsvorsitzenden auf Hauptversammlungen; da plätschert »die teilweise Zunahme« von Gewinnen in einem fort; da schäumt die »zeitweise Steigerung« des Kurses, dass einem ganz blümerant wird.

Allen voran marschiert wieder einmal der Bundeskanzler: »Der *schrittweise* Abbau der unverantwortlich hohen Verschuldung, angehäuft von der Regierung Kohl, ist eine der großen Leistungen der Koalition«, sagte Schröder in einem Interview mit der »Freien Presse«, als erhöhte Neuverschuldung noch kein Thema war. Und »neue Modelle für eine *stufenweise* Ausbildung, um auch theorieschwachen Jugendlichen eine Berufsausbildung zu ermöglichen«, versprach der nordrhein-westfälische Wirtschafts- und Arbeitsminister Schartau vor Schülerpublikum. Da wurde der Schiefe Turm von PISA doch gleich noch ein bisschen schiefer.

Längst haben auch die Journalisten die illegale Adjektivierung des Adverbs als fragwürdiges Mittel zur Verschönerung ihrer Texte entdeckt. »Bestandteil des von Koch und Steinbrück verabredeten Konzeptes ist der *schrittweise* Abbau von Subventionen um zehn Prozent binnen der nächsten drei Jahre«, berichtete »Die Welt« im Zuge der Steuerreformdebatte.

Der falsche Umgang mit dem Umstandswort wird auch nicht besser, wenn man das deplatzierte Adverb dekliniert:

»UN-Generalsekretär Kofi Annan hat einen klaren Zeitplan für einen *schrittweisen* Abzug der US-amerikanischen und britischen Besatzungstruppen aus Irak gefordert.« (»Frankfurter Rundschau«)

Denn bis auf wenige Ausnahmen sind Adverbien unflektierbar, das bedeutet, sie können nicht gebeugt werden. Doch so unflektierbar die Adverbien, so flexibel die Masse der Schreiber und Redner, die es nicht lassen können, das Unbeugsame zu beugen:

»Ben Artzi, der 16 Monate im Gefängnis verbracht hat, bezeichnete das Urteil als teilweisen Sieg.« (AP) Wie wäre es mit »Teilsieg«? Das ist nicht nur kürzer, sondern hört sich auch noch besser an.

»Zahlreiche Unternehmen nutzten den *zeitweisen* Rückgang der Zinsen auf ein 45-Jahres-Tief, um günstig Geld am Kapitalmarkt einzusammeln.« (»Handelsblatt«)

Den Grammaticus befällt ob solchen Stilbruchs ein *zeitweiliges* (!) Unbehagen. Zur *partiellen* (!) Beruhigung für alle Deutschen gereicht die Feststellung, dass es auch die Schweizer nicht immer besser machen. Die renommierte »Neue Zürcher Zeitung« schreibt zum Beispiel: »Die Städte fordern auch eine *teilweise* Abgeltung der einmaligen Umstellungskosten durch den Bund.« Ein Schweizer Immobilienexperte schießt den Vogel ab, beziehungsweise den Apfel vom Kopf. Er lässt sich mit den Worten zitieren: »Die privaten Veräußerer machen es sich schwer, den *stellenweisen* Minderwert ihres Besitzes zu realisieren.«

Schuld ist wiederum der fatale Hang zur Substantivierung. Statt »Wir wollen einen schrittweisen Abbau der Schulden«

könnte man zum Beispiel sagen: »Wir wollen die Schulden schrittweise abbauen.«

Es wird die Zeit kommen, in der man sich vor haufenweisen Fehlern dieser Art nicht mehr retten kann, ebenso wenig wie vor stapelweisem Leergut im Keller und schachtelweiser Preiserhöhung für Zigaretten. Gepflegte Sprache ist nicht immer nur eine Frage des Stils, sondern manchmal auch eine der korrekten Art und -weise.

Streit und kein Ende

Ach, diese ewigen Streitereien, dieses nicht enden wollende Hick-hack, Gezerre und Gerangel um alles und jeden. Wer will das denn noch hören und mag davon noch lesen? Da empfiehlt sich eine radi-kale Streit-Diät. Ab sofort heißt es verschärft: diskutieren, debattie-ren, argumentieren und auseinander setzen.

Landauf, landab wird nur noch gestritten. In der Politik und überhaupt im ganzen öffentlichen Leben gibt es keine Dis-kurse und keinen Meinungsaustausch mehr, sondern nur noch Streit. Wer morgens auf dem Weg zur Arbeit am Zei-tungskiosk vorbeikommt, der kann nur noch den Kopf ein-ziehen. Von sämtlichen Titelblättern schreit es auf ihn ein: Streit hier, Streit dort, Streit überall und immerfort!

Eine Suche im digitalen Zeitungsarchiv nach dem Wort »Streit« in Überschriften der letzten sechs Monate führt zu ei-ner ungewöhnlichen Fehlermeldung: »Mehr als 1000 Doku-mente gefunden. Bitte schränken Sie die Suche weiter ein.« Auch in den letzten fünf, vier, drei Monaten gab es noch zu viel Streit. Erst eine Einschränkung auf die letzten vier Wo-chen liefert eine Textmenge, die das System bewältigen kann.

Die Liste der Streite ist endlos: Vom Kopftuchstreit über den Stasi-Aktenstreit bis hin zum Currywurst-Streit – es wird gestritten, was das Zeug hält. Zeter und Mordio, hochrote Köpfe, erhobene Fäuste, wütendes Gekläff. Den Zeitungen nach zu urteilen, muss unsere Republik zutiefst zerrüttet sein. Überall verlaufen unüberwindbare Gräben der Zwie-tracht und des Hasses. Kaum hebt jemand den Finger und meldet eine neue Idee an, schon entbrennt ein weiterer Streit. Und selbst im Sommerloch, da streiten sie noch.

Wie eine magische Beschwörungsformel liest man wieder und immer wieder die gleich gestrickte Einleitung: »Im Streit um die Steuerreform hat die CDU ...«, »Im Streit um das Asylrecht hat die SPD ...«, »Im Streit um den Einsatz deutscher Soldaten in Awacs-Flugzeugen hat Bundesverteidigungsminister Struck ...«. Oder Sätze, die uns weismachen wollen, der Streit über dieses und jenes spitze sich zu, werde immer lauter, drohe gar zu eskalieren.

Das einzige prominente Gegenbeispiel der letzten Jahre ist die unselige »Antisemitismusdebatte«, aber vermutlich nur deswegen, weil »Antisemitismusstreit« ein Spucke beförderndender Zungenbrecher ist.

Möglicherweise ist aber das, was in den Schlagzeilen als Streit daherkommt, in Wahrheit oft nicht mehr als eine mittelprächtige Meinungsverschiedenheit. Und die Zeitungen machen einen handfesten Streit daraus, weil das Wort so schön kurz und griffig ist und eine verkaufssteigernde Signalwirkung hat. Vielleicht sind die Gräben in unserer Gesellschaft gar nicht so tief, sondern nur mit Druckerschwärze gefüllte Furchen. Wie wäre es statt mit Frühjahrsdiät, Kartoffeldiät oder Gurkendiät mal mit einer Streit-Diät? Meiden wir das strittige Wort und reden wir stattdessen wieder von Debatten, Diskussionen oder Kontroversen.

»Wenn Sie keinen Streit wollen«, sagt der Verkäufer vom Kiosk und lacht, »dann können Sie auch Krieg haben!« Und er zeigt auf die Titelseiten seiner ausgelegten Zeitungen. »Torwart-Krieg«, steht auf der einen, »Zicken-Krieg« verheißt die nächste. Das geht über »TV-Krieg« bis zum »Renten-Krieg«. Für diejenigen, die gegen das Wort Streit bereits immun sind, muss es eben Krieg sein. Gerhard Schröder hockt im Kanzlerbunker, während die Opposition vorm

Reichstag Panzer auffahren lässt. Ob das die Gespräche über die Reformen voranbringen wird?

Der Streit über die richtige Präposition

Erschwerend in der Streit-Debatte kommt hinzu, dass in der überwältigenden Mehrheit der Fälle das Wort »Streit« von der Präposition (beziehungsweise Postposition) »um« begleitet wird, obwohl »über« oftmals genauer wäre. Denn es gilt zu unterscheiden:

Beim Streit *um* die Wurst will jeder die Wurst für sich haben. Wir haben es mit Besitzansprüchen zu tun.

Beim Streit *über* die Wurst können sich die Beteiligten nicht einigen, wie eine Wurst auszusehen hat und welche Zutaten hineingehören. Der Streit dreht sich um etwas Abstraktes.

Bei der Erziehung streitet man sich *über* die Kinder, bei der Scheidung streitet man sich *um* dieselben. Dieselbe Differenzierung gilt für das fast ebenso häufig gebrauchte Wort Konflikt: Man unterscheidet den »Konflikt *um* das Kosovo« (Serben und Albaner wollen das Kosovo für sich) und den »Konflikt *über* die Steuerreform« (CDU und SPD sind geteilter Meinung). Eine Debatte und eine Diskussion werden grundsätzlich immer *über* etwas geführt. Denn in der Verbform heißt es schließlich: es wurde darüber debattiert und darüber diskutiert, nicht »darum«. Ebenso Gerüchte: Es kursieren Gerüchte über jemanden, nicht um jemanden.

»Um« ist die am stärksten strapazierte Präposition. Beispiele wie »Mit ihrem Streik um die 35-Stunden-Woche hat die IG Metall ...« und »Wohl kaum eine Auseinandersetzung seit der Volksabstimmung um den Beitritt zur Europäischen Union hatte ...« und »Berliner Gegenwarts-Polizeifilme um Staatsbeamtinnen mit Gewissenskonflikten« veranschaulichen die geradezu seuchenartige Ausbreitung der Präposition »um« auf Kosten der treffenderen Artgenossinnen »über«, »für« und »wegen«.

Wer mit dieser Art von Formulierungen tagtäglich zu kämpfen hat, dem sei als kleine Hilfe nachstehende Tabelle empfohlen. Einfach kopieren und an den Monitor nageln, schon gibt's kein Rätselraten mehr um ... pardon: über die richtige Präposition.

Die richtige Verwendung von »um« und »über«

Substantiv	Postposition
Abstimmung	über
Affäre	um
Aufregung	über
Auseinandersetzung	über
Beratungen	über
Debatte	über
Diskussion	über
Drama	um
Gejammere	über
Gerangel	um
Gerede	über
Gerücht	über
Gespräch	über
Gezerre	um
Gezeter	über
Hickhack	um
Intrige	um
Konflikt (mit Besitzanspruch)	um
Konflikt (mit geteilter Meinung)	über
Krawall	um
Lamento	über
Mutmaßungen	über
Nachdenken	über
Poker	um
Prozess	um

Die richtige Verwendung von »um« und »über«

Substantiv	Postposition
Querelen	um
Radau	um
Rätselraten	über
Skandal	um
Spekulationen	über
Streit (mit Besitzanspruch)	um
Streit (mit geteilter Meinung)	über
Tauziehen	um
Verhandlungen	über
Vermutungen	über
Verwirrung	über
Wirrwarr	um
Zwist (mit Besitzanspruch)	um
Zwist (mit geteilter Meinung)	über

Die unvorhandene Mehrzahl

Gerüchte, Spekulationen, Unterstellungen – sie sind der schlimmste Albtraum eines jeden Prominenten. Es gibt nur eines, was noch schlimmer wäre: das Gerücht, die Spekulation, die Unterstellung. Ein Plädoyer gegen schwammige Plurale und für die Kraft der Einzahl.

Ein erpresserischer Innensenator, ein kompromittierter Bürgermeister, ein zur Miete wohnender Justizsenator und angebliche Zeugen für vermeintliche Liebesgeräusche. Die Gerüchteküche brodelte, was das Zeug hielt, aus allen Töpfen blubberte und spuckte es, weißer Schaum stemmte die Deckel hoch, zäher Brei troff auf die Herdplatte, wo er laut zischend verbrannte. Welch ein gefundenes Fressen für die Presse, die gar nicht hinterherkam, all die vielen Spritzer einzufangen und die Schliere in Tüten abzufüllen.

Das las sich dann etwa so: »Gerüchte, er habe ein homosexuelles Verhältnis mit dem Justizsenator, wollte der Bürgermeister nicht kommentieren.« Abgesehen von dem moralischen Problem haben wir es hier auch mit einem stilistischen zu tun. Der Satz beginnt mit dem Objekt, und dieses Objekt wird im anschließenden Einschub näher erklärt. Das ist sprachlich zwar nicht elegant, grammatisch aber korrekt. Doch sehen wir uns dieses Objekt und seine Bestimmung einmal näher an: »Gerüchte« heißt es, ein Wort in der Mehrzahl. Und wie lauten diese mehreren Gerüchte? Da wäre zum einen: Er habe ein homosexuelles Verhältnis mit seinem Justizsenator. Aha. Und zum zweiten? Nix mehr. Schade eigentlich.

Wir haben es hier mit einem Lieblingsphänomen der deutschen Schriftsprache zu tun: dem unvorhandenen Plural. Er taucht überall dort auf, wo vermutet, behauptet, unterstellt und spekuliert wird.

»Befürchtungen, dass sie durch den heißen Auftritt ihrem Image geschadet habe, hat die Blondine offenbar nicht«, war in einem Text über Britney Spears zu lesen, nachdem sie von Madonna in die Wunder des öffentlichen pseudo-lesbischen Lingualverkehrs eingeführt worden war. Warum sich der Verfasser nicht getraut hat, »die Befürchtung« zu schreiben, wenn er doch nur eine nennt, das bleiben seine Geheimnisse.
Vielleicht wählte er den Plural in der Annahme, der Aussage damit mehr Gewicht zu verleihen: Je mehr er die arme Spears befürchten lässt, desto mehr beeindruckt er die Leser. Doch das ist ein Trugschluss. Wenn es nicht gar Trugschlüsse sind.

Der Plural verstärkt nicht, er verdichtet nichts, er macht die Befürchtung nicht fürchterlicher. Im Gegenteil – der Plural schwächt ab, er entzieht der Befürchtung das Beklemmende, macht sie beliebig. Hier wird die Möglichkeit verschenkt, mit weniger mehr zu erreichen.

»Der Schriftsteller bestreitet die Vorwürfe, in den Sechziger- und Siebzigerjahren für die Stasi gearbeitet zu haben.« Der Plural wäre verständlich, wenn Vorwurf eins lautete, der Schriftsteller habe in den Sechzigerjahren für die Stasi gearbeitet, und Vorwurf zwei, er habe das, starrsinnig wie Intellektuelle nun mal sind, in den Siebzigerjahren immer noch getan. Gemeint ist aber bloß ein einziger Vorwurf.
»Forderungen nach einem direkten Rückzug der Koalitionstruppen schloss sich Fischer nicht an.« Auch hier haben wir es nur mit einer einzigen Forderung zu tun; nämlich der nach einem Rückzug, dennoch steht das Objekt im Plural.

»He, Zwiebelfisch, nun werde mal nicht haarspalterisch«, erschallt da der Ruf (oder sind es Rufe?) von irgendwoher, »die Mehrzahl soll doch nur verdeutlichen, dass die Forderung von mehreren Personen gestellt wurde.« Eine interessante These. Die vielen geheimnisvollen Quellen verstecken sich quasi im Numerus des Objekts! Es verschmilzt die Botschaft mit ihren Rufern. Das ist subversiver Journalismus in Höchstform.

Bemühen wir die Logik: Jemand setzt ein Gerücht in die Welt, eine zweite Person trägt es weiter, wie viele Gerüchte haben wir? Zwei? Falsch. Es sei denn, der Inhalt wurde verändert. Gegenprobe: Im Stadion bricht Panik aus. 20 000 Personen rennen zum Ausgang. Wie viele Paniken haben wir? Selbstverständlich können diverse Gerüchte über den Lebenswandel einer Person kursieren, doch hinter der Aussage »Er hat ein homosexuelles Verhältnis mit dem Justizsenator« verbirgt sich nicht mehr als ein einziges Gerücht. Und das ist auch genug so. Denn ein einzelnes Gerücht kann mehr Schaden anrichten als eine ganze Batterie von Gerüchten. So wie die Last einer einzelnen Schuld mehr wiegen kann als diverse Schulden.

Es gibt eine Zeichnung von A. Paul Weber mit dem Titel »Das Gerücht«. Darauf ist ein schlangenartiges Wesen mit einer menschenähnlichen Fratze zu sehen, das durch eine monotone Häuserschlucht gleitet. Aus allen Fenstern fliegen ihm kleinere Schlangen zu, heften sich an seinen Leib und lassen es zu einem grauenerregenden Monstrum anwachsen. Hätte Weber diese Allegorie nicht »Das Gerücht« genannt, sondern »Gerüchte«, wäre die Hälfte ihrer Wirkung verpufft. Das Beklemmende, Furchteinflößende liegt oft gerade in der Einzigartigkeit, im Einzelnen, in der Einzahl.

Einfach Haar sträubend!

Früher gab es erdölfördernde Länder einerseits und milchverarbeitende Betriebe andererseits. Dann kamen die Ölkrise und die Rechtschreibreform. Heute gibt es Erdöl fördernde Länder und Milch verarbeitende Betriebe einerseits. Und andererseits grotesk zerrupfte Begriffe wie Kapital gedeckt, Rückfall gefährdet und Muskel bepackt.

Eines ist gewiss: Die Zeiten ändern sich. Der gutaussehende diensthabende Stationsarzt von einst ist heute allenfalls noch ein gut aussehender Dienst habender Stationsarzt. Und die ehemals gewinnbringenden Anlagen sind auch nicht mehr, was sie mal waren. Ob das Gewinn bringend für unsere Sprachkultur ist, wird von vielen angezweifelt. Zu Recht, denn die Verwirrung in der zeitgenössischen Orthographie ist immens.

Die Rechtschreibreform wollte alles ein bisschen leichter machen. Regeln sollten vereinfacht werden, Ableitungen sollten logischer, Schreibweisen sollten geglättet werden. Schön und gut. Aber haben wir es mit der Rechtschreibung heute wirklich leichter? Wie kommt es dann zu derart irritierenden Textpassagen wie »Das Fernsehen sendete die Bilder Zeit versetzt« oder »Die Rakete fliegt fern gelenkt«? Wo kommen auf einmal all die »Reform orientierten« Chinesen her, die »Start bereiten« Shuttles, die »Computer gestützten« Spiele und die »Asbest verseuchten« Schulgebäude?

Es lässt sich eine Besorgnis erregende Zunahme falscher Getrenntschreibungen feststellen. Besorgnis erregend, fast schon Furcht einflößend. Oder auch furchteinflößend. Auf jeden Fall Verwirrung stiftend.

Die Rechtschreibreform hat viele Zusammensetzungen auseinander gerissen. Plötzlich war hier zu Lande nichts mehr so, wie es hierzulande mal war. Und wer dem Geheimnis der neuen Regelung auf den Grund zu gehen versucht, der verstrickt sich alsbald in einem klebrigen Gespinst aus Widersprüchen und Ungereimtheiten.

Es würde zu weit führen, an dieser Stelle sämtliche Aspekte der Getrennt- und Zusammenschreibung zu erörtern. Dazu reicht der Platz nicht aus. Für den Anfang genügt es schon, einen kritischen Blick auf Zusammensetzungen mit so genannten Partizipien zu werfen. Partizipien sind Wörter, die von Verben abgeleitet werden, aber den Charakter von Adjektiven haben. Es gibt sie im Präsens: sitzend, schlafend, träumend. Und im Perfekt: gesessen, geschlafen, geträumt, erledigt, benutzt, verloren.

Früher war die Regel eigentlich ganz einfach: Eine Verbindung mit einem Partizip schrieb man zusammen und klein. Punktum. »Schweiß« und »treibend« ergab *schweißtreibend*, »Glück« und »verheißend« ergab *glückverheißend*, »allein« und »erziehend« ergab *alleinerziehend*. Diese Regel hat selten zu Protestaktionen oder Unterschriftensammlungen geführt, denn sie war kurz, einfach und logisch. Selbst weniger talentierte Lehrer waren in der Lage, sie zu vermitteln, und zur Not konnten sie sich bei der Mathematik bedienen, denn die Regel ließ sich als immergültige Formel darstellen: x + Partizip = Adjektiv.

Dann traten die Rechtschreibreformer auf den Plan und fanden, diese Regel sei überhaupt nicht logisch und müsse dringend überarbeitet werden. Wenn man die Grundform »viel versprechen« in zwei Wörtern schreibt, so sei es doch nahe liegend, auch »viel versprechend« in zwei Wörtern zu schreiben. Dabei haben sie eine alte Bauernweisheit außer Acht gelassen, die da lautet: »Die Hühner gackern in Hof und Stall, drum hört man Hühnergackern überall.« Was will uns diese Weisheit sagen? Unter anderem dies: Nur weil zwei Wörter in der einen Konstellation auseinander geschrieben werden, muss das noch lange nicht heißen, dass man sie in einer anderen Konstellation nicht zusammenschreiben kann. Andernfalls hörte man das »Hühner Gackern« überall, und dann wäre man wirklich reif für die Hühner freie – pardon: hühnerfreie Insel.

Allen Bauernweisheiten zum Trotz trat die Rechtschreibreform in Kraft und mit ihr jener Paragraph 36, der seither Tausende von Lehrern, Schülern, Lektoren und Journalisten in tiefste Verunsicherung und manchen Kolumnisten sogar in Verzweiflung gestürzt hat.

Die neuen amtlichen Regeln schreiben vor: Fügungen mit Partizip als zweitem Bestandteil werden getrennt geschrieben, wenn sie auch in der Grundform getrennt geschrieben werden. Länder, die *Erdöl fördern*, sind somit *Erdöl fördernde Länder*. Betriebe, die *Milch verarbeiten*, sind *Milch verarbeitende Betriebe*. Mütter, die *allein erziehen*, sind *allein erziehend*. Und Meldungen, die *Besorgnis erregen*, sind *Besorgnis erregend*.

Besorgnis erregend ist indessen auch die Vielzahl der Ausnahmen, bei denen dann doch die gute alte Zusammenschreibung gilt. Dies ist vor allem immer dann der Fall, wenn der erste Bestandteil der Fügung für eine Wortgruppe steht. Als Beispiel wird dann gerne der Begriff »angsterfüllt« genannt. In der Grundform heißt es nämlich »von Angst erfüllt«, daher steht »angst-« für eine verkürzte Wortgruppe, folglich muss die Fügung zusammengeschrieben werden.

Auch »herzerweichend« ist so ein Fall – lautet die Grundform doch »das Herz erweichen«. Und »rufschädigend«, denn es heißt ja nicht, jemand »schädigt Ruf«, sondern jemand schädigt *einen* oder *jemandes* Ruf.

Das Asyl der Asyl suchenden Flüchtlinge hingegen geht nicht auf eine Wortgruppe zurück, daher sind sie nicht länger asylsuchend. Aber wie ist es mit den Arbeit suchenden Menschen? Die meisten von ihnen suchen vielleicht tatsächlich nur Arbeit, aber es ist doch ebenso gut möglich, dass ein paar von ihnen *eine* Arbeit suchen? Hätte man es dann nicht mit einer Wortgruppe zu tun? Mit einem eingesparten Artikel, so wie bei »herzerweichend«? Dann hätten diese Menschen zwar noch kein Recht auf Arbeit, aber immerhin ein Recht darauf, »arbeitsuchend« genannt zu werden. Im Arbeitsamt müssten zwei Schlangen eingerichtet werden. Wer *Arbeit sucht*, der stelle sich links bei den Arbeit Suchenden an; und wer *eine Arbeit sucht*, der gehe nach rechts, zu den Arbeitsuchenden.

Die Korrekturhilfe von »Word« lässt das Eigenschaftswort »arbeitsuchend« entgegen der neuen Regelung gelten. Dafür unterstreicht sie aber Wörter wie muskelbepackt, scherbenübersät und kapitalgedeckt, obwohl die nach wie vor richtig sind. Prompt findet man in der Presse Sätze wie diese: »*Muskel bepackt* und gut trainiert müssen sie sein, die Saalordner der Hip-Hop-Veranstaltungen.« – »Der Sozialdemokrat fordert neben der gesetzlichen Rentenversicherung als zweite Säule eine *Kapital gedeckte* Rente.« – »Die Straße ist *Scherben übersät*, Kinder rennen barfuß durch die Splitter.« Oder auch: »Radfahrer bewarfen den Puma mit Steinen, bis er von der *Blut überströmten* Frau abließ.«

»Das haben wir nicht gewollt«, sagen die Befürworter der Rechtschreibreform heute, »das ist das Ergebnis einer völligen Fehlinterpretation der Regeln!« Tatsache ist: Das große Reformwerk, das sich als *richtungweisend* verstand, erwies sich in der Praxis oft als *Irre führend*. Und »Word« besorgt den Rest. Findige Verschwörungstheoretiker haben längst eine Verbindung ausgemacht zwischen der Rechtschreibkommission und den Programmierern der »Word«-Korrekturhilfe. Beide Gruppen hätten sich verschworen zu dem Zweck, die deutsche Gesellschaft durch Beseitigung aller sprachlichen Sicherheiten in ein Chaos zu stürzen, auf dass der Weg frei werde für die Übernahme der totalen Macht durch Dieter Bohlen.

Dass die Unterscheidung zwischen getrennt geschriebenen und zusammengeschriebenen Verbindungen nicht klar ist, ist den Verantwortlichen mittlerweile selbst schmerzlich bewusst geworden. So hat die zwischenstaatliche Kommission für deutsche Rechtschreibung inzwischen dafür plädiert, die Schreibung von Verbindungen mit Partizipien »etwas zu flexibilisieren« und den strittigen Paragraphen 36 um eine »Toleranzklausel« zu ergänzen.
Demnach ist bei Verbindungen mit Partizipien neben der Getrenntschreibung nun ebenfalls (wieder) Zusammenschreibung möglich, jedenfalls solange das Partizip nicht allein für sich steigerbar ist.

Die Rat suchenden Leser sind also wieder als ratsuchend zugelassen, und Fleisch fressende Pflanzen dürfen wieder als fleischfressende Pflanzen verkauft werden. Ein Teilsieg der Reformgegner, ein kleiner Triumph der Logik. Wenn eines Tages der Wasser abweisende Schutzanzug auch wieder wasserabweisend sein darf und die Energie sparende Lampe energiesparend, dann bleiben uns vielleicht auch Kuriositäten wie *Bahn brechende* Erfindungen, *Hitze beständige* Glasur und *Grund legende* Reformen erspart.

Bis dahin wird uns allerdings noch manch *Atem berauben-*
der, Sinn entleerter, Flächen deckender, Schwindel erregen-
der, Ohren betäubender, Hane büchener Unfug begegnen.

Die Ruderregatta

Wieso müssen Politiker eigentlich immer zurückrudern – weshalb schreibt niemand darüber, wenn sie irgendwo hinrudern? Warum wird Geld nicht mehr eingenommen, sondern nur noch gespült? Ab und zu sollte man populären Redewendungen ruhig auf den Zahn fühlen. Einige beginnen nämlich schon zu faulen.

Da sitzt er, der arme Bundeskanzler, mit triefendem Jackett, die Haare zerzaust, in dieser kläglichen Nussschale, die unaufhaltsam auf einen tosenden Wasserfall zutreibt, und stemmt sich mit aller ihm verbliebenen Kraft in die Riemen. Wird er es noch schaffen?

Dieses dramatische Bild erscheint bisweilen vor meinem geistigen Auge, wenn ich mal wieder lese: »Schröder rudert zurück«. Und das kommt erschreckend häufig vor. Aber nicht immer zuckt es derart dramatisch in meinem Hirn. Mitunter sehe ich den Kanzler auch einfach in einem ruhigen Kahn auf dem Steinhuder Meer, ihm gegenüber Doris unterm gepunkteten Sonnenschirmchen, zu seinen Füßen einen Picknickkorb mit einer geöffneten Rotweinflasche. »Wo steuerst du hin?«, fragt Doris orientierungslos. »Ich rudere zurück!«, erwidert Gerhard entschlossen. Am Ufer ein Rudel Reporter, Kameras werden in Stellung gebracht, klick, klick, und noch am selben Abend die Meldung im Fernsehen: »Schröder rudert zurück«.

Mit den sprachlichen Bildern ist das so eine Sache. Wenn sie einmal in Mode gekommen sind, dann sind sie von der Festplatte der Journalisten nur schwer wieder zu löschen. Und wer ist in den letzten Monaten und Jahren nicht alles schon zurückgerudert? Nach ihrem Kniefall in Washington vor dem fleischgewordenen Denkmal des amerikanischen Imperialismus, für den sie sich hier zu Lande reichlich Schelte einhandelte, war über die Parteichefin der CDU prompt zu lesen: »Angela Merkel rudert zurück«. Ein ziemlich weiter Weg, so quer über den Atlantik ...

Auch Fischer, Trittin und Westerwelle rudern von Zeit zu Zeit zurück. Seltsam nur, dass man nie liest, wie jemand hinrudert. Man ertappt ihn immer erst beim Zurückrudern. Vielleicht eine Sparmaßnahme des Bundes? Hinfahrt in der gepolsterten Limousine oder im Guidomobil, zurück dann bitte per Ruderkahn. Sicherlich gibt's auch hierbei die Möglichkeit, Bonusmeilen zu sammeln. So oft, wie Gerhard Schröder schon zurückgerudert ist, steht ihm zweifellos die eine oder andere Gratisfahrt im Tretboot zu.

Pecunia non olet, Geld stinkt nicht, soll schon Kaiser Vespasian gesagt haben, als ihn sein Sohn dafür tadelte, dass er römische Bedürfnisanstalten mit einer Steuer belegt hatte. Wenn dieser Ausspruch auch heute noch gilt, so vielleicht deshalb, weil das Geld so oft gespült wird.

Geld einnehmen, auftreiben oder womöglich verdienen – das ist stilistisch passé. Heute wird Geld in die Kassen gespült, und zwar im Akkord:

»Um die Verluste auszugleichen, kündigte die zweitgrößte deutsche Geschäftsbank am Donnerstag eine Kapitalerhöhung an, die dem Institut mindestens drei Milliarden Euro in die Kassen spülen soll«, meldet die »Berliner Zeitung«. Und der »Kölner Stadt-Anzeiger« berichtet: »Die Vignette kommt wieder und soll mit 40 Millionen Euro pro Monat rund ein Drittel der Mauteinnahmen in die Kassen spülen.« – »Vor fünf oder sechs Jahren konnte der Hallenfußball

noch das eine oder andere Milliönchen in die Kassen spülen«, schreibt die »Frankfurter Rundschau«, und in der »Fi-
nancial Times Deutschland« erfährt man: »Im Vorjahr hatten die schnittigen Züge noch rund 57 Millionen Euro
Gewinne in die Kassen der Bahn AG gespült.«

Dies sind nur ein paar Beispiele von Tausenden, bei denen in
jüngster Zeit irgendwelche Gelder in irgendwelche Kassen
gespült wurden. Diese Form der Geldwäsche ist juristisch
zwar völlig legal – stilistisch allerdings ist sie, spätestens
nach der tausendsten Wiederholung, ein Verbrechen.

Die Metapher lässt an Wogen von Bargeld denken, an don-
nernde Brandung, die sich schäumend über den Strand er-
gießt und einen Haufen glitzernder Münzen und durch-
nässter Geldscheine zurücklässt. Oder an Dagobert Duck,
der im gestreiften Badeanzug beglückt in ein Meer aus Taler-
stücken hüpft.

Woher das Geld kommt, wie hart es erarbeitet werden
musste, das spielt keine Rolle. Es ist einfach da, wogt hin
und her und schwappt in die offenen Kassen hinein. Das
mag im Comic funktionieren, mit der Wirklichkeit hat es
nichts zu tun.

Pecunia non olet? Geld vielleicht nicht, aber dafür stinkt hier
etwas anderes: Wenn überstrapazierte Redewendungen
faulig werden, verbreiten sie einen unangenehmen Geruch.

Wer beim Thema Geld das Spülen partout nicht lassen
kann, der soll weiterspülen, aber dann bitte in der Küche.

Deutsch als Amtssprache der USA

Seit 200 Jahren hält sich hartnäckig eine Legende, die besagt, dass Deutsch um ein Haar die offizielle Landessprache der USA geworden wäre. Ein entsprechendes Gesetz soll nur an einer einzigen Stimme gescheitert sein. Der Mann, der die Wahl zugunsten von Englisch entschied, soll ausgerechnet deutscher Abstammung gewesen sein.

So wie das Ungeheuer von Loch Ness taucht auch die so genannte Muehlenberg-Legende alle Jahre wieder auf und findet regelmäßig neue Freunde, die zu ihrer Verbreitung beitragen. Das ist auch nicht verwunderlich, denn ihre Faszination wächst im gleichen Maße, wie Macht und Einfluss der USA wachsen.

Wer war dieser Muehlenberg, und was hat es mit der Behauptung auf sich, die USA wären beinahe deutschsprachig geworden? Hat es jemals eine Abstimmung in den USA über die offizielle Landessprache gegeben? Oder gab es sie zumindest in einzelnen Bundesstaaten?

Englisch war doch die Sprache der verhassten Kolonialherren, gegen die sich das amerikanische Volk im Unabhängigkeitskrieg erfolgreich aufgelehnt hatte. Wäre es da nicht vorstellbar, dass die jungen Vereinigten Staaten nach ihrer Gründung beschlossen, sich eine andere Sprache zu geben? Natürlich – vorstellbar ist vieles; Tatsache ist jedoch, dass eine Abstimmung über die Amtssprache der USA niemals stattgefunden hat, auch nicht auf regionaler Ebene.

Doch wie alle Legenden hat auch diese einen wahren Kern: Am 9. Januar 1794 reichte eine Gruppe deutscher Einwanderer aus Virginia beim US-Repräsentantenhaus eine Petition ein, in der sie die Veröffentlichung von Gesetzestexten in deutscher Übersetzung forderten. Dies sollte den Einwanderern, die noch kein Englisch gelernt hatten, helfen, sich schneller mit den Gesetzen in der neuen Heimat zurechtzufinden. Doch der Antrag wurde vom Hauptausschuss des Repräsentantenhauses mit 42 zu 41 Stimmen abgelehnt. Der deutschstämmige, zweisprachige Sprecher des Repräsentantenhauses, Frederick Augustus Conrad Muehlenberg, der sich selbst bei der Abstimmung enthalten hatte, erklärte hinterher: »Je schneller die Deutschen Amerikaner werden, desto besser ist es.«

Dies führte bei den deutschen Siedlern zu einer gewissen Verbitterung, die den Nährboden für jene Legende bildete, die eine Generation später aufkam und als so genannte Muehlenberg-Legende Berühmtheit erlangte. 1828, so ging das Gerücht, habe es in Pennsylvania eine Abstimmung darüber gegeben, ob Deutsch neben Englisch zweite Amtssprache werden sollte. Der entsprechende Antrag sei mit nur einer Stimme nicht angenommen worden. Die entscheidende Stimme, die Deutsch verhinderte, habe ausgerechnet der deutschstämmige Parlamentssprecher Muehlenberg abgegeben.

Die Deutschen machten zu Beginn des 19. Jahrhunderts zwar einen nicht unerheblichen Bevölkerungsteil im Staate Pennsylvania aus, doch dieser war nicht höher als ein Drittel. Auf die Gesamtpopulation der USA bezogen, lag der Anteil deutscher Einwanderer um 1830 gerade mal bei neun Prozent.

Ungeachtet dessen sind zahlreiche deutsche Wörter ins amerikanische Englisch eingedrungen, und gelegentlich kommen sogar neue hinzu, wie »fahrvergnuegen« und »bremsstrahlung«. Die berühmtesten »Germish«-Vokabeln betreffen deutsche und österreichische Spezialitäten; die schaurigsten stammen aus der Zeit des Zweiten Weltkriegs. Wichtige Impulse stammten aus den Bereichen Hundezüchtung, Philosophie und Waffentechnik. Hier finden Sie eine kleine Auswahl:

Deutsche Wörter in der englischen Sprache			
a	alpenglow angst Anschluss autobahn automat	f	fahrvernuegen fest (z.B. beer fest) frankfurter Fraulein, Frollein Fuehrer
b	beergarden bildungsroman Birkenstock blitz Blitzkrieg bratwurst bremsstrahlung	g	gasthaus gemuetlich Gesundheit! glitz, glitzy glockenspiel
c	coffee-klatsch, coffee klatch concertmeister	h	hamburger hamster hausfrau Herrenvolk hinterland howitzer (von Haubitze)
d	dachshund Das ist gut delicatessen, deli diener, deaner Diesel dirndl Doberman pinscher doppelganger dreck, drek dummkopf		
		i	iceberg
		k	kaputt kindergarten kitsch knackwurst kraut kriegspiel Kristallnacht
e	edelweiss ehrgeiz		

Deutsche Wörter in der englischen Sprache

l	lager beer, lager lebensraum leberwurst, liverwurst lebkuchen lederhosen leitmotiv, leitmotif lied	**r**	Reich reinheitsgebot rollmops rottweiler rucksack
m	muesli	**s**	sauerkraut, sourkraut schadenfreude schnapps schnauzer (Hunderasse) schnitzel spritz, spritzer strudel
n	Nazi Neanderthaler nicht wahr?		
o	Oktoberfest Ostpolitik	**u**	U-boat umlaut
p	panzer pils, pilsner pinscher plattenbau polka pretzel (von Bretzel) pumpernickel	**v**	Volkswagen
		w	waldmeister waldsterben weltschmerz wunderkind wurst
		z	zeitgeist zigzag (von Zickzack)

Unglück mit Toten, schwere Verwüstungen

Ein Unglück kommt selten allein, heißt es, daher ist es nicht verwunderlich, wenn zur Entgleisung eines Zuges auch noch die Entgleisung der Sprache kommt. Der stilistische Umgang mit Katastrophen kommt oft selbst einer Katastrophe gleich; Fähren, Busse und Züge voller Menschen verunglücken, die Sprache verunfallt.

Katastrophenjournalismus ist die vielleicht älteste Form des Journalismus überhaupt. Das merkt man deutlich an seiner Sprache: Kaum ein anderes Themengebiet ist derart von redundanten Redewendungen durchsetzt, nirgendwo findet man gründlicher gedroschene Phrasen. Wenn irgendwo die Erde bebt, dann fallen Gebäude, Häuserblocks, ganze Dörfer stets »wie Kartenhäuser« in sich zusammen. In den USA, wo die meisten Telefonleitungen noch oberirdisch verlaufen, knicken die Masten bei Wirbelstürmen regelmäßig um »wie Strohhalme«. Und wenn der »Twister«, wie er neuerdings auch bei uns so gerne genannt wird, richtig gut drauf ist, dann werden Trucks, also Lastwagen, durch die Luft geschleudert »wie Spielzeugautos«.

Diese Vergleiche sind derart populär, dass sie bereits einen hohen Wiedererkennungswert haben. Wir lesen nur »Kartenhäuser« und wissen sofort: Aha, ein Erdbeben. Allerdings muss man sich fragen, wieso angesichts von Naturkatastrophen derartige Vergleiche überhaupt nötig sind. Sie sollen die ungeheure Gewalt veranschaulichen, mit der die Natur am Werke war; tatsächlich aber werden die Kräfte der Natur durch solche Vergleiche eher verharmlost.

Ein anderes Mittel zur Beschreibung von Katastrophen ist das hastige Ausreizen von Superlativen. Das neue Jahrhundert war gerade mal lächerliche zwei Jahre alt, da wurde das Hochwasser an Elbe und Oder bereits zur »Jahrhundertflut« erklärt. Alle Fluten, die in den nächsten 97 Jahren über deutschen Dächern zusammenschwappen, müssen sich damit abfinden, dass der Name »Jahrhundertflut« bereits vergeben ist.

Weil vorhin von Lastwagen die Rede war: Es gibt da noch ein anderes Schwerfahrzeug, von dem man jeden Sommer liest: die Feuerwalze. Regelmäßig stampft, donnert und rollt sie durch Europas beliebteste Ferienregionen, von der Côte d'Azur über Spanien bis nach Portugal. In ihrer irren Fahrt walzt sie nicht nur Tausende Hektar Wald nieder, sondern offensichtlich auch jede semantische Alternative. Die Feuersbrunst, der Waldbrand und das gemeine Feuer als solches sind eindeutig zu Vokabeln zweiter Wahl verkommen. Platz da für die Feuerwalze!

Brände haben übrigens die bemerkenswerte Eigenschaft, immer zu »wüten«. »*Auch in weiten Teilen Norditaliens wüten Brände*«, liest der Nachrichtensprecher vom Blatt, und er klingt dabei gewohnt sachlich. Ein wahrhaft wagnerianisch wuchtiges Wort wie »wüten« klingt aber geradezu grotesk, wenn es sachlich vorgelesen wird. »Lodern« wäre auch mal ganz hübsch, aber im Journalistendeutsch können Brände nun mal nicht anders als wüten. Und ist es wirklich noch nötig, Verwüstungen immer ein »schwer« oder »schwerst« vorauszuschicken? Hat denn je ein Feuer, ein Sturm oder eine Flut irgendwo mal »leichte Verwüstungen« hinterlassen?

Und dann die Opfer! Natürlich, sie stehen im Zentrum der Katastrophe, sie wollen wir sehen, möglichst geschunden, blutüberströmt, weinend, auf einer Trage liegend. Der Krieg fordert viele Opfer, und in der Regel bekommt er sie auch. Meistens handelt es sich dabei um »unschuldige Frauen und Kinder«. Männer scheinen per se schuldig, von »unschuldigen Männern« liest man jedenfalls erschreckend selten.

Erschreckend häufig liest man hingegen Sätze wie diesen: »52 Personen wurden teilweise schwer verletzt.« Wie sieht das wohl aus, wenn jemand »teilweise schwer verletzt« ist? Muss man sich das so vorstellen, dass bei allen 52 Personen jeweils ein Arm oder ein Bein stark lädiert wurden, während die restlichen Körperteile mit leichten Kratzern davongekommen sind? Schon klar: Das Wort »teilweise« bezieht sich auf die Menschen, nicht auf die Verletzungen, aber das Wort ist syntaktisch ungünstig platziert.

Hartnäckig hält sich auch die Überzeugung, dass die Evakuierung von Menschen eine geeignete Maßnahme zur Verhütung von Katastrophen sei: »*Die Bewohner mehrerer Berggemeinden ... wurden am vergangenen Freitag evakuiert, als sich die Feuerwalze ihren Häusern mit einer Geschwindigkeit von fünf Kilometern in der Stunde genähert hatte.*« Welch grausige Vorstellung! Evakuieren bedeutet wörtlich *die Luft heraussaugen*, im bekannteren übertragenen Sinne: *etwas leer machen*. Städte, Häuser und Dörfer kann man evakuieren, aber keine Menschen. Vielleicht handelte es sich bei den Bewohnern der Bergdörfer aber auch um aufblasbare Gummipuppen. Dann nehme ich alles zurück.

Bisweilen wird den Opfern noch nachträglich übel mitgespielt. »*Wieder Unfall mit einem Toten*«, titelte die »Sächsische Zeitung«. Gruselig, so was! Man kennt Unfälle mit Motorrädern, mit Rehen, mit Heißluftballons oder mit Fußgängern. Aber mit einem Toten? Dazu kann es kommen, wenn ein Leichenwagen einen offenen Sarg verliert und der

Tote auf die Autobahn geschleudert wird. So etwas soll schon vorgekommen sein. Schlimm ist auch ein »*Busunglück mit 13 Schwerverletzten*«. Nun sind diese armen Menschen schon schwer verletzt, und dann rast auch noch ein Bus in sie hinein. Dabei hätte es gar nicht so weit zu kommen brauchen; denn es ist wie beim Backen – die Präposition »mit« gehört vor die Zutaten, nicht vor das Resultat: »Backen mit Liebe«, nicht »Backen mit Kuchen«. Was gäbe es sonst beim »Kochen mit Biolek«?

Die schlimmste aller denkbaren Katastrophen ist übrigens die »humanitäre«. Von der hört und liest man immer wieder. Humanitär heißt »menschenfreundlich, wohltätig«. Was also haben wir uns unter einer Wohltätigkeits-Katastrophe vorzustellen? Eine Benefiz-Gala mit Dieter, Naddel & Co.? Das Leben steckt voller Gefahren, und die Sprache ist ein tückisches Terrain voller Fallgruben. Ehe man sich versieht, ist man mit ihr »verunfallt«; der Stil, teilweise schwer verletzt, wird von der Feuerwalze überrollt und unter den Trümmern von Kartenhäusern begraben. Welch eine Katastro-f-e!

Trügerischer Anschein des Scheinbaren

Morgens um sieben ist die Welt anscheinend noch in Ordnung. Oder ist sie es nur scheinbar? Allem Anschein nach ist der unscheinbare Unterschied zwischen scheinbar und anscheinend nicht hinlänglich bekannt. Dabei verbirgt sich hinter dem anscheinend Ähnlichen nur scheinbar Gleiches.

Morgens um kurz nach sieben springt der Radiowecker an, und eine notorisch gut gelaunte Stimme quäkt: »... lässt Dieter in gewohnter Manier die Hosen runter, und nach anfänglichen Startschwierigkeiten mausert sich sein zweites Buch jetzt scheinbar zu einem richtigen Verkaufsschlager.« Der Schlag auf die Schlummertaste kann gar nicht hart genug sein, wenn es gilt, nervende Quasselstrippen auf Radiosendern zum Schweigen zu bringen. Erst recht, wenn sie sich in hilfsbedürftigem Deutsch über hilflose Literaturversuche verbreiten. Leider währt die Ruhe nur wenige Minuten. Und bei der nächsten Weck-Attacke tut er es tatsächlich wieder: »... zwei zu null, die Gastgeber hatten sich scheinbar gut auf dieses Spiel vorbereitet.«

Der Bedeutungsunterschied zwischen »anscheinend« und »scheinbar« ist offenbar selbst Radiosprechern nicht immer geläufig. Dabei ist er alles andere als gering. »Anscheinend« drückt die Vermutung aus, dass etwas so ist, wie es zu sein scheint: Anscheinend ist der Kollege krank, anscheinend hat keiner zugehört, anscheinend hat der Chef mal wieder schlechte Laune. »Scheinbar« hingegen sagt, dass etwas nur dem äußeren Eindruck nach, nicht aber tatsächlich so ist: Scheinbar interessierte er sich mehr für die Nachrichten (in Wahrheit wollte er bloß seine Ruhe haben); scheinbar war der Riese kleiner als der Zwerg (weil der Zwerg ganz weit

vorne stand und der Riese ganz weit hinten); scheinbar endlos zieht sich die Wüste hin.

In den wenigsten Fällen, in denen *scheinbar* gebraucht wird,
ist *scheinbar* auch wirklich gemeint. Sätze wie »Das ist ihm
scheinbar egal« oder »Scheinbar weiß es keiner« sind zwar
häufig zu hören, doch leider – meistens – falsch. Richtig muss
es heißen: »Das ist ihm anscheinend egal« und »Anscheinend
weiß es keiner«. Andernfalls würde es bedeuten, die Gleich-
gültigkeit und die Unwissenheit wären nur vorgetäuscht.

In besonders romantischen Momenten steht die Zeit *scheinbar* still. Hier ist *scheinbar* richtig, denn es handelt sich nur
um einen »gefühlten« Zeitstillstand und keinen echten. Doch
wo immer sich jemand *scheinbar* geirrt hat, da hat er sich
höchstwahrscheinlich bloß *anscheinend* geirrt. Zum Beispiel
Cäsar; der hatte sich *anscheinend* in Brutus getäuscht, sonst
hätte ihn dessen Beteiligung am Komplott nicht derart überrascht. Dass er kein Misstrauen gegen Brutus hegte, lag daran, dass dieser ihm *scheinbar* wohlgesinnt war. Pech für Cäsar, dass der Schein trog.

Ein noch berühmteres Beispiel liefert die griechische Sagenwelt: Im Kampf um Troja waren die Belagerer *scheinbar* zum
Rückzug bereit. Ihr hölzernes Pferd sollte die Trojaner von
ihrem Friedenswillen überzeugen. Über die Erkenntnis,
dass zwischen Anschein und Wirklichkeit oft brutale Lücken klaffen, versank Troja in Schutt und Asche.

Der Duden weist darauf hin, dass die Unterscheidung zwischen *scheinbar* und *anscheinend* »relativ jung« ist: Erst im
18. Jahrhundert wurden die beiden Wörter »gegeneinander
abgegrenzt und differenziert«. Da sich diese Differenzierung auch im 21. Jahrhundert noch nicht vollständig herum-

gesprochen hat, kann man sich ungefähr ausrechnen, was das für andere Differenzierungen bedeutet, die bedeutend jünger sind: Die Rechtschreibreform beispielsweise wird sich demnach auch im 23. Jahrhundert noch nicht endgültig durchgesetzt haben.

Die Hartnäckigkeit, mit der sich *scheinbar* am falschen Fleck behauptet, ist möglicherweise auch mit der gestiegenen Beliebtheit der Endsilbe -bar *begründbar*. Außerdem ist *scheinbar* anscheinend praktischer, zumal um eine Silbe kürzer. Und das Wichtige, der »Schein«, kommt gleich als Erstes und nicht erst in der Mitte. Der Gebrauch des Wortes *anscheinend* verlangt dem Benutzer einen winzigen Moment des Nachdenkens ab, *scheinbar* hingegen ist was für Schnellsprecher, die sich beim Reden nur ungern durch Nachdenken aufhalten lassen.

Dazu gehört *anscheinend* auch der *scheinbar* ständig gutgelaunte Radiosprecher vom Sieben-Uhr-Weck-und-Schreck-Kommando. Denn der plappert unbeirrt weiter: »Von seiner letzten Platte verkaufte er gerade mal zwei Millionen Exemplare. Scheinbar will ihn keiner mehr hören.« Was morgens um sieben wirklich keiner hören will, ist dummes Geschwätz. Das ist weder scheinbar so noch anscheinend; das steht völlig außer Zweifel. Höchste Zeit, sich einen anderen Sender zu suchen.

Sinnverwandte Begriffe

scheinbar: nur zum Schein, angeblich, vorgeblich, nicht in Wirklichkeit, vorgetäuscht, trügerisch

anscheinend: allem Anschein nach, wohl, vermutlich, wahrscheinlich, möglicherweise, womöglich

Wie das alte Europa von einem Erdloch verschluckt wurde

Die Wahl des Wortes des Jahres 2003 fiel auf das »alte Europa«. Doch wie so oft hat man zu früh abgestimmt. Das wahre Wort des Jahres kam erst kurz vor Weihnachten über uns.

Rechtzeitig zur Weihnachtszeit hatten die Amerikaner im Irak einen Coup gelandet, der die herben Verluste der letzten Monate augenblicklich vergessen machte. In einer fensterlosen Kammer unter einer verwahrlosten Lehmhütte fanden sie – nach neunmonatiger Suche – den geflohenen und untergetauchten Diktator des Irak, Saddam »Pik-Ass« Hussein.

Damit hat der von christlichem Eifer erfüllte Präsident der Vereinigten Staaten der Welt eine Neufassung der Weihnachtsgeschichte geliefert, die sich ungefähr so liest:

»Es begab sich aber zu der Zeit, dass ein Gebot von Präsident Bush ausging, dass alle Häuser im Lande durchsucht würden. Und diese Durchsuchung war die allergründlichste und geschah zu der Zeit, da Paul Bremer Statthalter in Babylonien war. Und jedermann ging, dass er den Gesuchten finde, ein jeder in seiner Stadt. Und sie fanden ihn unter einer Hütte aus Lehm, in einem Loch in der Erde versteckt.«

Passend zur Jahreszeit und als wolle er den Amerikanern eine besondere Freude machen, hatte Saddam sich auch noch einen Weihnachtsmann-Look zugelegt: Mit seinem grauen Rauschebart hätte er gut und gerne als Knecht Ruprecht durchgehen können.

Die Bilder des verhafteten Diktators und seiner letzten Zu-
fluchtsstätte in Freiheit gingen um die Welt. Und ein Begriff
brachte es innerhalb kürzester Zeit zu nie da gewesenem
Ruhm: das Erdloch. Staunend saß man da und vernahm die
Nachrichten, in denen es von Erdlöchern nur so wimmelte.

Bis zu jenem denkwürdigen Adventssonntag, der uns die
Meldung von Saddam Husseins Verhaftung bescherte, waren Erdlöcher in der deutschen Presselandschaft nur selten
zu finden. Das ist auch nicht weiter verwunderlich, denn für
gewöhnlich findet man in Erdlöchern nur Wespen, Wür-
mer und Spinnen, manchmal auch von vorausschauenden
Eichhörnchen vergrabene Nüsse. Wer sich tief durchs Pres-
searchiv wühlt, der stößt gelegentlich auf Erdlöcher, in denen Knochen oder gar eine ganze Leiche verbuddelt waren:
»Die junge Frau ... wurde erdrosselt, elendig in einem Erdloch verscharrt!« (»Bild«-Zeitung). Ansonsten galten Erdlöcher bislang als unspektakulär und fristeten ein wenig be-
achtetes Dasein in der afrikanischen Wüste (»Als sie uns
sahen, verschwanden die Erdmännchen blitzschnell im
Erdloch«) und unter Rasenteppichen: »Doch plötzlich stolperte der Isländer über ein Erdloch, fiel hin« (»Bild«-Zei-
tung). Eingedenk der neuesten Erkenntnisse über Erdlöcher
wird der Fußballspieler beim nächsten Sturz über einem
solchen nachschauen, ob sich darin nicht ein international
gesuchter Top-Terrorist verbirgt und er mal eben 25 Millionen Dollar nebenbei verdienen kann.

Das »Erdloch« wurde zum Liebling der Berichterstatter.
Mochten die Amerikaner Saddam gefunden haben; die Medien hatten ihr Erdloch: Das Ei des Kolumbus 2003! Es war
aus keiner Meldung über den gefassten Despoten wegzudenken. Kaum jemand machte sich die Mühe, nach sprachlichen Alternativen zu graben. Nur selten las man vom

»unterirdischen Versteck« oder von einer »Grube«, einem »Raum« oder einem »Bunker«.

Die massenhafte Ausbreitung von Erdlöchern in Nachrichtentexten konnte bei sensiblen Lesern schnell zu einem gewissen Überdruss führen. Doch das nahm man gerne in Kauf, denn der »Erdloch«-Überdruss löste den noch quälenderen Überdruss an Wörtern wie »Reformstreit«, »Maut-Desaster«, »Selbstmordattentat« und »Küblböck« ab.

Bereits im Juli desselben Jahres wurde ein 51-jähriger Mann entdeckt, der angeblich zehn Jahre lang in einem »Erdloch« gehaust hatte. Allerdings nicht im Irak, sondern in Brandenburg. Er selbst gab zwar an, er habe in einer »Erdhöhle« gewohnt. Dies hinderte die Presse aber nicht, aus der Höhle ein Loch zu machen und das Wort millionenfach abzudrucken. Offenbar klingt »Erdloch« schauriger, gruseliger und ekelerregender als »Erdhöhle« oder »Grube«. Im Nachhinein betrachtet war dieser Fall eine Art journalistischer Testlauf für Saddam Hussein. Wobei das Brandenburger Erdloch schnell wieder in Vergessenheit geriet. Mit Saddam Husseins Erdloch hingegen ist dem deutschen Journalismus ein sprachlicher Geniestreich gelungen, der Bestand haben wird.

So wie die »Titanic« mit dem Eisberg, Napoleon mit Waterloo, Nixon mit Watergate, Clinton mit dem »Oral Office« und Boris Becker mit der Wäschekammer, so wird Saddam Hussein im kollektiven Gedächtnis für alle Zeiten mit dem Erdloch verbunden bleiben.

Er designs, sie hat recycled, und alle sind chatting

Wie werden eigentlich englische Wörter in deutscher Schriftsprache behandelt; kann man sie deklinieren und konjugieren wie deutsche Wörter? Oder gelten für sie andere Regeln? Diese Fragen beschäftigen alle, die recyceln, designen, chatten und simsen. Ein paar Gedanken über die Einbürgerung von Fremdwörtern.

Fremdwörter, egal welcher Herkunft, werden zunächst mit Ehrfurcht und Respekt behandelt, manche Menschen fassen sie mit Samthandschuhen an, andere nur mit spitzen Fingern. Man ist im Allgemeinen froh, wenn man weiß, was sie bedeuten, aber man vermeidet es, sie zu deklinieren oder zu konjugieren. Doch je mehr man sich an sie gewöhnt hat, desto geringer werden die Berührungsängste. Und irgendwann, wenn das Fremdwort schon gar nicht mehr aus unserer Sprache wegzudenken ist, betrachtet man es als ein Wort wie jedes andere auch und behandelt es entsprechend. Und dagegen ist im Prinzip auch nichts einzuwenden.

Andere Sprachen machen es genauso. Zum Beispiel heißt die Mehrzahl von »bratwurst« auf Englisch nicht etwa »bratwuerste«, sondern »bratwursts«. Kein Brite oder Amerikaner käme auf die Idee, sich über diese »undeutsche« Plural-Endung aufzuregen. Und das kuriose Verb »to abseil«, aus dem deutschen Bergsteigerwort »abseilen« gebildet, wird problemlos ins Gerundium gesetzt: abseiling.

Also halten wir es genauso. Wir haben Wörter wie »design« und »recycle« in unsere Sprache aufgenommen, und nun, da sie unentbehrlich geworden sind, hängen wir ihnen unsere eigenen Endungen an: Ich designe eine Kaffeekanne, du designst ein Auto, der Architekt designt ein Haus; ich recycle

Papier, du recycelst Plastik, er recycelt Biomüll. Im Perfekt entsprechend: Er hat ein Haus designt, wir haben Autoreifen recycelt.

Was wäre die Alternative? Sollte man die englischen Formen benutzen? Er hat ein Haus designed, wir haben Papier recycled – das mag im Perfekt noch angehen. Aber wie sieht es im Präsens aus? Er designs ein Haus, wir recycle Papier? Es sieht nicht nur befremdlich aus, es klingt auch äußerst seltsam.

Die Einbürgerung von Fremdwörtern verläuft nicht nach festen Regeln, irgendjemand traut sich irgendwann das erste Mal, »geshoppt« oder »gemailt« zu schreiben, ein anderer macht es nach, und langsam verbreitet sich der deutsche »Look«. Nach einer Weile hat man sich dran gewöhnt. Wer wollte ein Wort wie »surfen« (ich habe gesurft, ich will nächsten Sommer wieder surfen, surfst du mit mir?) heute noch anders beugen als nach deutschen Regeln?

Natürlich gibt es Ausnahmen: ein frisierter Motor ist »getuned« und nicht »getunt«, und perfektes Timing wird im Perfekt zu »getimed«, nicht »getimt«. So steht es jedenfalls im Duden. Andere englische Wörter werden dafür vom Deutschen derart absorbiert, dass sie kaum noch wiederzuerkennen sind: Das englische Wort *tough* ist im Deutschen zu *taff* geworden, und für *pushen* findet man auch schon die Schreibweise *puschen*.

Boxkämpfe werden *promotet*, Flüge *gecancelt* und Mitarbeiter *gebrieft*. Doch nicht jedes englische Verb, das sich in unseren Sprachraum verirrt hat, braucht ein deutsches Perfektpartizip: Die Antwort auf die Frage, ob es »downgeloadet« oder »gedownloadet« heißen muss, lautet: Weder noch, es heißt »heruntergeladen«. Es ist auch nicht nötig, sich den Kopf darüber zu zerbrechen, ob es »forgewardet« oder »geforwardet« heißt, wenn man stattdessen einfach »weitergeleitet« schreibt. Fremdwörter sind willkommen, wenn sie unsere Sprache bereichern; sie sind unnötig, wenn sie gleichwertige deutsche Wörter ersetzen oder verdrängen. Statt »gevotet« kann man ebenso gut »abgestimmt« schreiben, statt »upgedated« »aktualisiert«, und wer seine Dateien »gebackupt« hat, der hat sie auf gut Deutsch »gesichert«.

Während sich der Ausdruck »gekidnappt« für entführte Personen durchgesetzt hat, auch wenn es sich dabei um Erwachsene handelt (kidnapping bedeutete ursprünglich *Kinder neppen*), ist der Ausdruck »gehijackt« für entführte Flugzeuge in stilistischer Hinsicht inakzeptabel.

Wörter wie »gestylt«, »gepixelt« und »gescannt« sind hingegen akzeptabel, da sie kürzer oder prägnanter als ihre deutschen Entsprechungen sind.

Auch »chatten« und »simsen« sind bereits in die deutsche Sprache übergegangen: Chatter chatten im Chat, und wer täglich dreißig Kurzmitteilungen per SMS verschickt, der *simst*, was das Zeug hält. Es ist allerdings denkbar, dass diese Wörter wieder aus unserem Wortschatz verschwinden, noch ehe sie Eingang in ein deutsches Wörterbuch gefunden haben. In ein paar Jahren kann die Technik des Simsens völlig veraltet und Chatten plötzlich aus der Mode gekommen sein.

Dann wird man ein paar Ideen recyceln und etwas Neues designen. Oder ein paar Ideen wiederverwerten und etwas Neues gestalten. Warten wir's ab.

Man trifft sich im Abendbereich

In der Welt von morgen schläft man im Schlafbereich, wäscht sich im Nassbereich, isst im Essbereich und schickt den Hund nach draußen in den Gartenbereich. Man parkt das Auto im Fahrzeugbereich, geht durch den Eingangsbereich in den Bürobereich und verabredet sich für den Abendbereich. Eine schaurige Vorstellung? Größtenteils ist sie schon heute Wirklichkeit.

Der Vorhang fällt, Pause nach dem zweiten Akt, das Publikum strömt zu den Ausgängen. »Entschuldigen Sie, wo geht es zur Toilette?«, fragt jemand den Platzanweiser. »Den Toilettenbereich finden Sie links vom Foyerbereich«, lautet die Auskunft. Der Besucher bedankt sich und hakt nach: »Und zum Foyer geht's da lang?« – »Den Foyerbereich erreichen Sie über den zentralen Treppenaufgang gleich neben dem Garderobenbereich.«

Wer bislang glaubte, Deutschland sei in Bundesländer, Bezirke, Kreise und Gemeinden untergliedert, der durfte in den letzten Jahren eine neue Verwaltungseinheit kennen lernen: den Bereich. Denn vor allem und überhaupt ist Deutschland in Bereiche unterteilt.

Das fängt beim Arbeitsbereich an, geht über den Freizeitbereich bis in den privaten Bereich und macht selbst vor dem Intimbereich nicht Halt. Bereichseinheiten, wohin das Auge blickt. Es scheint, als habe der Drang der Ehrgeizigen nach einem Posten als Bereichsleiter seinen massiven Niederschlag in der Sprache gefunden.

Man hört es ständig und überall, das modische Anhängsel »-bereich«. Klagte man früher noch über Schmerzen in der

Schulter, so jammern Patienten heute beim Arzt über Schmerzen im Schulterbereich. Masseure kneten im Nackenbereich, Männer verlieren Haare im Kopfbereich, und Sportler haben keine Knieverletzungen mehr, sondern Verletzungen im Kniebereich. Deutschland ist in ständiger Bereichschaft.

Längst haben Hotels und Urlaubsresorts entdeckt, dass sich ihre Attraktivität um ein Vielfaches steigern lässt, wenn sie sich in Bereiche unterteilen. So wimmelt es in den einschlägigen Prospekten von Hinweisen wie: »In unserem Poolbereich haben Sie die Möglichkeit, sich mit Erfrischungsgetränken zu versorgen.« Und: »Genießen Sie die umfangreiche Auswahl im Barbereich.« Wer außerdem einen Hometrainer, ein paar Hanteln, eine beheizte Holzkabine und ein Sprudelbecken zu bieten hat, der bewirbt seinen »modernen Fitnessbereich«, den »großzügigen Saunabereich« und den »exklusiven Wellnessbereich«. Mit seiner Bereichseinteilung kommt jeder Hotelier groß raus.
Da will natürlich niemand im bereichslosen Schatten bleiben. Wenn sich Hotels und Restaurants mit Foyerbereichen und Barbereichen brüsten, dann verweist das kleine Stehcafé am Eck nicht minder bedeutsam auf seinen »Verzehrbereich«.

Besonders reich an Bereichen ist der Sportbereich. Da wird zunächst einmal grundsätzlich zwischen Spielerbereich und Zuschauerbereich unterschieden. Fußballfelder, traditionell durch eine Mittellinie in zwei überschaubare Hälften geteilt, sind mittlerweile von Dutzenden variabler Bereichslinien durchzogen. Das geht vom Angriffsbereich über den Mittelfeldbereich und den Abwehrbereich bis hin zum Torwartbereich. Selbst der Schiedsrichter hat seinen Schiedsrichterbereich, und wer eine Mannschaft trainiert, der arbeitet selbstverständlich im Trainerbereich.

Und als wäre das alles noch nicht genug, breitet sich der Bereichswahn unaufhaltsam von der räumlichen in die zeitliche Dimension aus. Auch die Zeit ist inzwischen in Bereiche unterteilt:

Eine Computerschule bietet »Kurse für Frauen im Morgenbereich« an, ein Gymnasium verspricht »eine Erweiterung des Freizeitangebots im Mittagsbereich«, und immer mehr Menschen verabreden sich zu gemeinsamen Unternehmungen »im Abendbereich«.

Wo unbedarfte Gemüter noch von »Tag« und »Nacht« sprechen, sind Werbeagenturen längst dazu übergegangen, zwischen Tag- und Nachtbereich zu unterscheiden. Der IT-Bereich und der Physik-Bereich kommen ohne die Einteilung in Stunden- und Minutenbereiche nicht mehr aus, und der Banken- und Wirtschaftsbereich beobachtet die Entwicklung von Kursen und Wertpapieren im Monats- und Jahresbereich.

Ein Kollege berichtete mir von einem Erlebnis in einem Sportfachgeschäft. Auf der Suche nach Treckingsandalen wandte er sich an eine Verkäuferin, die ihm höflich, aber bestimmt zu verstehen gab: »Diesen Artikel führen wir nur im Sommerbereich.«

Ob die permanente Vermehrung der Bereiche tatsächlich eine Bereicherung der Sprache bedeutet, darf an dieser Stelle bezweifelt werden. Letztlich handelt es sich um nichts anderes als einen überflüssigen Appendix, der Eleganz oder Bedeutung vortäuschen soll, wo in Wirklichkeit die gewohnte Banalität herrscht. Das Harnlassen wird jedenfalls nicht zu einem höheren Erlebnis, wenn man statt einer Toilette den Toilettenbereich aufsucht.

Kampf um den Titel der First Lady

»Spieglein, Spieglein an der Wand, wer ist die Erste im ganzen Land?« – »Frau Schröder-Köpf, Ihr seid die Erste hier, doch die Gattin des Johannes, unseres ersten Mannes, steht noch einen Platz höher als Ihr!« Was wie die moderne Adaption eines Grimm'schen Märchens klingt, ist ein großes protokollarisches Dilemma.

Damals in Gallien waren die Verhältnisse ganz klar: Gutemine war die Gemahlin des Chefs und somit die erste Frau im Dorf. Beim Fischhändler brauchte sie sich nicht in die Schlange einzureihen, sondern wurde selbstverständlich vor allen anderen bedient. Jeder zollte ihr Respekt, und wenn nicht, dann flogen die Fische. Auch ihr Mann Majestix (»Schnäuzelchen«) tat gut daran, sich unterzuordnen. Es bestand kein Zweifel: Gutemine war die »First Lady« der unbeugsamen Gallier.

Freilich wurde sie im Dorf nicht so genannt, denn der Begriff war ja englisch. Und die Gallier haben es ja bekanntlich nicht so mit dem Englischen. Bei den Teutonen sind englische Wörter dafür umso beliebter, vor allem, wenn sie aus Amerika kommen. Doch nicht jede praktische Formel lässt sich ohne weiteres aus dem Amerikanischen ins Deutsche übertragen; oftmals sind die Verhältnisse zu unterschiedlich. Dennoch verfallen viele sofort in den Automatismus, wann immer sie in irgendeinem Land auf irgendeinem roten Teppich eine offensichtlich geehelichte Frau an der Seite eines offensichtlich amtierenden Regierungschefs ausmachen, von der »First Lady« zu sprechen. So haben wir es schließlich von den Amerikanern, unseren großen sprachlichen Vorbildern, gelernt: Die Ehefrau des Oberhäuptlings ist die First Lady.

Folglich wird dieser Titel generös und gnadenlos auf sämtliche anderen Ehefrauen von Regierenden übertragen: Was bei den Amerikanern derzeit Laura Bush, ist bei den Franzosen Bernadette Chirac, bei den Briten Cherie Blair und bei uns in Deutschland ... na klar, Doris Schröder-Köpf. Selbst die Russen, bis vor ein paar Jahren noch Bollwerk gegen die Amerikanisierung der Welt, haben inzwischen nicht nur eine Mafia und ein eigenes Terrorismus-Problem, sondern auch eine eigene First Lady: Ljudmila Putina.

Halt, stopp! Wie war das eben? Doris Schröder-Köpf soll die First Lady Deutschlands sein? Die »erste Frau im Staate«? Und was ist mit der Frau des Bundespräsidenten? Kommt Christina Rau* erst an zweiter Stelle? Laut Protokoll steht der Bundespräsident drei Stufen über dem Kanzler. Kann dann die Frau des Kanzlers über der des Präsidenten stehen? Vom Paradoxon mal ganz abgesehen, dass die vierte Ehefrau Gerhard Schröders die »erste« Lady sein soll ...

Und wie ist es mit Großbritannien? Wenn Cherie Blair die First Lady ist, was ist dann die Queen? Second Lady? Immerhin trägt sie die Ziffer II bereits in ihrem Namen. Doch eine solche Titulierung fände Elizabeth II. ganz bestimmt nicht lustig.

Gehen wir doch mal logisch vor: Erste Frau im Staat kann nur sein, wessen Ehepartner protokollarisch an der Staatsspitze steht. In den USA ist es Laura Bush, weil ihr Mann George W. Bush das Staatsoberhaupt ist. Das Staatsoberhaupt Großbritanniens ist die Queen, und die ist mit Prinz Philip verheiratet, demnach ist er die First Lady.

* Dieser Text entstand im Jahre 2003. Seit dem 1. Juli 2004 heißt die Frau des Bundespräsidenten Eva Köhler.

Laut Lexikon ist die First Lady eine Präsidentengattin, und weil Großbritannien keinen Präsidenten hat, hat es auch keine First Lady. Punktum. Ein Schock für alle Politikredakteure: Wie soll man da noch einen Text über Cherie Blair schreiben können, wenn dieses wichtige Synonym wegfällt? Halb so schlimm! Der Begriff »Premiersgattin« passt ebenso gut und kommt obendrein ohne Leerzeichen aus.

Und wie verhält es sich mit Deutschland? Zu Zeiten von Wilhelmine Lübke hätte niemand die herausragende Rolle der Präsidentengattin in Frage gestellt. Heute mag man darüber streiten. Aber auf Doris Schröder-Köpf passt die Bezeichnung »First Lady« ebenso wenig wie auf Cherie Blair.

Ein Kollege wollte der Lexikon-Definition nicht glauben und behauptete, die First Lady sei immer die Frau des Regierungschefs. Demnach aber hieße die First Lady Frankreichs nicht Bernadette Chirac, sondern Anne-Marie Raffarin, denn Regierungschef ist derzeit Jean-Pierre Raffarin und nicht Jacques Chirac. Dieser Erklärungsversuch taugt also nichts, da ist man mit der Definition »Präsidentengattin« doch besser beraten. Was aber nicht besagt, dass Bernadette Chirac sich widerspruchslos einen amerikanischen Aufkleber verpassen ließe. Wer die Gutemine des 21. Jahrhunderts unfranzösisch mit »First Lady« anspricht, darf sich nicht wundern, wenn »Schnäuzelchen« Jacques ihm dafür auf die Zehen tritt. Beim Teutates!

Was die USA betrifft, so hat George W. Bush selbst einmal eine äußerst eigenwillige Definition der »First Lady« geliefert, wie man sie nur ihm allein zutraut: »The most important job is not to be governor, or first lady in my case.« (»Die wichtigste Aufgabe besteht nicht darin, Gouverneur zu sein, oder First Lady, wie in meinem Falle.«)

Ich erinnere das nicht

Sie verstehen es, sich zu tarnen, sie tragen deutsche Alltagskleidung und fallen daher in der Menge kaum auf. Die Rede ist von unsichtbaren Amerikanismen. Heimlich unterwandern sie unsere Sprache und verändern unsere Syntax, ohne dass wir es sofort merken. Die Wörter klingen zwar noch deutsch, doch die Strukturen sind es nicht mehr.

Wieder eine dieser Talkshows mit einem prominenten Politiker. Wassergläser auf den Tischen, eine zottelige Jazzcombo im Hintergrund, ein geschniegelter Moderator, der immer wieder seine Stichwortkärtchen auf der Suche nach intelligenten Fragen überfliegt – dann die Erwähnung eines bedeutsamen Ereignisses, verbunden mit der launigen Frage des Moderators an seinen Gast: »Erzählen Sie doch mal, wie war das; können Sie das noch erinnern?« Der Politiker schlägt das rechte Bein über das linke, streicht sich übers Haar und erwidert mit einem wissenden Lächeln: »Nun, ich denke, ich erinnere das noch ziemlich genau, es fing damit an, dass ...«
Und der Fernsehzuschauer denkt: Irgendetwas stimmt da doch nicht. In welcher Sprache reden die denn da? »Ich erinnere das« – sagt man das so? Manch einer erinnert sich vielleicht noch dunkel daran, in der Schule mal gelernt zu haben, dass »erinnern« ein reflexives Verb ist. Man erinnert *sich* an etwas oder an jemanden. In Norddeutschland soll man sich auch ohne Reflexivpronomen erinnern können, aber das ist umgangssprachlich, und die Herren auf der Mattscheibe machen eigentlich nicht den Eindruck, als wollten sie sich als Regionalisten verstanden wissen.

Und tatsächlich: Wenige Tage später findet sich der Beweis, dass dieses »etwas erinnern« nicht aus der norddeutschen Umgangssprache in den Jargon der Fernsehprominenz aufgestiegen ist, sondern aus einem anderen, viel größeren und viel mächtigeren Fundus stammt: dem Englischen.

Denn da muss sich der amerikanische Verteidigungsminister Donald Rumsfeld den Fragen eines Untersuchungsausschusses stellen. Ob es vor dem 11. September 2001 Hinweise darauf gegeben habe, dass Passagierflugzeuge als Waffen eingesetzt werden könnten, will man von ihm wissen. »I can't remember that«, erwidert Rumsfeld lapidar. So melden es die amerikanischen Nachrichtenagenturen. Bei der Übersetzung ins Deutsche wird daraus »Ich kann das nicht erinnern«, als Überschrift verkürzt zu »Rumsfeld: Ich erinnere das nicht«. So steht es anderntags im Internet zu lesen.

Also wiederum ein Amerikanismus, der sich in die deutsche Sprache eingeschlichen hat. Wenn es nur die direkten wären, die eins zu eins aus dem Englischen übernommenen Begriffe wie Computer, Job und Inlineskating. Aber viele Amerikanismen erkennt man erst auf den zweiten Blick, wenn überhaupt. Sie kommen im deutschen Gewand daher, sodass man sie für Sprachangehörige hält. Und heimlich verändern sie unsere Syntax, machen aus »sich an etwas erinnern« kurzerhand »etwas erinnern«, streichen das »sich mit jemandem treffen« zu »jemanden treffen« zusammen und verwässern unsere Sprache mit fragwürdigen Phrasen wie »das macht Sinn« (statt »das ist sinnvoll«), »ich denke« (statt »ich meine«, »ich glaube«), »nicht wirklich« (statt »eigentlich nicht«) und »einmal mehr« (statt »wieder einmal«).

Ein Bundesliga-Kommentator beweist, dass es noch schlimmer geht, im Passiv nämlich. In einem Artikel über das spektakuläre Pech, das Torhüter bisweilen haben, schreibt er: »Selbst die Fehler von Stürmern werden selten so nachhaltig erinnert wie verunglückte Paraden oder verhunzte Rettungsaktionen von diesen Männern.«

»Wie fühlt sich diese Haltung an? Sind Sie bequem oder angespannt?«, lautet eine Frage in einem Selbsttest zur Erforschung der körpereigenen Energien. »Thank you, I'm comfortable«, will man antworten, »aber ich bin keinesfalls so bequem, mir Ihre schlechten Übersetzungen gefallen zu lassen!« Bequem können Möbel und Schuhe sein, Liegepositionen und Verkehrsverbindungen, aber wenn ein Mensch bequem ist, dann ist er auf gut Deutsch faul, und das gäben wohl die wenigsten offen zu, nicht mal in einem Selbsttest.

In Deutschland gibt es immer mehr Rückrufaktionen. Längst sind es nicht nur Automobilhersteller und Möbelhäuser, die fehlerhafte Modelle zurückrufen. Das Rückrufen ist zu einem Volkssport geworden, jeder ruft heute jeden zurück: »Lassen Sie uns das später ausdiskutieren. Ich rufe Sie zurück!« – »Kann ich Sie zurückrufen?« – »Ruf mich zurück, wenn du Zeit hast!« – »Rufen Sie nicht uns zurück, wir rufen Sie zurück!« Da bekommt man auf gut Deutsch einen Rappel! So wie nach zwei Stunden Fahrt auf einer französischen Autobahn.* Im Englischen heißt es »I'll call you back«, auf Deutsch pflegte man früher zu sagen: »Ich rufe Sie wieder an«, aber das scheint vollkommen passé – pardon: *out* zu sein.

Cogito ergo sum, ich denke, also bin ich. Diese berühmt gewordene Erkenntnis des französischen Philosophen René Descartes (1596–1650) ist allerdings kein Grund, jede Meinungsäußerung mit »Ich denke« anzufangen. So kennt man es von den Amerikanern, für die »Well, I think ...« die natürlichste Floskel der Welt ist, mit der sie zu erkennen geben, dass sie ein persönliches »Statement« abgeben. Auf Deutsch

---

* Das französische Wort »rappel« – mit Betonung auf der zweiten Silbe – bedeutet »Rückruf«, »Erinnerung«, »Ermahnung« und ist ein häufiger Zusatz unter Verkehrsschildern zur Geschwindigkeitsbegrenzung.

sagt man eher, was man meint oder glaubt (»Ich meine, ...«, »Ich glaube, dass ...«) oder von einer Sache hält (»Ich halte das für ...«, »Ich finde es richtig, dass ...«). Allerdings ist »Ich denke« womöglich immer noch besser als das umständliche »Ich würde sagen«, über das sich schon Generationen von Lehrern vergebens ereifert haben.

Dass unter dem Einfluss des Englischen im Deutschen immer mehr »gemacht« wird, kam bereits im Zusammenhang mit »Sinn machen« zur Sprache. »What a difference a day makes«, lautet der Titel eines amerikanischen Song-Klassikers. Welchen Unterschied etwas *macht*, fragt man sich immer häufiger auch auf Deutsch: *»Was macht das für einen Unterschied?«* Doch das ist umgangssprachlich und gilt als zweite Wahl hinter »worin liegt/besteht der Unterschied«. Vorläufig noch.

In Sportreportagen hört man immer häufiger verdrehte Ausdrücke wie »Halbzeit zwei« und »Minute 68« anstelle der üblichen »zweiten Halbzeit« und der »68. Minute«. Woher die Sportberichterstatter das haben? Aus einem Lehrbuch für gutes Deutsch bestimmt nicht. Auch dies ist zweifellos ein Amerikanismus. Im Englischen ist es Brauch, die Zahlen nachzustellen, so heißt es beispielsweise auch »in World War II«, wenn »im Zweiten Weltkrieg« gemeint ist. Und auch diese syntaktische Verbiegung findet bereits im Deutschen eifrige Nachahmer: »In Weltkrieg II standen sich Deutsche und Amerikaner erneut gegenüber.« Gruselig!

Überhaupt die Präposition »in«! Sie hat sich im deutschen Wirtschaftsjargon inzwischen einen festen Platz an ungewöhnlicher Stelle erobert: vor Jahreszahlen. »Der Hersteller rechnet mit einem deutlichen Anstieg der Verkaufszahlen in 2005.« Von allen unsinnigen Amerikanismen ist dies der

unsinnigste. Auf Deutsch heißt es entweder »im Jahre 2005«
oder einfach nur »2005«. So begann der Zweite Weltkrieg
1939, nicht etwa *in* 1939. Endlich ist das Deutsche einmal
direkter und kürzer als das Englische, prompt wird es von
einem Amerikanismus verwässert!

Es ist im Grunde wie mit den Lochern, die man im Büro benutzt. Wem ist das nicht schon mal passiert: Da steht man
stundenlang am Kopierer, vervielfältigt Seite um Seite,
schichtet die Blätter am Ende zu einem sauberen Stapel, legt
ihn in den Locher und stanzt unter Aufbietung seiner ge-
samten Kraft zwei Löcher hinein. Beim Abheften dann die
grausige Feststellung: Die Löcher sitzen falsch! Statt auf A4
hat man den Stapel auf US-Format gelocht! Das passiert
leicht, wenn man die Anlegeleiste nicht weit genug heraus-
zieht. Jeder, der das erlebt hat, verflucht diese Locher und
fragt sich, wozu man in Deutschland das US-Format überhaupt braucht. Und genauso ist es mit vielen Amerikanismen: Man fragt sich, wozu man sie braucht.

Ob wir es wollen oder nicht, das amerikanische Englisch
verändert unsere Sprache. Ob zum Guten oder zum Schlechten, das sei dahingestellt. Vielleicht sind reflexive Verben zu
umständlich, um auf Dauer in der deutschen Sprache überleben zu können. Vielleicht sind die glatten amerikanischen
Strukturen gegenüber manch holpriger deutschen Konstruktion tatsächlich im Vorteil.

Jedem steht es frei, sich seine Worte und seine Syntax selbst
zu wählen. Und wenn er die amerikanisierte Version bevorzugt – warum nicht. Es kann nur nicht schaden zu wissen,
wie es auf Deutsch eigentlich heißt oder mal geheißen hat.

Erinnern Sie sich, woran Sie wollen (aber bitte richtig!)

Standardsprachlich	sich an jemanden/etwas erinnern: *Ich erinnere mich noch sehr gut an meine Großtante.* *Sie erinnerte sich an ihren ersten Kuss.* *Er erinnert sich nicht mehr an mich.* *Wir haben uns an unseren alten Lehrer erinnert.*
Standardsprachlich	jemanden an jemanden/etwas erinnern: *Du erinnerst mich an meine Schwester.* *Das erinnert mich daran, wie wir damals Räuber und Gendarm gespielt haben.* *Erinnere mich nachher bitte daran, dass ich die Uhr eine Stunde vorstelle!* *Joscha erinnerte seinen Onkel daran, den Fernseher einzuschalten.*
Gehobenes Deutsch	sich einer Sache/jemandes erinnern: *Dankbar erinnerte er sich der schönsten Momente seines Lebens.* *Ich werde mich deiner stets in Liebe erinnern.* *Dessen kann ich mich nicht mehr erinnern.*
Umgangssprachlich besonders norddeutsch, in letzter Zeit verstärkt englisch geprägtes Neudeutsch	etwas/jemanden erinnern: *Ich erinnere ihn gut.* *Das erinnert sie kaum noch.* *Erinnerst du letzte Weihnachten?*

Von Protestlern, Widerständlern und Abweichlern

Der Teufel steckt im Detail. Zum Beispiel in einer unscheinbaren End-silbe. Tagtäglich werden Politiker, Gewerkschafter und andere Mit-glieder der Gesellschaft in der Presse zu Fuzzis deklassiert. Schuld ist ein scheinbar harmloses Wortanhängsel, das ehrbare Arbeit und mutiges Aufbegehren läppisch klingen lässt.

Sie sind die Helden unserer Gesellschaft: Sportler, Wissen-schaftler, Künstler. Eines haben sie auf den ersten Blick ge-meinsam: das Suffix. Suffix ist der Fachausdruck für eine Ableitungssilbe, die an ein Wort oder einen Wortstamm an-gehängt wird. In diesem Fall ist es das -ler, dessen schöpferi-sche Leistung darin besteht, aus einem Sachgebiet – Sport, Wissenschaft, Kunst – eine Person – den Sportler, den Wis-senschaftler, den Künstler – zu erschaffen.

Somit scheint diesem Suffix grundsätzlich nichts Schlechtes innezuwohnen. Dennoch vermag es, an ungewohnter oder falscher Stelle gesetzt, Böses anzurichten. Mit dem klei-nen -ler lassen sich einzelne Personen und ganze Gruppen sprachlich herabwürdigen. In der Regel geschieht dies in voller Absicht, zum Beispiel in Kommentaren, wenn es da-rum geht, einer in Ungnade gefallenen Person einen zusätz-lichen Tritt in den Hintern zu verpassen.

Wer »Hausbesetzler« statt »Hausbesetzer« sagt, gibt da-mit zu erkennen, dass er die Hausbesetzer nicht ganz ernst nimmt, sie für spätpubertierende Möchtegern-Rebellen hält. Aus dem Schubladen-Unwort »Unterschichtler« spricht womöglich die tiefe Verachtung eines unteren Mittel-schichtlers.

Der abwertende Beigeschmack der Endung -ler kommt vor allem bei Politikern und Funktionären zum Tragen. Man kennt den Ausdruck »Hinterbänkler«, der drei Diskriminierungen auf einmal enthält: der Abgeordnete wird aufs Sitzen reduziert, dann auch noch nach hinten geschoben und zu schlechter Letzt mit einem -ler als Fuzzi abgetan.

Wenn der Verfasser eines Kommentars richtig in Fahrt kommt, dann verwendet er auch gerne Ausdrücke wie »Ausschüssler«, »Gewerkschaftler« und »Vorständler«. Letzteres bewegt sich klanglich sehr in der Nähe des Ruheständlers, was manchmal wohl auch beabsichtigt ist. Auch »Ausschüssler« ist nicht sehr höflich, klingt es doch mehr nach einem Kind, das eine Kuchenteigschüssel leer schleckt, als nach einem viel beschäftigten Politiker. Wen wundert es noch, wenn die Wähler von der Arbeit in parlamentarischen Ausschüssen keine hohe Meinung haben, wenn schon die Presse derart schnodderig darüber schreibt? Selbstverständlich stehen diese Begriffe nicht im Duden, ebenso wenig wie das Wort »Verhandler«, was aber niemanden davon abhält, es bei jeder sich bietenden Gelegenheit zu verwenden.

Vollkommen von Wohlklang befreit sind die gern gewählten Kurzformen CDUler, SPDler, PDSler und FDPler. Praktisch zwar, gewiss, und überall dort beliebt, wo es gilt, Platz zu sparen. Die Behauptung, ihre Verwendung sei absolut wertfrei, lässt sich indes nicht halten. Denn es finden sich kaum Fälle, in denen die Bezeichnung »SPDler« als Attribut für Gerhard Schröder herhalten muss, auch wurde Helmut Kohl nur selten als »CDUler« beschrieben, und Angela Merkel zum Glück noch nicht als »CDUlerin«. Wenn Politiker auf die Buchstaben ihrer Partei plus das Suffix -ler reduziert werden, so handelt es sich meistens um nachrangige Funktionäre. Bei den ganz hohen »Tieren« schreckt der Redakteur dann doch zurück. Irgendwo in seinem tiefsten Innern spürt er, dass der »SPDler Schröder« eine Spur zu nonchalant ist.

So landet der kommentierende Nach-Tritt oftmals nicht im Hintern, sondern in einem Kuhfladen. Denn was durch Anhängen der Silbe -ler herauskommt, klingt nicht selten grauenvoll und ist von jeglichem ästhetischen Anspruch an Sprache und Stil weit entfernt.

Häftlinge als »Knastler« zu bezeichnen (»taz«) ist stilistisch genauso fragwürdig wie die frühere Bezeichnung »Zuchthäusler«.
Wer mit Computern zu tun hat, weiß, dass der Beruf des Programmierers viel zu kompliziert ist, um diesen mal eben locker als »Programmler« (»Stern«) abzutun.
Dass Geheimdienstmitarbeiter von der Presse noch oft als »Schlapphüte« bezeichnet werden, ist peinlich genug, aber wenigstens noch klangvoll; »Geheimdienstler« hingegen klingt nur noch vermurkst – Prädikat: »bemüht lässig«. Dasselbe gilt für »Kundendienstler«. Fehlt nur noch, dass Geistliche als »Gottesdienstler« verunglimpft werden.

Die Bezeichnung »Protestler« für jene mutigen Menschen, die sich im Juni 1953 den sowjetischen Panzern entgegenstellten, wird der historischen Bedeutung nicht gerecht. Diese Menschen haben eine würdigere Bezeichnung verdient. Höchster Respekt gebührt auch jenen, die wie die Geschwister Scholl ihr Leben im Widerstand gegen das Nazi-Regime riskiert und womöglich verloren haben. Diesen Respekt lässt die flapsige Titulierung als »Widerständler« jedoch vermissen.

Des Öfteren ist in den Nachrichten auch von »Abweichlern« die Rede; gemeint sind die »Rebellen« in der SPD-Fraktion, die die Kühnheit besitzen, sich dem Willen der Parteispitze zu widersetzen. Der Begriff ist nicht nur aus klanglichen Gründen fehl am Platze: Viele wissen offenbar nicht, dass der Begriff »Abweichler« außerdem historisch besetzt ist. »Abweichler« wurden jene Anhänger der kommunistischen Bewegung genannt, die für ihre Kritik am Stalinismus oftmals einen hohen Preis zahlen mussten. Einer der berühmtesten »Abweichler« war Trotzki; er wurde 1940 ermordet. Wer also diejenigen Sozialdemokraten, die sich dem Fraktionszwang widersetzen, als »Abweichler« bezeichnet, der schreibt der heutigen SPD stalinistische Tendenzen zu und ihrem Parteichef eine Machtfülle, von der er in Wahrheit nur träumen kann.

In Kürze wird dieses Wort zwar wieder in der Mottenkiste der Sprachgeschichte verschwunden sein, dennoch gilt: Jeder wähle seine Worte mit Bedacht und im Bewusstsein ihrer Bedeutung und Wirkung. Ein »Justizler« würde dem sofort zustimmen. Ein »Leitartikler«, ein »Krittler« und andere »Schreiberlinge« hoffentlich auch. Es steht aber jedem weiterhin frei, den Verfasser dieses Textes für einen »Besserwissler« zu halten.

Sind rosane T-Shirts und lilane Leggins erlaubt?

Wie sagt man richtig: orange Blüten, orangene Blüten oder orange-farbene Blüten? Sind rosane T-Shirts und lilane Leggins erlaubt? Kann man beige deklinieren? Tauchen Sie mit dem Zwiebelfisch ein in die schillernde Farbenwelt der deutschen Grammatik.

Ein rotes Tuch, ein blaues Band, ein gelber Fleck, ein grüner Punkt, weißere Zähne, braunere Haut, der grauste Himmel, der schwärzeste Tag – die elementaren Farben bereiten uns sprachlich wenig Probleme, sie lassen sich mühelos beugen und steigern. Daneben gibt es jedoch eine Vielzahl von Farbadjektiven, die es in sich haben. Sie sind zumeist von Hauptwörtern abgeleitet: rosa von der Rose, orange von der Orange, oliv von der Olive, lila vom französischen Wort für Flieder, türkis vom gleichnamigen Edelstein, ocker von der Tonerde, cognac vom Weinbrand, mauve von der Malve und viele weitere mehr. Grundfarben gibt es zwar nur weni-ge, aber Zwischentöne gibt es unendlich viele, und jeder ver-langt nach einem Namen.

Der Duden stellt fest, dass diese Adjektive nicht gesteigert werden können und dass man sie standardsprachlich auch nicht beugen darf. Mit anderen Worten: diese Farbadjektive sind steif wie ein Brett und können überhaupt nicht verän-dert werden. Es heißt demnach nicht »ein oranges Kleid«; es heißt auch nicht »ein orangenes Kleid«. Richtig ist: Ein oran-ge Kleid. Ferner: eine rosa Krawatte, ein lila Hemd. Von rosa und lila abgesehen, werden diese Farbtöne in der Standard-sprache nur selten attributiv (das heißt vor dem Hauptwort stehend) gebraucht. Will man sie dennoch dem Hauptwort voranstellen, hilft man sich durch Zusammensetzungen mit -farben oder -farbig. Dadurch geht man der Versuchung aus dem Weg, die Bezeichnungen der Farbtöne zu beugen:

Sie trug eine türkisfarbene Handtasche zu ihrem cremefarbenen Kostüm; die Kinder sprühten orangefarbige Muster auf die türkisfarbige Autotür; seine Schuhe hinterließen cognacfarbene Abdrücke auf dem eierschalenfarbenen Teppich.

Wer »rosane T-Shirts« zu »lilanen Leggins« trägt, bewegt sich nicht nur jenseits der Geschmacksgrenzen, sondern zugleich außerhalb der Standardsprache. Doch Sprache ist zum Glück mehr als Standard und Norm. Es kommt darauf an, wie man sie nutzt. Mit Kreativität und Phantasie lassen sich die Grenzen zwischen Umgangssprache und Standard spielend überwinden. Vor einiger Zeit erhielt ich eine Urlaubskarte mit folgendem Text:

»Das türkise Wasser schäumt, auf Paolos olivem Teint spielen umbrane Schatten, chamoise und aprikosene Segel ziehen vorbei, maracujane Wimpel flattern, die Stadt stellt ihre terrakottanen Fassaden aus und grüßt mit noch orangeren Markisen als im letzten Jahr.«

Hier wurden alle oben genannten Regeln über den Umgang mit Farbadjektiven missachtet. Und herausgekommen ist ein kleines Stück Poesie. So viel Freiheit muss erlaubt sein, sonst böte unsere Sprache ein tristes Bild, nur grau in grau.

Nicht nur in Bezug auf die Grammatik bereiten uns Farbadjektive Probleme. Viel komplizierter verhält es sich mit ihrer genauen Definition. Männer sind bekanntlich keine Experten auf dem Gebiet der Pastelltöne und raten ihren Frauen bisweilen, das rosa Kleid anzuziehen, wenn es in Wahrheit blasslila ist. Dafür kennen sie sich mit Farbtönen von Autolacken umso besser aus und können auf hundert Meter ein arktisweißes Modell von einem polarweißen unterscheiden.

Manche Fragen werden sich nie restlos klären lassen: Wie viel Blau steckt in Türkis? Wie viel Braun gehört zu Beige? Da fällt mir der Ausspruch von Tante Lilo aus Elmshorn ein. Wenn in ihrer Gegenwart die Farbe Beige erwähnt wurde, pflegte sie zu sagen: »Beige ist keine Farbe, beige wird's von ganz allein.«

24 Farbadjektive und was sie bedeuten	
Anthrazit	steinkohlefarben, geht zurück auf »anthrax«, das griechische Wort für Kohle
Apricot	blassorange, vom frz. Wort für Aprikose
Azur	himmelblau, von frz. »azur«, mittellat. »azzurum«, arab. »lazaward«, Name für den blauen Schmuckstein Lapislazuli, Lasurit
Beige	sandfarben, vom frz. Wort »beige«
Bordeaux	dunkles Weinrot, nach der Farbe des Rotweins aus der Region um Bordeaux
Chamois	gämsfarben, bräunlich gelb, von frz. »chamois«, dt. Gämse
Curry	gelbbraun, nach der Gewürzmischung Curry
Ecru	eierschalenfarben, von frz. »écru« für ungebleicht, unbehandelt
Indigo	dunkles Blau, aus dem griechischen Wort »indikon« (»das Indische«). Der Farbstoff stammte ursprünglich aus Ostindien.
Khaki, Kaki	persisches Wort, bedeutet »erdfarben«, ursprünglich Uniformfarbe der britisch-indischen Regimenter bei der Belagerung von Delhi im Jahre 1857
Lila	fliederfarben, vom frz. Wort »lilas« für Flieder
Magenta	rote Druckfarbe, benannt nach der italienischen Stadt Magenta

24 Farbadjektive und was sie bedeuten

Marone	kastanienbraun, von frz. »marron«, dt. Esskastanie, Marone
Mauve	rosafarben, wie die Blüte der Malve
Melba	»pfirsichfarben«, nach der Süßspeise »Pfirsich Melba«, die auf die australische Sängerin Nellie Melba zurückgeht
Mint	minzefarben, vom engl. Wort »mint« für Minze, Pfefferminze
Ocker	gelbbraun, geht zurück auf griech. »ochros«, das »blass«, »blassgelb« bedeutete
Pink	»nelkenfarben«, kräftiges Rosa, vom engl. Wort »pink« für Nelke
Purpur, purpurn	»hochrot«, von lat. »purpura«, griech. »porphyra«, dem Namen der Purpurschnecke
Siena	Goldocker, benannt nach der Erde um die italienische Stadt Siena
Terrakotta	»tonfarben«, von ital. »terracotta«, »gebrannte Erde«, rötlicher Farbton
Umbra	vom lat. Wort für Schatten, auch Erdbraun, Römischbraun, Sepiabraun genannt
Violett	»veilchenblau«, vom frz. Wort »violette«, dt. Veilchen
Zyan	stahlblau, geht zurück auf griech. »kyaneos«

Liebe Gläubiginnen und Gläubige

Kolleginnen und Kollegen, Rentnerinnen und Rentner, StudentInnen und SchülerInnen – wie kein anderes Volk auf der Welt sind die Deutschen ein Volk der Bürgerinnen und Bürger. Doch wo bleiben die Steuerhinterzieherinnen, die Extremistinnen und die Schwarzfahrerinnen?

Grimmig blickt der Boss in die Runde: »Es muss sich was ändern!«, sagt er. Ohrfeigen-Toni kratzt sich ratlos am Hinterkopf. Automaten-Ede starrt wie immer gelangweilt auf seine Fingernägel. »Was meinst du denn, Boss«, fragt er, »was soll sich ändern?« – »Wir müssen was für unser Image tun! Wir müssen freundlicher werden, vor allem zu den Frauen!« Verdutztes Schweigen. »Freundlicher? Zu den Weibern? Aber wir sind doch schon freundlich genug, Boss! Wir machen ihnen teure Geschenke, lassen sie mit unserer Kreditkarte einkaufen ...« – »Das reicht aber nicht! Die Frauen von heute verlangen mehr. Sie wollen vor allem ... Respekt! Und Chancengleichheit! Hier steht es, überzeugt euch selbst!« Wahllos greift er in einen Stapel bedruckten Papiers vor sich, fischt etwas heraus und liest vor: »Die Lehrerinnen und Lehrer unserer Schule haben im letzten Jahr ... blah, blah, blah ... dann hier: ... die Aktion, an der sich dreihundert Schülerinnen und Schüler beteiligten ...« – Er wirft das Blatt in die Luft, greift sich ein anderes und liest: »Der Ausschuss der Studentinnen und Studenten der Universität hat beschlossen ... blah, blah, blah« – Das nächste: »Die Mitarbeiterinnen und Mitarbeiter unseres Betriebes ... blah, blah, blah.« Erwartungsvoll sieht er seine Mitarbeiter an: »Na, merkt ihr, was da abgeht?« – »Ziemlich viel blah, blah, blah«, sagt Automaten-Ede gelangweilt, »was soll der Mist? Willst du uns zu Tode langweilen?« – »Es geht um die Frauen!«, schreit der Boss und knallt die Faust auf den Tisch. »Kein Rundschreiben, keine Mitgliederbroschüre, kein Flugblatt mehr, auf dem die Frauen nicht extra erwähnt würden!« – »Und was geht uns das an?«, fragt Ohrfeigen-Toni achselzuckend. Der Boss wirft ihm einen verächtlichen Blick zu: »Du verstehst eben nichts von moderner Unternehmensführung. Wer konkurrenzfähig bleiben will, kann nicht länger so tun, als wären die Frauen Luft! Er muss sie erwähnen, in jeder Rede, in jedem Satz! Sonst gilt man als frauenfeindlich, und dann ist man ganz schnell weg vom Fenster!« – »So wie Balkan-Ali, der ist auch weg vom Fenster«, fällt Automaten-Ede ein, »nachdem er seine Alte im Suff die Treppe runtergestoßen hat.«

Der Boss hat die Zeichen der Zeit erkannt. In anderen Ländern mag es zweisprachige Schulen und zweisprachiges Fernsehen geben, bei uns gibt es die zweigeschlechtliche Anrede. Alles, was gedruckt oder gesendet wird, wird doppelt adressiert, einmal an die männlichen und einmal an die weiblichen Empfänger: die sehr verehrten Zuschauer und Zuschauerinnen, die geschätzten Leserinnen und Leser und die lieben Hörerinnen und Hörer.

Heute haben es die Arbeitgeber nicht nur mit Arbeiterinnen und Arbeitern zu tun, sondern auch mit Gewerkschafterinnen, Betriebsrätinnen, Geschäftsführerinnen und Gesellschafterinnen. Hätten Marx und Engels das vorausgesehen, hätten sie ihren berühmten Aufruf »Vereinigt euch!« gewiss an die »Proletarierinnen und Proletarier aller Länder« erlassen.

Immer neue SchülerInnengenerationen wachsen mit der Innenmajuskel heran, einem umstrittenen typografischen Notbehelf, mit dem man zusammenpresst, was man zuvor verdoppelt hat. Vom Schulbuch über Rundschreiben, Flugblätter bis zum ersten »taz«-Abonnement haben die jungen Leute gelernt, dass es für jede Berufsbezeichnung und Gruppenzugehörigkeit eine weibliche und eine männliche Form gibt. Ausnahmslos. Und wo die weibliche Form bislang fehlte, da wird sie erschaffen; notfalls wird Adam die Rippe mit Gewalt herausgebrochen. 100 Jahre Frauenbewegung haben unsere Gesellschaft deutlich verändert – und unsere Sprache auch.

Längst hat jeder Politiker die »Innen« in diesem Lande verInnerlicht. Viel zu groß ist die Angst, als antiemanzipatorisch und reaktionär gebrandmarkt zu werden, denn das ist gleichbedeutend mit unwählbar. So spricht jeder heute ganz selbstverständlich von den Wählerinnen und Wählern, den Europäerinnen und Europäern, den Steuerzahlerinnen und Steuerzahlern. Daran haben wir uns inzwischen alle gewöhnt.

Man kann bei allzu tiefer Verneigung vor dem weiblichen Geschlecht aber auch schon mal auf die Nase fallen: Immer wieder kommt es vor, dass eilfertig von der »ersten weiblichen Präsidentin« eines Landes oder »der ersten weiblichen Pilotin« einer Fluggesellschaft berichtet wird.

Geradezu grotesk wird es, wenn das zu verweiblichende Hauptwort in Wahrheit gar nicht männlich, sondern sächlich ist, so wie das Wort Mitglied, das sich, zu »Mitgliederinnen« vervielfältigt, recht seltsam anhört. An der Uni empfängt man die »Erstsemesterinnen und Erstsemester«, und wer mit jungen Menschen zu tun hat, der unterscheidet ganz selbstverständlich zwischen Teenager und Teenagerin, obwohl der Teenager laut Lexikon ein »Junge oder Mädchen im Alter zwischen 13 und 19 Jahren« ist.

Bekanntlich ist die Kirche eine eher konservative Institution, dort setzt man sich länger als anderswo gegen sprachliche Moden zur Wehr; sonst würden die Gottesdienstbesucher (und -besucherinnen) womöglich schon hier und da als »Liebe Gläubiginnen und Gläubige« begrüßt.

Nicht jeder, der sein Brot in Forschung und Lehre verdient, hält es durch, ständig von »Studentinnen und Studenten«, von »Doktorandinnen und Doktoranden«, von »Assistentinnen und Assistenten« zu sprechen. So machte man sich auf die Suche nach Pluralwörtern, die bereits beide Formen enthalten – und wurde auch fündig: Kurzerhand ersetzte man »Studentinnen und Studenten« durch »Studierende«. Das war deutlich kürzer und trotzdem noch politisch korrekt. Leider allerdings ein grammatikalischer Missgriff: »Studierend« ist nur, wer im Moment auch wirklich studiert, so wie der Lesende gerade liest und der Arbeitende gerade arbeitet. Ein Leser kann auch mal fernsehen und ein Arbeiter Pause machen. Der Lesende aber ist kein Lesender mehr, wenn er das Buch aus der Hand legt, und so ist auch der Studierende kein Studierender mehr, wenn er zum Beispiel auf die Straße geht, um gegen Sparmaßnahmen zu demonstrieren.

Doch lassen wir uns durch Partizipien nicht von Prinzipien ablenken. Sprachästhetik hin oder her, es stellt sich die Frage, ob bei der Feminisierung der Sprache überhaupt konsequent durchgegriffen wird. Denn wer genau hinsieht, muss feststellen, dass die weibliche Form längst nicht in allen Zusammenhängen angewendet wird. Kann man/frau das durchgehen lassen?

Als Bundeskanzler Schröder im Zusammenhang mit dem Thema Dauerarbeitslosigkeit den Begriff »Faulenzer« aufbrachte, löste er damit einen Sturm der Entrüstung aus. Allerdings hat sich niemand darüber ereifert, dass er die »Faulenzerinnen« unterschlagen hatte. Nicht mal in der »taz« gab es Beiträge zur »FaulenzerInnen-Debatte«.

Hat der Bundestag sich schon jemals mit Steuerhinterzieherinnen und Steuerhinterziehern auseinander gesetzt? Interessiert es wirklich niemanden, wie viele Schwarzfahrerinnen und Schwarzfahrer jedes Jahr erwischt werden? Wo bleiben, wenn die Rede von Sozialschmarotzern und Leistungserschleichern ist, die Sozialschmarotzerinnen und Leistungserschleicherinnen?

Sie zu unterschlagen bedeutet positive Diskriminierung. Und wollte man der Diskriminierung nicht gerade entgegentreten? Im Hinterzimmer einer zwielichtigen Kneipe im Hamburger Stadtteil St. Pauli ist man nach wie vor fest dazu entschlossen:

»Du meinst also, dass wir die Wei ... äh, die Frauen in Zukunft immer mit nennen?«, fragt Ohrfeigen-Toni verunsichert. »Ganz genau! Ab sofort heißt es Leibwächterinnen und Leibwächter, Kurierinnen und Kuriere, Dealerinnen und Dealer.« – »Hältst du das wirklich für eine gute Idee, Boss?« – »Na klar! Meine Ideen sind immer gut! Und jetzt rufst du die Negerinnen und Neger von der neuen Schnellreinigung an und sagst, wenn sie nicht bis morgen zahlen, dann schicken wir ihnen unsere Schlägerinnen und Schläger auf den Hals!«

In Massen geniessen

»Sie sollten diesen edlen Tropfen in Massen geniessen«, empfiehlt ein Weinhändler seinen Kunden und lässt sie dabei mit der Frage zurück, ob man sich den Rebensaft nun in winzigen Schlucken genehmigen oder in Sturzbächen durch die Kehle laufen lassen sollte. Manche Menschen leiden an Ess-Störungen, andere an Eszett-Störungen.

Die deutsche Sprache gönnt sich manchen Luxus, und einer davon ist die Existenz eines zusätzlichen Buchstabens. Andere Sprachen haben Akzente (á, é, à, è), setzen ihren Buchstaben lustige Hütchen auf (â, ĉ, ê, ŝ), durchbohren sie mit Querbalken (ø), hängen ihnen ein Schwänzchen an (ç, ş), verknoten sie (æ, œ) oder föhnen ihnen wellige Frisuren (ñ, ã), die deutsche Sprache nimmt sich dagegen noch relativ bescheiden aus. Sie erfand die Umlaute und jenen Buchstaben, der im Alphabet zwar nicht vorkommt, in unserer Schriftsprache aber eine so große Rolle spielt, dass er auf deutschsprachigen Tastaturen eine eigene Taste bekommen hat: das Eszett (ß), auch »scharfes S« genannt.

Entstanden ist das Eszett aus einer Ligatur, einer Verbindung aus zwei Buchstaben: dem fahnenstangenlangen Anfangs- und Innen-s (ſ) und dem schnörkeligen Schluss-s (s) der Frakturschrift, die vom 16. Jahrhundert an bis etwa 1940 im deutschen Buch- und Zeitungsdruck verwendet wurde. Das Ergebnis der Verschmelzung (ß) sah dann so aus, als ob ein z (ʒ) daran beteiligt wäre, was der Ligatur den Namen Eszett eingebracht hat. Bei der Übernahme in die lateinische Schrift wurden die Ecken des Eszetts gerundet und der Topp abgesägt, sodass es dem B sehr ähnlich wurde (mit dem es viele Ausländer auch immer wieder verwechseln). Obwohl das Schreiben und maschinelle Erzeugen des Eszetts für

Deutsche und Österreicher keine große Herausforderung darstellt, tun sich viele mit ihm schwer. Dies liegt vor allem daran, dass das ß genauso klingt wie ein einfaches scharfes s und erst recht wie das immerscharfe Doppel-s. Außerdem erscheint es nur unter bestimmten Voraussetzungen im Wort, und das hängt mit der Länge der Vokale zusammen. Die werden allerdings nicht überall gleich gesprochen. Je nach Region werden sie mal gestaucht und mal gedehnt. Während der Norddeutsche kurz »muss«, sagt der Wiener »mu(uu)ss« mit extralangem u und wundert sich, warum er dann kein ß setzen soll. In Bayern wiederum kann man nicht lange Maß halten, dort trinkt man die Mass am liebsten in Massen. Die Schreibweise mit Doppel-s ist daher im Freistaat ausdrücklich erlaubt. Einige Bayern werden sogar fuchsteufelswild, wenn man ihre Mass mit ß schreibt. Andere Bayern bevorzugen die hochdeutsche Schreibweise, so wie die Münchner »Abendzeitung«, die empört vermeldete: »Sieben Euro für eine Wiesn-Maß!«

Rund 4,7 Millionen Menschen zwischen Basel, Bern und Chur brauchen sich über das ß nicht den Kopf zu zerbrechen – im Land der Bankschließfächer und der Präzisionsuhren kommt der unbequeme Buchstabe seit den Dreißigerjahren nicht mehr vor. In Deutschland und Österreich ist er geblieben.

Manche pfeifen auf die Rechtschreibreform und setzen das ß auch dort noch, wo es gemäß den neuen Regeln nicht mehr hingehört. Andere wiederum glauben, das ß sei mit der Rechtschreibreform komplett abgeschafft worden. Das sind zum Beispiel all jene Leute, die ihre Briefe und E-Mails beharrlich mit »freundlichen Grüssen« unterschreiben.

Das Eszett hat es in sich, wie jener Großwildjäger zu berichten weiß, der im Dschungel um ein Haar von einer Riesenschlange gefressen worden wäre:

Von der langen Wanderung erschöpft, ließ sich der Großwildjäger unter einem Baum nieder. Er hatte die Riesenschlange nicht bemerkt, die sich oben im dichten Blattwerk
versteckt hielt. Kaum war er eingenickt, glitt das Schuppen-
tier geräuschlos den Stamm hinab und begann, den Jäger zu
umschlingen. Davon erwachte er, und erschrocken rief er
aus: »He, du ekelhaftes Vieh, lass mich auf der Stelle los!« –
»Ich würde esss sssehr begrüsssen, wenn Sssie mich nicht
ssso anbrüllen würden«, erwiderte die Schlange, »ich bin
nämlich sssehr geräuschempfindlich!« – »Dann hör auf,
mich zu würgen«, rief der Jäger. »Tut mir Leid, ich kann nicht
andersss, ich bin nämlich eine Würgeschlange«, entschul-
digte sich die Schlange und wand sich ein weiteres Mal um
den Leib des Jägers. »Du bissst ein lecker Frasss«, stellte sie
fest, »man ssollte dich mit einer würzzzigen Sssossse über-
giesssen!« – »Und dich sollte man zu einer Handtasche verarbeiten, dann würden dich die Frauen auf dem Broadway
spazieren führen!«, sagte der Jäger grimmig. »Ich würde esss
sssehr begrüsssen, wenn wir unsss ausssschliesssslich über
Esssen unterhalten könnten«, sagte die Schlange, »ich habe
nämlich ssseit Wochen keinen Bisssen mehr gehabt. Dasss
letzte war ein hässslicher Hassse ausss Hesssen.« – »Du hast
mein Mitgefühl«, sagte der Jäger und fügte hinzu: »Übrigens,
deine Aussprache ist grauenhaft, von deinem zischelnden
Gelispel wird einem ganz übel!« – »Ich lisssspel nicht!«, widersprach die Schlange und drückte noch etwas fester zu,
»ich pflege lediglich eine klare Aussssprache!« – »Du hast eine
S-Störung!«, sagte der Jäger. »Ich? Eine Esss-Ssstörung?
Dasss hat mir noch keiner gesssagt! Warte, bisss ich dich
hinuntergewürgt habe, dann sssprechen wir unsss wieder!« – »Nein, ich wollte sagen, du kannst ss und ß nicht
auseinander halten«, stellte der Jäger richtig, »es klingt ent-
setzlich; ich wage mir gar nicht vorzustellen, wie das geschrieben aussieht!« – »Esss gibt keinen hörbaren Unter-

schied zwischen esss esss und Essszzzett!«, erwiderte die
Schlange gereizt. »Aber klar doch!«, sagte der Jäger, »hör nur
mal genau hin: Es ist schon ein Unterschied,

ob man einen Kloß im Hals hat oder einen Koloss im Haus,
ob man als Verkehrsunternehmer seine Busse bezahlt oder
lieber Buße bezahlt,
ob man als Trompeter in Maßen bläst oder in der Masse ver-
blasst,
ob die Kerzen in der Kirche rußen oder Russen in der Kirche
husten,
ob man mit Genuss Nüsse isst oder Kartoffelmus mit Soße
genießt,
ob man wie ein Schlosshund jault oder einen Schoßhund
krault,
ob der Bäcker den Zuckerguss goss oder zu gießen vergaß,
ob man den Fluss im Fass hinunterschoss oder sich auf einem großen Floß den Fuß stieß,
ob man sich gestresst ins Strasskleid presst oder mit Vollgas
über die Straße rast,
ob man als kesser Frosch von einer feschen Prinzessin auf
die nassen Flossen geküsst wird oder
ob man von einem spaßlosen Spießer, der scheußlich nach
Schweiß riecht, süßlich gegrüßt wird ...«

»Hör auf!«, jammerte die Schlange, »ich kann nicht mehr!
Dasss issst ja unerträglich!« Der Jäger nutzte die intellektuelle Irritation des Kriechtieres, um die Umklammerung zu lo-
ckern, sodass er eine Hand frei bekam. »Der Unterschied
zwischen ss und ß ist ganz einfach«, sagte er, während er an
seiner Tasche nestelte, »und die Regeln sind seit der Rechtschreibreform sogar noch einfacher geworden.« – »Komm
mir nicht mit der Rechtschreibreform«, zischte die Schlange
giftig, »die gilt hier nicht! Hier gilt dasss Gesssetzzz desss

Dschungelsss! Ich glaube nur, wasss ich weisss!« – »Es heißt *weiß*, nicht *weiss*!«, insistierte der Jäger. »Hinter kurzen Vokalen steht ss, hinter langen ß, das ist doch kinderleicht! Selbst eine Schlange sollte sich das merken können! Du wirst mich nicht fressen, bevor du den Unterschied zwischen ss und ß begriffen hast!« – »Pech für dich: Ich habe einen Schweizzzer Passs! Für uns Schweizzzer exissstiert dasss Essszzzett nicht! Wir schreiben allesss mit Doppelsss!« – »Welch ein Zufall«, sagte der Jäger und ließ eine Klinge aufblitzen, »du hast einen Schweizer Pass, ich habe ein Schweizer Messer! Und wenn du mich nicht augenblicklich frei gibst, wirst du doch noch als Handtasche enden!« Entsetzt ließ die Schlange von ihrem Opfer ab und schlängelte sich davon. »Dann eben nicht«, zischte sie verärgert, »issst vermutlich bessser ssso. Wenn ich den verschluckt hätte, hätte ich am Ende doch noch Esss-Ssstörungen bekommen!«

Mit freundlichen Grüßen!

Hier sind die vier goldenen Regeln für den richtigen Gebrauch von ss und ß noch einmal zusammengefasst:

1. Hinter **kurzen Vokalen** steht grundsätzlich **ss,** auch am Wortende:

Das **Fass** war **nass** nach der Fahrt im **Fluss.** Ich **wusste, dass** du ihn ge-**küsst** hast, obwohl du ihn **gehasst** hast. Ich **musste** den **Pass** vorzeigen. Nur keinen **Stress!** Ich **wüsste** gern, wie das **passiert** ist. Das **Schloss** war offen. Er **schoss** auf **Massen** von **Gösseln** aus **Russland.**

2. Hinter **langen Vokalen** steht grundsätzlich **ß:**

Das **große Floß** trieb träge dahin. Das **Maß** ist voll, der **Spaß** vorbei. Ich **vergaß,** ihn zu **grüßen.** Je **größer** das Verbot, desto **süßer** das Verlangen. Im **Schoß** der Familie, zu **Fuß** über die **Straße. Schließlich** und endlich **fließt** alles in den Orkus.

3. Hinter **Doppellauten** (Diphthongen), das sind **au, äu, eu** und **ei,** steht grundsätzlich ein **ß,** da sie die Natur von **langen Vokalen** haben:

Ich **weiß** von nichts. Er war **außer** sich vor Wut. Er **äußerte** einen **scheuß-lichen** Wunsch. »**Reißen** Sie sich gefälligst zusammen!«, befahl der **preu-ßische** Offizier. Mit **schweiß**nassen Haaren soll man nicht nach **draußen** gehen.

4. In **VERSALIENSCHREIBUNG** wird das ß grundsätzlich als **SS** darge-stellt:

ACHTUNG! SCHIESSÜBUNGSGELÄNDE!
PREUSSISCHES MUSEUM
VORSICHT BEIM ÖFFNEN DES REISSVERSCHLUSSES
FUSSGÄNGER STRASSENSEITE WECHSELN!

niemals:

MIT FREUNDLICHEN GRÜßEN

Diese Regeln beziehen sich selbstverständlich nur auf die Fälle, in denen schon immer ein ss oder ein ß verlangt wurde. Wörter wie »Beweis« oder »Kenntnis« werden nach wie vor mit einfachem s geschrieben.

Das Ultra-Perfekt

Die gut informierte Hausfrau weiß: Herkömmliche Vergangenheitsformen sind wie herkömmliche Waschmittel. Sie wirken nicht immer
zufrieden stellend und hinterlassen bisweilen graue Streifen. Daher
gibt es das Ultra-Perfekt mit verbesserter Formel: Die noch voll-
endetere Vergangenheit der vollendeten Vergangenheit.

Dass sich die Zeiten ändern, ist bekannt. Viel interessanter
ist es, wenn eine neue Zeit hinzukommt. Auch dies kann
vorkommen, sogar in der angeblich so starren Grammatik.
Angenommen, unsere Sprache ist ein Warenhaus mit sechs
unterschiedlichen Zeitniveaus. Das Erdgeschoss ist die Gegenwart, das darunter liegende Basement das Imperfekt.
Der Fahrstuhl fährt hinauf zu Futur I und Futur II und hinab
zu Perfekt und Plusquamperfekt. Die wichtigsten Sachen,
die wir fürs tägliche Leben brauchen, finden wir im Erdgeschoss, im Basement und in den angrenzenden zwei Etagen.
Nach ganz oben und ganz unten fahren wir seltener, dort befinden sich die Sonderabteilungen mit speziellen Artikeln
wie Sportgeräten, Pelzmänteln und Möbeln.

Neben den bekannten Standard-Warenhäusern, deren Aufbau wir im Schulunterricht gelernt haben, gibt es nun auch
solche, in denen der Fahrstuhl zwischen dem ersten und
dem zweiten Tiefgeschoss auf einem zusätzlichen Niveau
hält. Denn zwischen Perfekt und Plusquamperfekt hat sich
in der Umgangssprache eine weitere Zeitform eingenistet:
das Ultra-Perfekt.

Da wühlt sich Erika durch Berge von Unterwäsche, zaubert
einen XXXL-Herrenschlüpfer hervor und sagt zu ihrer
Freundin: »Guck mal, Heidi, ist das nicht was für deinen

Günther?« – »Lass mal«, sagt Heidi, »*Unterhosen hab ich schon im Katalog bestellt gehabt.*« – »Ach ja«, sagt Erika, »*das hab ich mir fast schon gedacht gehabt.*«

Etwas später und ein paar Wühltische weiter sind die beiden beim Thema Gesundheit angelangt. »*Mein Hausarzt hat ja bei mir so einen Spezialcheck durchgeführt gehabt*«, sagt Erika, »*seitdem esse ich wieder alles, was mir früher geschmeckt gehabt hat.*« – »Das mach ich auch«, sagt Heidi, »*dass ich weniger Süßes essen soll, haben die mir im Krankenhaus ja nicht gesagt gehabt.*«

Gedacht gehabt, gesagt gehabt – erst das Ultra-Perfekt macht das Perfekt wirklich perfekt. Lange wurde diese Zeitform als »Hausfrauen-Perfekt« belächelt. Längst aber ist das Phänomen des verdoppelten Perfekts ein gesamtgesellschaftliches geworden. Erika und Heidi haben Kinder, die Melanie und Daniel heißen, in modernen Büros arbeiten und ihren Vorgesetzten erklären, dass sie die Kundenanfrage »bereits letzte Woche bearbeitet gehabt« haben und gleich danach die Bestellung »rausgeschickt gehabt« hätten. Und sie verschicken lustige kleine E-Mails an ihre Kollegen, in denen sie erzählen, wen sie alles am Wochenende »getroffen gehabt« und welchen Film sie im Kino »gesehen gehabt« haben.

Dank des Internets gelang es dem Ultra-Perfekt, die Schwelle vom gesprochenen Deutsch zum geschriebenen Deutsch zu überschreiten. Geben Sie mal »gemacht gehabt« oder »gesagt gehabt« in eine Suchmaschine ein, Sie werden staunen, wie viele Fundstellen Ihnen angezeigt werden.

Das Ultra-Perfekt lässt sich übrigens auch mit »sein« bilden: »*Schlesien ist nach dem Krieg verloren gegangen gewesen*«, erklärt Opa Reimers an der Kaffeetafel, und sein Enkelsohn fragt sich, ob das doppelte Perfekt wohl bedeuten solle, dass man Schlesien inzwischen wiedergefunden habe.

»Wo hast du denn die frischen Brötchen her?«, fragt Melanie ihren Freund verwundert. Der erwidert grinsend: *»Ich bin schnell zum Bäcker gelaufen gewesen, als du vorhin geduscht hast.«*

»Wo ist der Hund?«, ruft Günther durch den Flur, »haben wir den etwa bei deinen Eltern vergessen?« – »Quatsch!«, sagt Heidi, *»der ist doch hinten bei den Kindern gesessen gewesen.«*

Das letzte Beispiel hat es besonders in sich: Mit »sein« werden eigentlich nur Verben der Bewegung konjugiert, und abgesehen von ein paar Beamten würde niemand »sitzen« als Bewegung einstufen, daher müsste es richtig heißen: Der Hund hat hinten gesessen.* Er »ist hinten gesessen gewesen« ist somit ein doppelter Rittberger mit Überschlag, ein äußerst gewagter Hausfrauen-Looping.
Wie kommt es zu solchen falschen Zeitbildungen? Die Antwort liegt in der Natur der Umgangssprache. Tatsache ist, dass immer nur ein Teil dessen, was wir sagen, beim Adressaten ankommt. Nebengeräusche, undeutliche Artikulation und mangelnde Aufmerksamkeit sind nur einige der vielen Ursachen, die dazu führen, dass ein gewisser Teil der Informationen auf dem Weg vom Sender zum Empfänger verloren geht. Das wissen wir, und daher neigen wir im Alltag zur Verdoppelung; wir hängen den Wörtern überflüssige Silben an, stellen ihnen verstärkende Ausdrücke voran, nur um sicherzugehen, dass der Kern unserer Botschaft ankommt. Beim Ultra-Perfekt geschieht genau dasselbe: Ein nachgestelltes »gehabt« oder »gewesen« soll den Vergangenheitscharakter verstärken und die Abgeschlossenheit der Handlung hervorheben.

---

* In Süddeutschland, Österreich und der Schweiz ist es allerdings üblich, »stehen«, »sitzen« und »liegen« mit »sein« zu konjugieren.

Ein in der Umgangssprache völlig normaler, alltäglicher Vorgang. Freilich dürfen wir nicht vergessen, die Verdoppelung wieder zurückzunehmen, wenn wir uns mit unseren Botschaften von der Umgangssprache lösen und zum Beispiel einen Brief schreiben oder uns in einer Talkshow vor einem Millionenpublikum äußern.

Analog zum Ultra-Perfekt gibt es natürlich auch das Ultra-Plusquamperfekt:

»Das hatten die damals so gemacht gehabt.«
»So was hatte ich mir auch schon gedacht gehabt.«
»Du warst doch neben mir gesessen gewesen!«

Denkbar ist auch ein Ultra-Futur-II, wenn sich die Wirkung des herkömmlichen Futurs verbraucht »gehabt« haben wird ...
Die Warenhäuser der Zukunft werden noch manches Zwischenniveau einziehen, und die Kunden werden im Kaufrausch durch die Zeiten geschwebt gehabt haben werden worden sein.

Das **Imperfekt**, auch Präteritum genannt, kennzeichnet die »unvollendete« Vergangenheit und findet hauptsächlich im geschriebenen Deutsch Anwendung: *Ich suchte dich; du sagtest nichts; er fuhr; sie kamen.*

Weitaus größerer Beliebtheit erfreut sich das **Perfekt**, jene mit »haben« oder »sein« und zweitem Partizip gebildete Vergangenheitsform, denn sie kommt vornehmlich in der gesprochenen Sprache zum Einsatz: *Ich habe dich gesucht; du hast nichts gesagt; er ist gefahren; sie sind gekommen.* »Perfekt« heißt diese Zeit, weil sie als »vollendet« gilt. Das, was jemand »gemacht hat«, ist abgeschlossen.

Noch abgeschlossener ist es im **Plusquamperfekt**: *Ich hatte dich gesucht; du hattest nichts gesagt; er war gefahren; sie waren gekommen.* Das Plusquamperfekt beschreibt die Vergangenheit vor der Vergangenheit, die so genannte Vorvergangenheit: *Bevor sie ins Bad ging, hatte sie die Wäsche aufgehängt. Nachdem er die Nachbarn alarmiert hatte, rief er die Feuerwehr.*

Cäsars Kampf gegen die starken Verbier

Geschliffen und geschleift, gesendet und gesandt, erschrocken und erschreckt – eine ganze Reihe von Verben kennt zwei verschiedene Konjugationen. Daher besteht chronische Verwechslungsgefahr. Lesen Sie hier die Geschichte, wie Cäsar seinen »Gallischen Krieg« verhunzte und von einem Sklaven verbessert wurde.

Am Abend nach der siegreichen Schlacht saß Cäsar in seinem Zelt und schrieb beim Schein einer flackernden Kerze an seinem Bericht:

»Welch ein triumphaler Sieg! Erst hatten die Römer ihre Widersacher durch die Straßen geschliffen, anschließend hingen sie die leblosen Körper vor den Toren auf. Bei seinem Einzug in die eroberte Stadt hatten die Bewohner dem jungen Cäsar begeistert zugewunken. Jene, die sich ihm zuvor als Spione verdungen hatten, erfuhren nun seine Großzügigkeit. Angesichts des Reichtums an Goldmünzen quellten ihnen die Augen über. Cäsar wandte sein Pferd und ritt hinauf zum Palast. Der Truchsess, von seinen Beratern zum Handeln gedrungen, eilte ihm entgegen, verneigte sich tief und preiste seinen Namen. ›Dich hat der Himmel gesendet!‹, rief er. Cäsar nickte wohlgesonnen und warf auch ihm ein paar Goldmünzen vor die Füße. Gierig las der Truchsess sie auf. ›Das Volk liegt dir zu Füßen, o mächtiger Cäsar! Was sind deine Pläne?‹ – Cäsar saugte die würzige Abendluft ein und entgegnete: ›Ich werde den Palast erweitern, mit aus Marmor gehauten Säulen, und drum herum einen großen Vergnügungspark anlegen lassen.‹ Der Truchsess, dessen Hoffnungen bereits erlöscht waren, fasste neuen Mut: ›Welch göttlicher Plan!‹, jauchzte er. Nachdem er sich einen Moment besinnt hatte, wendete er ein: ›Aber wie stellst du dir das vor? Für einen Park ist weit und breit kein Platz!‹ Cäsar trat an die Brüstung, sein Blick gleitete über das Dächermeer, dann sprach er die berühmten Worte: ›Reißt die Stadt ab!‹ Der Truchsess erblich. Was konnte Cäsar dazu bewegt haben, einen solchen Befehl zu erteilen? Im nächsten Moment aber brach er in Gelächter aus: ›Jetzt hast du mich aber erschrocken, o Cäsar! Das war natürlich nur ein Scherz, nicht wahr? Du willst die Stadt doch nicht wirklich niederreißen lassen?‹ – ›Oh doch, genau das werde ich. Notfalls lege ich selbst Hand dabei an, denn hat es nicht immer gehießen: Ich kam, sah und sägte?‹«

»Wünscht Ihr noch etwas, Herr?«, unterbrach in diesem Moment die schmeichelnde Stimme des devoten Dieners die Gedanken seines Herrn. »Nein, Servilius, du kannst dich zurückziehen. Ich schreibe nur noch diesen Bericht zu Ende«, sprach Cäsar. »Ach, für *Der bellende Gockel* oder wie Euer Buch heißt?« – »De bello Gallico!«, berichtigte Cäsar mit säuerlicher Miene. »Lasst doch mal sehen, ich lese Eure Ausführungen doch immer so gern!« Cäsar war zu eitel, um seinem Sklaven diese Bitte zu verwehren. Servilius überflog die Zeilen und schüttelte den Kopf: »Oh weh, oh weh«, jammerte er. »Was ist?«, fragte Cäsar ungeduldig, »gefällt es dir nicht?« – »Doch, gewiss, aber ich stelle fest: Euer schlimmster Feind sind die starken* Verben!« – »Wie bitte, wer? Ich kenne die Haeduer und die Sequaner, die Helvetier und die Sueben, auch Belger und Nervier sind mir bekannt, aber von Verbiern habe ich noch nie gehört! Aber ich habe keine

---

* Die Einteilung in starke und schwache Verben geht auf Jacob Grimm zurück. Starke Verben verändern ihren Stammlaut (sinken, sank, gesunken), während schwache den Stammlaut behalten (hinken, hinkte, gehinkt). Da diese Einteilung aber einigen Mischformen nicht gerecht wurde, wird heute in der Regel zwischen unregelmäßigen und regelmäßigen Verben unterschieden.

Angst vor ihnen, egal, wie stark sie sind. Sag mir, wo sie sich versteckt halten, auf dass ich sie unterwerfe!« – »In Eurem Bericht, Herr!«, erwiderte Servilius. »Ich meine Verben, nicht Verbier. In dem, was Ihr geschrieben habt, wimmelt es von falschen Verbformen. Ich konnte nicht weniger als zwanzig davon entdecken!«

»Zwanzig Fehler? In meinem *De bello Gallico*? Willst du mich zum Narren halten? Das wird dein Verderben!« – »Niemals fiele es mir ein, mit Euch Scherze treiben zu wollen, Herr«, beteuerte Servilius, »wenn Ihr erlaubt, dann sage ich Euch, wo Ihr ein paar klitzekleine Änderungen vornehmen müsst, dann ist der Bericht tadellos, und die Nachwelt wird Euch für einen der größten Schriftsteller der Antike halten. Man wird Euren Bericht im Schulunterricht lesen und ...« – »Schweig!«, fuhr Cäsar dazwischen, »es reicht!« – »Aber Ihr wollt doch nicht, dass man sich eines Tages erzählt, der große Cäsar habe zwar die Gallier besiegt, aber an den unregelmäßigen Verben sei er gescheitert. Seht nur mal hier, das transitive Verb ›hängen‹ wird im Imperfekt zu ›hängte‹, nicht zu ›hing‹.« – »Transitive Verbier? Ich werde den Rubikon überschreiten, das ist transitiv!« – »Ich spreche nicht von Euren Heldentaten, Herr, die sind unbestritten. Ich spreche von transitiven und intransitiven Verben, also Tätigkeitswörtern, die ein Objekt haben können, und solchen, die kein Objekt haben. Von manchen Verben gibt es zwei Formen, eine transitive und eine intransitive, sie sind im Präsens gleich, aber sie unterscheiden sich im Imperfekt und im Perfektpartizip.« Cäsar war zu müde, um sich einen längeren Vortrag seines Sklaven über Grammatik anzuhören. Ungnädig scheuchte er ihn hinaus, blies, bläste oder blos die Kerze aus und liegte, legte oder lag sich schlafen. Die richtige Form war ihm im Moment völlig egal.

Als er am Mittag des nächsten Tages wieder sein Zelt betrat, fand er neben seinem Bericht eine Liste, in welcher Servilius mit sauberer Schrift zwanzig Verbformen verzeichnet hatte, die aus Cäsars gestrigem Eintrag stammten. Sie waren durchgestrichen! Daneben standen zwanzig andere Formen, die unterstrichen waren. Cäsar war außer sich: Welch eine Impertinenz! Dieser Sklave hatte es tatsächlich gewagt, seinen *De bello Gallico* zu verbessern! Das würde Konsequenzen haben. Und die hatte es auch. Am Abend schrieb Cäsar in seinen Bericht:

»Die, die ihm treu gedient hatten, wurden reich belohnt. Der eine aber, Servilius, der es gewagt hatte, ihn zu verspotten, hatte sein Leben verwirkt. Als er erfuhr, dass er getötet werden sollte, erschreckte er so sehr, dass ihm das Herz stockte und er tot umfiel. Da Cäsar es nicht gewohnt war, einen Befehl zurückzunehmen, wurde der Leichnam des Sklaven mit einem frisch geschliffenen Schwert enthauptet, anschließend gerädert und durch die Straßen geschliffen, wie es Cäsars Befehl gewesen war. Bis zum Abend hängte er zur Abschreckung für alle anderen von der Mauer, wo er von der Sonne geblichen wurde.«

Zufrieden lehnte Cäsar sich zurück. Dann nahm er Servilius' Liste und übertrug die richtigen Verbformen in seinen Bericht vom Vortag. »Verbier!«, murmelte er verächtlich, »mit euch werde ich fertig, ob regelmäßig oder unregelmäßig! Das wäre ja gelacht! Der große Cäsar ist mit seinem Latein noch lange nicht am Ende!«

Diese Episode ist selbstverständlich frei erfunden. Über ein eventuelles Problem Cäsars mit unregelmäßigen deutschen Verben ist nichts bekannt. Sein Werk »De bello Gallico« schrieb er auf Latein, und zwar ohne die Hilfe eines Sklaven.

Unregelmäßige Verben

Hier finden Sie in alphabetischer Reihenfolge jene 20 unregelmäßigen Verben aufgelistet, die in der »Zwiebelfisch«-Geschichte von Cäsars Kampf gegen die Verbier falsch gebraucht wurden.

besinnen: Das reflexive Verb »besinnen« wird unregelmäßig gebeugt: *ich besinne mich; er besann sich eines Besseren; wir haben uns besonnen und eine andere Lösung gefunden.*

bewegen: Das transitive Verb in der Bedeutung »rühren« wird regelmäßig gebeugt: bewegen, bewegte, bewegt; *ich bewegte zuerst den linken Arm, dann den rechten; deine Geschichte hat mich sehr bewegt.*
Das transitive Verb in der Bedeutung »veranlassen« wird unregelmäßig gebeugt: bewegen, bewog, bewogen; *sein Vater bewog ihn, eine Kaufmannslehre zu machen. Was hat ihn zu einem solchen Schritt bewogen?*

drängen/dringen: Das transitive Verb »drängen« wird regelmäßig gebeugt: drängen, drängte, gedrängt; *die Zeit drängt; er drängte sie, zum Ende zu kommen; wir wurden in die Ecke gedrängt.*
Das intransitive Verb »dringen« wird unregelmäßig gebeugt: dringen, drang, gedrungen; *das Wasser dringt durch alle Ritzen, ihr Hilferuf drang bis ins Nachbarhaus; Amors Pfeil war ihm tief ins Herz gedrungen.*

erbleichen: Das Verb in der Bedeutung »blass werden« wird heute üblicherweise regelmäßig gebeugt (erbleichen, erbleichte, erbleichte); die unregelmäßige Konjugation (erblich, erblichen) ist veraltet.

erlöschen: Das intransitive Verb »erlöschen« wird unregelmäßig gebeugt: *die Flamme erlischt; das Feuer erlosch; die Lichter sind erloschen.*
Das transitive Verb »löschen« wird regelmäßig gebeugt: *du löschst deinen Durst; die Feuerwehr löschte den Brand; die Lichter wurden gelöscht.*

erschrecken: Das transitive Verb »jemanden erschrecken« wird regelmäßig gebeugt und im Perfekt mit »haben« konjugiert: *ich erschrecke dich, du erschreckst mich, die Nachricht erschreckte die Zuhörer, du hast mich ganz schön erschreckt!*
Das intransitive Verb »erschrecken« wird unregelmäßig gebeugt und im Perfekt mit »sein« konjugiert: *Sei leise, sonst erschrickt das Reh; als der Tiger den Jäger bemerkte, erschraken beide; beim Anblick des Tieres ist er heftig erschrocken.*
Das reflexive Verb »sich erschrecken« gehört der Umgangssprache an und wird sowohl regelmäßig als auch unregelmäßig gebeugt: *Ich erschrecke*

mich bei jedem Donner; ich erschreckte/erschrak mich fast zu Tode; da habe ich mich ganz schön erschreckt/erschrocken!

gleiten: Das Verb »gleiten« wird unregelmäßig gebeugt: gleiten, glitt, geglitten; *sein Blick glitt über die Stadt; mühelos war der Esel über das Eis geglitten.*

hängen: Das transitive Verb in der Bedeutung »aufhängen« wird regelmäßig gebeugt: ich hänge, ich hängte, ich habe gehängt; *ich hängte den Hörer wieder ein; ich habe die Wäsche aufgehängt.*
Das intransitive Verb im Sinne von »baumeln« wird unregelmäßig gebeugt: ich hänge, ich hing, ich habe gehangen; *die Fahne hing im Wind; ich hing drei Stunden lang fest; die Wäsche hat auf der Leine gehangen.*

hauen: Das Verb »hauen« wird unregelmäßig gebeugt: hauen, hieb, gehauen. Häufiger als »hieb« ist heute die umgangssprachliche Form »haute« gebräuchlich. Das regelmäßig gebeugte Perfektpartizip »gehaut« ist hingegen mundartlich.

heißen: Das Verb »heißen« wird unregelmäßig gebeugt: heißen, hieß, geheißen. Die Form »gehießen« ist landschaftlich.

preisen: Die Verben »preisen« und »anpreisen« werden unregelmäßig gebeugt: preisen, pries, gepriesen; *er pries den Namen des Herrn; gepriesen seist du! Die Aktien wurden angepriesen wie sauer Bier.*
Das Verb »lobpreisen« wird hingegen regelmäßig gebeugt: *Er lobpreiste den Namen des Herrn; sein Werk wurde gelobpreist.*

quellen: Das intransitive Verb »quellen« wird unregelmäßig gebeugt: quellen, quoll, gequollen; *das Wasser quillt über; der Teig quoll auf; aus seinen Augen sind dicke Tränen gequollen.*
Das transitive Verb »quellen« in der Bedeutung »etwas im Wasser weich werden lassen« wird regelmäßig gebeugt: quellen, quellte, gequellt; *ich quellte das Brötchen in Milch; hast du den Reis gequellt?*

saugen: Das alte Verb »saugen« wird unregelmäßig gebeugt: saugen, sog, gesogen; *das Ferkel sog begierig an der Mutterbrust; er sog die Luft ein; als Kinder haben wir Cola immer durch den Strohhalm gesogen.*
Das neuere Verb »saugen« im technischen Sinne wird regelmäßig gebeugt: saugen, saugte, gesaugt; *ich saugte Staub; Mutter hat Staub gesaugt.*

schleifen: Das Verb »schleifen« im Sinne von »glatt oder scharf machen« wird unregelmäßig gebeugt: schleifen, schliff, geschliffen; *er schliff die Sense; das Messer wurde geschliffen; ein geschliffener Diamant.*

Das Verb »schleifen« in der Bedeutung »einebnen« wird hingegen regelmäßig gebeugt: schleifen, schleifte, geschleift; *die Römer schleiften die Befestigungsanlage; die Mauern der Stadt wurden geschleift.*
Auch »schleifen« im Sinne von »hinter sich herziehen« wird regelmäßig gebeugt: *Der Mörder schleifte sein Opfer bis zur Brücke; ich habe den Koffer die ganze Strecke hinter mir her geschleift.*

senden: Das Verb »senden« in der Bedeutung »schicken« wird unregelmäßig gebeugt: *Er sandte einen Boten; die Engel waren vom Himmel gesandt worden. Vielen Dank für die Blumen, die du mir gesandt hast.*
Das jüngere Verb »senden« in der Bedeutung »ausstrahlen« wird regelmäßig gebeugt: *Der Fernsehkanal sendete plötzlich nur noch Wiederholungen; der Funkspruch ist längst gesendet worden.*

verdingen: Das Verb »verdingen« wird regelmäßig gebeugt: verdingen, verdingte, verdingt; *er hatte sich als Hilfsarbeiter verdingt; der Lord verdingte mehrere Knaben aus der Umgebung als Lakaien.*
Das präfixlose Verb »dingen« wird im Perfekt zu »gedungen«: ein gedungener Mörder.

wenden: Das reflexive Verb »wenden« wird unregelmäßig gebeugt: *er wandte sich um; die Hilfesuchenden hatten sich an die Polizei gewandt.*
Das transitive Verb »wenden« wird regelmäßig gebeugt: *Der Chauffeur wendete den Wagen vor dem Haus; das Fleisch muss in der Pfanne mehrmals gewendet werden.*

winken: Das Verb »winken« wird immer regelmäßig gebeugt: *ich winke, ich winkte, ich habe gewinkt.* Die Form »gewunken« ist mundartlich und gilt nicht als standardsprachlich.

wohlgesinnt: Obwohl das reflexive Verb »besinnen« zu »besann« und »besonnen« wird, heißt das Adjektiv »wohlgesinnt«. Die Form »wohlgesonnen« ist standardsprachlich nicht korrekt.

Sind »schmeißen« und »kriegen« tabu?

»Nach Wahldebakel: SPD schmeißt Schröder raus« – »Der Kanzler kriegt die rote Karte«. Sätze wie diese sind vorstellbar. Aber Sie werden sie hoffentlich niemals in einer seriösen Zeitung lesen müssen. Nicht aus Rücksicht auf den Kanzler, sondern aus Respekt vor der Sprache.

Der achtjährige Julian besucht die zweite Klasse einer Grundschule in Wuppertal. Im Deutschunterricht lernt er nicht nur Lesen und Schreiben, sondern auch zwischen feinem und nicht so feinem Deutsch zu unterscheiden. In heutigen Zeiten, so scheint es, ein absoluter Luxus. Man muss nur wenige Augenblicke im Nachmittagsprogramm der privaten Fernsehsender verweilen, um festzustellen, dass den meisten Deutschen das Gespür für wohlklingende und missklingende Wörter abgeht.

Eines Tages nach der Schule konfrontiert Julian seinen Vater mit der Feststellung, dass man »werfen« und nicht »schmeißen« sagt und »bekommen« statt »kriegen«. Ob solch verblüffender Äußerung will sich der Vater glatt auf den Boden schmeißen und kann sich gar nicht mehr einkriegen. Er besinnt sich aber eines Besseren, *wirft* sich auf den Boden und *bekommt* sich nicht mehr ein. Später wendet sich Julians Vater an mich mit der Frage, ob »kriegen« und »schmeißen« tatsächlich »Bäh«-Wörter sind. Da muss ich spontan an meinen Urgroßvater denken, Konsul Albert Schrödter aus Kiel, einen sehr gebildeten und weltgewandten Mann, der stets größten Wert auf gepflegte Umgangsformen und sprachlichen Ausdruck legte. In seinem Hause war das Wort »schmeißen« tabu, und wer es trotzdem benutzte, konnte eines missbilligenden Blickes und einer anschließenden Belehrung gewiss sein. Tatsächlich galt »schmeißen« vor einigen Jahrzehnten noch als vulgär. Das stark gebeugte Verb (schmeißen, schmiss, geschmissen) bedeutete ursprünglich »beschmieren«, »beschmutzen«, was später über das im Hausbau gebräuchliche Anwerfen von Lehm zu einem allgemeinen »werfen«, »schleudern« erweitert wurde. Schließlich erlangte »schmeißen« – in Anlehnung an den geschleuderten Peitschenhieb – auch die Bedeutung von »schlagen«. Davon zeugen heute noch die Wörter »Schmiss« (Narben von Gesichtswunden, die Verbindungsstudenten sich beim Fechten beibrachten) und »schmissig«. Daneben entwickelte sich »schmeißen« auch als schwaches Verb (schmeißen, schmeißte, geschmeißt) in der Bedeutung »Kot auswerfen«. Der Wortstamm findet sich heute noch in den Begriffen Schmeißfliege und Geschmeiß. Seine Nähe zur Sudelei verwehrte »schmeißen« den Aufstieg von der Umgangssprache in die gehobene Sprache. Daran hat sich bis heute nichts geändert; noch immer klingt die beliebte Frühstücksaufforderung »Schmeiß mal die Butter rüber« nicht nur unverhältnismäßig, sondern – zumindest für feine Ohren – auch unappetitlich.

Auch die Formulierung »jemanden rausschmeißen« zeugt nicht eben von sprachlicher Eleganz. Wer die Sprache zu seinem beruflichen Werkzeug zählt (wie etwa Journalisten), der sollte darauf achten, den täglich zu vermeldenden »Rausschmiss« von Trainern, Vorständen und Behördenleitern in einen »Rauswurf« abzuwandeln. Dasselbe gilt auch für andere umgangssprachliche Ausdrücke. So werden Gewinne nicht »aufgefressen«, sondern »aufgezehrt«, und eine »dahingerotzte Bemerkung« klingt besser, wenn sie »dahingesagt« ist. Ein Journalist, mit dem ich mich über die Qualität des Wortes »Rausschmiss« unterhalte, vertritt die Meinung, dass »Rausschmiss« gepfefferter klingt als »Rauswurf«.

Letzteres sei ihm manchmal etwas zu harmlos, sagt er. »Du würdest doch aber auch nicht Ausdrücke wie *verarschen* und *bescheißen* schreiben«, wende ich ein. Nein, erwidert er, das sei ja Vulgärsprache. Aha. Schmeißen ist es auch, nur weiß das heute anscheinend kaum noch jemand. Aber ist Unkenntnis ein Argument für Unbedenklichkeit?

Das Wort »kriegen« ist ebenfalls umgangssprachlich, auch wenn es auf das standardsprachliche Wort »Krieg« zurückgeht. Es bedeutete ursprünglich »streben«, »sich bemühen«, »sich anstrengen«, so wie der »Krieg« zunächst vor allem eine »Anstrengung« bedeutete. Später wurde »kriegen« im Sinne von »erhalten«, »bekommen« verwendet, was ja auch nahe liegt; denn wer etwas bekommen will, der muss sich in der Regel dafür anstrengen. Auch wenn das Wort im Niederdeutschen (krīgen) und Niederländischen (krijgen) nichts Unschickliches hatte und hat, so galt es im Hochdeutschen immer als zweite Wahl. Natürlich würde kein noch so sprachpenibler Arzt die Behandlung verweigern, wenn der Patient ihm sagte: »Hilfe, Herr Doktor, ich kriege keine Luft mehr!« Und niemand im Büro würde Anstoß an der Wortwahl nehmen, wenn jemand entnervt ausriefe: »Ich krieg die Krise!« Aber in wohlgesetzter Rede ist »bekommen« vorzuziehen. »Schröder kriegt Doktorwürde verliehen« dürfte in keiner Zeitungsredaktion als gutes Deutsch durchgehen. Und »Jubel in Norwegen: Prinzessin Mette-Marit kriegt ein Baby« klingt nicht eben königlich. Besonders hässlich gerät das Verb im Perfekt: »Schau, was ich zum Geburtstag gekriegt habe.«

Fazit: »Schmeißen« und »kriegen« sind heute keine »Bäh«-Wörter mehr, gelten aber immer noch als umgangssprachlich. Wenn gepflegter Ausdruck verlangt ist, sollte man sich besser an »werfen« und »bekommen« halten.

Wie heißt der Bürgermeister von Wesel?

Die Einwohner von Münster sind keine Münsterer, sondern Münsteraner, und gebürtige Kasseler werden auch Kasselaner genannt. Die Ableitungen von Städtenamen bereiten gelegentlich Probleme; doch wer sich nicht zurechtfindet, braucht nicht zu verzagen: Die Einwohner sind sich mitunter selbst nicht einig, wie sie sich nennen sollen.

»Guten Tag, ist dort die Hannoveraner Aids-Beratungsstelle?« – »So ungefähr, hier ist die *Hannöversche Aids-Hilfe e.V.!*« – »Wie bitte? Hannoverische Aids-Hilfe?« – »Nein, hannöversch, mit ö!« – »Hannöver? Ich wollte aber mit jemandem von der Beratungsstelle in Hannover sprechen! Bin ich da jetzt falsch verbunden?« – »Nein, Sie haben richtig gewählt, unser Verein heißt offiziell *Hannöversch,* aber das ist dasselbe wie hannoverisch.« – »Ja, warum haben Sie das denn nicht gleich gesagt?!«

Es gibt Menschen, die behaupten, außer der Messe habe Hannover nicht viel zu bieten. Das ist freilich Ansichtssache. Was die Möglichkeiten der Namensableitungen betrifft, sticht Hannover die meisten anderen Städte in Deutschland aus, denn da hat es nicht weniger als fünf Varianten zu bieten. Die Bürger Hannovers können sowohl als hannoverische oder hannoversche Bürger wie auch als hannöverische oder hannöversche Bürger durchgehen. Und manche nennen sich auch »Hannoveraner Bürger«, auch wenn dies in den Ohren vieler Hannoveraner falsch klingt.

Generell aber sind die Formen auf -er auf dem Vormarsch – in unzähligen Fällen haben sie dem Adjektiv auf -isch bereits den Rang abgelaufen. Wer würde statt von Wiener

Schmäh und Berliner Schnauze heute noch von »wienerischem Schmäh« und »berlinerischer Schnauze« sprechen? Oder vom »lübschen Holstentor«? Die Hansestadt Lübeck kennt nicht weniger als drei Ableitungen: von lübeckisch über lübisch bis zu lübsch. Trotzdem heißt es Lübecker Bucht und Lübecker Marzipan. Die Adjektivformen, insbesondere die beiden kürzeren, sind aus der Mode geraten.

Mit den unflektierbaren Nominalformen à la Lübecker, Berliner und Wiener wähnt man sich auf der sicheren Seite: Sie sind bequemer, kürzer und leichter auszusprechen als die Adjektive mit ihrem nuscheligen Sch-Laut am Ende.

Verunsicherung bereitet indes die Frage, wann man dem Bewohner nur ein -er anhängt und wann ein -aner, -iner oder -ser. Die Regel hierzu lautet: Städtenamen, die auf einem unbetonten -er enden, erhalten in der Ableitung ein -aner, um eine Doppelung der Silbe -er zu vermeiden. Also Münsteraner statt Münsterer, Jeveraner statt Jeverer.

Die Stadt Leer mogelt da ein bisschen. Zwar endet auch ihr Name auf -er, aber nicht mit einer unbetonten Silbe. Dennoch ist es den Bewohnern von Leer lieber, Leeraner genannt zu werden. Dafür gibt es einen guten Grund: Wer sich mit den Worten »Ich bin Leerer« vorstellt, könnte fälschlicherweise für einen Lehrer gehalten werden.

Die Verwendung von -aner ist allerdings deutlich zurückgegangen, und der Duden vermerkt, dass sie in keinem Fall unbedingt nötig sei. Wer also den salzgitterschen Bürgermeister einen Salzgitterer nennt, wird zwar von einigen Salzgitteranern strenge Blicke ernten, aber für einen Stadtverweis reicht es nicht mehr aus.

In den Medien ist immer mal wieder von einem »Zuffenhausener Sportwagenbauer« die Rede, vor allem dann, wenn gerade händeringend ein Synonym für Porsche gesucht wird. Das soll Sachkenntnis vortäuschen (Seht, ich kenne mich aus in der Branche, ich weiß, dass Porsche in Zuffenhausen sitzt!), beweist aber in Wahrheit vor allem Ortsunkenntnis. Denn die Einwohner Zuffenhausens nennen sich selbst nicht Zuffenhausener, sondern Zuffenhäuser. Dafür sind die Bewohner von Oberhausen nicht Oberhäuser, sondern Oberhausener. Da kenne sich einer aus! Ortsnamen auf -hausen, -kirchen, -hagen und -hofen/-hoven können unterschiedliche Ableitungen haben, der Duden empfiehlt, man richte sich am besten nach den jeweils ortsüblichen Formen.

Es kann durchaus passieren, dass einem die falsche Ableitung richtig übel genommen wird. Angeblich reagieren die Badener äußerst empfindlich, wenn sie Badenser genannt werden, noch dazu mit Betonung auf der zweiten Silbe: Badenser. Historisch gesehen ist »Badenser« allerdings keine Verunglimpfung, so wurden die Bewohner des früheren Landes Baden üblicherweise genannt. Wer im Umgang mit ihnen nicht baden gehen will, hält sich heute besser an die Form »Badener«.

Unter einem (Sachsen-)Anhaltiner verstand man früher lediglich ein Mitglied der fürstlichen Familie, die Ableitung »Anhalter« hingegen bezog sich auf das Land. Daher hieß und heißt der berühmte Bahnhof in Berlin auch »Anhalter Bahnhof« und nicht »Anhaltiner Bahnhof«. Heute sind Sachsen-Anhaltiner dasselbe wie Sachsen-Anhalter, nämlich alle Bewohner des Bundeslandes Sachsen-Anhalt. Ein Bedeutungsunterschied existiert ebenso wenig wie eine überzeugende Begründung, warum nur das eine oder das andere richtig sein sollte.

In Sachsen-Anhalt leben unter anderem an die 240 000 Hallenser, so nennen sich die Einwohner der Stadt Halle an der Saale. In Westfalen gibt es ebenfalls einen Ort namens Halle, doch dessen Bewohner nennen sich Haller. Stellen Sie sich eine Halle voller Hallenser und Haller vor – was gibt das für ein Hallo!

Die Ableitung -aner kommt übrigens nicht nur bei Städtenamen, die auf -er enden, zum Einsatz, sondern auch bei einigen, die auf -el enden. Neben der Form »Weseler« findet man für die Einwohner der Stadt Wesel auch noch die Bezeichnung »Weselaner«, allerdings deutlich seltener, was die These belegt, dass die »-aner«-Formen insgesamt auf dem Rückzug sind. Wer die berühmte Echo-Testfrage »Wie heißt der Bürgermeister von Wesel?« in die Schlucht ruft, dem wird es jedenfalls nicht »Weselaner!« entgegenschallen.

Auf einem Bauernhof im Kasseler Land steht ein kleines Ferkel vor einem gewichtigen Problem. »Du, Mami«, fragt es seine Mutter, »was bin ich eigentlich: ein Kasseler, ein Kasselaner oder ein Kasseläner, wie der Bauer sagt?« – »Ich habe keine Ahnung«, grunzt die Mutter, »frag das doch mal die Katze, die weiß doch immer alles.« Also stellt das Ferkel seine Frage der Katze, und die erklärt: »Kasseler sind alle Einwohner Kassels, Kasselaner sind die, die in Kassel geboren sind, und Kasseläner sind jene, deren Eltern bereits gebürtige Kasseler, also Kasselaner sind.« Das Ferkel seufzt: »Also muss ich herausfinden, ob Mamis Eltern auch schon hier zur Welt gekommen sind?« Die Katze fährt sich mit der Zunge übers Maul und antwortet sibyllinisch: »Ob du ein Kasselaner bist oder ein Kasseläner, das spielt keine Rolle. Sicher ist nur dies: Eines Tages wirst du Kassler sein!«

Durch und durch alles hindurch

Die »Titanic« wurde durch einen Eisberg versenkt, Bücher werden durch Autoren geschrieben und durch Übersetzer übersetzt; Autos werden durch herabfallende Ziegel getroffen, Politiker durch das Volk gewählt. Ist die Durch-Wucherung der Sprache durch nichts mehr aufzuhalten?

Im Blumengarten der deutschen Sprache wuchert ein Unkraut, schlimmer als Quecke, hartnäckiger als Giersch. Es handelt sich um ein Gewächs aus der Familie der Präpositionen, klein und unscheinbar, doch es ist praktisch nicht zu besiegen. Der fleißige Stilgärtner hat alle Hände voll damit zu tun, es herauszureißen. Doch so viel er auch rupft und zupft – die Plage dringt immer wieder durch. Sie wuchert und windet sich durch alles hindurch.

Gemeint ist die Präposition »durch«, eine ausgesprochen vielseitige Vertreterin ihrer Gattung. Sie lässt sich zunächst einmal räumlich einsetzen: *durch den Dschungel, durch die Hintertür, durchs wilde Kurdistan.* Sodann auch zeitlich: *durch den Winter, durchs ganze Jahr.* Damit aber gibt sie sich längst nicht zufrieden; sie will noch viel mehr!
Denn sie versteht sich auch als eine mediale Präposition. Genau wie das Wort »mittels« zeigt sie an, dass etwas mit Hilfe von etwas oder jemandem geschieht: Statt »per Kurier« kann man ein Paket auch »durch Boten« zustellen lassen, und ein Kranker kann ebenso gut »mittels neuer Medikamente« als auch »durch neue Medikamente« geheilt werden. So weit, so richtig.
Weil ihr aber auch das nicht genügt, gräbt die Präposition »durch« seit geraumer Zeit ihrer schlimmsten Rivalin das Wasser ab: dem kleineren Wörtchen »von«. Wo immer sich

eine Gelegenheit bietet, versucht sie, »von« zu verdrängen, oftmals mit Erfolg, aber selten mit stilistisch überzeugendem Ergebnis:

»Mehrere Autos wurden durch herabfallende Dachziegel getroffen«, heißt es in einer Meldung, die das Wüten eines Orkans über Norddeutschland beschreibt. Der Verfasser der Meldung scheint seinerseits von der Präposition »durch« getroffen worden sein, und zwar direkt am Kopf, sonst hätte er den Satz besser zu formulieren gewusst.
Natürlich wurden die Autos nicht »durch« Ziegel getroffen, sondern *von* denselben. Ersetzt man »durch« nämlich durch »mittels« oder »mit Hilfe von«, dann sieht man, wie unsinnig die Verwendung von »durch« hier ist: »Mehrere Autos wurden mit Hilfe herabfallender Ziegel getroffen.«

Derselbe logische Fehler offenbart sich auch in dieser Schreckensnachricht aus den Rocky Mountains: »Der 42-jährige Mann wurde durch einen ausgewachsenen Grizzly getötet.« Das liest sich so, als hätte jemand einen Bären dazu benutzt, um den Mann aus dem Weg zu räumen. Denkbar zwar, aber wohl kaum so gemeint. Die Gegenprobe mit »mittels« oder »mit Hilfe von« zeigt auch in diesem Fall, dass »durch« fehl am Platz ist.

»Wir drucken den Text in der deutschen Übersetzung durch Harry Rowohlt«, kündigt eine Zeitung ihren Lesern an. Bei einem solchen Satz hätte sich dem wortgewandten Übersetzer selbst wohl die Feder gesträubt. Schließlich ist Harry Rowohlt weitaus mehr als nur ein Medium, durch das die Übersetzung mal eben so hindurchgeflossen ist.
Im Zusammenhang mit »schreiben« und »übersetzen« ist vom Gebrauch der Präposition »durch« durchweg abzuraten. Wann immer Personen, Personengruppen oder Institu-

tionen im Spiel sind, taucht »durch« die Agierenden ins trübe Licht der Mittelbarkeit.

Bei der Frachtsendung, die »durch Boten« zugestellt wird, mag dies noch angehen, da der Bote tatsächlich nur als Mittelsmann zwischen Sender und Empfänger fungiert. Doch beim Kauf und Verkauf zum Beispiel ist es etwas anderes. Ehe man sich versieht, werden aus Händlern und Kunden Mittelsmänner, die an dem Geschäft nur indirekt beteiligt sind:

»Das Grundstück wurde 1912 durch meinen Großvater gekauft«, erklärt der Besitzer eines stattlichen Anwesens in Brandenburg seinen Besuchern. »Ihr Großvater war demnach Makler?«, fragt jemand aus der Gruppe. »Wie kommen Sie darauf? Nein, mein Großvater war selbstverständlich Landwirt!« – Die Frage ergab sich aus der Wortwahl; denn Grundstücke und Häuser werden oft »durch« Makler gekauft und verkauft, wobei diese eben nur Mittelsmänner sind; in der Regel wollen sie die Immobilien ja nicht selbst behalten. Hätte der Brandenburger Gutsbesitzer aktivisch gesagt: »Das Grundstück hat mein Großvater 1912 gekauft«, dann hätte es dieses Missverständnis nicht gegeben.

»Du gibst dein Auto noch in die Werkstatt, ja biste denn verrückt? Ich lass meinen Wagen immer schön durch einen befreundeten Kfz-Mechaniker reparieren, das kommt viel billiger.« Eine solche Auskunft lässt nicht nur das Finanzamt aufhorchen, sondern auch den fürsorglichen Stilgärtner.

Sprache lebt *von* Veränderung und Vielfalt; nicht *durch* Verwässerung und Wildwuchs. Sie sieht besser aus, wenn sie aufgelockert, von Unkraut befreit und geharkt wird. Nicht alles, was zwischen Substantiven und Verben emporkeimt, trägt zur Verschönerung bei. Eine Faustregel der Stilkunde besagt daher: Man lese nach dem Schreiben seinen Text gründlich vom Anfang bis zum Ende und prüfe, ob sich die darin enthaltenen »durchs« nicht durch andere Präpositionen ersetzen lassen, zum Beispiel durch »von« oder »mit« – oder durch etwas anderes, so wie in diesem letzten Beispiel:

»Der Manager hat ein Glaubwürdigkeitsproblem durch das Ausbleiben der Aufträge, die er im letzten Jahr prognostiziert hatte.« Wie wäre es hier mal mit »aufgrund« oder »auf Grund«? Angst vorm Genitiv? Dann ginge es auch mit »aufgrund von«.

In den Blumenbeeten der deutschen Sprache ist »durch« mittlerweile so allgegenwärtig, dass es einem durch und durch geht. Mancher Stilblütenzüchter meint vielleicht, er sei *dadurch* nicht betroffen. Doch es sind weitaus mehr *davon* betroffen, als man glaubt. Greifen auch Sie zur Hacke, jäten Sie mit, lassen Sie »durch« nicht überall durchgehen!

Schöner als wie im Märchen

Hinter den sieben Bergen, bei den sieben Zwergen, da lebte einst
ein Mädchen, schöner wie eine Prinzessin. Seine Haut war weißer
wie Schnee, die Lippen roter wie Blut und die Haare schwärzer wie
Ebenholz. Sie kennen die Geschichte? Aber bestimmt nicht in dieser
stilistisch bedenklichen Fassung.

Schneewittchen war nur mal eben hinausgegangen, um die
Wäsche aufzuhängen, da brach der Streit von neuem los. »Ich
werde Schneewittchen heiraten!«, rief der dicke Zwerg,
»denn mich mag sie am meisten!« – »Wie kommst du denn
darauf?«, protestierte der dünne Zwerg, »mich mag sie doch
viel lieber wie dich!« – »Ihr seid beide im Irrtum«, sagte der
grimmige Zwerg, »Schneewittchen kann euch beide nicht
leiden! Deshalb wird sie mich heiraten!«
»Ruhe!«, fuhr der älteste Zwerg dazwischen, den die anderen den Chef nannten. »Schneewittchen wird keinen von
euch heiraten!« – »Warum denn nicht?«, fragte der dicke
Zwerg verdutzt. »Weil ihr nun mal Zwerge seid«, sagte der
Chef, »fleißige, aufrechte, herzige Erzbergwerkzwerge, gewiss, aber eben Zwerge. Schneewittchen wird einen Prinzen
in ihrer Größe heiraten!«
»Also, wenn's nach der Größe geht, dann habe ich die besten
Chancen«, behauptete der dicke Zwerg und stellte sich auf
die Zehenspitzen, »denn ich bin der Größte von uns allen!« –
»Gar nicht wahr«, schrie der dünne Zwerg und sprang auf
den Tisch, »ich bin größer wie du!« – »Du irrst schon wieder«, widersprach der grimmige Zwerg, »erstens bist du ein
Mickerzwerg, und zweitens heißt es größer *als* du, nicht größer *wie* du!« – »Von mir aus, dann bin ich eben größer als wie
du, Hauptsache, ich bin größer!«
»Nicht *größer als wie du*, sondern *größer als du*!«, knurrte

der grimmige Zwerg, »wie kannst du glauben, Schneewittchen würde dich heiraten, wenn du nicht mal richtig
Deutsch kannst!«

»Jetzt komm mir nicht mit Grammatik, Brummbär! Größer
wie oder größer als, das ist doch ein und dasselbe!« – »Nein,
es ist nicht dasselbe. Es ist nicht mal das Gleiche!«, stellte
der Chef klar. »Bei Gleichheit sagt man *wie* und bei Ungleichheit *als*.« – »Genau! Das nennt man Positiv und Komparativ!«, trumpfte der Grimmige auf. »Woher weißt du
denn so was?«, fragte der Dicke ungläubig. »So steht's im
Grimm'schen Wörterbuch!«, erwiderte der Grimmige von
oben herab, worauf der Dünne patzig zurückgab: »Ach, er-
zähl doch keine Märchen!«

»Brummbär hat Recht«, sagte der Chef, »die Vergleichspartikel *wie* steht nach dem Positiv, *als* hingegen nach dem Komparativ. Ich nenne euch ein paar Beispiele: Schneewittchens
Haut ist so weiß *wie* Schnee. Keiner von euch ist so alt *wie*
ich. Dieser Sommer ist genauso heiß *wie* der letzte. Die
Sache ist genau so, *wie* ich sie euch erklärt habe.« Der Chef
machte eine Pause: »Das war der Positiv. Und jetzt kommt
der Komparativ: Schneewittchens Haare sind schwärzer *als*
Ebenholz. Ich bin älter und klüger *als* jeder andere von euch.
Dieser Winter wird noch viel kälter *als* der letzte. Die Sache
ist weitaus komplizierter, *als* ich sie dargestellt habe.«

»Niemand bezweifelt, dass du der Klügste von uns bist,
Chef«, sagte der Dicke, und der Dünne pflichtete ihm bei:
»Du bist mindestens neunmal klüger wie wir.« Der Chef
schüttelte den Kopf: »Wenn überhaupt, dann bin ich neunmal so klug wie ihr.« – »Oder neunmal klüger als wir!«, rief
freudestrahlend der Dünne, der den Unterschied begriffen
zu haben glaubte. »Das ist nicht ganz dasselbe«, schränkte
der Chef ein, »neunmal klüger ist einmal mehr als neunmal
so klug. Wäre ich neunmal klüger als ihr, dann wäre ich ein
Zehnmalklug. Aber um das zu verstehen, braucht man ein

Erbsenzählerdiplom. Und Erzbergwerkzwerge haben selten ein Erbsenzählerdiplom.«

Der Grimmige schüttelte den Kopf: »Hier steh ich nun, ich armer Tor, und bin so klug als wie zuvor«, sagte er. »Falsch!«, rief der Dünne, »so klug *wie* zuvor!« – »Das war nicht falsch, sondern von Goethe!«, knurrte ihn der Grimmige von der Seite an.

Der Chef nickte und fuhr fort: »In gehobener Sprache wird beim Komparativ auch gern das Wörtchen *denn* gebraucht, vor allem, um zu vermeiden, dass zwei *als* aufeinander folgen: Er ist besser als Koch *denn* als Chef. Lieber sterben, *denn* als Erzbergwerkzwerg zu enden.«

In diesem Moment kam Schneewittchen zur Tür herein. »Hallo, meine lieben Zwerge, da bin ich wieder«, flötete sie. »Hallo, Schneewittchen!«, rief der Dicke aufgeregt, »bitte sag uns, wen hast du von uns am liebsten? Wir müssen es wissen! Bin ich es?« – »Oder ich?«, quiekte der Dünne. Schneewittchen warf den Kopf zurück und lachte. Dann sagte sie: »Aber ihr wisst es doch, meine lieben Zwerge, dass ich euch alle gleich lieb habe! Ich hab euch lieber *als* die Tiere im Wald, koche und putze für euch so oft *wie* möglich, fühle mich bei euch mehr daheim *als* in irgendeinem Schloss, nehme euch so wichtig *wie* gute Freunde, *wie* treue Kameraden, nein, mehr *als* das, ihr seid für mich ... *wie* Brüder!« Die Zwerge seufzten entzückt. Schneewittchen strahlte, und dann biss sie in den Apfel, den sie draußen von einem alten Mütterchen geschenkt bekommen hatte, fiel auf der Stelle um und war tot.

»Frauen und Äpfel, es ist doch immer das Gleiche!«, jammerte der dünne Zwerg. »Ja, aber nie dasselbe!«, bemerkte der grimmige Zwerg. Und wenn sie nicht gestorben sind, dann streiten sie noch heute.

Das kleine Abc des Zwiebelfischs

[a] Administration/Regierung

Das Wort a*dministration* steht in den USA für *Regierung*, und so sollte es auch ins Deutsche übersetzt werden: mit Regierung, nicht mit Administration. Natürlich gibt es im Englischen auch das Wort *government,* doch das hat bei den US-Amerikanern die Bedeutung »Staat« im Sinne von »Staatsbehörden«.

[a] als/wie

Bei Gleichheit sagt man *wie*, bei Ungleichheit *als*. Das nennt man Positiv und Komparativ. Die Vergleichspartikel *wie* steht nach dem Positiv, *als* hingegen nach dem Komparativ:

Positiv:
· Dieser Sommer ist genauso heiß *wie* der letzte.
· Die Sache ist genau so, *wie* ich sie euch erklärt habe.
· Ich bin neunmal so klug *wie* ihr.

Komparativ:
· Dieser Winter wird noch viel kälter *als* der letzte.
· Die Sache ist weitaus komplizierter, *als* ich sie dargestellt habe.
· Ich bin neunmal klüger *als* ihr.

[a] an Weihnachten/zu Weihnachten

Der Gebrauch der Präposition in Verbindung mit Festtagen ist regional verschieden. »An Weihnachten« sagt man vor allem in Süddeutschland, während in Norddeutschland »zu Weihnachten« gebräuchlich ist. Wie so oft gibt es in dieser Frage kein »richtig« oder »falsch«, sondern bloß ein »hier« und »dort«. In einigen Gegenden wird sogar die Präposition »auf« verwendet werden: Da trifft man sich auf Ostern und

sieht sich auf Pfingsten wieder. Dies ist aber nicht standardsprachlich.

[a] Angst/angst

»Angst« wird nur dann klein geschrieben, wenn es als
Eigenschaftswort benutzt wird, also mit »wie?« erfragt werden kann. Tritt es als Hauptwort auf, wird es selbstverständlich groß geschrieben. Ob es sich um ein Hauptwort handelt, erkennt man an der eventuellen Voranstellung eines
Artikels, Attributs oder einer Präposition (die Angst war
groß; in ständiger Angst sein; aus Angst nichts sagen) und
daran, ob man die Angst mit »was?« erfragen kann:

· *Ich habe Angst.* (Was habe ich? → Hauptwort)
· *Mir wird angst.* (Wie wird mir? → Eigenschaftswort)
· *Du machst mir Angst.* (Was machst du mir? → Hauptwort)
· *Ihm war angst und bange.* (Wie war ihm? → Eigenschafts-
  wort)

[a] auf/offen

War das Fenster nun offen oder auf? Der Gebrauch des
Wortes *auf* im Sinne von *geöffnet* ist umgangssprachlich.
Standardsprachlich ist das Fenster *offen*.

Besonders im norddeutschen Raum ist die umgangssprachliche Verwendung von *auf* als Adjektiv verbreitet und stand
Modell für zahlreiche weitere kuriose Adjektivbildungen
aus Präpositionen.

· Wenn das Fenster auf ist, dann ist es ein *aufes* Fenster.
· Dementsprechend ist eine Tür, die zu ist, eine *zue* Tür.
· Wem ein Finger fehlt (ab ist), der hat einen *abben/appen*
  Finger.
· Wer mit einer brennenden Zigarette in den Fahrstuhl
  steigt, der tut dies mit einer *annen* Zigarette.

[a] auf der Arbeit/in der Arbeit

Vor dem Wort »Arbeit« sind die Präpositionen »auf«, »bei« und »in« prinzipiell gleichwertig. Je nachdem, ob man unter Arbeit den Arbeitsplatz versteht, das Ausüben einer Tätigkeit oder das Gebäude, in dem man arbeitet, kann man »auf der Arbeit« (= auf der Arbeitsstelle), »bei der Arbeit« (= beim Arbeiten) oder »in der Arbeit« (im Büro, in der Fabrik) sein. Die telefonische Auskunft an den Ehepartner »Ich bin noch auf Arbeit!« ist hingegen umgangssprachlich.

[a] auseinander schreiben/zusammenschreiben

Früher wurde manches auseinandergeschrieben, heute wird vieles auseinander geschrieben. Warum ist das so? Durch die Rechtschreibreform wurden alle Fügungen, deren erster Bestandteil ein mit -einander gebildetes Adverb ist, auseinander-gerissen, um sie der Schreibweise getrennt geschriebener Wortgruppen wie »miteinander spielen«, »zueinander sprechen« und »untereinander tauschen« anzugleichen. Seitdem wird alles auseinander geschrieben, was mit auseinander beginnt.

Die Möglichkeit der semantischen Unterscheidung ging dadurch leider verloren:
Konnte zum Beispiel zwischen dem wörtlichen »auseinander setzen« (Zwei schwatzende Schüler auseinander setzen) und »auseinandersetzen« im übertragenen Sinn (sich mit einem Thema auseinandersetzen) unterschieden werden, geht dies heute nicht mehr.
Bei Zusammensetzungen mit »zusammen-« wurde hingegen nicht viel geändert, sodass die Möglichkeit der Unterscheidung erhalten blieb:

· *Wir sind zusammen gekommen* (= gemeinsam/gleichzeitig) *und getrennt gegangen.*

· *Wir sind heute hier zusammengekommen* (= haben uns versammelt), *um einen bedeutenden Mann zu ehren.*
· *Später haben sie zusammengesessen* (= nebeneinander gesessen).
· *Später haben sie zusammen gesessen* (= beide waren im Gefängnis).

[b] baff/bass erstaunt
Man kann entweder baff (= verblüfft) sein oder bass erstaunt, aber nicht »baff erstaunt«. Bass ist ein altes Wort für »sehr«, das heute noch in der Komparativform »besser« anklingt. *Bass erstaunt* heißt also *sehr erstaunt, äußerst erstaunt.*

[b] bayerisch/bayrisch
Die Form ohne »e« ist umgangssprachlich; die Form mit »e« ist standardsprachlich, sie findet in offiziellen Namen Verwendung: der Bayerische Rundfunk, der Bayerische Wald. Daneben gibt es auch noch das Adjektiv »bairisch«, das aber nur von Sprachwissenschaftlern gebraucht wird, die damit den in Bayern und Österreich gesprochenen Dialekt benennen.

[b] beziehungsweise/genauer gesagt
Das aufgebläht klingende Wort »beziehungsweise« (abgekürzt bzw.) wird fälschlicherweise oft anstelle der Konjunktionen »und« oder »oder« verwendet.

In dem Aufruf »*Die Besucher bzw. Besucherinnen werden gebeten, sich an der Rezeption zu melden*« ist das Wort »beziehungsweise« fehl am Platz, an seine Stelle gehört ein schlichtes »und«. Und hier heißt es besser »oder«: »*Das erledigt Herr Brüning bzw. Herr Wiesenhoff für Sie.*«
In vielen Fällen kann »beziehungsweise« auch einfach durch

»genauer gesagt« ersetzt werden: »*Ich stamme aus Lübeck, beziehungsweise aus einem Dorf in der Nähe.*« Besser: »*Ich stamme aus Lübeck, genauer gesagt aus einem Dorf in der Nähe.*«

»Beziehungsweise« ist nur dann angebracht, wenn ein Bezug auf zwei verschiedene Substantive vorliegt: »*Zugelassen sind Kinder ebenso wie Erwachsene, der Eintritt beträgt 8 bzw. 12 Euro.*«

[b] brauchen/zu brauchen

»Wer brauchen nicht mit zu gebraucht, braucht brauchen gar nicht zu gebrauchen.« Diese Faustregel gilt in der Standardsprache noch immer. In der Umgangssprache wird »brauchen« in Analogie zu den Hilfsverben »müssen« und »dürfen« oft ohne »zu« verwendet:
Nach dem Vorbild »Sie muss davon ja nichts erfahren« wird »Sie braucht davon ja nichts erfahren« gebildet. Dies gilt aber nicht als salonfähig. In gutem Deutsch heißt es nach wie vor: »Sie braucht davon ja nichts zu erfahren.«

[c] China/Chile

Die standardgemäße Aussprache des »Ch« am Wortanfang vor den hellen Vokalen »e« und »i« ist ein weiches »ch« wie in »Licht« und »Blech«. In Süddeutschland allerdings wird das Ch wie ein K ausgesprochen, dort sagt man *Kina, Kinesen, Kemie* und *Kirurg*. Die Norddeutschen amüsieren sich gern darüber, sind ihrerseits aber nicht konsequent, wenn es um die Aussprache des Chiemsees geht. Den spricht nämlich auch ein »Preiß« mit knackigem k, obwohl er das ch weich artikulieren müsste. Hier hat sich das Bayerische durchgesetzt. Inkonsequent sind die Bayern ihrerseits bei Chile: Hier sagen sie nicht *Kile*, wie man es erwarten könnte, sondern *Tschile*.

[d] dasselbe/das Gleiche

Dass dasselbe und das Gleiche nicht dasselbe ist, sieht man schon daran, dass dasselbe zusammen- und das Gleiche auseinander geschrieben wird.

Zwei Frauen können nicht zur selben Zeit dasselbe Kleid tragen, wohl aber das gleiche. Der-, die-, dasselbe besagt, dass zwei Dinge identisch sind. Der, die, das Gleiche besagt, dass sich zwei unterschiedliche Dinge aufs Haar gleichen.

· *Sie fuhren beide das gleiche Auto, hatten aber nicht dasselbe Ziel.*
· *Sie benutzen beide die gleiche mittelharte Zahnbürste, aber nicht dieselbe.*

[d] drängen/dringen

Das Verb drängen wird regelmäßig gebeugt: drängen, drängte, gedrängt, ebenso: aufdrängen und auf etwas drängen.

· *Die Zeit drängt.*
· *Er drängte sie, zum Ende zu kommen.*
· *Der Vertreter hatte ihr das Abonnement regelrecht aufgedrängt.*
· *Sie drängte auf die Entlassung des Chauffeurs.*

Das Verb dringen wird unregelmäßig gebeugt: dringen, drang, gedrungen.

· *Das Wasser dringt durch alle Ritzen.*
· *Ihr Hilferuf drang bis ins Nachbarhaus.*
· *Amors Pfeil war ihm tief ins Herz gedrungen.*

[e] effektiv/effizient

Effektiv bedeutet wirkungsvoll im Verhältnis zu den aufgewendeten Mitteln, effizient bedeutet leistungsfähig, wirtschaftlich. Das eine bezieht sich also auf das Ergebnis (hat die Sache einen Effekt?), das andere charakterisiert die Art und Weise einer Umsetzung (hat sich die Sache gelohnt?).

Eine Flasche Champagner auf eine umgestürzte Kerze zu gießen ist effektiv, denn das Feuer ist danach gelöscht. Effizient ist es hingegen nicht, denn ein Glas Wasser hätte es auch getan.
Ein Sprint kann effektiv sein, wenn es gilt, ein nahes Ziel zu erreichen. Wer aber noch mehrere Kilometer zurückzulegen hat, wird feststellen, dass Sprinten nicht effizient ist, weil man zu schnell außer Atem gerät.

[e] E-Mail/email
E-Mail wird meistens als weiblich aufgefasst, also *die E-Mail*, weil das Wort übersetzt »elektronische Post« bedeutet. Einige sagen allerdings auch *das E-Mail*, wobei sie sich am Englischen orientieren, wo für Mail und E-Mail das sächliche Pronomen »*it*« verwendet wird. Die korrekte deutsche Schreibweise ist E-Mail, nicht e-mail, e-Mail oder E-mail und auch nicht Email, denn Letzteres ist ein gebrannter Schutzüberzug für Kochtöpfe und Badewannen und wird in der Regel nicht auf elektronischem Wege versandt.

[e] erschreckt/erschrocken
Das transitive Verb »jemanden erschrecken« wird regelmäßig gebeugt und im Perfekt mit »haben« konjugiert: *ich erschrecke dich, du erschreckst mich, die Nachricht erschreckte die Zuhörer, du hast mich ganz schön erschreckt!*

Das intransitive Verb »erschrecken« wird unregelmäßig gebeugt und im Perfekt mit »sein« konjugiert: *Sei leise, sonst erschrickt das Reh; als der Tiger den Jäger bemerkte, erschraken beide; beim Anblick des Tieres ist er heftig erschrocken.*

Das reflexive Verb »sich erschrecken« gehört der Umgangssprache an und wird sowohl regelmäßig als auch unregelmäßig gebeugt: *Ich erschrecke mich bei jedem Donner; ich erschreckte/erschrak mich fast zu Tode; ich habe mich ganz schön erschreckt/erschrocken!*

[e] erst mal/erstmal

Entgegen einem unausrottbaren Volksglauben wird »erst mal« in zwei Wörtern geschrieben, daran hat sich auch durch die Rechtschreibreform nichts geändert. Es handelt sich um die umgangssprachliche Verkürzung von »erst einmal«. Die Wörter erstmals und erstmalig werden hingegen zusammengeschrieben. [-> noch mal]

[f] fliehen/flüchten

Der Unterschied zwischen »fliehen« und »flüchten« liegt im Antrieb. »Fliehen« bedeutet »schnell davonlaufen«, daher hat auch der schnell davonhüpfende Floh seinen Namen. Wer flieht, der tut dies aufgrund eines selbst gefassten Entschlusses. »Flüchten« stammt aus dem alten Jäger- und Kriegsvokabular und bedeutet »in die Flucht geschlagen werden«. Wer flüchtet, der tut dies meist gegen seinen Willen, weil er verjagt oder vertrieben worden ist. Daher werden Heimatvertriebene meistens Flüchtlinge und selten Geflohene genannt. Ein Beispiel, um den Unterschied aufzuzeigen:

Die ersten Dorfbewohner flohen vor dem Feind (= sie rannten aus freiem Entschluss davon), *die letzten konnten nur noch flüchten* (= sie wurden gegen ihren Willen vertrieben).

[g] gewinkt/gewunken

Das Verb »winken« wird regelmäßig konjugiert: ich winke, ich winkte, ich habe gewinkt. Die Form »gewunken« ist landschaftlich verbreitet, aber streng genommen ein Irrtum.

Zwar heißt es »sinken, sank, gesunken« und »trinken, trank, getrunken«, doch nicht »winken, wank, gewunken«. Die Formen von »winken« werden wie die Formen von blinken, hinken und schminken gebildet.

[g] gewohnt/gewöhnt

Gewöhnt und *gewohnt* ist nicht das Gleiche. *Gewöhnt* kommt von Gewöhnung, *gewohnt* von Gewohnheit.

Wer sich an etwas gewöhnt, der macht sich mit etwas vertraut, findet sich mit etwas ab, gewinnt es womöglich sogar lieb.

Wer etwas gewohnt ist, der kennt etwas, hat Übung und Erfahrung darin, was aber noch lange nicht heißen muss, dass er es deswegen auch schätzt.

»Gewöhnt« wird immer mit der Präposition »an« gebraucht, »gewohnt« hingegen nicht.

· *Liebling, ich hab mich so an dich gewöhnt!*
· *Nur langsam hatte er sich an das harte Leben gewöhnt.*
· *Es dauerte nicht lange, da hatten sich die Tiere an die neue Umgebung gewöhnt.*

· *Sie sind es gewohnt, bei schönem Wetter im Freien zu frühstücken.*
· *Ein solch hartes Leben war er vorher nicht gewohnt gewesen.*
· *Elke war es gewohnt, von den Männern versetzt zu werden, aber daran gewöhnen konnte sie sich nie.*

[g] grammatisch/grammatikalisch

In dem Film »Die zwölf Geschworenen« mit Henry Fonda ereiferte sich einer der Geschworenen über die vermeintlich »grammatisch falsche« Ausdrucksweise des Angeklagten und wurde dafür mit den Worten verbessert: »Es heißt grammatikalisch.« Das war 1957, und damals galt »grammatikalisch« noch als standardsprachlich. Inzwischen ist es veraltet, das kürzere Adjektiv »grammatisch« hat sich durchgesetzt.

[h] hälst/hältst

Einer der häufigsten Rechtschreibfehler überhaupt. Selbst Akademiker brechen sich hier regelmäßig den Hals: die zweite Person Singular von »halten« lautet: *du hältst*, nicht: *du hälst*. Das »t« gehört zum Verbstamm (»halt«) und ist in jeder Ableitung dabei; entsprechend heißt es im Imperfekt: *du hieltst* beziehungsweise *du hieltest*, nicht: *du hielst*.

[h] Handy/Handys

Das Wort »Handy« hat tatsächlich einen englischen Ursprung. Im Zweiten Weltkrieg entwickelte die amerikanische Firma Motorola tragbare Funkgeräte, die sie »handie talkies« nannte. Diese Bezeichnung setzte sich jedoch nicht durch, die Funkgeräte wurden stattdessen unter dem Namen Walkie-Talkie berühmt.
Die ersten Netze für tragbare Funktelefone gab es in den USA. Die entsprechenden Geräte wurden »mobile phone« oder »cellular phone« genannt, und so heißen sie im englischsprachigen Raum noch heute. Die Bezeichnung »Handy« für Mobiltelefon hat es in den USA nicht gegeben. Sie tauchte Mitte der Achtzigerjahre erstmals in Deutschland auf. Der Plural lautet Handys. [→ Teddys/Teddies]

[h] Hijacker/Entführer

Neudeutsches Modewort, albernes Synonym für Entführer. Kein Drehbuch kann so schlecht sein, dass jemand in einer Entführungsszene über Handy seinen Angehörigen mitteilte, sein Flugzeug sei »in der Gewalt von Hijackern«. Von ähnlicher Hilflosigkeit zeugen die unübersetzten Begriffe Sniper (Heckenschütze), Warlord (Truppenführer), Airline (Fluggesellschaft) und Airport (Flughafen).

[i] in 2010/im Jahre 2010

Die Präposition »in« vor einer Jahreszahl ist ein lästiger Anglizismus, der vor allem im Wirtschaftsjargon allgegenwärtig ist. Die deutsche Sprache ist jahrhundertelang ohne diesen Zusatz ausgekommen und braucht ihn auch heute nicht.

Die Formulierung »*Der Film wird voraussichtlich erst in 2006 in die Kinos kommen*« zeugt nicht nur von schlechtem Stil, sie ist außerdem länger als die korrekte deutsche Fassung, für die man das »in« ganz einfach streicht.

In bestimmten Zusammenhängen, in denen Missverständnisse aufkommen können, empfiehlt es sich, »im Jahre ...« beziehungsweise »des Jahres ...« vor die Jahreszahl zu setzen:

Missverständlich: »*Die beiden Wissenschaftler haben auf ihrer Reise durch Russland 2003 besonders wertvolle Gemälde gesichtet.*«

Besser: »*Die beiden Wissenschaftler haben auf ihrer Reise durch Russland im Jahre 2003 besonders wertvolle Gemälde gesichtet.*«

[i] irgendwie total/–

Aussagen wie »Das war irgendwie total strange« oder »Ich hab den Max irgendwie total gern« klingen irgendwie total bescheuert. Wer eine Meinung zu etwas hat und meint, diese artikulieren zu müssen, möge nach treffenden Worten suchen. »Total« ist, wie »echt«, »voll«, »tierisch« und »unheimlich«, ein verstärkendes Füllwort, »irgendwie« hingegen entkräftet und relativiert den Sinn. Die beiden Wörter heben sich also gegenseitig irgendwie total auf.

Man sage: »Das war seltsam« und »Ich hab den Max gern«, oder man schweige.

[j] Jogurt/Joghurt

Die Rechtschreibreform hat häufig gebrauchte Fremdwörter der deutschen Schreibweise angepasst. In einigen Fällen sind dabei Buchstaben weggefallen, die keine phonetische Relevanz besaßen, wie das »h« in Känguru(h). Die fremdsprachige Schreibweise »Joghurt« ist nach wie vor die Hauptvariante, doch die deutsche Form »Jogurt« eine zulässige Nebenvariante.

Weitere Fälle sind: Katarrh/Katarr, Myrrhe/Myrre, Hämorrhoiden/Hämorriden

Daneben ist Joghurt auch eines der wenigen Wörter der deutschen Sprache, die männlichen, weiblichen und sächlichen Geschlechts sind: Im Hochdeutschen heißt es *der* Joghurt, in Österreich *das* Joghurt und in der Umgangssprache mitunter auch *die* Joghurt.

[k] in keiner Weise/in keinster Weise

Wenn »kein« so viel bedeutet wie »nichts« oder »niemand«, lässt es sich dann noch steigern? Logisch gedacht natürlich nicht, stilistisch ist dies trotzdem möglich. Man nennt dies den »Elativ«, eine Steigerungsform, die sich herkömmlicher Logik entzieht, um außergewöhnliche Höflichkeit, Entrüstung, Qualität, Trauer oder Demut auszudrücken. Der Elativ, auch »absoluter Superlativ« genannt, wird außer Konkurrenz verwendet, also ohne einen wirklichen Vergleich anzustellen: mit freundlichsten Grüßen, herzlichst, in tiefster Trauer, beim besten Willen, beim leisesten Anzeichen, möglichst, gefälligst, baldigst, gütigst und eben auch: in keinster Weise.

[k] kosten: das kostete ihm/ihn das Leben

Regiert »kosten« den Dativ oder den Akkusativ der Person? Seit eh und je findet man beide Formen belegt. Es ist allerdings nicht so, wie viele glauben, dass der Dativ den Akkusativ verdrängen würde. Vielmehr befindet er sich seit Jahrhunderten auf dem Rückzug. Im 18. Jahrhundert überwog noch der Gebrauch des Dativs. Sprachgelehrte empfahlen dann den Akkusativ, der sich bis heute weitgehend durchgesetzt hat.

Wenn »kosten« im Sinne von »etwas verlangt von jemandem einen bestimmten Preis« gebraucht wird, gilt allein der doppelte Akkusativ als standardsprachlich korrekt:

Das kostet mich nichts; das kostet ihn viel; das kostet dich höchstens ein Lächeln.

Wird »kosten« im Sinne von »etwas bringt jemanden um etwas« verwendet, gilt neben dem Akkusativ der Person auch der Dativ der Person als korrekt:

Das kostete die Mannschaft den Sieg; das kostete der Mannschaft den Sieg; das kostet ihn das Leben; das kostet mir meine letzten Nerven; das kostet dich deine Ruhe; ich lasse mir das Geschenk etwas kosten.

[l] lehren: jemandem/jemanden das Fürchten lehren

Heute gilt es als standardsprachlich korrekt, nach *lehren* den doppelten Akkusativ zu gebrauchen: *Sie lehrt ihn das Klavierspiel; er lehrt sie das Tangotanzen.*

Im 17. und 18. Jahrhundert war es hingegen üblich, die Person in den Dativ zu setzen, da lehrte der Meister *dem* Gesellen das Handwerk, und der Erzieher lehrte *dem* Flegel Mores. Im 19. Jahrhundert lehrte dann der Akkusativ den Dativ das Fürchten, indem er ihn von seinem Platz verdrängte. Dennoch tritt der Dativ gelegentlich noch auf, vor allem im Passiv: *Ihm wurde das Fürchten gelehrt.*

[l] lohnenswert/lohnend

»Lohnenswert« ist eine überflüssige Zusammensetzung aus den Wörtern »lohnend« und »wert«. Eine Sache kann loh-

nend sein, und sie kann etwas wert sein, beides zusammen-
genommen macht sie aber nicht zwangsläufig lohnenswert.
Ähnliche pleonastische Adjektive: stillschweigend, schluss-
endlich, vorprogrammiert.

[m] meines Wissens/meines Wissens nach

Die Wendung »meines Wissens« in der Bedeutung von »soviel ich weiß« steht *ohne* die Präposition »nach«. Es heißt:
»Meines Wissens war Peter der Große Zar von Russland«,
nicht »Meines Wissens nach war Peter der Große Zar von
Russland«.
Dasselbe gilt für den Genitiv von »Erachten«, auch hier heißt
es nicht »meines Erachtens nach«, sondern nur »meines Erachtens«.
Die Präposition »nach« steht bei ähnlichen Wendungen, die
den Dativ haben:
meinem Gefühl nach; meiner Meinung nach; dem Vernehmen
men nach; seinem Urteil nach.

[m] Mexico City/Mexiko-Stadt

Auch in Deutschland wird immer häufiger von »Mexico
City« statt von »Mexiko-Stadt« gesprochen, vor allem natürlich in Reisebüros, aber auch in Reportagen und selbst
im Erdkundeunterricht. City hat einen verheißungsvol-
leren Klang als das Wort Stadt, außerdem wird bei uns in
Deutschland inzwischen selbst so vieles »City« genannt (allein Hamburg hat mittlerweile vier Citys: City Nord, City
Süd, Hafencity und die Innenstadt), dass die englische Vokabel nicht mehr als fremd wahrgenommen wird. Von mo-
dernistischen und modischen Erwägungen abgesehen, gibt
es allerdings keinen zwingenden Grund, weshalb man der
Hauptstadt Mexikos im Deutschen einen englischen Namen
geben sollte. Die spanisch sprechenden Bewohner selbst
nennen ihre Stadt übrigens Ciudad de México.

Dasselbe gilt übrigens auch für Kuweit City und Panama City, die nicht kleiner oder hässlicher werden, wenn man sie Kuweit-Stadt und Panama-Stadt nennt. Ho-Tschi-minh-Stadt und Vatikanstadt sind von der City-Mode bislang noch verschont geblieben.

[m] Mund-zu-Mund-Beatmung/Mundpropaganda

Es gibt Mund-zu-Mund-Beatmung und Mundpropaganda, aber keine Mund-zu-Mund-Propaganda. Das wäre auch keine sinnvolle Form der Kommunikation. Mehr Erfolg verspricht es, seinem Gegenüber ins Ohr statt in den Mund zu sprechen.

[n] neu renovieren/renovieren

Die Aussage »Ich habe die Wohnung neu renoviert« enthält einen Pleonasmus. Pleonasmus nennt man einen inhaltlichen Zusatz zu einem Wort oder einer Wendung, der überflüssig ist. Weitere Beispiele: alter Greis, kleiner Zwerg, kahle Glatze, Gesichtsmimik, weiter fortfahren, lautlose Stille, persönlich anwesend, vollendete Tatsachen.

[n] nichtsdestotrotz/trotzdem

»Nichtsdestotrotz« ist eine mit Luft gefüllte Dreikomponentenhülse, die es dank massenhafter Verbreitung zu einem Eintrag im Wörterbuch gebracht hat, wenn auch mit dem dahinter stehenden Vermerk »ugs.« (umgangssprachlich). Im gepflegten Deutsch sind nach wie vor die Begriffe »trotzdem«, »wenngleich« und »obwohl« zu bevorzugen. Die Wörterbücher kennen übrigens auch die nichtimgeringsten kürzeren Wörter »nichtsdestoweniger« und »nichtsdestominder«.

[n] Nullachtfünfzehn/08/15

Der Ausdruck 08/15 geht zurück auf die Typenbezeichnung eines deutschen Maschinengewehrs, das im Ersten Weltkrieg zum Einsatz kam. Durch den permanenten Drill an dieser aus 383 Einzelteilen bestehenden Waffe wurde 08/15 unter Soldaten zum Synonym für tägliche Routine, für etwas, das nichts Besonderes war. Im Zweiten Weltkrieg kamen die Maschinengewehre erneut zum Einsatz, galten aber als antiquiert, sodass 08/15 auch noch die Bedeutung »veraltete Massenware« und »Durchschnitt« erhielt.

Deutschlandweite Berühmtheit erlangte der Begriff dann in den fünfziger Jahren durch drei Kriegsromane des Schriftstellers Hans Hellmut Kirst: 08/15 Die abenteuerliche Revolte des Gefreiten Asch (späterer Titel: 08/15 in der Kaserne), 08/15 Die seltsamen Kriegserlebnisse des Soldaten Asch (späterer Titel: 08/15 im Krieg) und 08/15 Der gefährliche Endsieg des Soldaten Asch (späterer Titel: 08/15 bis zum Ende).

Die Trilogie wurde 1954 und 1955 mit Joachim Fuchsberger in der Hauptrolle verfilmt.

[n] noch mal/nochmal

Lange Zeit durfte man »noch mal« in zwei Wörtern schreiben, denn es handelt sich um die umgangssprachliche Verkürzung von »noch einmal«. Die neue Deutsche Rechtschreibung erlaubt nun auch Zusammenschreibung: »nochmal«. Die Getrenntschreibung ist aber weiterhin zulässig. Die Wörter »nochmals« und »nochmalig« werden hingegen zusammengeschrieben.

[n] Nummer/Platz

Die Bestimmungswörter hinter Nummer und Platz schreibt man klein:

· *Der Kandidat wählte den Umschlag Nummer drei.*
· *Er hatte in den Siebzigern mehrere Nummer-eins-Titel ge-*
  schrieben.
· *Sie wollte lieber auf Nummer sicher gehen.*
· *Die deutsche Mannschaft landete lediglich auf Platz zehn.*

[n] nützen/nutzen
Zwischen *nutzen* und *nützen* besteht kein Unterschied, weder in der Bedeutung noch im Gebrauch:

· *Das nutzt nichts / Das nützt nichts.*
· *Er konnte die Idee nicht nutzen / nützen.*
· *Es hat ihm nichts genutzt / genützt.*

Bei Voranstellung einer Vorsilbe wird im norddeutschen
Raum die Form ohne Umlaut bevorzugt: abnutzen, ausnut-
zen, benutzen. In Süddeutschland und in Österreich werden vorrangig die umgelauteten Formen verwendet: abnüt-
zen, ausnützen, benützen.

[o] offenbar/offensichtlich
Zwischen *offenbar* und *offensichtlich* gibt es keinen Bedeutungsunterschied. Es ist allerdings nicht richtig, diese Adjektive im Sinne von »vermutlich« oder »möglicherweise«
zu gebrauchen. Was offenbar oder offensichtlich ist, das liegt
auf der Hand, ist augenscheinlich, erwiesen, erkennbar, nachweislich.

[p] proaktiv/proactiv
Modisches und ausgesprochen lästiges Blähwort aus der
Kunstsprache der Werbung, das dieselbe Konnotation wie
»vital« hat und an Gesundheit, Fitness, Stärke denken lassen
soll.
»Proaktiv« (wahlweise auch »proactiv«) prangt auf Mar-

garine-Verpackungen, Fitness-Studios, Seniorenzeitschriften, Unternehmensberatungsfirmen und Pharma-Produkten.

Erstaunlich ist, wie schnell dieses Wort, das in keinem seriösen Fremdwörterbuch zu finden ist, seinen Weg in den aktiven Wortschatz zahlreicher Journalisten gefunden hat. Ein paar Beispiele von vielen:

· *»Eine proaktive europäische Geldpolitik sollte dies punktuell unterstützen.«* (»FTD«)
· *»Als Getriebe stehen Fünf- und Sechsgang-Schaltgetriebe und für die Benziner mit 1,6 und 2,0 Liter und den 1,5 cDi mit 74 kW (100 PS) auch die moderne proaktive Automatik zur Wahl.«* (»Tagesspiegel«)
· *»Die Kommission spielt eine sehr proaktive Rolle.«* (»FAZ«)

Der Unterschied zwischen einer »sehr aktiven Rolle« und einer »sehr proaktiven Rolle« konnte bis heute nicht überzeugend erklärt werden, der »Zwiebelfisch« empfiehlt daher, von einer proaktiven Verwendung abzusehen.

[s] Schilde/Schilder

Es heißt »der Schild«, wenn es sich um einen Schutzschild (Polizeischild, Kampfschild) handelt.
Die Pluralform lautet »die Schilde«.
Die Redewendung lautet entsprechend: »Jemanden auf den Schild heben«.
Die sächliche Form (»das Schild«) wird nur für das Verkehrs- bzw. Hinweiszeichen verwandt. Die Mehrzahl lautet »die Schilder«.

[s] schwer/schwierig

In vielen Fällen sind schwierig und schwer gleichbedeutend: Ein schwieriger Fall ist ebenso gut ein schwerer Fall, ein schwieriges Thema genauso kompliziert wie ein schweres Thema.

Doch nicht überall, wo »schwierig« steht, kann auch »schwer« stehen:

· *Ein schwieriger Kopf* (= komplizierter Mensch) *ist nicht dasselbe wie ein schwerer Kopf* (= Brummschädel).
· *Im Alter wird manch einer immer schwieriger, aber nicht unbedingt schwerer, viele Menschen nehmen im Alter nämlich auch ab.*

Und nicht überall, wo »schwer« steht, kann »schwierig« stehen:

· *Man nimmt eine Sache leicht oder schwer, aber nicht schwierig.*
· *Es gibt keinen schwierigen Unfall, nur einen schweren, aber der kann zu einem schwierigen Schulterbruch führen.*

[s] selber/selbst

Die Wörter »selber« und »selbst« sind gleichbedeutend, doch während »selbst« der Standardsprache angehört, wird »selber« heute eher der Alltagssprache zugerechnet. Im zwanglosen Gespräch ist »selber« genauso gut wie »selbst«, im geschriebenen Deutsch hingegen ist »selbst« die bessere Wahl. In einigen wenigen Fällen kann es allerdings zu Verwechslungen kommen, weil »selbst« noch die zweite Bedeutung von »sogar« hat. Die Aussage »Selbst kochen ist billiger« kann als »Sogar kochen ist billiger« missverstanden werden. Um das zu vermeiden, ist es legitim, auch in gehobener Sprache »selber« zu sagen. Außerdem bevorzugt die Dichtung aus klanglichen oder rhythmischen Gründen bisweilen das »selber«. In Luthers Katechismus findet man »selber« und »selbst« scheinbar beliebig vermengt: »Du tust dir selbst mehr Schaden als einem andern«, heißt es dort an einer Stelle und »Davor hüte dich, sage ich noch einmal, wie vor dem Teufel selber« an einer anderen.

[s] Silvester/Sylvester
Der letzte Tag im Jahr heißt Silvester. Der Name geht zurück auf Papst Silvester I., der am 31. Dezember des Jahres 335 starb. Weil man ihm wundersame Heilkräfte nachsagte und lange Zeit glaubte, er habe den römischen Kaiser Konstantin getauft (was sich jedoch als falsch erwies), wurde er heilig gesprochen, seitdem ist der 31. Dezember sein Namenstag. Erst die Kalenderreform unter Papst Gregor XIII. im Jahre 1582 führte dazu, dass sich in der christlichen Welt der 1. Januar als Neujahrstag durchsetzte und Silvester somit zum letzten Tag des Jahres wurde. Bis dahin galt in weiten Teilen Deutschlands der 25. Dezember als Beginn des neuen Jahres.

Dass viele den letzten Tag im Jahr mit »y« schreiben, mag – wie so oft – an den amerikanischen Vorbildern liegen. Dort heißt der 31. Dezember zwar ganz anders, nämlich »New Year's Eve«, aber man kennt den Vornamen Sylvester. Und ein Hollywoodstar wie Sylvester Stallone ist heute wohl auch in Deutschland mehr Menschen ein Begriff als jener Papst, der vor 1669 Jahren starb. Ebenfalls bekannter dürfte Kater Sylvester sein, jene »böse Miezekatze«, der es trotz zahlloser Versuche leider bis heute nicht gelungen ist, dem nervtötenden Kanarienvogel Tweety den Kopf abzubeißen.

[s] so viel/soviel
So viel wird nur dann in einem Wort geschrieben, wenn es sich um eine Konjunktion handelt und dasselbe bedeutet wie »soweit«: *soviel/soweit ich weiß, ist keiner zu Hause; sie hat anscheinend großes Glück gehabt, soviel/soweit man uns erzählt hat.*

In allen anderen Fällen wird »so viel« auseinander geschrieben:

· *Ich hatte keine Ahnung, dass er so viel von mir wusste.*
· *Man sollte nur so viel mitnehmen, wie man selbst tragen kann.*
· *Das eine bedeutet so viel wie das andere.*
· *Mein Nachbar verdient doppelt so viel wie ich.*
· *Wir haben so viel gesehen, dass wir die Hälfte schon wieder vergessen haben.*

[s] so was/sowas

»So was« wird in zwei Wörtern geschrieben, daran hat sich auch durch die Rechtschreibreform nichts geändert. Es handelt sich um die umgangssprachliche Verkürzung von »so etwas«. Der oft zitierte Ausruf des Erstaunens wird weder in einem Wort (»Nasowas«) noch in zwei Wörtern (»Na sowas«) geschrieben, sondern in drei Wörtern: »Na so was!«

[s] Stehende Ovation/Stehbeifall

Der englische Ausdruck »standing ovation« bedeutet stürmischer Beifall, Stehbeifall. Die Wiedergabe mit einem Partizip (stehend) kollidiert mit der deutschen Grammatik, denn stehend ist nicht der Beifall, sondern das Publikum.

[s] Stundenkilometer/Kilometer pro Stunde

Der Begriff Stundenkilometer ist eine umgangssprachliche Maßeinheit, die auf einem physikalischen Irrtum beruht. Es gibt nämlich kein Produkt aus Stunden und Kilometern, welches anzeigt, wie viel Kilometer man in einer Stunde zurücklegt. Korrekt sind die Angaben Kilometer pro Stunde, Kilometer in der Stunde, km/h oder auch Tempo.

[t] Teddys/Teddies

Fremdwörter aus dem Englischen, die auf -y enden und im Englischen den Plural -ies haben, erhalten im Deutschen im Plural ein -s: Babys, Bobbys, Buggys, Gullys, Ladys, Ponys, Rowdys, Storys, Teddys.
Aber: Caddies, Girlies, Hippies, Teenies, da hier bereits der Singular die Endung -ie hat.

[t] Temperaturen/Geschwindigkeiten

Temperaturen sind Wärmegrade, sie können hoch oder niedrig sein, aber nicht warm oder kalt. Wenn uns die Wettervorhersage für den Nachmittag »wärmere Temperaturen« verspricht, verstehen wir zwar, was gemeint ist, registrieren aber zu der gewohnten meteorologischen Ungenauigkeit noch eine semantische.
Entsprechendes gilt für Preise, sie können hoch oder niedrig sein, aber nicht teuer oder billig. Und Geschwindigkeiten können hoch oder niedrig sein, aber nicht schnell oder langsam.

[v] vergeblich/vergebens

Die Bedeutung ist dieselbe, doch gehören die beiden Wörter verschiedenen Wortgruppen an: vergeblich ist ein Adjektiv und kann gebeugt werden, vergebens ist ein Adverb und kann nicht gebeugt werden:

Der Versuch war vergeblich; ein vergeblicher Versuch; die Mühe war vergeblich; das war vergebliche Liebesmüh; er fragte vergebens; vergebens bettelte sie.

[v] vorprogrammiert/programmiert

»Vorprogrammiert« ist ein umgangssprachliches Blähwort, über das schon Heerscharen von Sprachpflegern hergefallen sind – vergebens, denn es wird immer munter weiter vorprogrammiert. Dabei wissen nicht nur Programmierer: Man programmiert immer im Voraus, die Vorsilbe vor- ist daher pleonastisch, zu Deutsch: doppelt gemoppelt.

»Die Katastrophe war programmiert« – eine solche Erkenntnis ist schlimm genug, eine Vorprogrammierung würde nur die Buchstabenzahl, nicht aber die Dramatik erhöhen. [→ proaktiv, neu renovieren]

[w] weiter reichend/weitreichender

Fügungen aus Adjektiv und Partizip wie »weit reichend«, »tief greifend«, »viel versprechend« können auf zwei Weisen gesteigert werden. Im Normalfall wird der erste Teil, also das Adjektiv, gesteigert. Die Getrenntschreibung bleibt dabei bestehen: *weiter reichend, am weitesten reichend; tiefer greifend, am tiefsten greifend; mehr versprechend, am meisten versprechend.*

Da viele solcher Fügungen jedoch als feste Begriffe aufgefasst werden, ist es zulässig, sie auf dem zweiten Teil, dem Partizip, zu steigern. Allerdings muss dann Zusammenschreibung erfolgen: *eine weitreichendere Maßnahme, der vielversprechendste Vorschlag, die tiefgreifendste Reform.*

Dies funktioniert aber nicht immer. Das *am höchsten industrialisierte Land* kann nicht das *hochindustrialisierteste* sein, und die *am besten aussehende Kandidatin* kann nicht als die *gutaussehendste* durchgehen.

[w] Worte/Wörter

Man spricht von »Wörtern«, wenn Wörter im eigentlichen Sinne, als kleinste grammatische Einheit eines Satzes, gemeint sind:

· *Ein Satz besteht aus mehreren Wörtern.*

- *Viele englische Wörter sind mit deutschen Wörtern verwandt.*
- *Worterklärungen findet man in einem Wörterbuch, nicht in einem Wortebuch.*
- *Beim Scrabble legt man Wörter.*
- *Ein Computer fragt nach Passwörtern, nicht nach Passworten.*
- *Wörter können Zungenbrecher sein, sie können gebeugt, getrennt, gezählt und abgekürzt werden.*

Man spricht von »Worten«, wenn damit Zitate, Redewendungen oder die ganze Sprache gemeint sind:

- *»Ich bin ein Berliner«, »Wer zu spät kommt, den bestraft das Leben« und »Karthago muss zerstört werden« sind große Worte berühmter Politiker.*
- *Mir fehlen die Worte, wenn ich nicht weiß, was ich sagen soll.*
- *Wer sprichwörtlich große Worte macht, der spuckt nur große Töne.*
- *Man gibt sein Ehrenwort, und wenn man es zweimal tut, dann sind es Ehrenworte, nicht Ehrenwörter.*
- *Die Mehrzahl von Sprichwort lautet unlogischerweise Sprichwörter, eigentlich müssten es Sprichworte sein.*
- *Worte können Pfeile sein, sie können verletzen, vernichten, sogar töten.*

Um es auf eine Formel zu bringen: Wörter bestehen aus Buchstaben, Worte bestehen aus Gedanken.

[z] zeitgleich/gleichzeitig

»Zeitgleich« wird oft fälschlicherweise im Sinne von »gleichzeitig« gebraucht. »Zeitgleich« sagt nur etwas über die Dauer eines Ereignisses aus, nicht über den Zeitpunkt seines Eintritts. Wenn zwei Rennfahrer oder zwei Skiläufer zeitgleich im Ziel eintreffen, muss das nicht heißen, dass sie im selben Moment die Ziellinie passieren. Es heißt lediglich, dass sie für die Strecke exakt dieselbe Zeit benötigten. Dabei können sie durchaus zeitversetzt gestartet und ebenso zeitversetzt ins Ziel gekommen sein.

[z] zeitweise/zeitweilig
»Zeitweise« ist ein Adverb und kann nicht gebeugt werden. Vom attributiven Gebrauch ist daher abzuraten. Ein »zeitweiser Anstieg der Erwerbslosenzahlen« zeugt nicht nur von Problemen am Arbeitsmarkt, sondern auch von mangelndem Sprachgefühl. In korrektem Deutsch heißt es: »ein zeitweiliger Anstieg«.

[z] zumindestens/zumeistens
Es gibt die Wörter *zumindest* und *mindestens*, die gleichbedeutend sind. Der Volksmund zieht die beiden im Übereifer gelegentlich zu einem »zumindestens« zusammen. Dieses Wort gibt es aber nicht. In der Grammatik nennt man eine solche unzulässige Wortkreuzung eine Kontamination. Dasselbe gilt für »zumeistens«: Es gibt zumeist und meistens, doch nicht »zumeistens«. [–> lohnenswert]

[z] Zyprer/Zyprioten
Die Bewohner der Insel Zypern werden heute meistens Zyprer genannt. Dabei spielt es keine Rolle, in welchem Teil der Insel sie leben, »Zyprer« sind sowohl die türkischstämmigen Bewohner im Nordteil als auch die griechischstämmigen Bewohner im Südteil der Insel. Die Bezeichnung »Zyprioten« gilt als veraltet.
Besonders schnörkelig klingende Ableitungen von Ländernamen (-esen, -assen, -ioten) geraten langsam aber sicher zugunsten der regelmäßigen Endung -er aus der Mode: Panamaer statt Panamesen; Ghanaer statt Ghanesen; Tibeter statt Tibetaner; Taiwaner statt Taiwanesen; Zyprer statt Zyprioten.

Diese Entwicklung wird vom Auswärtigen Amt gefördert; Ableitungen auf -er gelten generell als neutral und unbelastet. Die älteren Formen auf -esen, -ianer etc. stammen zum Teil aus der Kolonialzeit, manchen haftet der Ruch des Kolonialismus an, andere gelten schlicht als altmodisch.

Die Annahme, Zyprer seien alle Bewohner der Insel, während Zyprioten nur die Bewohner der Republik Zypern seien, ist falsch.

Der Dativ ist dem Genitiv sein Tod

Neues aus dem Irrgarten der deutschen
Sprache

Folge 2

Meiner Familie gewidmet

meiner Mutter Angelika Sick
meiner Großmutter Friedel Onnasch (»Muscha«)
meinen Schwestern Bettina Sick-Folchert und Anja Farries
meiner Tante Dr. Christel Waßmund
meiner Cousine Klaudia Onnasch und meinem
Cousin Dr. Ernst-Otto Onnasch
meinen Schwägern Jens Folchert und Björn Farries
sowie meiner fabelhaften Nichte Anna-Maria Folchert
und meinen famosen Neffen Benno Farries, Justus Folchert,
Nils Folchert, Jesper Farries und Hannes Farries – und ganz
besonders meinem großartigen Patensohn Joscha Farries

»Ohana means family – family means
nobody gets left behind or forgotten.«
(»Lilo and Stitch«)

Im Gedenken an meinen Vater

Bernhard Sick
(1933–1984)

Inhalt

Liebe Leserinnen und Leser

Ring frei für die zweite Runde im Kampf des Genitivs gegen den Dativ! Auch in diesem Buch geht es wieder um die Wunder der Grammatik, vor allem um die blauen Wunder, die man mit ihr erleben kann. Es geht um gefühlte Kommas, um verschwundene Fälle, um den traurigen Konjunktiv und den geschundenen Imperativ. Doch das ist längst nicht alles.

Wie schon die erste Folge des »Dativs«, der »dem Genitiv sein Tod« ist, stellt auch dieses Buch keine systematische Sprachbetrachtung dar. Schließlich handelt es sich um eine Kolumnensammlung, und Kolumnen folgen keinem »großen Plan«; sie entstehen aufgrund von persönlichen Beobachtungen des Alltags, sie können auch aus Wünschen und Anregungen von Freunden, Kollegen oder Lesern hervorgehen und sind nicht selten das Ergebnis einer spontanen Eingebung. Wer ein klassisches Nachschlagewerk erwartet, ist mit den Grammatik- und Stilbüchern aus dem Hause Duden oder Wahrig besser beraten. Mir liegt es eher, kurzweilige Geschichten zu erzählen, die ein helles Streiflicht auf die Vielseitigkeit der deutschen Sprache werfen.

In meinen Texten geht es nicht immer nur um »richtig« oder »falsch«. Manchmal gilt es, eine Erklärung dafür zu finden, warum wir so sprechen, wie wir sprechen. Und manchmal begebe ich mich auch einfach auf die Suche nach einem Begriff für eine alltägliche Sache, für die es kein Wort zu geben scheint, so wie für das Ding an der Supermarktkasse oder für das Jahrzehnt, in dem wir leben. Oder ich sammle Dutzende verschiedener Begriffe für ein und dieselbe Sache, so wie in dem Kapitel »Was vom Apfel übrig blieb«.

Wer der Meinung ist, dass der ständige Einsatz für korrektes Deutsch »die reinste Syphilisarbeit« sei, der wird in dem

Kapitel »Sprichwörtlich in die Goldschale gelegt« auf seine Kosten kommen; darin geht es um verdrehte Redewendungen, und die Lektüre führt unweigerlich zu der Erkenntnis: Reden ist Schweigen, Silber ist Gold.

Eine andere Kolumne widmet sich den sogenannten falschen Freunden, denen wir teils lustige, teils lästige Übersetzungsfehler zu verdanken haben. Natürlich ist auch die Rechtschreibreform wieder ein Thema, die die Logik auf dem Gebiet der Zusammen- und Getrenntschreibung »lahm gelegt« hat, weshalb sich immer mehr Menschen wünschen, die Reform möge komplett »stillgelegt« werden.

Da das Medium E-Mail in unserer Gesellschaft eine immer wichtigere Rolle spielt, fasst ein größeres Kapitel die damit verbundenen Probleme zusammen. Es ist eine Art Leitfaden, der freilich auf ganz persönlichen Erfahrungen und Vorstellungen beruht und daher nicht als allgemein verbindliche Etikette, sondern nur als Empfehlung anzusehen ist – wie übrigens die meisten meiner Texte auch. Die von mir postulierten Thesen zum elektronischen Briefverkehr muss nicht jeder teilen, schließlich wird das Medium nicht von allen auf dieselbe Weise genutzt, und ich maße mir nicht an, Richtlinien für den privaten Schriftwechsel oder für die schnelle firmeninterne Kommunikation zwischen Kollegen aufzustellen.

Sollte am Ende jemand einwenden, dass die Themen, mit denen sich dieses Buch befasst, nicht neu seien und dass sich vor mir schon viele andere Autoren über guten Stil und korrektes Deutsch Gedanken gemacht hätten, so werde ich ihm nicht widersprechen. Das kann aber kein Grund sein, deswegen nicht mehr über Sprache zu schreiben. Denn wie Goethe schon sagte: »Man muss das Wahre immer wiederholen, weil auch der Irrtum um uns her immer wieder gepredigt wird.«

Übrigens hätte ich nie gedacht, wie schwer es ist, ein Buch

herzustellen, das tatsächlich fehlerfrei ist. Jedes neu erscheinende Buch enthalte Fehler, hatte meine Lektorin mir gesagt, selbst wenn es noch so gründlich durchgekämmt worden sei. Nimmt man eine Korrektur am Satzanfang vor, schleicht sich am Satzende prompt ein neuer Fehler ein. Ich wollte ihr erst nicht glauben, musste aber erfahren, dass sie Recht behielt (Lektoren behalten immer Recht) – »Der Dativ ist dem Genitiv sein Tod« enthielt tatsächlich Fehler, mehr als einen sogar. Fehler in einem Buch, in dem es um korrektes Deutsch geht, sind natürlich besonders irritierend. Aber ich habe nie den Anspruch erhoben, ein Ritter der Sprache ohne Fehl und Tadel zu sein. Auch ich vertippe mich beim Schreiben, habe nicht immer auf jede Frage gleich eine passende Antwort parat, muss oft in einem Wörterbuch nachschlagen, mich selbst korrigieren, meine Meinung revidieren. Gerade das aber macht meine Arbeit für mich so reizvoll: dass ich selbst ständig Neues erfahre und hinzulerne. Das betrifft vor allem das weite Gebiet der deutschen Dialekte – hier gibt es unendlich viel zu entdecken, hier wird das »Abenteuer deutsche Sprache« erst richtig spannend.

Auch in diesem Buch wird bestimmt der eine oder andere Fehler stecken. Wenn Sie einen entdecken, dann betrachten Sie ihn wie ein Osterei, das mit Absicht versteckt worden ist, damit Sie es finden.

Der große Erfolg des ersten Bandes hat nicht nur den Autor gewaltig überrascht. Auch die Presse registrierte mit Staunen, dass das Thema Sprachkultur in Deutschland immer noch überaus populär ist. Immer noch oder seit neuestem wieder, darüber wird noch debattiert. Einige Feuilletonisten und Gesellschaftskritiker glauben einen neuen Trend auszumachen, eine Art Gegenbewegung zur Unkultur der deutschen Fernsehunterhaltung. Es wäre sehr erfreulich, wenn das zuträfe. »Der Dativ ist dem Genitiv sein Tod« hat zumindest bewiesen, dass es heute nicht nur Bücher, in denen Popstars mit ihren Kollegen und Ex-Geliebten abrechnen, in die Sachbuch-Bestsellerlisten schaffen.

Dass gerade junge Menschen wieder ein starkes Interesse an ihrer Muttersprache haben, erfahre ich aus zahlreichen Zuschriften von Schülern, die mir mitteilen, dass sie meine Texte im Deutschunterricht durchgenommen haben. Im Saarland wird »Der Dativ ist dem Genitiv sein Tod« in diesem Schuljahr sogar als offizielles Lehrbuch eingesetzt.

Eine mir häufig gestellte Frage lautet, wie ich denn zum Kolumnenschreiben gekommen sei. Tatsächlich war dies die Folge einer Reihe glücklicher Fügungen. Eigentlich hatte alles ganz unspektakulär begonnen: Im Rahmen meiner Tätigkeit als Dokumentar und Korrekturleser in der Redaktion von SPIEGEL ONLINE verfasste ich gelegentlich kleine Memos mit Hinweisen auf besonders heiße Fehlerquellen, die ich dann per E-Mail an meine Kollegen verschickte. Damit diese Mails auch gelesen und nicht gleich gelöscht wurden, würzte ich meine Anmerkungen mit einer feinen Prise Humor. Das gefiel meinem Chef so sehr, dass er mich eines Tages fragte, ob ich nicht Lust hätte, eine Kolumne zu schreiben: Wenn die Kollegen über meine Texte schmunzeln könnten, dann könnten es die Leser von SPIEGEL ONLINE auch. Warum nicht, erwiderte ich, lassen wir es auf einen Versuch ankommen. Und so wurde der »Zwiebelfisch« geboren. Aus dem Versuch ist inzwischen eine feste Einrichtung geworden, und seit Februar dieses Jahres erscheint der »Zwiebelfisch« auch in der monatlichen Kulturbeilage des gedruckten »Spiegels«.

Mit E-Mails hatte also alles begonnen. Und mit E-Mails ging es weiter, denn die Leser meiner Kolumne schrieben mir ihre Wünsche, teilten mir ihre Meinung mit, lieferten mir Anregungen für weitere Kolumnen und schickten mir Fundstücke: Screenshots von Internetseiten mit kuriosen Rechtschreib- und Grammatikfehlern, Fotos von lustigen

Schildern oder Scans von Werbeprospekten und Zeitungsartikeln. Und sie bombardierten mich mit Fragen: Fragen
zur Grammatik, zur Schreibweise bestimmter Wörter, zur
Bedeutung von Redewendungen und zur Herkunft von
Sprichwörtern. Einige dieser Fragen habe ich für dieses Buch
ausgewählt und sie zusammen mit der jeweiligen Antwort
zwischen die einzelnen Kolumnen gestellt, um die Struktur
des Buches etwas aufzulockern. Mit ihren Fragen, Anregungen und Wünschen haben die Leser dafür gesorgt, dass diese zweite Folge des »Dativs« nicht nur ein Lesebuch, sondern
auch ein Leserbuch geworden ist. Und ich möchte die Gelegenheit nutzen, mich hier bei allen zu bedanken, für die vielen E-Mails, die mich Woche für Woche erreichen, sowie für
die zum Teil seitenlangen Briefe, die ich per Post bekommen
habe. Einige Leser haben mir selbstverfasste Gedichte geschickt, sogar Bücher und Manuskripte. Ihnen allen möchte
ich an dieser Stelle danken, aber genauso auch denjenigen,
die mir bei einer persönlichen Begegnung gesagt haben, dass
mein Buch sie zum Lachen gebracht habe. Eine schönere Bestätigung meiner Arbeit kann ich mir nicht wünschen.

Ich möchte auch meinen Kollegen von SPIEGEL ONLINE
danken, die mich mit Ideen, Ratschlägen und technischen
Meisterleistungen unterstützt haben und es immer noch tun.
Mein besonderer Dank gilt dem Hause KiWi, das den Mut
besaß, eine Internet-Kolumne zwischen Buchdeckel zu pressen, und das dem »Zwiebelfisch« dadurch Flügel verlieh.

Damit genug der einleitenden Worte. Tauchen Sie nun mit
mir in die Tiefen unserer Sprache, wo glitzernde Schwärme
von Zwiebelfischen und viele andere kuriose Unterwasser-
geschöpfe schon darauf warten, von uns entdeckt und be-
staunt zu werden.

Bastian Sick
Hamburg, im August 2005

Wir gedenken dem Genitiv

Der Genitiv gerät zusehends aus der Mode. Viele sind *ihn* überdrüssig. Dennoch hat er in unserer Sprache seinen Platz und seine Berechtigung. Es kann daher nicht schaden, sich *seinem* korrekten Gebrauch zu erinnern. Sonst wird man *dem* Problem irgendwann nicht mehr Herr und kann *dem* zweiten Fall nur noch wehmütig gedenken.

»Am Sonntag wird in Kampehl dem 354. Geburtstag von Ritter Kahlbutz mit einem Konzert gedacht«, meldete eine Berliner Tageszeitung am 3. März. Ich wusste zwar bis zu diesem Tage nicht, wo Kampehl liegt, und ich hatte auch keinen blassen Schimmer, wer Ritter Kahlbutz war. Immerhin aber wusste ich, dass Ritter Kahlbutz nicht der Ritter von der traurigen Gestalt war. Der nämlich kämpfte einst in Spanien gegen Windmühlen. Unser Ritter Kahlbutz hingegen scheint von der Presse nachträglich zum »Ritter von dem degenerierten Genitiv« stilisiert zu werden. Weswegen »ihm« ja auch gedacht werden muss.

Inzwischen habe ich mich natürlich schlau gemacht: Ritter Christian Friedrich von Kahlbutz lebte von 1651 bis 1702 im brandenburgischen Kampehl. 1690 war er des Totschlags angeklagt, erwirkte jedoch mittels eines Reinigungseides einen Freispruch. Vor Gericht soll er gesagt haben, wenn er »der Mörder dennoch gewesen sein soll, so wolle er nicht verwesen!«. Fast hundert Jahre nach seinem Tod fand man in der Gruft seine Mumie – und damit den Beweis für den Meineid. Die deutsche Sagenwelt ist seitdem um eine schaurig-schöne Geschichte reicher, und das beschauliche Dorf Kampehl hat eine Touristenattraktion ersten Ranges. Die deutsche Grammatik indes hat ein Problem – und zwar immer dann, wenn *dem Ritter* gedacht wird. Denn »gedenken« ist eines der (wenigen) deutschen Verben, die ein Genitivobjekt nach sich ziehen. Daher muss es richtig heißen: Es wird des Ritters gedacht. Oder wenigstens seines Geburtstages. In Abwandlung einer bekannten Werbekampagne für einen großen deutschen Fernsehsender ließe sich hier feststellen: Mit dem Zweiten klingt es besser!

Schauplatzwechsel: Im Februar 2005 fand in Magdeburg eine Kundgebung von Neonazis statt. Die Demonstranten trugen ein Spruchband vor sich her, auf dem zu lesen stand: »Wir gedenken den Opfern des alliierten Holocaust«. Da wird sich nicht nur mancher Lehrer spontan gedacht haben: »Geht erst mal nach Hause und macht eure Schulaufgaben!« Falsches Deutsch auf einem Spruchband einer von dümmlicher Deutschtümelei besoffenen Splittergruppe wirkt freilich besonders absurd. Doch die Herren Neonazis sind bei weitem nicht die Einzigen, die »dem« Genitiv nicht mehr mächtig sind.

Die Presse trägt nicht unwesentlich zur Verbreitung des Eindrucks bei, dass der Genitiv vom sprachlichen Spielfeld ausgewechselt und auf die Reservebank geschickt werden soll. »Als am Mittwoch der Bundestag seinem früheren Präsidenten Hermann Ehlers gedachte, hielt auch Merkel eine Rede«, konnte man auf einer Internet-Nachrichtenseite lesen. Bleibt nur zu hoffen, dass wenigstens Angela Merkel in ihrer Rede des Verstorbenen im richtigen Fall gedachte.

Auch das »Herr werden« ist eine verbale Konstruktion, in der der Genitiv (noch) herrscht, aber immer häufiger vom Dativ verdrängt wird. Als die Stadt Bern drastische Maßnahmen zur Bekämpfung einer Krähenplage beschloss, schrieb eine Hamburger Boulevardzeitung: »Um dem lauten Gekrächze und all dem Dreck Herr zu werden, setzt die Stadt nun rote Laserstrahlen gegen die schwarzen Vögel ein.« Eine andere große Tageszeitung rätselte nach der Flutkatastrophe in Südostasien darüber, »wie man dem Chaos Herr werden kann«. Und auch der »Spiegel« scheint den Genitiv für altmodisch zu halten. In einem Artikel über Rechtsextremismus war zu lesen: »PDS-Fraktionschef Peter Porsch glaubt nur noch mit einem erneuten Verbot dem Problem Herr zu werden.« Nicht erst seitdem zerbrechen sich Genitiv-Freunde den Kopf darüber, wie man des Problems hinter dem Herrwerden noch Herr werden kann.

»Sich einer Sache annehmen« ist ein weiterer Fall. »Die Stadt braucht einen Stadtbaumeister, der sich dem Thema Baukultur annehmen soll«, forderte eine Kölner Tageszeitung. Immerhin besaß sie die Größe, wenige Tage später einen Leserbrief abzudrucken, in dem ein entrüsteter Leser forderte, die Zeitung solle sich »endlich mal wieder des Genitivs annehmen«.

Übrigens wurde einst sogar das Verb »vergessen« mit dem Genitiv gebildet. Das kann man heute noch an dem schönen Wort »Vergissmeinnicht« erkennen, das eben nicht »Vergissmichnicht« heißt. Aber der Genitiv hinter »vergessen« geriet in Vergessenheit. Nomen est omen. Allein das Blümchen ist geblieben und hält trotzig die Erinnerung an den Genitiv wach. Wenn Sie das nächste Mal einen Strauß Vergissmeinnicht bekommen, dann halten Sie kurz inne und gedenken Sie des Genitivs!

Und während ich hier sitze und mich gedanklich der Sache des zweiten Falles annehme, schaut mein lieber Kollege Gerald zur Tür herein und sagt mit einem breiten Grinsen: »Wenn du meinen Rat hören willst: Genitiv ins Wasser, denn es ist Dativ!« (»Geh nie tief ins Wasser, denn es ist da tief!«) Voll des Dankes ob dieses erbaulichen Spruchs blecke ich die Zähne und grinse zurück.

Statt ins Wasser zu gehen, stelle ich lieber eine Liste mit Verben zusammen, die heute noch ein Genitivobjekt haben. Allerdings ohne Anspruch auf Vollständigkeit. Zwei Kategorien lassen sich dabei unterscheiden: zum einen die vollreflexiven Verben (die ausschließlich mit Reflexivpronomen gebraucht werden können), zum anderen Verben aus der Gerichtssprache (zum Beispiel *verdächtigen, anklagen, überführen*). Man nennt den Genitiv hier auch *Genitivus criminis*.

Verben mit Genitivobjekt	
anklagen	Er war des Mordes angeklagt.
annehmen	Wir nahmen uns des Themas an.
bedienen	Darf ich mich kurz Ihres Telefons bedienen?
bedürfen	Es bedarf keines Wortes.
bemächtigen	Da bemächtigte sich der Teufel ihrer Seelen.
beschuldigen	Man beschuldigte ihn des Betrugs.
besinnen	Sie besannen sich eines Besseren.
bezichtigen	Er wurde des Meineids bezichtigt.
enthalten	Er enthielt sich jeglichen Kommentars.
entledigen	Rasch entledigte sie sich ihrer Kleider.
erbarmen	Herr, erbarme dich unser!
erfreuen	Sie erfreut sich bester Gesundheit.
erinnern	Ich erinnere mich dessen noch sehr genau.
freuen	Er freut sich seines Lebens.
gedenken	Der Opfer wurde gedacht.
harren	Gespannt harren wir der Fortsetzung.
rühmen	Man rühmte ihn seiner Taten.
schämen	Ich schäme mich dessen.
überführen	Der Angeklagte wurde der Lüge überführt.
verdächtigen	Man verdächtigte sie der Spionage.
vergewissern	Im Spiegel vergewisserte er sich seiner selbst.
versichern	Sie versicherten sich ihrer gegenseitigen Zuneigung.
zeihen	Man zieh ihn des Verrats.

Klopft man an der Tür oder an die Tür?

Frage einer Leserin: Lieber Zwiebelfisch, bald steht ja wieder Weihnachten vor der Tür, und so habe ich denn eine Frage zum Nikolaus. Sie können aber von mir aus auch Knecht Ruprecht nehmen oder den Gerichtsvollzieher oder meinen Nachbarn. Die Person ist nebensächlich. Mir geht's ums Türklopfen. Klopft der Nikolaus an DER Tür oder an DIE Tür?

Antwort des Zwiebelfischs: Beides ist möglich. Der Dativ (»an der Tür«) ist die Antwort auf die Frage »wo klopft es?«, der Akkusativ (»an die Tür«) ist die Antwort auf die Frage »wohin/worauf/wogegen wird geklopft?«.

Geht es mehr ums Klopfen, dann zeigt man dies durch den Dativ an:
· Es klopft an der Tür.
· Man hört ein Klopfen an der Tür.
· Minutenlang wurde wie wild an der Tür geklopft und gerüttelt.

Geht es mehr um die Person, die anklopft, oder um die Tür, an die geklopft wird, so wählt man den Akkusativ:

· Jemand klopft an die Tür.
· Er hatte an so viele Türen geklopft und war doch nirgends eingelassen worden.
· Nur wer an diese Tür klopft, kommt auch hinein.

Der Bedeutungsunterschied ist allerdings minimal, oft wird er gar nicht wahrgenommen. Für den Nikolaus selbst spielt es wohl keine Rolle, ob er an die Tür klopft oder an der Tür. Hineingelassen wird er in jedem Fall.

Ein ähnliches Phänomen lässt sich übrigens bei Verben der körperlichen Berührung (schlagen, treten, beißen, schneiden u. a.) beobachten: Wenn der Nikolaus mir auf gut Deutsch eine langt, stellt sich die Frage, ob er mich (Akkusativ) ins Gesicht schlägt oder ob er mir (Dativ) ins Gesicht schlägt. Beides ist grammatisch möglich, wenngleich weder das eine noch das andere wünschenswert ist. Der Dativ ist in diesen Fällen allerdings häufiger anzutreffen.

· Er trat ihn/ihm vors Schienbein.
· Sie zog mich/mir an den Haaren.
· Ich habe mich/mir in den Finger geschnitten.
· Der Hund biss ihn/ihm ins Bein.

Bei unpersönlichen Subjekten steht fast ausschließlich der Dativ:

· Der Wind peitschte mir (nicht: mich) ins Gesicht.
· Die Sonne stach ihm (nicht: ihn) in die Augen.

Beim Verb »küssen« (das ja ebenfalls eine körperliche Berührung bezeichnet) steht die geküsste Person im Dativ, wenn der geküsste Körperteil im Akkusativ steht, und sie steht im Akkusativ, wenn der Körperteil von einer Präposition begleitet wird: *Erst küsste er ihr die Hand, dann küsste er sie auf den Mund.* Dasselbe gilt für »lecken«: *Erst leckte er ihr die Hand, dann leckte er sie am Hals.*

Das Imperfekt der Höflichkeit

Wenn es darum geht, Dinge zu beschreiben, die gerade passieren und für diesen Moment gelten, dann benutzt man normalerweise das Präsens. Normalerweise – aber nicht immer. Es gibt Situationen, in denen die Gegenwartsform gemieden wird, als sei sie unschicklich. Ein schlichtes »Was wollen Sie?« wird plötzlich zu »Was wollten Sie?«.

Mein Freund Henry und ich sitzen im Restaurant und geben gerade unsere Bestellung auf. »Also, Sie wollten den Seeteufel, richtig?«, fragt der Kellner an Henry gewandt. »Das ist korrekt«, erwidert Henry und fügt hinzu: »Und ich will ihn immer noch.« Der Kellner blickt leicht irritiert. Henry erklärt: »Angesichts der Tatsache, dass meine Bestellung gerade mal eine halbe Minute her ist, dürfen Sie gerne davon ausgehen, dass ich den Seeteufel auch jetzt noch will.« Der Kellner scheint zwar nicht ganz zu begreifen, nickt aber höflich und entfernt sich.

»Was sollte das denn nun wieder?«, frage ich meinen Freund, der es auch nach Jahren noch schafft, mich mit immer neuen seltsamen Anwandlungen zu verblüffen. Henry beugt sich vor und raunt: »Ist dir noch nie aufgefallen, dass im Service ständig die Vergangenheitsform benutzt wird, ohne dass es dafür einen zwingenden Grund gibt?« – »Das mag zwar sein, aber ich wüsste nicht, was daran verkehrt sein sollte«, erwidere ich. Henry deutet zur Tür und sagt: »Das ging schon los, als wir hereinkamen. Du warst noch an der Garderobe, ich sage zum Empfangschef: ›Guten Abend, ich habe einen Tisch für zwei Personen reserviert!‹, und er fragt mich: ›Wie *war* Ihr Name?‹ – »Ich ahne Furchtbares! Du hast doch nicht etwa ...?« – »Natürlich habe ich!«, sagt Henry mit einem breiten Grinsen. »Die Frage war doch unmissverständlich. Also erkläre ich ihm: ›Früher war mein Name Kurz, aber vor drei Jahren habe ich geheiratet und den Namen meiner Frau angenommen, deshalb ist mein Name heute nicht mehr Kurz, sondern länger, nämlich Caspari.‹« – »Ein Wunder, dass er uns nicht gleich wieder vor die Tür gesetzt hat!«, seufze ich. Henry zuckt die Schultern: »Ist doch wahr! Eisparfait auf der Karte und Imparfait in der Frage – das sind Wesensmerkmale der Gastronomie. Sag mir nicht, du hättest dir noch nie darüber Gedanken gemacht? Ich jedenfalls finde es höchst bemerkenswert!«

Eine Viertelstunde später kommt eine junge weibliche Servierkraft mit den Speisen. »Wer bekam den Fisch?«, fragt sie. Henry wirft mir einen triumphierenden Blick zu, wendet sich zur Kellnerin und sagt mit einem charmanten Lächeln: »Noch hat ihn keiner bekommen, aber ich wäre Ihnen sehr dankbar, wenn ich ihn nun bekommen könnte.« – »Henry«, sage ich tadelnd, »du bringst die junge Dame ja völlig durcheinander!« – »So soll es sein!«, erwidert Henry selbstbewusst. Ich bemühe mich, sachlich zu bleiben: »Wenn dich jemand etwas fragt und dabei das Imperfekt verwendet, dann heißt das nicht, dass er sich für deine Vergangenheit interessiert. Meistens verwendet man es, wenn man sich einer Sache vergewissern will: Wie *war* das doch gleich?« Henry spritzt, den Seeteufel nur um wenige Meter verfehlend, Zitronensaft auf mein Hemd und entgegnet: »Als Anwalt bin ich es nun mal gewohnt, Sprache wörtlich zu nehmen. Neulich im Reisebüro wurde ich gefragt: ›Wohin wollten Sie?‹ Da habe ich dann ganz gewissenhaft aufgezählt: ›Letztes Jahr wollte ich in die Karibik – Barbados oder Jamaika, das war immer schon mein Traum, war aber leider zu teuer. Im Jahr davor wollte ich zum Tauchen auf die Malediven, dafür hätte ich aber erst zehn Kilo abnehmen müssen. Als Student wollte ich nach Ägypten, doch dann lernte ich meine Freundin kennen und blieb in Deutschland; und als ich ein kleiner Junge war, da wollte ich unbedingt auf den Mond. Jetzt will ich eigentlich nur nach Rügen.‹ Du kannst dir vorstellen, wie die Reisekauffrau geguckt hat. Das hätte sie kürzer haben können!« – »Wenn du das Imperfekt unbedingt auf die Anklagebank setzen willst, dann lass mich etwas zu seiner Verteidigung sagen. Das Imperfekt in der Frage drückt respektvolle Distanz aus, daher ist es im Service so beliebt. Man will dem Kunden schließlich nicht zu nahe treten. ›Wie war Ihr Name?‹ klingt – zumindest in manchen Ohren – weniger direkt und somit höflicher als ›Wie ist Ihr Name?‹. Es ist dasselbe wie mit dem Konjunktiv. ›Ich will ein Glas Prosecco‹ klingt zu direkt, daher verkleidet man den Wunsch mit dem Konjunktiv, versieht ihn womöglich noch mit einem Diminutiv und sagt: ›Ich hätte gerne ein Gläschen Prosecco!‹« Erwartungsgemäß nutzt Henry diese Vorlage zu einem spöttischen Einwurf: »Au ja! Prosecco für alle!« Ich fasse zusammen: »Aus demselben Grund wird in der Frage das Imperfekt verwendet – aus Höflichkeit.« Henry verdreht schwärmerisch die Augen: »Das Imperfekt der Höflichkeit! Ein toller Titel! Klingt wie ›Der Scheineffekt der Wirklichkeit‹ oder ›Der Gipfel der Unsäglichkeit‹. Seine Vollendung findet es übrigens im berühmt-berüchtigten Imbiss-Deutsch: ›*Waren* Sie das Schaschlik oder die Currywurst?‹«

Wir lassen es uns schmecken, und nachdem auch die zweite Flasche Wein geleert ist, gebe ich dem Kellner mit Handzeichen zu verstehen, dass er uns die Rechnung bringen möge. Einen Augenblick später ist er zur Stelle und fragt: »Die Herren wollten zahlen?« Und ehe ich Luft holen kann, platzt es aus Henry heraus: »Vor fünf Minuten wollten wir zahlen, und redlich, wie wir sind, wollen wir immer noch zahlen, und zwar so lange, bis wir tatsächlich gezahlt haben werden!« Der Kellner verzieht keine Miene: »Zusammen oder getrennt?« – »Zusammen!«, sage ich. »Du lädst mich ein?«, fragt Henry begeistert. »Wie komme ich zu der Ehre?« – »Das war ein Arbeitsessen«, erkläre ich, »daraus mache ich eine Kolumne.« – »Prima«, sagt Henry, »dann weiß ich auch schon was für unser nächstes Arbeitsessen! Da gehen wir zu meinem Koreaner. Der fragt nie: ›Was darf's sein?‹ oder ›Was wünschen Sie?‹, sondern ›Was soll essen?‹. Darüber lässt sich prächtig philosophieren!«

Imperfekt oder Präteritum?

Frage eines Lesers aus Karlsruhe: Man kennt die Vergangenheit sowohl unter der Bezeichnung Imperfekt als auch unter der Bezeichnung Präteritum. Wieso gibt es zwei Begriffe für ein und dieselbe Zeitform? Ist unsere Grammatik nicht schon kompliziert genug? Oder gibt es da womöglich doch einen Unterschied?

Antwort des Zwiebelfischs: Imperfekt und Präteritum sind tatsächlich zwei unterschiedliche Namen für dasselbe Tempus. In den meisten Nachschlagewerken findet man unter dem Stichwort »Imperfekt« einen Hinweis auf den Eintrag »Präteritum«. Letzterer ist heute der üblichere Fachausdruck für das, was man auf Deutsch als »erste Vergangenheit« bezeichnet.

Die deutsche Sprachwissenschaft hat wesentliche Impulse von der französischen Philologie erhalten – und daher stammt auch die Bezeichnung Imperfekt (frz. imparfait), denn im Französischen wird zwischen einfacher Vergangenheit (passé simple) und unvollendeter Vergangenheit (imparfait) unterschieden. Diese Unterscheidung gibt es aber im Deutschen nicht. Wir haben kein »passé simple«, sondern nur eine (erste) Vergangenheitsform. Und eben diese als »unvollendet« zu bezeichnen, ist in den Augen vieler Deutschlehrer und Germanisten irreführend, denn die Vergangenheitsform, um die es hier geht, bezeichnet doch gerade einen Vorgang, der abgeschlossen ist:

· Ich ging allein nach Hause.
· Er aß nur einen Happen.
· Wir warteten auf den Bus.

Was ist daran »unvollendet«? Als unvollendet kann die Handlung nur gedeutet werden, wenn sie sich zum Beispiel in einem Roman abspielt. Und die meisten Romane sind ja in der Vergangenheitsform geschrieben. Wenn man liest »Harry zog seinen Zauberstab«, dann ist die Handlung noch keinesfalls abgeschlossen, dann wird die Sache ja erst richtig spannend, und jeder will wissen: Was passierte als Nächstes?

Einen inhaltlichen Bezug zur Gegenwart hat die erste Vergangenheit aber nicht. Den wiederum hat das Perfekt, jene mit »haben« und »sein« gebildete Vergangenheitsform. Deshalb nennt man das Perfekt auf Deutsch auch »vollendete Gegenwart«. Wer seine Freunde und Bekannten über seinen Umzug informieren will, der schreibt in der Regel nicht »Wir zogen um«, auch wenn der letzte Karton bereits ausgepackt ist, sondern »Wir sind umgezogen«; denn der Umzug wirkt sich auf die Gegenwart aus, der Wohnortwechsel bleibt bis auf weiteres aktuell.

Weil also die erste Vergangenheit – im Unterschied zum Perfekt – aus Sicht des Erzählers eine abgeschlossene Handlung beschreibt, bevorzugt die deutsche Grammatik dafür den Ausdruck »Präteritum«. Der kommt aus dem Lateinischen und heißt nicht »unvollendet«, sondern schlicht und einfach »vergangen«. Einigen Romanisten (wie zum Beispiel mir) fällt es allerdings schwer, sich vom Begriff »Imperfekt« zu lösen. Ich bitte um Nachsicht und gelobe Besserung.

In der gesprochenen Sprache wird das Präteritum heute nur noch selten gebraucht. Kaum jemand sagt im Gespräch: »Ich ging allein nach Hause«, sondern drückt es mit dem Perfekt aus: »Ich bin allein nach Hause gegangen.« Wenn das Präteritum in der gesprochenen Sprache zum Einsatz kommt, dann meistens in Verbindung mit Modal- und Hilfsverben wie *haben, sein, müssen, können, brauchen, dürfen*:

· Ich hatte keine Zeit.
· Das war letzten Donnerstag.
· Wir mussten nicht lange warten.
· Das konntet ihr nicht wissen.

Aus einigen süddeutschen Dialekten ist das Präteritum sogar völlig verschwunden, dort bedient man sich allein des
Perfekts.

Dem Wahn Sinn eine Lücke

Party Service, Video Spiele, Grill Imbiss, Garten Center – in der Welt da draußen gibt es alles, was das Herz begehrt. Nur keine Verbindlichkeit mehr. Im Drang nach Internationalität zerfällt unsere Mutter Sprache zusehends in ihre Einzel Teile. Ein Traktat über depperte Leer Zeichen und unerträgliche Wort Spalterei.

Da stehe ich nun in diesem Laden, den man unter normalen Umständen als Stehcafé bezeichnen würde, und starre betroffen auf meinen Milchkaffee. Der Laden selbst nennt sich »Steh Café«, in zwei Wörtern. Steh – gähnende Leere – Café. Ich habe versucht, mir einzureden, dass da früher mal ein Bindestrich war, der heruntergefallen ist. So etwas kommt ja vor. So wie auch Neonbuchstaben von Hotels und Geschäften gelegentlich mal ausfallen und man dann nur noch »OTEL« oder »OUTIQUE« liest und rasch weitergeht. Aber da war kein Bindestrich. Das »Steh Café« ist nie ein »Steh-Café« gewesen. Den Beweis liefert die Getränkekarte. Was da vor mir auf dem Tisch steht, ist laut Karte nämlich gar kein Milchkaffee, sondern ein »Milch Kaffee«. Dabei wird auf einem kleinen Zettel im Schaufenster sogar noch eine »Tassekaffee« angeboten.

Ganz offensichtlich hat der Besitzer des Ladens ein Problem mit der Zusammen- und Getrenntschreibung. Und er ist bei weitem nicht der Einzige. Unsere Städte sind gepflastert mit zerrissenen Begriffen wie »Auto Wäsche«, »Kosmetik Studio« und »Kunden Parkplatz«. Ganz zu schweigen von den neuerdings überall zu findenden »Back Shops«, die ausländischen Touristen immer wieder Rätsel aufgeben: Was soll das sein – ein rückwärtiges Geschäft, ein Hinterladen?

Ursprung dieses Auseinanderschreibungswahns ist die englische Sprache. Für Briten und US-Amerikaner ist es selbstverständlich, dass »service center«, »car wash« und »book store« jeweils in zwei Wörtern geschrieben werden. In Deutschland, Österreich und der Schweiz (und natürlich auch in Liechtenstein, immer vergesse ich Liechtenstein!) gelten andere Regeln als die englischen. Thank God! Doch die Sehnsucht nach internationalem Flair scheint übermächtig. So sägten in den letzten Jahren immer mehr Gewerbetreibende frei nach Wilhelm Busch *gar nicht träge mit der Säge – Ritzeratze! – voller Tücke in die Wörter eine Lücke.* Dass unsere Sprache vom *Verfall* bedroht sei, ist eine bekannte Behauptung. Inzwischen scheint sie außerdem vom *Zerfall* bedroht.

Bereits im November 2002 ereiferte sich ein Kollege im »Spiegel« über Schilder mit der Aufschrift »Küchen Zentrum«, »Grill Imbiss« oder »Schuh Markt«. Und wackere Mitstreiter wie Philipp Oelwein haben im Internet ganze Galerien von »Schreckens Bildern« zusammengetragen. Die berechtigte Empörung über das »Deppen Leer Zeichen« vermochte seine Ausbreitung bislang nicht aufzuhalten – im Gegenteil: Inzwischen ist es in sämtliche Bereiche der deutschen Sprache vorgedrungen.

In einer spektakulären Werbeaktion verwandelte die Telekom das Brandenburger Tor vorübergehend in ein »Sport Portal«. Welch eine Tor Heit! Und die Tele Kom befindet sich in großer Gesellschaft: Die Lebensmittelindustrie produziert »Vollkorn Müsli«, »Würfel Zucker« und »Milch Schokoladen Streusel«. Besonders bunt treibt es ein bekannter Suppenhersteller: Der bietet in seiner »Feinschmecker«-Reihe eine herzhafte »Zwiebel Suppe« an. Vom selben Hersteller gibt es jedoch eine ganz normal zusammengeschriebene »Tomatensuppe«. Da muss man sich doch fragen, was an der Zwiebel so viel abstoßender ist? Die Verwirrung wird komplett im Angesicht der »Champignoncreme Suppe«. Das ist also keine Cremesuppe mit Champignons, sondern eine Suppe aus Champignoncreme. Ich hätte nicht übel Lust, den Hersteller zu fragen, wie er Champignoncreme produziert.

Derweil bringen Reinigungsmittelhersteller Spülmittel mit »Schnell Trocken Formel« auf den Markt, im Internet werden »Newsletter Abonnenten« mit »Gratis Diensten« umworben, und wer ein neues »Computer Programm« kauft, der muss heute einem »Endbenutzer Software Lizenz Vertrag« zustimmen. In der Küche der Zukunft werden »Gefrier Schränke«, »Induktions Herde« und »Geschirr Spüler« stehen, in den Wohnzimmern »Stereo Anlagen« und »TV Geräte«.

Als sich der »Spiegel« des Themas Windkraft annahm, schwappte eine Flut von E-Mails in das Postfach des »Zwiebelfischs«. Dutzende Leser monierten die Titelzeile des Magazins, die aus zwei Wörtern bestand, die über drei Zeilen verteilt waren: DER WINDMÜHLEN WAHN. Vermutlich aus grafischen Gründen hatte man auf den Trennstrich hinter »Windmühlen« verzichtet. Diese Schreibweise ließ allerdings auch eine völlig andere Deutung zu – nämlich eine als Drei-Wort-Gebilde: Der Windmühlen Wahn, also eine Geschichte über wahnsinnig gewordene Windkrafträder. Ebenfalls zu unterschiedlichen Deutungen kann die Verheißung »24 Monate ohne Grund Gebühr« führen, wie sie im Werbeprospekt eines Onlinedienstes zu finden war. Warum sollte ich mich auf einen Anbieter einlassen, der grundlos Gebühren erhebt? Da bleibe ich doch lieber bei meinem alten Vertrag, bei dem weiß ich wenigstens, aus welchem Grund ich Gebühren zahle!

In der IT-Branche hat die deutsche Grammatik bekanntlich einen besonders schweren Stand. Schreibweisen wie »Web Seiten«, »Standard Schnittstellen«, »Kunden Portal« und »IT Sicherheit« sind dort so häufig wie BIIIEP-Töne in sprachlich entgleisten Nachmittagstalkshows. Der Bindestrich wurde stillschweigend abgeschafft, scheint es. Immerhin wies ihm die »IT Branche« eine neue Betätigung zu; dafür musste er allerdings einer Umbenennung zustimmen: Unter dem seltsamen Namen »Minus« fristet er nun ein Dasein als grafische Auflockerung in Internet- und E-Mail-Adressen: »Sie erreichen mich unter Peter minus Schmidt ät Bayern minus minus international Punkt dee eeh.« Was mag von Bayern übrig bleiben, wenn man »international« subtrahiert?

Für mein erstes Buch schrieb ich eine Kolumne über den Missbrauch des Bindestrichs, der Wörter wie »Spar-Plan« und »Tempo-Limit« zerlegt und das Schriftbild zu einer trostlosen Strich-Landschaft verkommen lässt. Doch angesichts von »Fisch Spezialitäten« und »Qualität's Tier Produkten« tut mir das heute fast Leid. Liebes Divis, bitte verzeih mir! Komm zurück und mach die »City Passage« wieder zu einer »City-Passage« und die »Humboldt Universität« wieder zu einer »Humboldt-Universität«.

Nicht einmal Bildungseinrichtungen bleiben von der Lust zur Lücke verschont. Wenn man unter der Adresse www.kmk.org auf der Seite der »Kultusminister Konferenz« begrüßt werde, dann, so der Tenor des oben erwähnten »Spiegel«-Artikels, sei man vom »Goethe Institut« nicht mehr weit entfernt. Eine andere kulturorientierte Einrichtung, der DAAD, präsentiert sich auf ihrer Homepage nicht als Deutscher Akademischer »Austauschdienst«, auch nicht als »Austausch-Dienst«, sondern als »Austausch Dienst«.

Gibt es keinen Ausweg aus dieser Misere? Doch, natürlich! Die stets nach Innovationen forschende Wirtschaft hat einen Weg gefunden, um die hässlich klaffende Lücke zwischen den Wörtern zu schließen. Die Lösung lautet: Zusammenschreibung unter Berücksichtigung der Großschreibung! So wurde aus Daimler und Chrysler eben nicht Daimler & Chrysler oder Daimler-Chrysler, sondern DaimlerChrysler. Und aus Krupp und Thyssen wurde ThyssenKrupp. Hunderte Firmen sind diesem Beispiel gefolgt und haben ihre Namen unter besonderer Missachtung der Grammatik zusammengeklebt. Von den Standesämtern wird diese Schreibweise allerdings noch nicht anerkannt. Die Bundestagsabgeordnete Sigrid Skarpelis-Sperk darf sich auf ihrer Visitenkarte nicht als SkarpelisSperk vorstellen, auch WieczorekZeul und LeutheusserSchnarrenberger sind (noch?) nicht zulässig.

Im Duden suchte man das Wort »Stehcafé« bis vor kurzem noch vergebens, obwohl es in der deutschen Schildersprache wirklich sehr häufig vorkommt. In der 23. Auflage steht es nun aber, und zwar zusammengeschrieben: Stehcafé. Wenn der unsägliche Trend der Auseinanderschreibung anhält, wird man in einer späteren Auflage vielleicht folgenden erweiterten Eintrag finden:

> **Steh|ca|fé**, das; -s, *Plur.* -s, auch: Steh-Café
> Steh Café, StehCafé (Schreibw. völlig beliebig.
> Macht doch, was ihr wollt!)

Ich trinke meinen »Milch Kaffee« aus, stelle die Tasse bei der »Geschirr Rückgabe« ab und gehe hinaus auf die Straße. Es schneit. Direkt vor meiner Nase fährt ein Streufahrzeug vorbei. Darauf steht »Winterdienst« – in einem Wort. Das tut gut! Auf der gegenüberliegenden Straßenseite werden Weihnachtsbäume verkauft, ein Schild verheißt »Nordmann Tannen ab 15 Euro«. Ich schlage den Kragen hoch und mache mich auf den Heim Weg.

Wie steigert man »doof«?

Frage eines Lesers: Wie wird das Wort »doof« gesteigert? Im allgemeinen Sprachgebrauch hört man oft doof, döwer, am dööfsten. Die Schreibweise kommt mir aber extrem merkwürdig vor. Heißt es döwer? Dööwer? Dööfer? Oder doofer? Der mir zu Weihnachten geschenkte Duden ist mir da auch keine Hilfe, der schweigt sich nämlich aus. Nun gibt es ja auch Eigenschaftswörter, die sich nicht steigern lassen. So wie »das einzigste«, das bei uns im Ruhrgebiet nicht gerade selten anzutreffen ist. Gehört »doof« dazu?

Antwort des Zwiebelfischs: Zunächst ein paar Worte zur Herkunft dieses wichtigen Ausdrucks. Das Wort »doof« stammt aus dem Niederdeutschen und bedeutete ursprünglich nichts anderes als »taub«. In Hamburg gibt es einen Seitenarm der Elbe, der noch heute »Dove Elbe« heißt – »taube Elbe« also, weil er keine Durchfahrt bietet.

Da gehörlose Menschen in früheren Zeiten oft für geistig behindert gehalten wurden, wurde »doof« zum Synonym für »dumm«. »Dumm« wiederum kommt vom mittelhochdeutschen Wort »tump« und bedeutet »stumm, töricht«.

Anfang des 19. Jahrhunderts drang das Wort »doof« von Berlin aus in die Hochsprache ein. Da es sich jedoch um einen umgangssprachlichen Ausdruck handelte, der in der Schriftsprache verpönt war, gab es lange Zeit keine Festlegung der Schreibweise.

Heute ist es üblich, das Wort mit einem »f« zu schreiben, weil das der Praxis im Hochdeutschen entspricht. Auf -v enden sonst nur Fremd- und Lehnwörter. In den Ableitungen klingt zwar nach wie vor das weiche »v« durch – geschrieben wird es dennoch mit »f«: ein doofes Kind, die doofe Tante (gesprochen: dowes, dowe).

Im Komparativ und Superlativ behält das Wort seinen Klang: doof, doofer (gesprochen: dower), am doofsten. Viele Menschen sagen aber auch *döwer* und *am döfsten*. Das ist in der gesprochenen Sprache möglich, in der Schriftsprache existiert jedoch nur die Form doof, doofer, am doofsten.

Wir Deutsche oder wir Deutschen?

»SCHEISSE DEUTCHEN« ist in großen Lettern an die Wand ge-
sprayt. Man steht betroffen davor und erkennt: Da hat sich mal wieder eine von uns Deutschen enttäuschte Seele den Frust aus der
Dose gesprüht. Doch neben der persönlichen Verbitterung eines
Einzelnen zeugt dieses Graffito noch von einem ganz anderen Problem.

»SCHEISSE DEUTCHEN« ist falsches Deutsch, und zwar in
mehrfacher Hinsicht: In der knackigen Formel sind nicht
weniger als vier Fehler versteckt. »SCHEISSDEUTSCHE«
muss es heißen. Der Duden sieht bei Fügungen mit dem
als »derb« qualifizierten Wort »Scheiß« Zusammenschreibung vor und nennt als Beispiele: Scheißdreck, Scheißhaus,
Scheißkerl, Scheißladen, Scheißwetter. Nun hat nicht jeder,
der irgendwo ein Graffito an die Wand sprüht, immer einen
Duden zur Hand. Und selbst, wenn: Das Wort »Scheißdeut-
scher« hätte er darin nicht gefunden. Es bliebe auch immer
noch die Frage, wie man es richtig dekliniert und wie die
Mehrzahl lautet. Das bereitet übrigens nicht nur Ausländern
Probleme. Auch wir Deutsche haben mit unserer Grammatik Schwierigkeiten. Gerade, wenn es um uns Deutsche
geht. Wer hätte nicht schon mal gestutzt und sich ratlos am
Kopf gekratzt bei dem Versuch, die Deutschen korrekt zu
beugen?
  Das Elend beginnt schon im Singular. Ein Deutscher fliegt
nach Afrika. Dort ist er »der Deutsche«. Wo ist plötzlich das
»r« abgeblieben? Haben es die afrikanischen Zöllner konfis-
ziert? Nein – der Deutsche hat es sich selbst abgeschnitten,
beim Wechsel vom unbestimmten (»ein«) zum bestimmten
(»der«) Substantiv. Typisch deutsch: Eine solche Zickigkeit
können nur wir uns leisten. Der Däne bleibt Däne, auch

wenn es »ein Däne« heißt, und der Franzose bleibt Franzose, auch wenn er als »ein Franzose« vorgestellt wird. Aber der Deutsche beansprucht zwei Formen im Singular.

Das liegt daran, dass er im Unterschied zu den Herren aller anderen Länder aus einem Adjektiv entstanden ist. Nicht aus Erde wie Adam, nicht aus Lehm wie der Golem und nicht aus Holz wie Pinocchio, sondern aus einem kleinen Eigenschaftswort. So wie ein Blinder der Blinde heißt, weil er blind ist, und ein Alter der Alte, weil er alt ist, so heißt ein Deutscher der Deutsche, weil er deutsch ist. Während andere Völker nach ihrem Land benannt sind, handelt es sich beim Deutschen um ein substantiviertes Adjektiv. Der Deutsche befindet sich geografisch in Nachbarschaft zu Dänen, Polen, Niederländern und Tschechen, grammatisch aber befindet er sich in Gesellschaft von Untergebenen, Angestellten und Gefangenen, lauter Bezeichnungen, die ebenfalls aus Adjektiven hervorgegangen sind. Und substantivierte Adjektive scheinen nicht als vollwertige Hauptwörter zu gelten, jedenfalls werden sie wie Adjektive dekliniert. Daher der auffällige Wechsel von »-e« zu »-er«.

Kein Wunder, dass es mit der »Weltherrschaft« der Deutschen nicht geklappt hat, wenn nicht mal unsere eigene Grammatik uns als »echte Hauptwörter« anerkennt und uns stattdessen wie aufgepumpte Wie-Wörter behandelt. Wäre der Deutsche nicht aus einem Adjektiv hervorgegangen, sondern vom Namen seines Landes abgeleitet (so wie der Österreicher von Österreich und der Engländer von England), dann hießen wir heute womöglich »Deutschländer« und wären lauter arme kleine Würstchen. Dann doch lieber ein Adjektiv.

Auch für die weibliche Form lässt sich eine Besonderheit feststellen: Während die Frauen anderer Länder einfach durch Anhängen der Silbe »-in« geformt werden (Engländer + in = Engländerin, Spanier + in = Spanierin, Iraker + in = Irakerin), wird dem Deutschen zwecks Erschaffung einer Frau nichts angehängt, sondern abgeschnitten: ein Deutscher – r = eine Deutsche. Auch die weibliche Form geht auf ein Adjektiv zurück und wird daher wie ein Adjektiv dekliniert. So wie die Alte, die Dumme, die Schöne und die Biestige.

Im Plural wird es nicht besser. Was – mit bestimmtem Artikel – »für die Deutschen« gilt, das gilt – unbestimmt – »für Deutsche«. Steht vor den Deutschen gar ein Pronomen oder ein Attribut, ist die Verwirrung komplett. Heißt es nun »wir Deutsche« oder »wir Deutschen«? Besteht dieses Problem nur für »einige Deutsche«, oder besteht es für »alle Deutschen«? Nicht einmal Horst Köhler kann sicher sagen, ob er als Bundespräsident für uns Deutschen spricht oder für uns Deutsche.

Der Duden erklärt, dass zwei Formen nebeneinander existieren, eine starke (»wir Deutsche«) und eine schwache (»wir Deutschen«). Die starke sei allerdings auf dem Rückzug; die schwache Form setze sich mehr und mehr durch. Richtig sind nach wie vor beide, es bleibt also jedem selbst überlassen, welcher Form er den Vorzug gibt.

Das Sprühwerk an der Wand bleibt trotzdem falsch. Selbst wenn man »Scheiße« in »Scheiß« verwandelte, das defekte »sch« reparierte und mittels Trompe-l'Œil-Technik die Illusion von Zusammenschreibung erzeugte, so wäre da immer noch die störende Endung. Man müsste folglich entweder das »n« übertünchen – oder aber ein »Ihr« davorsetzen, dann würde es wieder richtig. Wahlweise auch ein »Wir« – je nach Standpunkt des Betrachters. Ob nun aber – den Scheiß mal beiseite gelassen – »wir Deutsche« oder »wir Deutschen« besser klingt – ich vermag es nicht zu sagen. Das Klügste wird sein, ich beantrage die dänische Staatsbürgerschaft, denn mit denen (also Dänen) gibt es in grammatischer Hinsicht kein Vertun.

Was sind wir Deutschen nur für Deutsche!				
Numerus/ Kasus	Nominativ	Genitiv	Dativ	Akkusativ
Singular, unbestimmt	ein Deutscher	eines Deutschen	mit einem Deutschen	für einen Deutschen
Singular, bestimmt	der Deutsche	des Deutschen	mit dem Deutschen	für den Deutschen
Plural, unbestimmt	Deutsche	Deutscher	mit Deutschen	für Deutsche
Plural, bestimmt	die Deutschen	der Deutschen	mit den Deutschen	für die Deutschen
Plural, mit Pronomen/ Attribut	alle Deutsche/alle Deutschen	aller Deutschen	mit allen Deutschen	für alle Deutsche/für alle Deutschen

Liebe Verwandte oder liebe Verwandten?

Frage eines Lesers: Immer wieder zu den Festtagen kursieren familiäre Rundbriefe, die nicht selten mit der Anrede »Liebe Freunde und Verwandten« beginnen. Meinem Gefühl nach müsste es korrekterweise »Liebe Freunde und Verwandte« heißen. Liege ich richtig? Ich erwarte gespannt Ihre Antwort und grüße recht herzlich!

Antwort des Zwiebelfischs: Ihr Gefühl täuscht Sie nicht – der Nominativ des unbestimmten Substantivs »Verwandte« lautet »Verwandte«. Da in der Anrede stets der Nominativ gebraucht wird, heißt es folglich »Liebe Verwandte«.

Der Nominativ des bestimmten Substantivs lautet hingegen »die Verwandten«, man grüßt oder begrüßt daher »die lieben Verwandten«. Mit den Verwandten verhält es sich genau wie mit den Deutschen, auch sie sind aus einem Adjektiv hervorgegangen und haben daher zwei unterschiedliche Formen. Es kommt eben darauf an, ob ihnen ein bestimmter Artikel (»die«) vorausgeht oder nicht.

Fress oder sterbe!

Befehl ist Befehl, das hat jeder irgendwann schon mal gehört. Doch längst nicht jeder Befehl ist richtig formuliert. Einige provozieren mit unsachgemäßer Grammatik Gehorsamsverweigerung. Ein Kapitel über den viel geschundenen Imperativ.

Nach dem Tod der alten Frau Schlötzer kam ihr Hündchen »Tuffy« zu Werner und Annegret. Werner wollte ja schon immer einen Hund haben, allerdings keinen »Tuffy«, sondern eher einen »Hasso« oder einen »Rocko«, aber man kann es sich im Leben eben nicht immer aussuchen. Nun steht Werner in der Küche und macht zwei Dosen auf, zunächst eine mit Hundefutter für Tuffy, dann eine mit Stärkungsbier für sich selbst, denn Dosenöffnen macht durstig. Er stellt Tuffy den Napf vor die Nase und sagt: »Da, dat is' für dich! Nu fress mal schön!« Tuffy blickt sein neues Herrchen neugierig an, macht aber nicht die geringsten Anstalten, der Aufforderung Folge zu leisten. »Wat is' denn?«, knurrt Werner. »Haste keinen Appetit? Los, fress!« Tuffy wedelt mit dem Schwanz, doch er rührt den Napf nicht an. »Anne, der Hund will nich' fressen!«, ruft Werner. »Vielleicht isser krank?« Die Gerufene kommt herbeigeeilt, kniet sich zu Tuffy hinab, streichelt ihn und sagt: »Komm, Tuffy, friss!« Und sofort steckt der Hund seine Schnauze in den Napf und beginnt mit großem Appetit zu fressen. »Komisch«, wundert sich Werner, »bei mir hat er sich nich' gerührt. Vielleicht hört er nur auf Frauen?«

Was Werner nicht weiß: Die alte Frau Schlötzer hat ihrem Tuffy nicht nur feine Hundemanieren beigebracht, sondern ihn auch in tadellosem Deutsch erzogen. Daher reagiert Tuffy nur auf den Befehl »Friss!« und nicht auf die umgangssprachliche Form »Fress!«.

So wie Tuffy geht es auch vielen Menschen. Besonders emp-findsame Schüler stellen sich im Sportunterricht gerne mal taub, wenn ihnen beim Ballspiel von einem frei stehenden Mitschüler zugerufen wird: »He, werf zu mir!« Das Ignorie-ren der Aufforderung mag zwar unsportlich sein, aber nicht unverständlich.

Wer sich anmaßt, Befehle zu erteilen, sollte zunächst ein-mal die richtige Befehlsform beherrschen. Imperativ kommt von Imperium, nicht von Imperitia.* Und mit dem Wort »befehlen« geht es selbst schon los: »*Befehle* nie, was du nicht selbst befolgen würdest« – über den Sinn dieses Mot-tos kann man streiten, nicht aber über seine Grammatik; denn »Befiehl!« muss es heißen.

Und wer nun fragt, »Inwiefern betrifft mich das? Ich habe keinen Hund, der schlauer ist als ich, und zur Schule und zum Bund gehe ich schon lange nicht mehr«, der sei nur auf das Internet verwiesen und auf die vielen Gebrauchsanlei-tungen, die man im Laufe eines Lebens so studiert. Darin findet man nämlich immer wieder Sätze wie diesen: »Bitte *lese* diese Anleitung genau durch, bevor du die Software installierst.«

Oder wie diesen: »*Nehme* zunächst das Hinterrad aus dem Rahmen und löse den Schnellspanner.« Der Urheber hat vermutlich zu viele Kochrezepte gelesen, die traditionell mit »Man nehme ...« beginnen. Ganz zu schweigen davon, dass man für gewöhnlich *erst* den Schnellspanner lösen muss, *bevor* man das Hinterrad herausnehmen kann. Der Imperativ der zweiten Person Singular von »nehmen« lautet indes »Nimm«, das weiß jeder, der sich schon mal von der Werbung aufgefordert sah, gleich zwei Bonbons auf einmal zu nehmen. Wie man sich »erfolgreich, richtig bewerben«

---

* imperium (lat.) = Befehl, Herrschaft, Kommando, Reich
imperitia (lat.) = Unwissenheit, Unerfahrenheit

kann, das weiß angeblich eine Homepage mit dem Titel www.bewerbe-dich.de. Die Internetadresse www.bewirb-dich.de ist wundersamerweise noch zu haben.

Zwar ist es richtig, dass der Imperativ der zweiten Person Singular meistens regelmäßig gebildet wird, nämlich genauso wie der Indikativ der ersten Person Singular im Präsens, aber eben nicht immer. Es gibt eine Reihe von Ausnahmen, eine Hand voll unregelmäßiger Verben, bei denen die Befehlsform ihren Stammlaut verändert: Da wird das »e« zum »i«, und an den Wortstamm kann dann auch kein -e mehr angehängt werden. Bruce-Willis-Fans wissen, dass es »Stirb langsam« heißt, und nicht etwa »Sterbe langsam«.

Wenn der Spielleiter der Comedy-Improvisationssendung »Schillerstraße« einer Akteurin die Anweisung gibt: »Sprech Schwäbisch!«, möchte man ihm selbst einflüstern: »Sprich Hochdeutsch!« Und wer bei einem Besuch im nachbarlichen Kleingarten auf des stolzen Besitzers Ausruf »Seh mal hier!« anfängt, Petersilie oder Rasen auszusäen, der hat zumindest akustisch die richtige Konsequenz aus der grammatisch insuffizienten Sentenz gezogen.

»Reg dich nicht auf, *ess* erst mal was«, mag ein gut gemeinter Rat sein, grammatisch aber unausgereift. Richtig ist selbstverständlich »iss erst mal was«. Doch offenbar haben viel zu viele Mütter viel zu vielen Kindern viel zu oft den Befehl »Halt den Mund und *ess* jetzt!« erteilt, denn die ess/iss-Verwirrung im deutschen Sprachraum ist beklemmend.

Im Internet ist sie sogar messbar, wenn man nämlich die Worte »mess mal« in eine Suchmaschine eingibt. Dort stößt man auf unzählige Foren, in denen Tausende von Internetnutzern sich gegenseitig mit Rat und nützlichen Tipps für Probleme aller Art versorgen: Wie oft muss man ein Aquarium reinigen? Wie schließt man Zusatzgeräte an seinen Computer an? »Lass das Aqua mal in Ruhe einlaufen und *mess* mal die Entwicklung der Wasserwerte in den ersten sechs Wochen«, schreibt ein freundlicher Ratgeber. Ein anderer in einem anderen Forum empfiehlt: »Wenn sich nichts tut, *mess* mal mit einem Multimeter nach, ob die Kontakte in Ordnung sind.«

»*Helf* gefälligst der Mutti beim Kistenschleppen!«, ruft der Papa vom Fernsehsessel aus, unfähig, sich selbst zu erheben, und leider auch unfähig, die korrekte Imperativform zu bilden. »*Helf* dir selbst, dann hilft dir Gott«, lautet ein oft gesagter Rat; »*nehm* nicht immer nur, sondern *geb* auch mal was!«, hat schon so mancher einem Mitmenschen ans Herz gelegt. Da denkt man im Stillen: *Gib* auf deinen Ausdruck Acht und *hilf* deiner Grammatik auf die Sprünge!

Wer sich mit Imperativen wie »Dresche!«, »Trete!« »Schmelze!« und »Treffe!« zufrieden gibt, wird es im Leben nicht weit bringen. Anders derjenige, der sich an die weisen Worte hält: »Drisch das Korn! Tritt den Balg! Schmilz das Erz! Triff keine übereilten Entscheidungen!« Denn seine Stadt wird im Wirtschaftssimulationsspiel zu Wohlstand und Blüte gelangen.

Für alle Freunde von tabellarischen Übersichten sind nachstehend noch einmal (fast) alle unregelmäßigen Imperativformen in alphabetischer Reihenfolge aufgelistet. Wem Tabellen eher Angst einflößen, dem sei zur Beruhigung gesagt: Erschrecke nicht! Sondern erschrick!

Unregelmäßige Befehlsformen

Infinitiv	Imperativ Singular
befehlen	befiehl!
bergen	birg!
brechen	brich!
dreschen	drisch!
empfehlen	empfiehl!
erschrecken	erschrick!
essen	iss!
fressen	friss!
geben	gib!
helfen	hilf!
lesen	lies!
messen	miss!
nehmen	nimm!
quellen	quill!
schelten	schilt!
schmelzen	schmilz!
sehen	sieh!
sprechen	sprich!
stechen	stich!
stehlen	stiehl!
sterben	stirb!
treffen	triff!
treten	tritt!
vergessen	vergiss!
werben	wirb!
werfen	wirf!

Nun fei(e)r(e) mal schön!

Frage eines Lesers: Ich streite derzeit mit einem Bekannten über die Frage, was nun richtig ist: »Feiere deinen Geburtstag« oder »Feier deinen Geburtstag« oder »Feier' deinen Geburtstag«? Können Sie's mir sagen?

Antwort des Zwiebelfischs: »Feiere« ist zweifellos der
korrekte Imperativ. Bei Verben auf -eln und -ern wird der
Imperativ Singular mit -e gebildet. Allerdings kann dabei
das unbetonte »e« in der Wortmitte wegfallen: »Sammle die
Hefte ein!« statt »Sammele die Hefte ein«, »Schmettre den
Ball in die linke Ecke!« statt »Schmettere den Ball in die linke
Ecke!«. – Daher erlaubt die Hochsprache neben »Feiere dei-
nen Geburtstag« auch »Feire deinen Geburtstag«.

In der Umgangssprache fällt heute zumeist das »e« am
Wortende weg: Aus »feiere« wird »feier«, aus »sammele«
wird »sammel«, aus »wickele« wird »wickel«. Mein Gramma-
tikbuch aus dem Jahre 1995 sieht diese Formen gar nicht vor,
daher galten sie wohl – zumindest vor zehn Jahren – noch
nicht als salonfähig.

Das könnte sich inzwischen geändert haben. Zumindest
im norddeutschen Raum wird niemand daran Anstoß nehmen, wenn Sie ihn auffordern: »Nun feier mal schön deinen
Geburtstag!« Auf einer teuren Glückwunschkarte ist aber
nach wie vor die vollständige Form »feiere« zu bevorzugen.
Denn wer 2,95 Euro für eine hübsch bedruckte Karte aus-
gibt, der sollte nicht plötzlich am »e« sparen.

Falsch ist allein die Form mit Apostroph (feier'). Beim
Wegfall des Endungs-»e« wird nie ein Apostroph gesetzt,
auch nicht im Imperativ.

Das gefühlte Komma

Dass die Orthografie nicht jedermanns Sache ist, ist bekannt. Noch weniger Freunde aber hat die Zeichensetzung. Die meisten Kommas werden nicht nach Regeln, sondern nach Gefühl gesetzt. Und Gefühle können trügen. Schlimmer als fehlende Kommas sind Kommas an Stellen, wo sie nicht hingehören. Und davon[,] gibt es leider sehr viele.

»Aus gegebenem Anlass, erinnere ich Sie erneut daran, dass das Aufrufen von Internet-Seiten mit pornografischen Inhalten während der Dienstzeiten nur im Notfall gestattet ist.« So steht es in einer Rund-Mail zu lesen, die der Chef eines Hamburger Unternehmens kürzlich an seine Mitarbeiter verschickte. Und dies ist, allerdings, ein Notfall!

Denn da hat sich ein Vorgesetzter in verantwortungsvoller Mission völlig unprofessionell von seinen Gefühlen hinreißen lassen und ein Komma aus dem Bauch heraus gesetzt! Ganz gleich, wie der »Anlass« ausgesehen haben mag, der ihn zu seiner E-Mail inspirierte, es gibt keinen Grund, ihn mittels eines Kommas vom Rest des Satzes abzutrennen. Die drei Wörter »Aus gegebenem Anlass« bilden keinen Nebensatz, und es handelt sich auch nicht um eine nachgestellte Erläuterung oder einen Einschub. Tatsächlich ist »Aus gegebenem Anlass« eine adverbiale Bestimmung und gehört als solche zum Hauptsatz.

Adverbiale Bestimmungen nennt man diese vielen kleinen Zusatzinformationen im Satz, die etwas über Art und Weise, Ort, Zeitpunkt und Grund einer Handlung aussagen und mit »wie«, »wo«, »wann« und »warum« erfragt werden können. Da sie nicht nur aus einzelnen Wörtern, sondern auch aus ganzen Wortgruppen bestehen können, werden sie häufig mit Nebensätzen verwechselt. Man fühlt, dass hier vielleicht womöglich irgendwie ein Komma hingehören könnte – und schon ist es passiert. Das geschieht zum Beispiel besonders häufig bei Sätzen, die mit »nach« beginnen:

»Nach endlosen Debatten und immer neuen Änderungsvorschlägen, gaben die Vermittler schließlich erschöpft auf und verließen die Sitzung.« Zugegeben, der Satz ist nicht gerade kurz, aber das allein rechtfertigt nicht, ihn aufs Geratewohl irgendwo in der Mitte aufzuschlitzen. Das Komma vor »gaben« ist falsch, daran ändern auch endlose Debatten und immer neue Vorschläge nichts.

Adverbiale Bestimmungen können sogar noch um einiges länger sein und werden trotzdem nicht mit einem Komma vom Satz abgetrennt: »Einen Tag nach dem Absturz einer ägyptischen Chartermaschine über dem Roten Meer, tauchen erste Hinweise auf schwere Sicherheitsmängel bei der Airline auf.« Auf der gekräuselten Stirn des Grammatikfreundes tauchen indes ernste Zweifel an der Notwendigkeit des Satzzeichens vor »tauchen« auf.

Gefühlte Kommas verunstalten Zeitungsartikel, Briefe, E-Mails und öffentliche Hinweise: »Außerhalb der Sommermonate, ist das Café nur bis 16 Uhr geöffnet«, steht auf einem Schild an einem Ausflugslokal am See. Es ist nicht schwer, sich auszumalen, wie so ein Schild entsteht. Der Erwin malt es und ruft dann seine Roswita »zum Gucken«. Roswita kommt und guckt, und weil sie meint, dass sie irgendetwas dazu sagen müsse, sagt sie: »Da fehlt noch was.« – »Wat denn?«, fragt Erwin. »Weiß nich'«, sagt Roswita, »aber irgendwas fehlt, das spür ich genau.« – »Also, der Strich über Café kann's nicht sein, der ist da, wie du siehst.« – »Nee, das mein ich auch nich'. Irgendwas anderes. Ein Komma oder so.« – »Ein Komma? Wo denn?« – »Da, wo die Stimme beim Lesen hochgeht, da muss ein Komma hin.«

Erwin liest den Text des Schildes noch einmal laut vor, allerdings ohne die Stimme an irgendeiner Stelle anzuheben. »Du liest das falsch«, sagt Roswita. »Außerhalb der Sommermo-na-^tee... « Sie zieht das e in die Länge wie ein Gummiband und hebt die Stimme, als wollte sie singen. Dann macht sie eine bedeutungsvolle Pause und sieht Erwin an. »Hier, meinst du?«, fragt er. Roswita nickt. Also nimmt Erwin den Stift und malt ein Komma hinter die Sommermonate. Doch wir ahnen es längst: Mit ihrem Gefühl lag Roswita falsch. Zwar stimmt es, dass das Komma oft dort zu finden ist, wo die Satzmelodie ihren Höhepunkt erreicht. Grundsätzlich aber erfüllt das Komma keine musikalische Funktion, sondern eine syntaktische.

»Im Unterschied zu seinem Freund Konrad hat Paul keinen Klavierunterricht genossen.« Manchem Leser mag es bei diesem Satz in den Fingern jucken, den einen oder anderen wird das spontane Bedürfnis überwältigen, zwischen »Konrad« und »hat Paul« ein Komma zu setzen. Doch das Kribbeln und die Überwältigung beruhen auf einer Täuschung. Denn auch hier handelt es sich um nichts weiter als um eine adverbiale Bestimmung.

Was eine solche von einem Nebensatz unterscheidet, ist das sogenannte »Prädikat«, der grammatische Kern, das gebeugte Verb. Im Unterschied zur adverbialen Bestimmung zeichnet sich ein Nebensatz immer durch das »Prädikat: verbvoll« aus:

»Nach Verlassen des Klassenzimmers ...« Kam bislang ein Prädikat? Nein! Und deshalb kommt hier auch kein Komma! »... brachen die Schüler in Gelächter aus.«

»Nachdem sie das Klassenzimmer **verlassen hatten** ...« Da! Das war ein Prädikat! Jetzt muss ein Komma her! »..., brachen die Schüler in Gelächter aus.«

Und gleich noch mal:

»Vor Anbruch des nächsten Tages [...?...] wollten sie Kapstadt erreicht haben.«
»Bevor der nächste Tag **anbrach**, wollten sie Kapstadt erreicht haben.«

Einige meinen darin einen weiteren lästigen Anglizismus zu erkennen. Denn im Englischen wird die adverbiale Ergänzung gelegentlich durch ein Komma abgetrennt: »After the rain, the sun shines again.« Das mag zwar richtig sein, doch inwieweit dieser englische Brauch Einfluss auf die deutsche Zeichensetzung hat, ist schwer zu beweisen. Sollte im Fall der gefühlten Kommas die englische Sprache als irreführendes Vorbild dienen, so hieße das ja, dass all diejenigen, die Probleme mit den deutschen Interpunktionsregeln haben, sich dafür umso besser mit den englischen auskennen. Demzufolge könnten ungefähr 95 Prozent der Deutschen besser Englisch als Deutsch.

Im Englischen gibt es andere Regeln, aber anscheinend ähnliche Probleme. Auch dort werden Kommas oft nach Gefühl gesetzt – mit zum Teil viel gravierenderen Auswirkungen als im Deutschen, denn der Beistrich hat im Englischen eine noch größere Bedeutung als bei uns. Die britische Autorin Lynne Truss veranschaulicht dies auf äußerst unterhaltsame Weise in ihrem Buch »Eats, Shoots & Leaves«, einer »kompromisslosen Einführung in die Interpunktion«. Der Titel spielt auf einen Witz an: Da kommt ein Panda in ein Café, bestellt ein Sandwich, frisst es auf, schießt zweimal in die Luft und geht. Der verwirrte Kellner erfährt beim Nachschlagen in einem (grammatisch fehlerhaften) Tierlexikon unter dem Stichwort *Panda*: »Eats, shoots and leaves.« Gemeint war: »Frisst Schößlinge und Blätter.« Doch das falsche, sinnentstellende Komma hinter »eats« führt dazu, dass sich die Aussage wie eine Aufzählung von Verben liest: »Frisst, schießt und geht.«

Für regelmäßige Verwirrung der Gefühle sorgen auch die Vergleichswörter »als« und »wie«. Dabei gilt auch hier: Es geht nur dann ein Komma voraus, wenn ein Prädikat folgt. Es folgen zunächst vier nebensatzlose Beispiele mit Kommaverbot und anschließend vier beispielhafte Nebensätze mit Kommagebot:

· Mir geht's so gut wie seit Jahren nicht mehr.
· Der Schaden war größer als zunächst angenommen.
· Er liebte sie mehr als je einen Menschen zuvor.
· In diesem Sommer hat es bei uns so viel geregnet wie sonst nirgends.

· Mir geht's so gut, wie es mir seit Jahren nicht mehr ging.
· Der Schaden war größer, als zunächst angenommen worden war.
· Er liebte sie mehr, als er je zuvor einen Menschen geliebt hatte.
· In diesem Sommer hat es bei uns so viel geregnet, wie es sonst nirgends geregnet hat.

Wenn man dies einmal begriffen hat, braucht man sich bei der Interpunktion nicht mehr auf seine trügerischen Gefühle zu verlassen. Man kann eiskalt und berechnend seine Kommas setzen, wo sie erforderlich sind, und mit wissendem Lächeln auf sie verzichten, wo sie fehl am Platze sind. Und das gesparte Gefühl könnte man stattdessen in den Stil investieren. Der hat es oft nötiger als die Interpunktion.

Woher stammt das Wort »Puff«?

Frage eines Lesers: Am Silvesterabend fuhr ich mit meiner Frau auf der großen Straße von Süden nach Norden durch Frankfurt. Nach der Brücke über den Main liegt rechterhand Frankfurts bekanntestes Bordell. Beim Passieren sagte meine Frau: »Schau mal, beim Puff haben sie die Weihnachtsbeleuchtung schon abgeschaltet!«, und ich fragte sie und jetzt Sie: Warum heißt ein Puff eigentlich Puff?

Antwort des Zwiebelfischs: »Puff« war der Name eines alten Brettspiels mit Würfeln. Das Wort ist die lautmalerische Umsetzung des dumpfen Geräuschs, das beim Aufschlagen der Würfel entsteht. Da man es früher noch mehr als heute vermied, jene Dinge, die als unschicklich oder gar anrüchig galten, beim Namen zu nennen, wurden Bordellbesuche im 18. Jahrhundert gern als Gesellschaftsspiele verklausuliert. Dies geschah auch zum Schutz der Kinder. Wenn die einen Satz aufschnappten, in dem das Wort »Puff« fiel, so dachten sie sich nichts dabei, weil Puff für sie ein Würfelspiel war. So wurde es schließlich zum Synonym für die Institution.

Während das »Puff«-Spiel irgendwann aus der Mode geriet, hat sein Name dank der allzeit existierenden Etablissements bis heute überlebt. Freilich taugt er längst nicht mehr zur Verschleierung. Heute bedient man sich anderer Umschreibungen wie »externer Kundentermin« oder »Überstunden im Büro«.

Das »Puff«-Spiel gibt es übrigens immer noch, es wird heute auch »Tricktrack« genannt. Am bekanntesten dürfte es aber unter seinem englischen Namen sein: »Backgammon«.

Einmal kurz schneiden,
aber bitte nicht zu kurz schneiden!

Bevor die Reform kam und alles änderte, konnte man einen Hund mal kurz halten und den Ehepartner nebenbei kurzhalten. Das ist heute nicht mehr erlaubt. Ob zusammen- oder auseinander geschrieben wird, richtet sich nicht mehr nach Betonung und Bedeutung, sondern nach abstrakten Kriterien.

Früher gab es eine Regel, die war so einfach und so logisch, dass es niemandem im Traum eingefallen wäre, etwas daran zu ändern. Sie lautete: Wird bei Zusammensetzungen aus Adjektiv und Verb nur das erste Wort betont, dann wird zusammengeschrieben; wird auch das zweite Wort betont, dann wird auseinander geschrieben. Und ob eine Fügung auf dem ersten oder auf dem zweiten Wort betont wird, richtete sich oft danach, ob ein neuer, ein übertragener Sinn entstanden war:

Man konnte seine Sache *gut* oder *schlecht machen*, und wenn man jemanden anschwärzen wollte, dann konnte man ihn *schlechtmachen*. Das ist heute anders, heute unterstreicht die Word-Rechtschreibprüfung das Wort »schlechtmachen« rot, wenn sie es nicht sogar automatisch in seine Bestandteile zerlegt. Früher gab es Aufgaben, die einem *leichtfielen*, und Bemerkungen, die *leicht fielen*, wenn man sich in Rage geredet hatte. Heute wird »leicht fallen« immer in zwei Wörtern geschrieben, ausnahms- und unterscheidungslos. Menschen, die *leicht verletzt* waren, waren eben besonders empfindlich, aber keineswegs immer gleich Unfallopfer, so wie die, die *leichtverletzt* waren. Da es heute nur noch »leicht verletzt« gibt, fällt auch hier die Unterscheidungsmöglichkeit weg. Am deutlichsten wurde der Unterschied beim Friseur: Wenn der die Haare nur *kurz geschnit-*

ten hatte, mussten sie deshalb noch nicht *kurzgeschnitten* sein. Heute ist die Zusammenschreibung von »kurz« und »geschnitten« nicht mehr erlaubt.

Die alte Regel richtete sich nach Betonung und Bedeutung der Wörter. Die neue Regel richtet sich nach Merkmalen, die längst nicht immer auf den ersten Blick erkennbar sind. Sie sieht Getrenntschreibung vor, wenn der erste Bestandteil ein Adjektiv ist, das gesteigert oder erweitert werden kann. Zusammenschreibung ist nur noch in den Fällen erlaubt, in denen das Adjektiv »absolut« ist. Eine ehemals organische Regel, die jedermann intuitiv beherrschen konnte, wurde durch eine abstrakte Regel ersetzt. Bevor man zwei Wörter zusammenschreibt, muss man sich Klarheit darüber verschaffen, ob sich das erste nicht vielleicht steigern oder erweitern lässt. Hat das die deutsche Rechtschreibung wirklich vereinfacht, so wie es die Reformer versprochen hatten?

Es wäre sicherlich interessant, sich hierüber mal mit einem Schüler zu unterhalten, der mit der neuen Orthografie großgeworden – Pardon: groß geworden ist. Vielleicht ist das alles für ihn ganz schlüssig. Wer seinen Schulabschluss noch nach den alten Regeln gemacht hat, für den ist das neue Prinzip der Getrennt- und Zusammenschreibung nur schwer verständlich. Es führte nämlich zu einer ganzen Reihe von Änderungen, die bis dato Gültiges teilweise ins Gegenteil verkehrten:

Früher wurde am Satzanfang *groß geschrieben*, während Tugenden *großgeschrieben* wurden. Heute ist es genau umgekehrt: Am Satzanfang wird *großgeschrieben*, Tugenden werden *groß geschrieben*.

Denn die Großschreibung am Satzanfang ist ein Absolutum, da kann man nicht mal größer, mal kleiner schreiben, sondern eben nur groß. Die Tugenden indes können zum Beispiel *besonders groß geschrieben* werden, »groß« ist also erweiterbar, und daher gilt hier Getrenntschreibung.

Wer gestern noch *hochqualifiziert* war, ist heute bestenfalls noch *hoch qualifiziert*, denn auch hier lässt sich das Adjektiv erweitern (»besonders hoch qualifiziert«) oder steigern, sprich: Es könnte durchaus jemanden geben, der *noch höher qualifiziert* ist. Eine *hochschwangere* Frau ist hingegen nicht *hoch schwanger*; denn man unterscheidet normalerweise nicht zwischen höher und weniger hoch schwangeren Frauen; »hoch« ist hier absolut gemeint, daher bleibt es bei der Zusammenschreibung.

Das mag man vielleicht noch alles einsehen, doch die neue Regel hat einen weiteren Nachteil: Die Antwort auf die Frage, wann ein Adjektiv gesteigert oder erweitert werden kann und wann es etwas Absolutes darstellt, liegt nicht immer auf der Hand, oftmals ist es Ansichtssache. So findet man in den einschlägigen Nachschlagewerken denn auch immer wieder den Hinweis: »In Zweifelsfällen ist sowohl Getrennt- als auch Zusammenschreibung möglich.«

Und Zweifelsfälle gibt es zuhauf: Früher war ein Star *wohlbekannt*, heute muss er sich fragen, ob er *wohl bekannt* ist. Da »wohl« außer »sehr« auch die Bedeutung »vermutlich«, »möglicherweise« hat, hat die Reform hier den Boden für unzählige peinliche Situationen bereitet. Am Ende stellt sich noch heraus, dass die Reform gar nicht wohldurchdacht war, sondern zwar wohl durchdacht, aber nicht genug.

Eingangs wurde festgestellt, dass man »schlechtmachen« heute nicht mehr in einem Wort schreiben kann. Die Unterscheidung zwischen dem konkreten »etwas schlecht machen« und dem übertragenen »jemanden schlechtmachen« fällt einfach weg. Bei »gutmachen« hingegen ist sie geblieben. Man kann seine Sache *gut machen* und einen Fehler *gutmachen*.

Wände, die einst vollgeschmiert waren, sind den neuen Regeln entsprechend voll geschmiert. Durch die zwangsverordnete Auseinanderschreibung lesen sich alle ehemaligen Zusammensetzungen mit »voll« heute so, als habe »voll« die Funktion des verstärkenden Jargonwortes: voll gepumpt, voll gestopft, voll besetzt, voll bescheuert ...

Apropos bescheuert: Warum schreibt man nach der Rechtschreibreform »lahm legen« in zwei Wörtern, »stilllegen« aber nach wie vor in einem (dafür aber jetzt mit drei l)? Der Verkehr wird in zwei Wörtern *lahm gelegt*, die Fabrik wird in einem *stillgelegt*. Wie lässt sich das begründen?

Der Steigerungs- und Erweiterungsmerksatz greift hier nicht. Zwar ist »lahm« ein Adjektiv, das theoretisch gesteigert werden kann (»Heute arbeitet sie noch lahmer als gestern«), doch wer würde von einem *noch lahmer gelegten* Verkehr sprechen? Freilich kann »lahm« durch Wörter wie »völlig« und »total« erweitert werden. Aber das gilt genauso für die stillgelegte Fabrik, die lässt sich zum Beispiel *komplett stilllegen*, aber eben nicht *komplett still legen*.

Ob solcher Unstimmigkeiten mag mancher das Gefühl haben, sein Verstand sei vorübergehend *lahmgelegt* [Achtung: alte Rechtschreibung!], und sich wünschen, die Rechtschreibreform würde doch noch *still* (und heimlich zu den Akten) *gelegt*.

Die deutsche Schriftsprache zeichnet sich von jeher durch eine starke Tendenz zur Zusammenschreibung aus. Wortgruppen, die als Einheit empfunden werden, werden früher oder später auch in einem Wort geschrieben. Die Rechtschreibreform greift hier in natürlich gewachsene Strukturen ein und reißt wieder auseinander, was lange harmonisch verbunden war. Was wohl der selige Willy Brandt (»Jetzt wächst zusammen, was zusammengehört«) dazu sagen würde?

Einige Beispiele für alte und neue Getrennt- und Zusammenschreibung

alte Schreibweise	neue Schreibweise
Alle Babys müssen lernen, allein zu stehen, viele Erwachsene müssen lernen, alleinzustehen.	Alle Babys müssen lernen, allein zu stehen, viele Erwachsene müssen lernen, allein zu stehen.
Einige sind andersgesinnt, und andere sind andersgläubig.	Einige sind anders gesinnt und andere sind andersgläubig.
Früher gab es frisch gebackenen Kuchen für den frischgebackenen Ehemann.	Heute gibt es frisch gebackenen Kuchen für den frisch gebackenen Ehemann.
Am Satzanfang wird groß geschrieben; Pünktlichkeit wird bei uns großgeschrieben.	Am Satzanfang wird großgeschrieben; Pünktlichkeit wird bei uns groß geschrieben.
Das hast du gut gemacht; er hat den Fehler gutgemacht.	Das hast du gut gemacht; er hat den Fehler gutgemacht.
Die Sahne wurde hartgeschlagen; der Junge wurde hart geschlagen.	Die Sahne wurde hart geschlagen; der Junge wurde hart geschlagen.
Ich bin hochmotiviert und unterbezahlt.	Ich bin hoch motiviert und unterbezahlt.
Kannst du das mal kurz halten? Du darfst den Paul nicht so kurzhalten.	Kannst du das mal kurz halten? Du darfst den Paul nicht so kurz halten.
Der Verkehr wurde lahmgelegt; die Fabrik wurde stillgelegt.	Der Verkehr wurde lahm gelegt; die Fabrik wurde stillgelegt.
Einfache Aufgaben können leichtfallen; alte Menschen können leicht fallen.	Einfache Aufgaben können leicht fallen; alte Menschen können leicht fallen.
Schallplatten sollten nicht schief liegen; ich fürchte, daß wir in dieser Sache völlig schiefliegen.	Schallplatten sollten nicht schief liegen; ich fürchte, dass wir in dieser Sache völlig schief liegen.
Der Patient hat den Arzt schlechtgemacht, weil der seine Sache schlecht gemacht hat.	Der Patient hat den Arzt schlecht gemacht, weil der seine Sache schlecht gemacht hat.
Pessimisten sind bekannt dafür, daß sie schwarzsehen und die Dinge schwarzmalen.	Pessimisten sind bekannt dafür, dass sie schwarzsehen und die Dinge schwarz malen.

alte Schreibweise	neue Schreibweise
Schwerreiche Eltern haben mitunter schwererziehbare Kinder.	Schwerreiche Eltern haben mitunter schwer erziehbare Kinder.
Die Konfitüre ist selbstgemacht; das habe ich selbst gewußt.	Die Konfitüre ist selbst gemacht; das habe ich selbst gewusst.
Er war ein wohlhabender und wohl-bekannter Mann.	Er war ein wohlhabender und wohl bekannter Mann.

Die gute Nachricht zum Schluss: Die Rechtschreibkommission hatte ein Einsehen und hat die umstrittene Neuregelung der Getrenntschreibung von zusammengesetzten Verben teilweise wieder zurückgenommen. Genauer gesagt: Neben der neuen Schreibweise ist auch die alte wieder erlaubt. In der 23. Auflage des Dudens findet man außer »kurz geschnittenen Haaren« auch wieder »kurzgeschnittene Haare«, und zusätzlich zur »selbst gemachten Konfitüre« ist auch »selbstgemachte Konfitüre« wieder zu haben. Dies gilt aber nicht für alle in dieser Geschichte beschriebenen Beispiele. Schief laufen, schlecht machen und lahm legen müssen weiterhin in zwei Wörtern geschrieben werden. Ob es sinnvoll ist, für einige Verben zwei unterschiedliche Schreibweisen zuzulassen, muss dahingestellt bleiben. Die Reform der Rechtschreibreform ist noch nicht abgeschlossen. Und der Widerstand gegen die Ungereimtheiten der neuen Regeln zur Getrennt- und Zusammenschreibung wird weiter bestehen, um nicht zu sagen: weiterbestehen.

Alptraum oder Albtraum?

Frage eines Lesers: Wie wird das Wort Alptraum geschrieben? In den Zeitungen sieht man es mal mit »p« und mal mit »b«! Durch die Rechtschreibreform wurde die Schreibweise geändert, aber ich weiß nicht, welches die alte und welches die neue ist oder ob beides erlaubt ist.

Antwort des Zwiebelfischs: Dieses Wort bereitet unzähligen Lehrern, Schülern, Redakteuren, Setzern und Korrekturlesern nicht nur Alpdrücken, sondern auch noch Albdrücken. Tatsächlich sind seit Verabschiedung der Rechtschreibreform beide Schreibweisen zulässig. Bis dahin, also bis zum 1. August 1998, durfte das Wort nur mit »p« geschrieben werden. Das erschien vielen aber nicht logisch, es wurde immer wieder argumentiert, dass der Nachtmahr doch nichts mit den Alpen zu tun habe, sondern mit Alben. Womit natürlich nicht Schallplatten oder Fotoalben gemeint waren, sondern die germanischen Geister, die Alben (auch Elben, heute: Elfen), die ursprünglich als Naturgeister der Unterwelt oder als Zwerge angesehen wurden, später von der Kirche als Dämonen und Gehilfen des Teufels stigmatisiert wurden, die sich den Menschen im Schlaf auf die Brust setzen und damit den sogenannten Alpdruck verursachten. Wie der Traum darf auch der Druck nun sowohl mit »p« als auch mit »b« geschrieben werden.

Das Wort Alb oder Alp wurde später verdrängt von den Begriffen Elf und Elfe, die zunächst auch noch als bösartig galten und erst im 18. Jahrhundert und in der Romantik zu anmutigen, lieblichen Zauberwesen verklärt wurden. »Alb« oder »Alp« blieb nur noch in den Zusammensetzungen Alptraum und Alpdruck sowie im Namen des Zwergenkönigs Alberich erhalten.

Es bleibt fraglich, ob es eine kluge Entscheidung der Rechtschreibreformer war, beide Schreibweisen nebeneinander gelten zu lassen. Ein Teil der Deutschen hält die eine Form für richtig, ein anderer Teil die andere. Der Rest ist restlos verunsichert und benutzt das Wort überhaubt – Pardon: überhaupt nicht mehr.

Obwohl ich selbst mit der alten Schreibweise »Alptraum« groß geworden bin und mich gut an sie gewöhnt hatte, halte ich es für vernünftig, eine Empfehlung zugunsten der neuen Schreibweise mit »b« auszusprechen. Da inzwischen aber eine ganze Reihe von Zeitungen und Verlagen zur alten Rechtschreibung zurückgekehrt ist, wird man den »Albtraum« wohl auch weiterhin als »Alptraum« lesen können.

Kasus Verschwindibus

In der Schule lernen wir, dass die deutsche Sprache vier Fälle hat. Später aber stellen wir fest, dass es noch einen fünften geben muss: den unsichtbaren Fall, auch Kasus Verschwindibus genannt. Man findet ihn zum Beispiel am Ende des Barock und beim US-Präsident.

Sommerzeit ist Sauregurkenzeit, da muss schon mal der eine oder andere Veteran hervorgezerrt werden, um die Spalten einer Zeitung zu füllen. Und so darf man sich endlich auf Neues über Niki Lauda freuen, denn SPIEGEL ONLINE verspricht ein Interview »mit dem Formel-1-Veteran«. Mit dem Formel-1-Veteran? Fehlt da nicht etwas? Ich zeige den Satz einem Kollegen, der nimmt einen Stift und quetscht ein »Ex-« vor »Formel-1-Veteran«. Völliger Quatsch natürlich: einmal Veteran, immer Veteran. Was tatsächlich fehlt, ist die Endung: mit dem Veteranen. Denn der Veteran ist nicht nur alt, sondern auch gebeugt – jedenfalls im Dativ. Und die Präposition »mit« erfordert nun mal den Dativ. Sie »regiert« den Dativ, wie der Grammatikaner sagt.

Das traurige Schicksal des Veteranen stellt beileibe keinen Einzelfall dar. Mit folgender Überschrift wurde die Hinrichtung eines amerikanischen Soldaten im Irak gemeldet: »Terroristen exekutieren US-Soldat«. Bedauerlich war nicht nur der Inhalt der Meldung, sondern auch der Umgang mit der Grammatik. »Es muss ›US-Soldaten‹ heißen«, wende ich ein, »denn der Soldat wird in Dativ und Akkusativ zum Soldaten.« – »Aber dann denken die Leser, dass mehrere Soldaten erschossen wurden«, verteidigt sich der Textchef, »das wäre doch missverständlich. So ist es klarer!« So ist es auf jeden Fall falscher. Man muss sich schon entscheiden, ob man das Risiko eingeht, der Leser könne zwei Sekunden lang an einen Plural glauben, oder ob man ihn lieber glauben lassen will, man habe Probleme mit der deutschen Sprache.

Dasselbe Problem steckt auch in der folgenden Aussage: »Die Mehrheit der Wahlmänner und -frauen hat sich auf Horst Köhler als Bundespräsident festgelegt«. Im Nominativ ist Horst Köhler als Bundespräsident korrekt, doch im Akkusativ kann und darf man ihn nur als Bundespräsident**en** bezeichnen. Und wenn Gerhard Schröder nach Washington fliegt, dann trifft er den US-Präsidenten, nicht den US-Präsident. Jedem »Agent« läuft es dabei eiskalt den Rücken hinunter.

Nicht viel besser ist es um den berühmten Schönheitschirurgen bestellt, dessen Endsilbe wohl einem Lifting zum Opfer gefallen sein muss, wenn der Fernsehsprecher ihn als »berühmten Schönheitschirurg« vorstellt. Ganz zu schweigen vom Kandidaten der Quizsendung, der permanent zum »Kandidat« verkürzt wird: »Dann bitte ich jetzt unseren nächsten Kandidat zu mir!« Und gleich danach dieser Spruch in der Werbung: »Jetzt gibt es den neuen Swiffers-Staubmagnet!« Da fragt man sich unwillkürlich: Wie soll an dem Ding der Staub haften bleiben, wenn ihm doch schon in der Werbung die Endsilbe abfällt?

Die Neigung, bei schwach gebeugten männlichen Hauptwörtern die Endungen im Dativ und im Akkusativ einfach unter den Tisch fallen zu lassen, ist sehr stark ausgeprägt. Sätze wie »Dem Patient geht's gut« oder »Lukas, lass den Elefant in Ruhe« sind mittlerweile häufiger zu hören als die korrekt formulierten Aussagen »Dem Patienten geht's gut« und »Lukas, lass den Elefanten in Ruhe«. Die Unterlassung der Deklination ist umgangssprachlich weit verbreitet, standardsprachlich jedoch gilt sie als falsch.

Wenn die Bank auf einem Schild darauf hinweist, dass wegen einer Computerumstellung heute leider »keine Kontoauszüge am Automat« erhältlich seien, brennt es einem in

den Augen. Wenn der Komiker im Fernsehen freimütig berichtet, wie er sich letztens wieder »zum Idiot gemacht«
habe, kribbelt es einem in den Ohren. Wenn eine Illustrierte »neue Enthüllungen über den norwegischen Prinz« verspricht, bekommt man schon rote Flecken, und wenn kleine
handgeschriebene Kärtchen an hübsch verpackten Ge-
schenken verkünden, dies sei »für den Konfirmand«, dann
wird der Juckreiz unerträglich.

Kennen Sie jemand, der sich von niemand beugen lässt?
Das wäre – in grammatischer Hinsicht – keine gewinnbrin-
gende Bekanntschaft. Sollten Sie aber jemand**en** kennen,
der niemand**em** einen Ge-Fall-en ausschlägt, dann dürfen
Sie sich glücklich schätzen. Der Verzicht auf die Endung bei
»jemand« und »niemand« im Dativ und im Akkusativ ist
heute nahezu selbstverständlich. Und er hat bereits so lange
Tradition, dass er mittlerweile von den Grammatikwerken
gebilligt wird. Nicht gebilligt werden hingegen »Neue Erkenntnisse über den Höhlenmensch«, »Fotografien vom
Planet Erde« und schon gar nicht die »Jagd auf den letzten
Leopard«. Zu wünschen wäre vielmehr, dass, solange noch
Mensch**en** auf diesem Planet**en** leben, sie sich für den Leopard**en** und andere bedrohte Arten einsetzen und den Kasus
Verschwindibus bekämpfen werden.

Am schlimmsten bedrängt vom Kasus Verschwindibus ist
der Genitiv, und zwar bei Fremdwörtern männlichen und
sächlichen Geschlechts. Viele scheinen zu glauben, man könne auf die Genitivendung verzichten; so mancher hält ihre
Verwendung gar für falsch. Und so kommt es zu Ausstellun-
gen über »Die Kulturgeschichte des Kaffee« (statt des Kaf-
fees) und zu Büchern über »Die Geheimnisse des Islam«
(statt des Islams). Man liest vom »Vorsitzenden des Komi-
tee« und studiert das »Programm des diesjährigen Festival«.
Und immer wieder hört man von den »Terroranschlägen des
11. September«, statt »des 11. Septembers«. Wenn man die

Verursacher des September-s-Wegfalls fragt, was sie dazu veranlasst habe, so antworten die meisten, die Form ohne »s« klinge in ihren Ohren »irgendwie richtiger«. Begründungen, die das Wort »irgendwie« enthalten, die also irgendwie so aus dem Bauch heraus entstanden sind, sind irgendwie nicht richtig überzeugend. Natürlich muss es »des 11. Septembers« heißen, was sollte am Weglassen eines Schlusslaut elegant sein? (Wenn Sie eben zusammengezuckt sind und denken: Es muss doch »Schlusslautes« heißen, dann ist das der beste Beweis.) Der Verzicht auf die Genitivendung bei Fremdwörtern wird vom Duden als falsch bezeichnet. Zum Glück! Sonst wäre dieses Buch nämlich kein Beitrag zur Rettung des Genitivs, sondern höchstens einer »zur Rettung des Genitiv«.

Und das wäre nicht genug! Denn der Genitiv braucht jede verfügbare Hilfe, um die Ausbreitung des Kasus Verschwindibus einzudämmen. Sonst steht er irgendwann völlig nackt da. Dann ist es »in den Weiten des Orient« genauso öd und leer wie »am Rande des Universum«.

Und ein bisschen mehr Beugungen wünscht man sich auch für die anscheinend endlose und vor allem endungslose »Erfolgsgeschichte des Kerpener vom Kart-Pilot zum Top-Favorit des deutschen Motorsport«. Wo der kassierte Kasus grassiert, wird man früher oder später des Wahnsinns fette Beute.

Lasst ihnen ihre Endungen! (Nur ein paar Beispiele von vielen)

Nominativ	Genitiv	Dativ	Akkusativ
der Agent	des Agenten	dem Agenten	den Agenten
der Architekt	des Architekten	dem Architekten	den Architekten
der Artist	des Artisten	dem Artisten	den Artisten
der Assistent	des Assistenten	dem Assistenten	den Assistenten
der Automat	des Automaten	dem Automaten	den Automaten
der Bandit	des Banditen	dem Banditen	den Banditen
der Bär	des Bären	dem Bären	den Bären
der Chirurg	des Chirurgen	dem Chirurgen	den Chirurgen
der Demokrat	des Demokraten	dem Demokraten	den Demokraten
der Diamant	des Diamanten	dem Diamanten	den Diamanten
der Dirigent	des Dirigenten	dem Dirigenten	den Dirigenten
der Elefant	des Elefanten	dem Elefanten	den Elefanten
der Fabrikant	des Fabrikanten	dem Fabrikanten	den Fabrikanten
der Favorit	des Favoriten	dem Favoriten	den Favoriten
der Fotograf	des Fotografen	dem Fotografen	den Fotografen
der Fürst	des Fürsten	dem Fürsten	den Fürsten
der Graf	des Grafen	dem Grafen	den Grafen
der Held	des Helden	dem Helden	den Helden
der Idiot	des Idioten	dem Idioten	den Idioten
der Jurist	des Juristen	dem Juristen	den Juristen
der Kamerad	des Kameraden	dem Kameraden	den Kameraden
der Kandidat	des Kandidaten	dem Kandidaten	den Kandidaten
der Komet	des Kometen	dem Kometen	den Kometen
der Konfirmand	des Konfirmanden	dem Konfirmanden	den Konfirmanden

Nominativ	Genitiv	Dativ	Akkusativ
der Konkurrent	des Konkur-renten	dem Konkur-renten	den Konkur-renten
der Leopard	des Leoparden	dem Leoparden	den Leoparden
der Magnet	des Magneten	dem Magneten	den Magneten
der Mensch	des Menschen	dem Menschen	den Menschen
der Narr	des Narren	dem Narren	den Narren
der Patient	des Patienten	dem Patienten	den Patienten
der Patriarch	des Patriarchen	dem Patriarchen	den Patriarchen
der Patriot	des Patrioten	dem Patrioten	den Patrioten
der Pilot	des Piloten	dem Piloten	den Piloten
der Pirat	des Piraten	dem Piraten	den Piraten
der Planet	des Planeten	dem Planeten	den Planeten
der Polizist	des Polizisten	dem Polizisten	den Polizisten
der Präsident	des Präsidenten	dem Präsi-denten	den Präsidenten
der Prinz	des Prinzen	dem Prinzen	den Prinzen
der Satellit	des Satelliten	dem Satelliten	den Satelliten
der Soldat	des Soldaten	dem Soldaten	den Soldaten
der Spatz	des Spatzen	dem Spatzen	den Spatzen
der Student	des Studenten	dem Studenten	den Studenten
der Terrorist	des Terroristen	dem Terroristen	den Terroristen
der Trabant	des Trabanten	dem Trabanten	den Trabanten
der Vagabund	des Vagabunden	dem Vaga-bunden	den Vagabunden
der Veteran	des Veteranen	dem Veteranen	den Veteranen
der Zar	des Zaren	dem Zaren	den Zaren
der Zyklop	des Zyklopen	dem Zyklopen	den Zyklopen

Beugt sich der Herr zum Herrn oder zum Herren?

Frage einer Schülerin aus Buxtehude: Als künftige Dame wüsste ich gern rechtzeitig, wie »der Herr« korrekt gebeugt wird. Heißt es »des Herrn« oder »des Herren«? Dient der Diener einem Herrn oder einem Herren? Erhebt sich der Sklave gegen seinen Herrn oder gegen seinen Herren? Oder spielt der Unterschied womöglich keine Rolle?

Antwort des Zwiebelfischs: Der kleine Unterschied zwischen »Herrn« und »Herren« spielt eine große Rolle. Die Endung verrät, ob wir es mit *einem Herrn* oder mit *mehreren Herren* zu tun haben. Der Herr lässt sich in der Einzahl außer einem »n« nichts anhängen:

Was wünscht der Herr? (Nominativ)
Dort steht das Gepäck des Herrn von Zimmer 307. (Genitiv)
Bitte geben Sie dem Herrn diesen Brief von mir. (Dativ)
Fragen Sie den Herrn dort drüben! (Akkusativ)

Die Formen auf -en markieren die Mehrzahl:

Was wünschen die Herren? (Nominativ)
Dort steht das Gepäck der Herren von Zimmer 307. (Genitiv)
Bitte geben Sie den Herren diesen Brief von mir. (Dativ)
Fragen Sie die Herren dort drüben! (Akkusativ)

Der Herr stellt innerhalb seiner Deklinationsgruppe eine Ausnahme dar, denn andere Wörter wie der Bär oder der Graf, die zur selben Gruppe gehören, weisen im Genitiv, Dativ und Akkusativ keinen Unterschied zwischen Singular und Plural auf.

Mit Ausnahme der direkten Anrede, bei der »Herr« immer

im Nominativ steht (»Schön, Sie zu sehen, Herr Kaiser!«), wird das »Herr« vor Namen und Titeln immer gebeugt:

Sie sitzen auf Herrn Künneckes Platz! (Genitiv)
Der Hund gehört Herrn Wagner. (Dativ)
Wir warten auf Herrn Forster. (Akkusativ)
Kennen Sie Herrn Dr. Metzler? (Akkusativ)

Auch ist es nach wie vor üblich, auf Briefen den Adressaten zu beugen:

Herrn Konrad Meier
Fasanenstieg 14
22 301 Hamburg

Man kann das »Herrn« auch weglassen, aber wenn man es schreibt, muss man es beugen. »Herr Konrad Meier« als Adressangabe auf einem Brief gilt als unkorrekt.

Der angedrohte Wille

»Der Minister kündigte an, die Probleme noch in dieser Legislatur-
periode anpacken zu wollen.« Das klingt im ersten Moment nach
Initiative. Doch wenn man diesen Satz mit dem Finger berührt, zerfällt er zu Staub. Schuld daran ist diesmal aber nicht die Regierung,
sondern ein weit verbreiteter »Übersetzungsfehler«.

»Wenn du mich küsst, werde ich imstande sein, mich in einen wunderschönen Prinzen verwandeln zu können«, sagte
der Frosch, »und ich gelobe, dich lieben zu wollen, und ich
verspreche, dir für alle Zeit treu sein zu wollen.« Woraufhin
die Prinzessin den Frosch packte und gegen einen Beton-
pfeiler schleuderte, an dem er mit einem unappetitlichen Geräusch zerplatzte. Sie tat gut daran, denn die Versprechungen des Frosches taugten nichts.

Inhaltsleeres Froschgequake hört man allerorten – vor allem natürlich in der Politik. Doch nicht immer sind es die
Politiker selbst, die beim Sprechen Seifenblasen produzie-
ren. Oft werden ihre Worte erst bei der Wiedergabe zu Seifenblasen.

»Bundeskanzler Schröder kündigte an, die Bedingungen
für Arbeit verbessern zu wollen«, ist in der Zeitung zu lesen.
Na bitte, immerhin, es tut sich was. Nach all den Fehlschlä-
gen und Enttäuschungen der letzten Zeit geht der Kanzler
wieder in die Offensive, packt was an, setzt sich mit Unter-
nehmern und Gewerkschaftern an einen Tisch ... und kündigt Verbesserungen an. Alles wird gut!

Doch halt – haben wir da nicht etwas überlesen? Was genau kündigte Schröder laut der Zeitung an? Gleich mal die
Goldwaage rausholen und die Wörter wiegen. Und siehe
da: Die Waage zeigt überhaupt nichts an. Also doch wieder
nichts als heiße Luft! Das Überraschungsei ist leer!

Wie kommt's? Die Antwort auf diese Frage liegt in einer syntaktischen Fallgrube, in die immer dann jemand stolpert, wenn direkte Rede in indirekte verwandelt wird. Zu Beginn stand ein großes Wort im Raum: »Wir wollen die Bedingungen für Arbeit verbessern.« Schröder war's, der das gesagt hat. Die korrekte Wiedergabe dieser Aussage in indirekter Rede liest sich so: »Schröder sagte, er wolle die Bedingungen für Arbeit verbessern.« Wenn aber das Wort »sagen« durch »ankündigen« ersetzt wird, enthält der Satz auf einmal mehr Wörter als nötig.

Durch diesen »Übersetzungsfehler« wurden die Worte des Kanzlers entwertet, denn von der versprochenen Verbesserung bleibt nichts weiter als die Aussicht auf ein bisschen guten Willen. Das Wollen ist bereits im Ankündigen enthalten, die Niederschrift des Modalverbs ist nicht mehr nötig. Es genügt völlig, wenn man schreibt: »Schröder kündigte an, die Bedingungen für Arbeit zu verbessern.«

Was für die Ankündigung gilt, gilt übrigens auch für das Versprechen: »Der Vorstand versprach, im nächsten Jahr deutlich mehr Umsatz machen zu wollen.« Ein Lichtblick in Zeiten der Rezession, könnte man meinen. Doch so, wie dieser Satz formuliert ist, bedeutet er nicht mehr, als dass eine Gruppe von hoch bezahlten Managern den versammelten Aktionären die Entwicklung ihres Willens in Aussicht gestellt hat.

»Zu offensichtlich ist Bsirskes Versuch, sich damit als einer der mächtigsten Gewerkschaftsführer persönlich profilieren zu wollen«, war über den Ver.di-Chef zu lesen. Netter Versuch! Bsirske bemüht sich um Gestaltung seines Willens – immerhin ein Anfang.

In einem Text über einen in Deutschland spielenden brasilianischen Fußballprofi heißt es: »Am Dienstag drohte der 29-Jährige seinen Chefs, seinen Vertrag über 2004 hinaus nicht verlängern zu wollen.« Müssen die Chefs deswegen nun zittern? Der Brasilianer hat doch nur mit seinem Willen gedroht! Eine echte Drohung hört sich anders an. Die klingt zum Beispiel so: »Am Dienstag drohte der 29-Jährige, seinen Vertrag über 2004 hinaus nicht zu verlängern.«

Ankündigen, versprechen, drohen, erwägen – all diese Wörter verfügen bereits über einen eingebauten Willen – serienmäßig, ohne Aufpreis. Wer also sparen will, hat hier die Gelegenheit, ein paar überflüssige Silben zu sparen.

»Der Gewerkschaftssprecher drohte an, wenn die Regierung zu keinem Entgegenkommen bereit sei, eine Urabstimmung durchführen zu wollen.« Da kaum damit zu rechnen ist, dass sich die Regierung mit einer Willensandrohung beeindrucken lässt, wäre es sinnvoller, wenn der Gewerkschaftssprecher drohte, »eine Urabstimmung durchzuführen«.

Wollen, dürfen, können, brauchen – all dies sind Modalverben, die im Nebensatz nicht benötigt werden, wenn der Hauptsatz bereits auf ein Wollen, ein Dürfen, ein Können oder ein Brauchen hinweist.

»Bush sprach Kerry die Fähigkeit ab, die USA regieren zu können«, liest der Sprecher der »Tagesschau« vor. Da haben wir dasselbe Problem: Die Aussage ist redundant. Es hätte genügt zu sagen: »Bush sprach Kerry die Fähigkeit ab, die USA zu regieren.« Denn vorne »fähig«, hinten »können« ist des Guten zu viel. Auch »imstande« oder »in der Lage sein«, etwas tun »zu können«, schießt sprachlich über das Ziel hinaus.

Genauso vergaloppiert hat sich die Filmagentur, die in ihrer Werbebroschüre schreibt: »In diesem spannenden Action-Movie gerät Black in einen Strudel von Ereignissen, der ihn zwingt, sich selbst und sein Leben völlig neu definieren zu müssen.«

Und nicht besser der Buchrezensent, der seine Inhaltsangabe mit den Worten schließt: »Am Ende wird ihm erlaubt, endlich zu seiner Familie zurückkehren zu dürfen.«

Es kann nie schaden, beim Beenden eines Satzes noch mal auf den Anfang zu schielen und sich zu vergewissern, dass man nicht gerade dabei ist, die Aussage zu einer leeren Blase zu verquirlen.

Am Montag, dem oder den?

Frage eines Lesers: Lieber Zwiebelfisch, wie heißt es richtig: Montag, *den* 1.3.2004 oder Montag, *dem* 1.3.2004?

Antwort des Zwiebelfischs: Leider gibt es in dieser Frage keine eindeutige Festlegung. Ich empfehle stets, die Datumsangabe in den gleichen Kasus zu setzen wie den Wochentag, denn das ist auf jeden Fall korrekt und außerdem gut zu merken. Wenn der Wochentag im Dativ steht (und das ist immer der Fall, wenn »am« davor steht), dann setze man auch die Monatsangabe in den Dativ (»dem«). Steht der Wochentag im Akkusativ oder Nominativ, setze man auch die Datumsangabe in den Akkusativ (»den«) oder Nominativ (»der«). Zur Verdeutlichung ein paar Beispiele:

· Wir treffen uns Montag, den 1.3.2004.
· Wir treffen uns am Montag, dem 1.3.2004.
· Das hat Zeit bis nächsten Freitag, den 12. März.
· Das hat Zeit bis zum nächsten Freitag, dem 12. März.
· Es war Donnerstag, der 30. Mai, als der Apotheker Ringelhuth mit seinem Neffen Konrad in die Südsee reiste.
· Es war am Donnerstag, dem 30. Mai, als der Apotheker Ringelhuth mit seinem Neffen Konrad in die Südsee reiste.

Und für alle, die Hochzeitseinladungen verschicken:

· Die Trauung findet statt: Samstag, den 17. Juli 2004, um 14 Uhr in der St.-Joseph-Kapelle
oder:
· Die Trauung findet am Samstag, dem 17. Juli 2004, um 14 Uhr in der St.-Joseph-Kapelle statt.

Der traurige Konjunktiv

Am Sonntag gehen Vater und Sohn regelmäßig in den Sprachzoo. Dort schauen sie sich vom Aussterben bedrohte grammatische Phänomene an. Am liebsten mögen sie den Konjunktiv. Gerne hülfen sie ihm, denn sie haben Angst, er stürbe aus.

Vergnügt schlendern Vater und Sohn durch den Sprachzoo. Ehrfürchtig verharren sie vor dem Käfig mit der Aufschrift »Genitiv – Bitte nicht erschrecken!«, spazieren weiter zum »Ph«-Gehege, wo sie so selten gewordene Wörter wie »Photographie« und »Telephon« bewundern, lassen sich vom Wärter erklären, dass es mit der Fortpflanzung der beiden letzten Eszetts auch in diesem Jahr wieder nicht klappen werde, und kommen schließlich vor dem Käfig mit dem Konjunktiv an. »Der sieht immer so traurig drein«, sagt der Sohn voller Mitgefühl, »der kann einem richtig Leid tun!« – »Er würde sich bestimmt wohler fühlen, wenn es jemanden geben würde, der sich mit ihm unterhalten würde«, sagt der Vater. Daraufhin stößt der Konjunktiv einen herzerwei-chenden Klagelaut aus. Der Sohn nickt und sagt: »Vielleicht fühlte er sich tatsächlich wohler, wenn es jemanden gäbe, der sich mit ihm unterhielte.« Da hebt der traurige Konjunk-tiv den Kopf, schaut den Jungen an und lächelt dankbar.

»Eine hübsche Geschichte«, sagt mein Freund Henry, »aber mich stört das Happy End. Das ist mal wieder typisch für deine Gefühlsduselei, geht aber an den Realitäten völlig vorbei. Tatsache ist doch: Der Konjunktiv ist vom Ausster-ben bedroht. Er liegt quasi in den letzten Zügen. Wenn du beschrieben hättest, wie Vater und Sohn vor einem leeren Käfig stehen, weil der Konjunktiv vorige Woche gestorben ist, dann wäre die Geschichte glaubwürdiger.« Ich bin nicht immer Henrys Meinung, manches sieht er ein wenig zu drastisch, aber in einem Punkt hat er Recht: Der Konjunktiv macht keine großen Sprünge mehr.

Dabei kann man nun wirklich nicht behaupten, der Konjunktiv sei eine unbedeutende Randerscheinung in der deutschen Sprache. Die Grammatikwerke widmen ihm seitenlange Kapitel mit zahlreichen Unterkapiteln und weisen ihm nicht weniger als drei wichtige »Funktionsbereiche« zu, in denen er zum Einsatz kommt.

Da wäre zum einen der »Wunsch«-Bereich (»Er lebe hoch!«, »Mögest du hundert Jahre alt werden!«), zum Zweiten der Bereich des Unmöglichen und des Unter-bestimmten-Bedingungen-doch-Möglichen, auch Irrealis genannt (»Ich an deiner Stelle hätte es anders gemacht«, »Wir wären schneller fertig, wenn du mal mit anfassen würdest!«), und zum Dritten der Bereich der indirekten Rede.

Der Bereich »Wunsch«, der auch jede Form der Aufforderung mit einschließt, ist noch relativ überschaubar und verursacht nicht allzu große Probleme. Man braucht nur ein Kochbuch aufzuschlagen, schon steckt man mittendrin: »Man nehme drei Eier, schlage sie auf, trenne das Eiweiß vom Dotter und gebe das Eiweiß in einen sauberen, fettfreien Rührtopf.«

Der zweite Bereich hingegen ist alles andere als überschaubar. Dort hat man es zudem nicht nur mit einer Form des Konjunktivs zu tun, sondern gleich mit zweien. Man unterscheidet zwischen Konjunktiv I (er habe, sie sei, du werdest) und Konjunktiv II (er hätte, sie wäre, du würdest). Der Konjunktiv II ist immer dann gefragt, wenn es gilt, etwas Hypothetisches zum Ausdruck zu bringen (»Hätte ich deine Figur, könnte ich alles essen, was ich wollte!«), einen irrealen Vergleich anzustellen (»Sie tut ja gerade so, als ob sie schüchtern wäre!«) oder Zweifel anzumelden: »Zwar hieß es, die Polizei *hätte* jeden Winkel im Umkreis von zehn Kilometern abgesucht, aber die Angehörigen gaben sich damit nicht zufrieden und machten sich selbst auf die Suche.«

Eine nach wie vor wesentliche Rolle kommt dem Konjunktiv in der indirekten Rede zu. Tagtäglich sind im deutschsprachigen Raum ganze Heerscharen von Journalisten damit beschäftigt, die Worte von Politikern, Managern, Prominenten und Sachverständigen in indirekte Rede umzuschreiben, und dabei wird aus jedem Indikativ (»Ich bin überzeugt, dass wir dieses Spiel gewinnen werden!«) ein Konjunktiv (»Er sagte, er sei überzeugt, dass seine Mannschaft dieses Spiel gewinnen werde.«). Da die Arbeit von Journalisten zum überwiegenden Teil darin besteht, die Worte von anderen mit ihren eigenen wiederzugeben, wimmelt es in Nachrichtentexten von Konjunktiven. Ich bin fast sicher, wenn Sie eine Zeitung nähmen und diese ausschüttelten, so fielen mehr Konjunktive als Indikative heraus. Die Beherrschung des Konjunktivs ist daher eine wesentliche Voraussetzung für eine Laufbahn im Journalismus. Oder – konjunktivisch ausgedrückt – sie *sollte* es sein.

Henry überrascht mich gelegentlich mit ganz erstaunlichen Formulierungen. Da sitzen wir zusammen im Café und unterhalten uns über einen gemeinsamen Freund, und plötzlich sagt er: »Säßen wir jetzt nicht hier bei Kaffee und Kuchen, riefe ich ihn sofort an.« Zweimal Konjunktiv II in einem gesprochenen Satz! Mir fällt vor Begeisterung die Kuchengabel aus der Hand. »Du meinst, würden wir jetzt nicht hier sitzen, würdest du ihn sofort anrufen?«, frage ich nach. Henry sieht mich streng an: »Nein, ich meine *säßen* und *riefe*, du hast mich genau verstanden.« – »Spräche jeder so wie du, lieber Henry, schwämmen mir als Kolumnisten die Felle davon«, erwidere ich augenzwinkernd. »Schwämmen oder schwömmen?«, fragt Henry, und schon stecken wir mitten im Sumpf der unregelmäßigen Verben. »Büke der Bäcker sein Brot mit mehr Gefühl, verdürbe es nicht so schnell«, sagt Henry. »Spönnest du weniger, so stürbe ich nicht gleich vor Lachen!«, entgegne ich. »Hübe jeder seinen Müll auf, gewönne die Stadt an Lebenswert«, kontert Henry. »Gnade!«, rufe ich. »Das ist ja nicht mehr auszuhalten! *Hübe* heißt es ganz bestimmt nicht!« – »Das ist veraltet«, sagt Henry, »aber was alt ist, muss nicht gleich falsch sein. Kennte ich noch mehr alte Konjunktive, so würfe ich sie liebend gerne ins Gespräch ein!«

Einige dieser sonderbar klingenden Konjunktiv-II-Formen leiten sich von alten Imperfektformen ab, die heute völlig verschwunden sind. So sagte man früher »ich warf«, aber »wir wurfen«, und dazu wurde dann der Konjunktiv »würfe« gebildet. Von »heben« gab es einst die Imperfektform »huben«, was die Entstehung des Konjunktivs »hübe« erklärt. Dieser ist freilich lange aus der Mode, üblicherweise sagt man heute »höbe«. Einige Verben haben sich zwei mögliche Formen bewahrt, zum Beispiel »stehen« (stände oder stünde) und »schwimmen« (schwämme und schwömme); bei »stehen« ist die Form mit »ü« die gebräuchlichere, bei »schwimmen« ist es die Form mit »ö«.

Mein Freund Henry ist selbstverständlich eine Ausnahmeerscheinung. In der gesprochenen Sprache ist der Konjunktiv fast ausschließlich in der »würde«-Form zu finden: »Ich würde gerne am Freitag kommen« statt »Ich käme gerne am Freitag«. »Man erzählt sich, sie würde in einer Bar arbeiten« statt »Man erzählt sich, sie arbeite in einer Bar«. »Das würde ich dir übel nehmen« statt »Das nähme ich dir übel«.

Die Verwendung der »würde«-Form ist zwar weit verbreitet, gilt allerdings als umgangssprachlich. Bis auf einige Ausnahmen: Die von Henry so geschätzten veralteten Konjunktiv-II-Formen dürfen standardsprachlich durch eine Konstruktion aus »würde« und Infinitiv ersetzt werden. »Ich würde dir ja helfen, wenn du mich nur ließest« ist erlaubt, da kein Mensch mehr »Ich hülfe dir« sagte. Oder sagen würde. Da haben wir schon gleich die zweite Ausnahme: Wenn der Konjunktiv II mit der Form des Präteritums übereinstimmt (was häufig der Fall ist), ist die Umschreibung mit »würde« zulässig, allein schon, um Missverständnisse zu verhindern.

Denn Verständlichkeit ist stets die oberste Maxime, dem hat sich auch der Konjunktiv unterzuordnen. Ein Beispiel: »Da sie sich nie und nimmer für mich interessierte, spielt es keine Rolle, was ich denke.« Um klar zu machen, dass hier nicht die Vergangenheit gemeint ist, sondern eine unwahrscheinliche Möglichkeit, ist es angebracht, sich der Hilfskonstruktion mit »würde« zu bedienen: »Da sie sich nie und nimmer für mich interessieren würde, spielt es keine Rolle, was ich denke.«

»Nichts gegen Würde in der Sprache«, sagt Henry, »aber zu viel *würde* kann die Sprache verunstalten!« – »Würde man heute all diese Konjunktivformen in der gesprochenen Sprache gebrauchen, würde sich das doch recht seltsam anhören – altmodisch eben, verschroben.« – »Nein«, widerspricht Henry, »wenn alle den Konjunktiv gebrauchten, hörte es sich ganz normal an, weil sich unsere Ohren daran gewöhnten.«

Bei unserem nächsten Treffen gebe ich Henry die überarbeitete Geschichte vom Vater und Sohn im Sprachzoo zu lesen. Dort heißt es nun: »Wären Vater und Sohn an diesem Sonntag in den Sprachzoo gegangen, hätten sie sich sehr gewundert. Denn sie hätten den Käfig mit dem Konjunktiv leer vorgefunden. Besorgt hätten sie sich an den Wärter gewandt und ihn gefragt, ob der traurige Konjunktiv womöglich gestorben sei. Doch der Wärter hätte sie beruhigt. Er sei letzte Nacht ausgebrochen, hätte er ihnen berichtet, und laufe nun Amok durch die Stadt. Der Polizei gelinge es nicht, ihn einzufangen, wann immer sie sich ihm nähere, springe er auf und davon. Vater und Sohn hätten sich darüber sehr gefreut und gehofft, dass es ihm gelänge, neue Freunde zu finden, denn dann begönne für ihn ein völlig neues Leben.« – Henry blickt mich kopfschüttelnd an: »Du bist unverbesserlich! Und vollkommen *würde*-los!«

Papierhaft oder papieren?

Frage einer Leserin: In unserem Geschäft wird viel von *papierhaften Dokumenten* geredet und geschrieben. Ich möchte gerne wissen, ob es dieses Wort überhaupt gibt. Wenn es das nicht gibt, wie würde man den Unterschied zum elektronischen Dokument nennen?

Antwort des Zwiebelfischs: Das Wort »papierhaft« hört sich stark nach einer künstlichen Zusammensetzung an, die einem bürokratischen Hirn entsprungen ist. Die bei der Bildung von Adjektiven verwendete abstrakte Endsilbe »-haft« steht hinter abstrakten Begriffen, also Dingen, die man nicht sehen oder anfassen, wohl aber fühlen oder sich vorstellen kann:

beispielhaft, dauerhaft, ekelhaft, fabelhaft, geisterhaft, glaubhaft, krankhaft, lebhaft, massenhaft, rätselhaft, sagenhaft, schauderhaft, schemenhaft, schleierhaft, schmerzhaft, zauberhaft

Adjektive, die von konkreten Begriffen abgeleitet werden (und was könnte konkreter sein als Materialien?), haben hingegen auch eine sehr konkrete Endung, nämlich -en, -ern oder -n:

blechern, eisern, erzen, gläsern, golden, hölzern, irden, kupfern, ledern, papieren, samten, silbern, stählern, steinern, tönern, wächsern, wollen

Freilich gibt es Ausnahmen, aber die Produkte, die ein Papierwarengeschäft verkauft, sollten getrost papieren genannt werden: papierene Dokumente, papierene Formulare. Man kann es sogar noch kürzer sagen, nämlich in einem Wort: Papierdokumente, Papierformulare.

Es gibt noch ein weiteres Argument, das gegen »papierhaft« spricht: In der Endsilbe »-haft« klingt, ähnlich wie bei

»-artig«, ein vergleichendes »beschaffen wie« an. Etwas, das »sagenhaft« ist, ist »wie eine Sage«, und was »wie ein Schemen« aussieht, erscheint uns schemenhaft. Produkte, die laut Angaben des Herstellers »papierhaft« sind, wären dieser Logik zufolge nicht aus Papier, sondern nur wie Papier, in Wahrheit aber womöglich aus Kunststoff. Vielleicht sollte man die Artikel, die als »papierhaft« gehandelt werden, noch einmal sehr kritisch auf ihre Zusammensetzung prüfen.

Er steht davor, davor, davor – und nicht dahinter

Wann immer ein Minister in Bedrängnis gerät, liest man garantiert irgendwo den Satz: »Der Bundeskanzler stellte sich demonstrativ hinter seinen Minister.« Ein mutiger Schritt, soll man denken. Doch wäre es nicht viel mutiger gewesen, wenn der Kanzler sich *vor* seinen Minister gestellt hätte? Der Verdacht liegt nahe, dass die Positionen verwechselt wurden.

Als vor einiger Zeit Korruptionsvorwürfe gegen das Verkehrsministerium erhoben wurden, war in einer Radiomeldung zu hören, Bundeskanzler Gerhard Schröder habe sich »hinter seinen Verkehrsminister gestellt«. Der Minister war bestimmt sehr dankbar, dass der Kanzler ihn nicht »im Regen stehen lassen« wollte – doch war die Stellungnahme des Kanzlers wirklich hilfreich? Dort, wo sie erfolgte, also hinter dem Minister. In seinem Rücken.

Schon Rudolf Scharping hat erfahren müssen, was es bedeutet, wenn man mit dem Rücken zum Kanzler steht: »Die Bundesregierung wies die Rücktrittsforderung als unbegründet zurück. Bundeskanzler Gerhard Schröder stellte sich hinter seinen Minister und sagte, in Scharpings Äußerungen sei etwas ›hineingeheimnist‹ worden, was nicht ›hineinzugeheimnissen‹ sei«, stand 2001 im »Hamburger Abendblatt« zu lesen. Inzwischen ist Rudolf Scharping längst als Verteidigungsminister abgelöst worden. Der Schutz von hinten hat ihm nicht viel genützt.

Im Zuge der Karstadt-Krise war in der Presse Folgendes zu lesen: »Auch Vorstandschef Christoph Achenbach soll angeblich zur Disposition stehen. Aufsichtsratschef Thomas Middelhoff wies die Gerüchte umgehend zurück und stellte sich demonstrativ hinter Achenbach.« Damit keine Missverständnisse aufkommen: Weder Gerhard Schröder noch Thomas Middelhoff haben sich in den beschriebenen Fällen ungebührlich verhalten. Es wurde nur falsch darüber berichtet.

Stellen wir uns das doch mal bildlich vor: Bad Segeberg, 2005. Eine Farmerfamilie gerät in einen bösen Indianerhinterhalt. Winnetou und Old Shatterhand kommen den Farmern zu Hilfe und stellen sich demonstrativ hinter sie. Die Indianer lassen sich davon aber nicht beeindrucken und greifen mit lautem Geheul an. Die Farmerfamilie wird von Kugeln durchsiebt, und auf der Flucht ruft Old Shatterhand seinem Blutsbruder zu: »Das wäre um ein Haar ins Auge gegangen! Ein Glück, dass wir uns nicht *vor* die Leute gestellt haben!« Ist das etwa der Stoff, aus dem Heldenlegenden gemacht werden? Natürlich nicht. Wenn man eine Person, die angegriffen wird, schützen will, so stellt man sich vor sie. Worin bestünde sonst der Schutz?

Die »WAZ« schrieb in einem Bericht über das Auf und Ab in der Bezirksliga: »Trainer Thomas Strauch stellte sich hinter sein Team.« Da fragt man sich doch: Woher wusste die »WAZ« das? Sie konnte den Trainer doch unmöglich selbst gesehen haben! Wenn er sich wirklich *hinter* sein Team gestellt hatte, dann war er doch von mindestens elf Männern verdeckt!

Natürlich gibt es die Redewendung »sich hinter jemanden stellen«. Sie ist immer dann richtig am Platz, wenn es um die Beschreibung moralischer Unterstützung geht; meistens wird sie von dem Wort »demonstrativ« begleitet. Man kann außerdem »jemandem Rückendeckung geben«, »jemandem den Rücken freihalten« und »jemandem den Rücken/das Rückgrat stärken«. Ferner kann man jemandem »zur Seite springen«, ihm »zur Seite stehen«, und man kann auch »voll und ganz hinter jemandem stehen«, doch all diese Wendungen haben weniger mit Schutz zu tun als mit Unterstützung. Grundsätzlich wird erwartet, dass ein Parteichef sich *vor* seine Fraktionsmitglieder stellt, wenn diese unter Beschuss geraten, genauso wie ein Vorgesetzter sich *vor* seine in Bedrängnis geratenen Angestellten zu stellen hat.

Wer sich vor jemanden stellt, der ist bereit, die Gefahr auf sich zu nehmen, den Angriff abzuwehren, die feindlichen Kugeln mit der eigenen (natürlich kugelsicheren) Weste abzufangen. Gerhard Schröder konnte sich ganz gelassen vor seinen Minister stellen, er ging dabei kein Risiko ein; denn erfahrungsgemäß prallen Korruptionsvorwürfe an Bundeskanzlern ab. Es gab also keinen Grund, Schröder nachträglich *hinter* den Minister zu stellen.

Als der bayerische Ministerpräsident Stoiber bei einer Kundgebung in Berlin mit Eiern beworfen wurde, da hat sich der Berliner Spitzenkandidat der CDU, Frank Steffel, sowohl schützend als auch demonstrativ *hinter* ihn gestellt. Geschützt hat Steffel sich selbst, instinktiv war er hinter Stoiber in Deckung gegangen, um nicht selbst von den Eiern getroffen zu werden. Und demonstriert hat er damit, dass es ihm an Courage fehlt, wie man sie von einem Mann erwartet, der nach Höherem strebt. Deshalb verlief seine politische Karriere danach alsbald im Sande.

Die Wahl des Stellplatzes will wohl überlegt sein. »Er steht im Tor«-Sängerin Wencke Myhre wusste, wo ihr Platz war: dahinter*. »Ich schütze meinen Minister«-Kanzler Gerhard Schröder weiß, wo sein Platz ist: davor. Und wer darüber berichtet, der gebe Acht, dass er die Positionen nicht verwechsle.

* und zwar Frühling, Sommer, Herbst und Winter.

Warum ist der Rhein männlich und die Elbe weiblich?

Frage eines Lesers: Unlängst entbrannte in meinem Freundeskreis eine Diskussion über die Geschlechtlichkeit von Flüssen, und ich bügelte etwas vorschnell die Teilnehmer mit profundem Halbwissen ab: Große Flüsse seien männlich (der Rhein, der Main, der Mississippi), kleine Flüsse weiblich (die Lahn, die Ruhr, die Mosel).

Vorschnell, wie gesagt, denn alsbald war man bei der Hand mit Donau und Elbe, die nicht gerade als klein bezeichnet werden können, wohl aber weiblichen Geschlechts sind.

Mit den amerikanischen Flüssen hat man es leichter, denn sie sind meistens mit dem männlichen Zusatz Rio oder River versehen, sodass sich die Frage nach dem Geschlecht gar nicht erst stellt. Bei den Franzosen hingegen scheinen alle Flüsse weiblich zu sein: die Seine, die Loire, die Garonne, die Marne, die Rhone. Wie hält es denn nun der Deutsche?

Antwort des Zwiebelfischs: Das Geschlecht von Flüssen lässt sich leider nicht nach Regeln bestimmen. Jeder Flussname hat seine eigene Geschichte, und deren Ursprung liegt meistens im Nebel frühester Zeiten verborgen und ist oft nur mühsam zu rekonstruieren. Unsere deutschen Flüsse haben ihre Namen von den Germanen, den Slawen und den Römern erhalten. Manche Namen sind auch keltischen oder griechischen Ursprungs. Eines haben sie (fast) alle gemein: Ob sie nun Alster, Aller, Iller, Inn, Werra, Naab, Main oder Leine heißen – der Name geht meistens auf ein altes Wort für Fluss, Sumpf, Bach oder Au zurück.

So geht der Rhein auf das altgermanische Wort *reinos* zurück, welches »großer Fluss« bedeutet. Die Endung *-os* zeigt an, dass der Fluss schon bei den alten Germanen männlichen Geschlechts war. Die Elbe hat ihren Ursprung im lateinischen Wort *albia*, das weiblich ist und für »helles Wasser« steht. Die Donau ist sprachlich verwandt mit dem russischen Don, beide Namen gehen auf das indogermanische Wort *danu* zurück, das ebenfalls nichts anderes als »Fluss« bedeutet. Bei den Römern war die Donau noch männlich (Danuvius), bei den Germanen wurde sie durch Verschmelzung mit der Endung *-owe, -ouwe* (Aue, Fluss) weiblich. Maas und Mosel waren bereits im Lateinischen weiblich (Mosa und Mosella) und blieben es auch im Deutschen. Der Neckar wurde vermutlich aufgrund seines stürmischen Laufs als männlich empfunden, der Name geht zurück auf das ureuropäische Wort *nik*, das »losstürmen« bedeutet. Jedenfalls hatte man ihm bereits in vorchristlichen Zeiten die männliche Endsilbe *-ros* verpasst: Nikros wurde über Nicarus und Neccarus zu Necker und schließlich Neckar.

Die französischen Flüsse sind übrigens keineswegs alle weiblich, weder im Deutschen noch im Französischen. Die Rhone zum Beispiel heißt auf Französisch »le Rhône«. Und unser »Vater Rhein«, der ja streckenweise auch ein französischer Fluss ist, ist auch im Französischen männlichen Geschlechts: le Rhin.

Wer auf einen ihm unbekannten deutschen Flussnamen stößt und folglich nicht weiß, ob es sich um einen männlichen oder weiblichen Namen handelt, der wird sich vermutlich für den weiblichen Artikel entscheiden. Die Wahrscheinlichkeit ist groß, dass er damit richtig liegt. Denn es gibt erheblich mehr weibliche als männliche Flüsse in Deutschland. Von 72 deutschen Flüssen mit einer Länge von mehr als hundert Kilometern sind lediglich acht männlich, nämlich der Rhein, der Main, der Inn, der Neckar, der Lech, der Kocher, der Regen und der Rhin.

Falsche Freunde

Hollywood-Stars, die Ungeheuer erschaffen, explodierende Boiler, die zu Schiffskatastrophen führen, schwerer Drogenmissbrauch in einem US-Krankenhaus und wie Bernadette Chirac Hillary Clinton beleidigte. Ohne die täglichen Übersetzungsfehler wäre unser Leben nur halb so aufregend.

Da heutzutage die meisten Nachrichten von internationaler Relevanz aus englischsprachigen Quellen stammen, besteht die Arbeit von deutschen Journalisten zu einem großen Teil aus Übersetzen. Vielen fällt es dabei schwer, sich von der englischen Vorlage zu lösen, sie kleben am Originaltext und übersetzen Wort für Wort, ohne sich zu fragen, ob man das im Deutschen so überhaupt sagen kann. So kommt es bisweilen zu kuriosen Missverständnissen und äußerst eigenwilligen Wortschöpfungen.

Seit den schrecklichen Geschehnissen des 11. Septembers 2001 hat bei uns ein Wort eine unbeschreibliche Renaissance erlebt, das bis dato als altmodisch galt und in der Mottenkiste der Militärsprache vor sich hin staubte: die Attacke. Früher nahm dabei vor unserem geistigen Auge allenfalls ein Offizier in einer bunten Uniform mit Helm und Federbusch Gestalt an, der mit blank gezogenem Säbel den Angriff befiehlt, seinem Pferd die Sporen gibt und wie ein Wahnsinniger drauflosreitet. Eine Szene, wie man sie in Dutzenden von Historienfilmen gesehen hat. Attacken wurden gern geritten, und zusammen mit der Kavallerie ist auch das Wort aus der Mode gekommen. Jedenfalls im Deutschen. Im Englischen hat das Wort »attack« nichts Altmodisches, es ist die übliche Vokabel für Angriff, Anschlag, Anfall, Überfall, Beschuss und für scharfe Kritik. So sprach man in den englischsprachigen Medien nach dem 11. September ganz selbstverständlich von »terror attack«. Offenbar aber war die deutschsprachige Presse von den Anschlägen derart überwältigt, dass sie das Übersetzen vergaß. Möglicherweise wurde dieser Umstand durch die Tatsache begünstigt, dass einer der Flugzeugentführer Mohammed Atta hieß. Jedenfalls ist seit diesem Tag das Wort »Terror-Attacken« in aller Munde, und auch die Zahl der »Herzattacken« hat wieder zugenommen (während die der Herzinfarkte deutlich zurückging).

Erinnern Sie sich noch an den schlimmen Unfall des Magiers Roy Horn, der im Oktober 2003 auf der Bühne von einem weißen Tiger angefallen und schwer verletzt wurde? Prompt war natürlich in deutschen Zeitungen von einer »Tiger-Attacke« die Rede. Aber das Empörendste an der Geschichte: Die Ärzte versetzten den armen Roy mit Drogen in ein künstliches Koma. So konnte man es lesen. Und man wunderte sich: In den USA ist nicht mal Haschisch legal, und Roy wird mit Drogen voll gepumpt? Geht das mit rechten Dingen zu? Das englische Wort »drugs« steht in erster Linie für Medikamente. Die engere Bedeutung »Drogen«, »Rauschmittel« gibt es im Englischen zwar auch, doch die war sicherlich nicht gemeint, als die Ärzte um das Leben des Las-Vegas-Stars kämpften.

Übersetzungsfaulheit ist eines der gravierendsten Stilprobleme unserer Zeit. Nicht immer ist der Fehler so klar erkennbar wie im Falle von »silicon«, das oft fälschlich mit Silikon übersetzt wird: »Sieben Jahre nach dem Boom der pflegebedürftigen Kleincomputer kommt nun eine zweite Generation der Silikonküken auf den Markt«, hieß es in einem Bericht über die aus Japan importierte Landplage namens Tamagotchi. Silikon ist ein Stoff, mit dem normalerweise Badewannen abgedichtet und Frauenbrüste auf ein augenfälliges Format gebracht werden. Die kleinen Tamagotchi-Nachkommen sind aber nicht aus Silikon, sondern aus Silizium.

Erstaunlich unsensibel reagieren viele Menschen auch im Umgang mit dem englischen Wort »sensitive« (= sensibel, feinfühlig, empfindlich). Da erregt sich zum Beispiel ein Energie-Experte der SPD über den geplanten Export der Hanauer Atomfabrik nach China mit den Worten: »Wenn es überhaupt je einen Grund gibt, einen Export zu untersagen, dann bei sensitiver Atomtechnologie.« Das Wort »sensitiv« gibt es im Deutschen zwar auch, doch hat es die Bedeutung »leicht reizbar« und wird hauptsächlich von Nervenärzten verwendet. Was der Energie-Experte tatsächlich meinte, war »sensible Atomtechnik«.

In einem Bericht, in dem es um die Fettleibigkeit der Amerikaner ging, war zu lesen: »Allzu große Anstrengungen will der Minister seinem Volk nicht zumuten. Es sei nicht nötig, Marathon zu laufen oder einem Gesundheitsclub beizutreten.« Die Augen sind schon längst im nächsten Absatz, da kreiselt das Wort »Gesundheitsclub« noch immer im Kopf herum und verursacht ein befremdliches Geräusch. Bis es plötzlich »Klack!« macht und man erkennt: Im Originaltext war offenbar von einem »health club« die Rede, und das ist nichts anderes als ein ganz gewöhnliches Fitness-Studio! »Gesundheitsclub« ist fraglos eine irreführende Übersetzung.

Im Fachjargon spricht man von »falschen Freunden«, wenn ein wörtlich übersetzter Begriff scheinbar passt (so wie silicon/Silikon), in Wahrheit aber etwas ganz anderes bedeutet und somit also das Ziel verfehlt. Eines der bekanntesten Beispiele hierfür ist die amerikanische »billion«, die von deutschen Journalisten regelmäßig mit »einer Billion« wiedergegeben wird, wodurch der Staatshaushalt der USA jedes Mal zu immenser Größe aufgebläht wird, neben der selbst Dagobert Duck arm aussieht. Die amerikanische »billion« entspricht im Deutschen tatsächlich aber nicht mehr als einer Milliarde.

»Solana drückte seine tiefe Sympathie für diejenigen aus, die bereits Zielscheibe von Angriffen geworden waren«, war im Zusammenhang mit einer Serie von Briefbombenanschlägen zu lesen. Immerhin hatte der Übersetzer auf den Begriff »Briefbombenattacken« verzichtet, wofür man heutzutage ja schon dankbar sein muss. Aber drückt man auf Deutsch den Opfern seine Sympathie aus? Ist es nicht eher Mitgefühl, Beileid oder Bedauern? Schlag nach bei Shakespeare oder wenigstens bei Leo, und siehe da: Das englische Wort »sympathy« bedeutet neben Zuneigung und Wohlwollen auch Mitleid, Mitgefühl und Anteilnahme. Es kommt eben auf den Zusammenhang an, und über den sollte sich jeder im Klaren sein, ehe er sich ans Übersetzen macht.

Ein falscher Freund versteckt sich auch in diesem Beispiel: »Das schwerste Unglück in der Geschichte des New Yorker Fährbetriebs ereignete sich 1871, als auf einem Schiff ein Boiler explodierte. Damals wurden mehr als 125 Menschen getötet.« Natürlich ist damals nicht ein Heißwasserspeicher explodiert, wie er üblicherweise in Badezimmern hängt, sondern ein Dampfkessel. Im Englischen heißt Boiler nämlich auch das, im Deutschen nicht.

Etwas anderes muss dem Hollywood-Star Ben Affleck explodiert sein, denn laut eines Klatschspalten-Berichts soll er das Scheitern seiner Beziehung mit Jennifer Lopez mit folgenden Worten erklärt haben: »Wir haben ein Monster kreiert!« Haben die beiden also doch noch Nachwuchs bekommen? Oder sich erfolgreich als Nachfolger Dr. Frankensteins versucht? Im Originallaut hat Ben Affleck tatsächlich gesagt: »We created a monster«, aber das bedeutet im Deutschen nichts anderes als »Die Sache ist uns aus dem Ruder gelaufen« oder »Wir haben die Kontrolle verloren«. Der Ausdruck »ein Monster kreieren« ist im Deutschen keine Redewendung, die als Metapher funktioniert. Folglich muss man sich vom englischen Wortlaut lösen und abstrahieren, denn nicht die Wörter wollen übersetzt sein, sondern ihre Bedeutung.

Wie grandios man danebenliegen kann, wenn man es mit der wörtlichen Treue zu genau nimmt, zeigt das letzte Beispiel: Nach einer Begegnung mit Hillary Clinton soll Bernadette Chirac, die Frau des französischen Staatspräsidenten, anerkennend gesagt haben: »Sie ist eine Professionelle. Aber sie kann auch sehr charmant sein.« Wir dürfen davon ausgehen, dass Bernadette Chirac ihre Worte in Wahrheit klüger gewählt hat und dass hier nichts anderes als ein weiterer Übersetzungsfehler vorliegt: »She's a professional«, so stand es in der englischsprachigen Quelle – was auf Deutsch natürlich bedeutet: »Sie ist professionell« oder auch »Sie ist ein Vollprofi«. Aber zu schreiben, sie sei eine Professionelle, machte aus der New Yorker Senatorin eine Dame des horizontalen Gewerbes, und bei aller Reserviertheit der Franzosen gegenüber den Amerikanern: So weit würde Madame Chirac denn doch nicht gehen.

In diesem Sinne: See you, take care! Sieh dich, nimm Sorge!

Wo beginnt der Mittlere Osten?

Frage eines Lesers: Im Zusammenhang mit dem Irakkrieg war häufig vom »Mittleren Osten« die Rede. Ist das richtig? Gehört der Irak bereits zum Mittleren Osten? Manche Kommentatoren scheinen sogar Syrien und Jordanien dazuzurechnen. Die zählen meines Wissens aber zum Nahen Osten. Offenbar gibt es verschiedene Auffassungen darüber, wo Nah-, Mittel- und Fernost beginnen. Welche Länder gehören zum sogenannten Mittleren Osten?

Antwort des Zwiebelfischs: Dass Länder wie Syrien, Jordanien und selbst Israel gelegentlich dem Mittleren Osten zugeschlagen werden, haben wir einem weiteren »falschen Freund« zu verdanken. Wenn die Briten vom »Middle East« sprechen, meinen sie damit nämlich das, was wir im Deutschen unter dem »Nahen Osten« verstehen. Da für die Briten der Osten schon mit den Niederlanden beginnt, definieren sie den arabischen Raum bereits als »Middle East«. Syrien, Libanon, Israel und Palästina werden in der englischen Sprache also dem »Middle East« zugerechnet, aus unserer Sicht jedoch zählen sie zum Nahen Osten.

Der »Mittlere Osten« beginnt nach deutscher Definition weiter östlich. Allerdings ist er nicht eindeutig definiert. Im Allgemeinen werden darunter die Länder Vorderindiens verstanden (Indien, Pakistan, Bangladesch, Sri Lanka, Nepal, Bhutan) sowie Afghanistan und Iran. Mitunter wird auch Birma (das heutige Myanmar) dazugerechnet.

Zum Nahen Osten zählen die Länder des ehemaligen Osmanischen Reiches: Syrien, Libanon, Israel, Palästina, Jordanien, Saudi-Arabien, Bahrain, Kuwait, Oman, Katar, Vereinigte Arabische Emirate, Jemen und Irak. Auch Ägypten wird zum Nahen Osten gezählt, obwohl es auf dem afrika-

nischen Kontinent liegt. Die Türkei hingegen, obwohl Herz-
stück des Osmanischen Reiches und das Tor zum Orient,
wird nur im historischen Kontext dem Nahen Osten zugerechnet.

Der Irakkrieg fand also nur aus angelsächsischer Sicht in
»Middle East« statt, nach unserem Verständnis war es ein
Krieg im Nahen Osten.

(K)ein Name für diese Dekade

Es muss sich doch jeder schon einmal gefragt haben, in welchem Jahrzehnt wir eigentlich leben. Ich bin ein Kind der Sechziger und der Siebziger, inzwischen sind die Achtziger- und auch die Neunzigerjahre vorbei. Doch was kommt danach? Was ist jetzt? Wie nennt man die Dekade, in der wir leben?

Am 1. Januar 2001 (sic!) begann nicht nur ein neues Jahrhundert, sondern sogar ein neues Jahrtausend – das bereits 366 Tage zuvor überall auf der Welt mit großen Feierlichkeiten begrüßt worden war. Davon abgesehen begann am 1. Januar 2001 aber auch ein neues Jahrzehnt. Und eine Frage, die viele Menschen beschäftigt, lautet: Wie nennt man dieses Jahrzehnt?

Vor hundert Jahren muss diese Frage schon einmal die Gemüter der Sprachinteressierten bewegt haben. Schließlich befand man sich – kalendarisch – 1905 in einer ähnlichen Situation. Ein Name und somit eine Lösung des Problems wurden aber offensichtlich nicht gefunden. Auch das zweite Jahrzehnt des 20. Jahrhunderts blieb namenlos. Den Ausdruck »Zehnerjahre« gab es wohl, aber er wurde nur selten gebraucht und hat sich historisch nicht durchgesetzt. Und erst recht gab es keine »Nulljahre« oder »Nullerjahre« als Bezeichnung für das erste Jahrzehnt. Wer 1905 geboren war, der war »Jahrgang 05«, aber er bezeichnete sich nicht als »in den Nullern geboren«. Erst das dritte Jahrzehnt hat einen Namen bekommen, der dann – im Nachhinein – sogar vergoldet wurde: die (Goldenen) Zwanziger. Von da an ging es in Zehnerschritten weiter. Im Nachhinein wurden die Jahre von 1901 bis 1918 der Wilhelminischen Ära zugeschlagen, welche bekanntlich mit der Niederlage im Ersten Weltkrieg endete. Da dieser Krieg einen viel größeren Einschnitt markierte als der Wechsel von einem Jahrzehnt zum anderen, stellte sich die Frage nach einer numerischen Benennung der ersten beiden Jahrzehnte später nicht mehr.

Ob dies in unserem Fall einmal genauso sein wird? Darüber wird die Geschichte entscheiden. Allerdings: Das erste Jahrzehnt des 21. Jahrhunderts ist schon zur Hälfte abgelaufen. Noch retten sich die Radiosender mit der Formulierung »Die Megahits der Achtziger, der Neunziger und das Beste von heute!« Und das Fernsehen hat nach den Siebziger-, den Achtziger- und den Neunziger-Kultshows erst mal eine Pause eingelegt. Irgendwann aber werden wir das Jahr 2011 schreiben, und irgendeinem Fernsehintendanten wird einfallen, dass das zurückliegende Jahrzehnt eine eigene Retrospektive verdient. Spätestens dann braucht das Kind einen Namen. Vielleicht wird er sie »die Zweitausender-Show« nennen – oder »Die Kulthits des Jahrtausends«. In diesem Zusammenhang fällt mir auf, dass das Wort »Millennium«, das einem 1999 mindestens fünfmal täglich in die Augen sprang, heute überhaupt nicht mehr verwendet wird. Der beste Beweis dafür, dass nur das überlebt, was wirklich gebraucht wird. Und vielleicht brauchen wir tatsächlich auch keine Bezeichnung für dieses erste Jahrzehnt. Womöglich werden die Deutschen auch in diesem Jahrhundert erst wieder ab der dritten Dekade anfangen, Zahlen zu vergeben. Vielleicht hängt es auch damit zusammen, dass sich 20 Jahre gerade noch überblicken lassen. Das entspricht einer Generation. Erst darüber hinaus wird's dann langsam unübersichtlich, sodass man auf Zahlwörter zur Unterteilung und Abgrenzung zurückgreift.

Was für das Jahrhundert gilt, scheint auch für die Lebensalter des Menschen zu gelten. Man kennt Männer in den Fünfzigern, Frauen in den Vierzigern, man spricht von Mittdreißigern und Endzwanzigern – aber darunter wird es schwierig. Da muss man sich schon mit englischen oder pseudo-englischen Begriffen wie Teenager und Twen behelfen. Für das erste Lebensjahrzehnt eines Menschen aber hilft uns auch das Englische nicht weiter. Was wohl damit zusammenhängt, dass die Unterschiede zwischen einem einjährigen, einem sechsjährigen und einem zehnjährigen Kind einfach zu groß und somit diese Altersklassen für eine Zusammenfassung nicht geeignet sind. Stattdessen spricht man von Kindheit und Jugend, von Kindern im Vorschulalter und von solchen im schulpflichtigen Alter, von der Zeit vor der Pubertät, während der Pubertät und nach der Pubertät.

Ich wollte es natürlich genau wissen und habe die Leser meiner Internet-Kolumne gefragt, wie sie die erste Dekade dieses Jahrhunderts nennen würden. Ich erhielt Dutzende von Zuschriften, die an Einfallsreichtum und Originalität nichts vermissen ließen: Nuller, Nullinge, Postneunziger, Neutausender, Vorzehner, Nachneunziger, Hunderter, Primdeka, Dekade eins, Zeroden, Millies, Pomilde (für »Post-Millenniums-Dekade«), Edeka und Zwedeka (für Erste und Zweite Dekade) und viele Vorschläge mehr.

Bezeichnenderweise gibt es auch in anderen Sprachen keinen Begriff für das erste Jahrzehnt. Wir stehen mit dem Problem also nicht allein da. Die englische Umgangssprache, für ihren Erfindungsreichtum bekannt, hat den Ausdruck »the naughties« (auch: noughties) geprägt. Ein Zusammenspiel aus den Wörtern »nought«, »naught« (= nichts, Null) und »naughty« (= ungezogen, unanständig), das sinngemäß also »die Nuller« und zugleich »die unartigen Jahre« bedeutet. Angesichts unserer Empfänglichkeit für englische Modewörter haben die »Naughties« möglicherweise auch im Deutschen eine Chance. Vielleicht aber findet sich irgendwann doch noch ein passendes deutsches Wort.

Ein Radiosender hat sich in weiser Voraussicht den Begriff »Nullziger« schützen lassen. In der entsprechenden Titelschutzerklärung eines Hamburger Anwalts heißt es: »Unter Hinweis auf § 5 Abs. 3 MarkenG nehmen wir für eine Mandantin Titelschutz in Anspruch für ›Nullziger‹, ›Die Megahits der 90er, Nullziger und das Beste von heute‹ sowie für ›Die Megahits der 80er, 90er, Nullziger und das Beste von heute‹ in allen Schreibweisen, Wortverbindungen und Darstellungsformen für Ton- und Fernsehrundfunk, alle sonstigen elektronischen Medien und Netzwerke, Bild-, Ton- und Datenträger, Spielfilmproduktionen und Druck-Erzeugnisse.«

Also dann, liebe Freunde der Popmusik: Willkommen in den Nullzigern!

Warum heißt der Samstag auch Sonnabend?

Frage einer Leserin aus Schweden: Ich unterrichte Deutsch an einer Schule, und kürzlich nahmen wir die Wochentage durch. Eine Schülerin fragte mich, warum es im Deutschen zwei Namen für den sechsten Tag gibt. Ich konnte es ihr leider nicht erklären. Können Sie mir sagen, warum der Samstag auch Sonnabend heißt und ob das überall in Deutschland so ist oder nur in bestimmten Gegenden?

Antwort des Zwiebelfischs: Die deutsche Sprache schafft es in der Tat immer wieder, Ausländer zu verblüffen. Neben vielen anderen Marotten leistet sie sich den Luxus, für einen Wochentag zwei unterschiedliche Namen zu führen. Dass der Samstag bei uns auch Sonnabend heißen kann, ist zugegebenermaßen verwirrend. Wer das als Ausländer nicht weiß, könnte womöglich denken, es handele sich um zwei verschiedene Tage, und kommt zu dem Schluss, dass bei den Deutschen die Woche einen Tag länger dauert.

So viel vorweg: Samstag ist die offizielle Bezeichnung, die auch am weitesten verbreitet ist. Der Name Sonnabend ist vor allem in Norddeutschland gebräuchlich.

Samstag ist der ältere Name. Er leitet sich vom griechischen Wort *sabbaton* ab, das wiederum auf das hebräische Wort »Sabbat« zurückgeht. Der *sabbaton* wurde über *sambaton* zu *sambaztac* (altdeutsch), später dann zu *sameztac* (mittelhochdeutsch) und schließlich zu Samstag.

Beim Wort »Sonnabend« handelt es sich um einen Anglizismus! Um einen sehr, sehr alten Anglizismus. Den »Sonnabend« verdanken wir nämlich einem englischen Missionar namens Bonifatius, der von 672 bis 754 gelebt hat und der, statt auf seiner Insel zu bleiben, aufs Festland übersetzte, um die Germanen in Friesland, Hessen, Thüringen und Bayern zum Christentum zu bekehren. Er brachte das altenglische Wort *sunnanaefen* mit, das anfangs den Abend, bald aber schon den ganzen Tag vor dem *sunnandaeg* (Sonntag) bezeichnete. Möglicherweise hatten Bonifatius oder seine Nachfolger die gezielte Absicht, den jüdischen Sabbat aus dem Wochenkalender zu streichen und durch ein »christliches« Wort zu ersetzen. Jedenfalls fand der »Sonnabend« Verbreitung, und zwar hauptsächlich im norddeutschen und im mitteldeutschen Raum, wo er auch heute noch anzutreffen ist. Ironischerweise hat sich in Bonifatius' englischer Heimat ein »heidnischer« Name für den Samstag gehalten: Der *Tag des Saturn*, lateinisch *saturni dies*, wurde im Englischen zu Saturday. Die Westfriesen wollten sich nicht bekehren lassen und erschlugen Bonifatius unweit von Dokkum. Den »Sonnabend« haben sie folglich auch nicht übernommen, und so heißt es in den Niederlanden auch heute noch *zaterdag*.

Wir Deutschen aber haben dank des englischen Missionars die Wahl zwischen Samstag und Sonnabend, wobei der Samstag zwei unbestreitbare Vorzüge besitzt: Er ist kürzer – und bleibt auch in noch kürzerer Form, nämlich als Abkürzung, unverwechselbar: Mo, Di, Mi, Do, Fr, Sa, So.

Ex und hopp

Eines haben Ex-Präsidenten, Ex-Bundeskanzler und Ex-Vorstands-
vorsitzende mit Ex-Ehemännern gemeinsam: Sie machen dem Ex-
Volk, der Ex-Belegschaft und den Ex-Ehefrauen nachhaltig zu schaffen. Jedenfalls in sprachlicher Hinsicht.

Es gibt einen amerikanischen Schlager, der heißt »All my ex's
live in Texas«, auf Deutsch so viel wie: »Alle meine Verflosse-
nen leben in Texas«. Warum ausgerechnet in Texas, das weiß
allein der Songschreiber George Strait, vermutlich aber spielt
der hübsche Reim dabei eine nicht unwesentliche Rolle.

Wenn George W. Bush irgendwann nicht mehr Präsident
der Vereinigten Staaten von Amerika sein wird, dann wird
ein weiterer Ex in Texas leben. Ob er die Welt dann allerdings
wirklich in Ruhe lässt, ist noch fraglich. Manche Schwierigkeiten fangen nämlich erst an, wenn alles andere überstanden ist, und dazu gehören die Schwierigkeiten mit dem Ex.

In einem rückblickenden Bericht über die Amtszeit Johannes Raus war ein Bild zu sehen, das das Ehepaar Rau in Tansania zeigte. Darunter stand: »Ex-Bundespräsident Johannes
Rau und Ehefrau Christina in Tansania«. Zwar stimmt es,
dass Johannes Rau mittlerweile nicht mehr Bundespräsident
ist. Aber als er im März 2004 mit seiner Frau nach Tansania
flog, da war er es noch. Das Bild zeigt also nicht den Ex-Bun-
despräsidenten, sondern den damaligen Bundespräsidenten. Das ist ein kleiner, aber feiner Unterschied.

Ein anderer Artikel beschäftigte sich mit der Vorliebe einiger Politiker für medienwirksame Inszenierungen und
nannte als Beispiel »die öffentliche Scheidung von Kanzler
Schröder und seiner Ex-Frau Hillu, die der Ministerpräsident von Niedersachsen damals ganz offen auf der Seite eins
der ›Bild‹-Zeitung zelebrierte«.

Zwar ahnt man, was gemeint war, doch kann die Ahnung nicht darüber hinwegtäuschen, dass dieses Beispiel drei Fehler enthält. Fehler Nummer eins: Einen Kanzler Schröder, der eine öffentliche Scheidung zelebriert haben soll, gibt es nicht. Sehr wohl einen Gerhard Schröder, aber seit dieser Gerhard Kanzler ist, hat er nichts unternommen, was nach Zelebrierung einer öffentlichen Scheidung aussah.

Fehler Nummer zwei: Gerhard Schröder hat natürlich nicht versucht, sich von seiner Ex-Frau Hillu scheiden zu lassen. Das wäre auch äußerst töricht gewesen, zumal eine Scheidung pro Ehe nach deutschem Recht völlig ausreichend ist.

Fehler Nummer drei: Nicht *der* Ministerpräsident von Niedersachsen hat *damals* etwas gemacht, sondern der *damalige* Ministerpräsident von Niedersachsen hat etwas gemacht.

Nach Berichtigung der falschen Tatsachenbehauptungen liest sich das Beispiel nunmehr so: »die öffentliche Scheidung von Gerhard Schröder und seiner Frau Hillu, die der damalige Ministerpräsident von Niedersachsen ganz offen auf der Seite eins der ›Bild‹-Zeitung zelebrierte«.

Wann immer irgendwo auf der Welt ein Regime kollabiert, wird es besonders gefährlich. Dann laufen plötzlich jede Menge Ex herum, die von den neuen Machthabern gejagt werden. Wenn einer gefasst wird, so ist die Gefahr groß, dass man Sätze wie diesen liest: »Mahmud war Sicherheitsberater und ranghöchster Leibwächter des Ex-Präsidenten.« Haben Ex-Präsidenten Sicherheitsberater? Eigentlich brauchen sie diese doch vor allem, solange sie noch Präsidenten sind. Gemeint ist natürlich: »Mahmud war Sicherheitsberater und ranghöchster Leibwächter des (damaligen) Präsidenten.« Den Zusatz »damaligen« kann man in diesem Fall sogar weglassen, denn dass der Präsident inzwischen selbst nicht mehr Präsident ist, spielt für Mahmuds einstige Tätigkeit als Sicherheitsberater eigentlich keine Rolle.

Richtig knifflig wird es, wenn es zum Beispiel um den Sänger Thomas Anders und sein Tun und Nicht-lassen-Können während der Neunzigerjahre geht. Damals gab es Modern Talking nicht mehr, also könnte man ihn als Ex-Modern-Talking-Sänger bezeichnen. Aber 1998 hatte das Duo ein Comeback. Das hat glücklicherweise nicht lange gewährt, trotzdem bleibt die Frage, ob man Thomas Anders (»Der Mann, der Nora war«) in der Zeit zwischen MT1 und MT2 tatsächlich als »Ex-Modern-Talking-Sänger« bezeichnen kann. (Ich weiß, viele werden sich an dieser Stelle fragen, ob man Thomas Anders überhaupt als Sänger bezeichnen kann, aber das gehört nicht hierher ...) Es ist indes nicht nötig, Thomas Anders heute als Ex-Ex-Modern-Talking-Sänger zu bezeichnen. Selbst wenn man dasselbe Amt zweimal bekleidet oder dieselbe Karriere ein zweites Mal versucht hat, bleibt man am Ende doch nur einmal Ex.

Nicht nur Regime und Musikgruppen können untergehen, sondern auch ganze Staaten. Ein berühmtes Beispiel finden wir auf unserem eigenen Territorium: Dort ging zuletzt ein Staat namens DDR unter. Seitdem wird viel von der ehemaligen DDR gesprochen, wie auch von der ehemaligen Sowjetunion und überhaupt dem ehemaligen Ostblock. Doch auch hier ist Vorsicht geboten: Eine Aussage wie »In der ehemaligen DDR gab es keine Freiheit« ist unsinnig, denn »ehemalig« wurde die DDR erst durch ihre Auflösung. Es muss heißen »In der DDR gab es keine Freiheit«. Wer von der »ehemaligen DDR« spricht, meint damit das heutige Gebiet, das einst die DDR gewesen ist, und auf diesem ist das Nichtvorhandensein von Freiheit längst kein Thema mehr.

Ständig liest man von Sportlern, die »für die ehemalige DDR« oder »für die ehemalige Sowjetunion« an den Start gegangen sind. Demzufolge müsste der europäische Sportkader von Revanchisten und hoffnungslosen Ostalgikern durchsetzt sein.

Mitunter geschieht es, dass im Übereifer der Aspekt des Ehemaligen verdoppelt wird, was aber nicht unbedingt zu klareren Verhältnissen führt: Ist mit »mein damaliger Ex« der damalige Freund oder Mann gemeint, oder gab es bereits damals einen Ex, der inzwischen durch einen aktuellen Ex ersetzt wurde? Es scheint, dass hier das »Ex« bis zum »Ex-Zess« betrieben wird.

Für die Vorsilbe »Alt« gilt übrigens dasselbe wie für »Ex«: Ob Altkanzler oder Altbundespräsident, wenn es heute um ihre Amtszeit geht, so muss es heißen »der damalige«.

Falsch: »Dies hatte der Altkanzler noch während seiner letzten Tage im Amt verfügt.«

Richtig: »Dies hatte der damalige Kanzler noch während seiner letzten Tage im Amt verfügt.«

Übrigens: Johannes Rau wird, wie alle seine noch lebenden Amtsvorgänger auch, immer noch mit »Herr Präsident« angesprochen. Diese ehrenvolle Titulierung steht ihm protokollgemäß bis ans Ende seiner Tage zu.

Bleibt zum Schluss die Frage, ob man die Vorsilbe »Ex« üblicherweise mit einem Bindestrich absetzt oder ob man sie mit dem anschließenden Wort zusammenschreiben sollte: Ex-Frau oder Exfrau, Ex-Trainer oder Extrainer, Ex-Exhibitionist oder Exexhibitionist? Beides ist richtig. Geläufige Zusammensetzungen wie Exminister, Expräsident, Exfreundin kann man getrost zusammenschreiben, weniger gewohnte und komplexere Zusammensetzungen wie Ex-Ameisenkönigin, Ex-Formel-1-Profi und Ex-Travestiestar gerne koppeln. Jeder wähle sich die Form, die er für die am besten lesbare hält.

Nur keine Torschusspanik!

Frage eines Lesers: Jahrelang glaubte ich, dass man, wenn überhaupt, nur eine »Torschusspanik« haben könne. Nun höre ich aber immer wieder, dass meine Vorstellung einer Angst vor einem verzogenen Schuss aufs Tor nicht richtig sein soll. Heißt es tatsächlich »Torschlusspanik«? Wird da nicht irgendwas mit »Kurzschlussreaktion« verwechselt?

Antwort des Zwiebelfischs: Es heißt tatsächlich »Torschlusspanik«. Dieser Ausdruck geht zurück auf frühere Zeiten, als Städte noch von Mauern umgeben waren. Allabendlich wurden die Tore geschlossen; wer es nicht rechtzeitig in die Stadt geschafft hatte, musste damit rechnen, die Nacht vor den Toren zu verbringen. Daher hasteten die Menschen bei Sonnenuntergang bisweilen wie in Panik auf die Stadttore zu, um nicht ausgesperrt zu bleiben. Verwandt mit der Tor(es)schlusspanik sind die Redewendungen »kurz vor Toresschluss« (gerade noch rechtzeitig) und »nach Toresschluss« (zu spät).

Im Fußball mag es auch so etwas wie Torschusspanik geben, eine Psychose, die zum Beispiel einen Elfmeterschützen heimsucht. Doch dieser Ausdruck gilt – im Unterschied zur Torschlusspanik – nicht als feststehende Wendung.

Sie oder sie – du musst Dich entscheiden

Lieber du, schreibt man Dich eigentlich noch groß? Mehr können wir ihnen dazu im Moment nicht sagen, aber Ihnen natürlich schon. Wer kennt Sie noch, die richtigen Anredeformen? Ein Kapitel zum Thema Groß und klein bei Du und dein – und über den seltsamen Umgang mit Ihnen und Sie.

Mit der Wahl der passenden Anredepronomen tut sich manch einer schwer; und damit ist hier nicht die Frage gemeint, wann wir jemanden duzen oder siezen sollten; hier geht es vielmehr um die Probleme, die uns die Anredepronomen im Schriftlichen bereiten, weshalb man sie eigentlich auch *Anschreibepronomen* nennen könnte.

Im Zuge der Rechtschreibreform wurden alle Großschreibungen bei Duz-Formen abgeschafft. Wer seinem besten Freund einen Brief oder eine E-Mail schreibt, braucht ihn nicht länger mit »Du« anzureden, ein kleines »du« genügt.

Was den einen eine Erleichterung, ist anderen ein Ärgernis. Das großgeschriebene »Du« war doch schließlich eine Respektsbekundung, die nun mir nichts, Dir nichts entfällt, sagen die Gegner des kleingeschriebenen »du«. Jahrelang habe man den Freund mit großem »Du« hofiert, nun soll man ihn plötzlich mit einem mickrigen »du« abspeisen? Das käme doch einer Herabwürdigung gleich und einer Abwertung der Freundschaft! Das sehe aus wie eine unsinnige Kürzungsmaßnahme, als wollte man nun auch noch am Respekt sparen. So einen Unfug könnten sie nicht verantworten, sagen sie, und glücklicherweise müssen sie das auch nicht, denn die Abschaffung des großgeschriebenen »Du« mag zwar inzwischen an den Schulen gelehrt werden; wie aber jemand in seiner privaten Korrespondenz verfährt, ist Gott sei Dank immer noch ganz allein seine Sache, da kann ihm keine Kultusministerkonferenz dieser Welt hineinreden.

Viel schwerer aber haben es die Journalisten, die sich immer wieder fragen müssen, wie sie die Duz-Anrede im Interview oder in Zitaten zu schreiben haben. Die Antwort lautet: klein! Und das war schon immer so, also auch vor Einführung der Rechtschreibreform. Wenn der lässige Reporter im Gespräch mit dem Fußballspieler die kumpelhafte Frage stellt, ob er sich denn von der letzten Niederlage inzwischen erholt habe, so bleibt es sein Geheimnis, ob er das »Du« dabei großspricht oder kleinspricht, aber im später abgedruckten Interviewtext muss es kleingeschrieben werden: »Hast du dich denn von der letzten Niederlage inzwischen einigermaßen erholt?«

Denn hierbei handelt es sich lediglich um die WIEDERGABE eines Gesprächs, und beim Wiedergeben und Zitieren müssen eventuelle Höflichkeitsformen nicht berücksichtigt werden, solange es sich um Pronomen der zweiten Person handelt. Auch in der Literatur hat es nie der Großschreibung bedurft, wenn sich zwei Personen in einer Geschichte unterhalten:

Die Sonne war schon untergegangen, als der Kater endlich nach Hause kam. Feline erwartete ihn bereits voll Ungeduld. »Warum kommst du so spät?«, fragte sie. »Ich habe mir große Sorgen um dich gemacht!« – »Aber du weißt doch, dass du dir keine Sorgen um mich zu machen brauchst«, sagte Felix und leckte sich die blutverschmierte Tatze, »der fette Mops wird sich so bald nicht wieder in meine Nähe wagen!«

In der Mehrzahl bereitete die Anrede erst recht Probleme: »Liebe Tante Emmi, lieber Onkel Berti, wie geht es euch/Euch? Habt ihr/Ihr meine Karte aus Italien bekommen? Ich habe mich über euer/Euer Geschenk jedenfalls sehr gefreut!«

Auch damit ist nun Schluss, der Rechtschreibreform sei

Dank (?), jetzt gibt es nur noch kleine »ihrs« und »euchs«, Tante Emmi und Onkel Berti sind gewissermaßen zu *tante emmi* und *onkel berti* geworden.

Doch nun zur dritten Person. Hier wird die Sache erst richtig spannend, und hier liegt auch das größte Fehlerpotenzial. Denn ob man »du« und »ihr« in Briefen und E-Mails nun klein- oder großschreibt, ist vor allem eine Frage des persönlichen Stils und hat weniger mit richtig oder falsch zu tun. Etwas völlig anderes ist es mit dem »Sie«.

Beim Siezen werden alle Pronomen großgeschrieben, und zwar immer und ausnahmslos, sowohl in der direkten Ansprache als auch bei der Wiedergabe eines Interviews. Warum das so ist, lässt sich leicht begründen: Es besteht akute Verwechslungsgefahr! Sehen sie – Pardon: Sie nur mal hier:

Chatwoman: Meine Freundinnen gehen sehr oft ins Theater, manchmal nehmen sie mich mit.

Chatman: Im Schauspielhaus läuft ›Romeo und Julia‹. Haben sie das Stück schon gesehen?

Chatwoman: Wen meinen Sie? Meine Freundinnen?

Chatman: Nein, SIE! Haben SIE das Stück schon gesehen?

Chatwoman: Nein, noch nicht, aber ich würde sehr gern. Meine Freundinnen wollen es unbedingt sehen!

Chatman: Ich könnte ja mit ihnen mitgehen. Wie wäre das?

Chatwoman: Nun ja, da müsste ich sie erst mal fragen, aber in der Regel haben meine Freundinnen gegen eine neue Bekanntschaft nichts einzuwenden.

Chatman: Ich will mit IHNEN ins Theater gehen, nicht mit ihren Freundinnen.

Chatwoman: Im Grunde genügt bei ›Sie‹ und ›Ihnen‹ ein Großbuchstabe, nämlich am Wortanfang, wenn Sie mich meinen.

Chatman: ???

Dass Chatman und Chatwoman sich jemals getroffen haben und gar zusammen ins Theater gegangen sind, darf eingedenk dieses missglückten Starts ihrer Kommunikation bezweifelt werden.

Wenn er nicht gerade mit kulturinteressierten Damen chattet, ist Chatman womöglich Programmierer oder, noch schlimmer, Werbetexter, wenn nicht gar Redakteur. Die sind nämlich nicht selten von einer äußerst irritierenden Ihnen/ihnen-Schwäche befallen. Dabei schreiben sie nicht nur »sie« und »ihnen« klein, wenn »Sie« und »Ihnen« gemeint ist, sondern sie schreiben »Sie« und »Ihnen« groß, wenn es tatsächlich »sie« und »ihnen« heißen sollte. Ein Beispiel aus dem Internet:

»Wer den Messenger benutzt, merkt gleich, wann seine Freunde Ihren Computer eingeschaltet haben.« Offenbar ist dieser »Messenger« so eine Art Alarmsystem, das mich informiert, sowie sich einer meiner Freunde an meinem Computer zu schaffen macht. Ich frage mich nur, warum meine Freunde so etwas tun sollten? Allem Anschein nach aber kommt so etwas unter Freunden häufiger vor, sonst würde sich dieser »Messenger« wohl kaum verkaufen.

Ein anderes erheiterndes Beispiel lieferte eine Anzeige für eine Donaukreuzfahrt. Darin war der Satz zu lesen: »Die ›MS Savonia‹ ist ein Schiff der guten Mittelklasse und überzeugt durch Ihren besonders freundlichen Service an Bord.« Vorsicht, der Rabatt von 1100 Euro hat einen Haken: Willkommen auf der Galeere!

Wenige Tage vor der Wahl Joseph Ratzingers zum Papst stellte die Internetausgabe der »Bild«-Zeitung ihren Lesern die Frage: »Wird einer von Ihnen der neue Papst?« Diejenigen bild.de-Leser, die sich daraufhin Hoffnungen auf einen komfortablen Lebensabend in einem römischen Palast machten, wurden bitter enttäuscht, denn wie sich herausstellte, waren nicht sie gemeint, sondern die Kardinäle auf dem Foto.

Also: Beim Siezen schreibt man »Sie«, »Ihnen« und »Ihr« immer groß; wenn aber mit »sie«, »ihnen« und »ihr« dasselbe gemeint ist wie mit »die«, »denen« und »deren«, wenn es sich also nicht um eine Anredeform handelt, dann bleibt der Anfangsbuchstabe klein.

Und was ist mit »Euer Ehren«? Und mit »Ihro Gnaden« und »Euer Majestät«? Sind die antiquierten Anredeformen von der Rechtschreibreform etwa auch betroffen? Heißt es heute bloß noch »euer Ehren«, »ihro Gnaden« und »euer Majestät«? Wäre das nicht äußerst despektierlich, wenn nicht gar majestätsbeleidigend? Keine Angst, diese Form der Anrede wird weiterhin wie ehedem großgeschrieben, sie muss es sogar, um Verwechslungen mit dem gemeinen Volk zu vermeiden. Allerdings kommt sie nur noch selten zum Einsatz, in historischen Romanen etwa, in Theaterstücken, Drehbüchern oder Comics.

Apropos Comics: In der Bildererzählung »Asterix und die Trabantenstadt« gibt es eine köstliche Szene, in welcher Julius Cäsar seinen erstaunten Beratern erläutert, wie er das aufsässige gallische Dorf mithilfe eines gigantischen römischen Neubauareals in die Bedeutungslosigkeit abdrängen will. Cäsar spricht dabei von sich selbst konsequent in der dritten Person (so wie er es in seinem »Gallischen Krieg« tatsächlich tat), weshalb ihn einer seiner Berater zu seinem Plan mit den Worten beglückwünscht: »Er ist großartig!«, woraufhin Cäsar fragt: »Wer?« – »Na, Ihr!«, erwidert der Berater. Cäsar begreift und ruft: »Ach, Er!«

Kein Halten mit Halt?

Frage eines Lesers: Lieber Zwiebelfisch, mein Abitur-Deutschlehrer sagte immer, dass man das Wort »halt« nicht benutzen soll. Also in Sätzen wie »Das ist halt so« oder »Dann gehe ich halt mit«. Ist das »halt« falsch, oder ist es nur schlechtes Deutsch? Schließlich sagt man das des Öfteren, schreibt es jedoch so gut wie nie!

Antwort des Zwiebelfischs: Das Füllwörtchen »halt« ist weder falsches Deutsch, noch ist es schlechtes Deutsch. Es ist mundartlich. Man benutzt es vor allem im süddeutschen Raum, dort, wo alemannische und bairische Dialekte gesprochen werden. In der Hochsprache sind eher die gleichbedeutenden Ausdrücke »eben« und »nun einmal« gebräuchlich. Im Norddeutschen wird mitunter auch »man« gebraucht: »Dat is' man so.« Ohne »halt« hätten die Gebrauchsdichter in unserem Lande ein wichtiges Reimwörtchen weniger: »So ist's in diesem Sommer halt: Mal wird es kühl, mal bleibt es kalt.«

Der große Spaß mit das und dass

Nun geht's ans Eingemachte. Nämlich um jenen nie versiegenden Quell orthografischen Ungemachs, Deutschlands Rechtschreibfehler Nummer eins. Selbst Profis bekommen zittrige Finger, wenn sich ihnen beim Schreiben die quälende Frage aller Fragen stellt: Heißt es »das« oder »dass«?

Dass das »das«, das »dies« bedeutet, nicht dasselbe ist wie das »dass«, das eine Konjunktion ist, das hat wohl jeder irgendwann schon einmal gehört; aber nicht jedem hat sich der Unterschied zwischen den beiden Wörtchen so eingeprägt, dass er vor Fehlern gefeit ist. In der gesprochenen Sprache spielt der Unterschied keine Rolle, denn man hört ihn nicht. Solange man also nur plaudert und plappert, lässt sich jede »das/dass«-Schwäche verbergen. Erst wenn's ans Schreiben geht, zeigt sich, ob man den Stiel vom Stängel unterscheiden kann. Doch selbst routinierte Schreiber und Literaten haben mitunter ihre liebe Not damit. Sogar den Argusaugen erfahrener Lektoren und Korrekturleser entschlüpft das glitschige Detail bisweilen, sodass es immer wieder zu gedruckten Aussagen kommt wie dieser:

»Heino gab Siegfried ein geweihtes Medaillon des heiligen Paters Pio für dessen Freund Roy, dass den Zauberer bei seinem Heilungsprozess unterstützen soll.«

Rührend zwar, diese selbstlose Weihegabe Heinos, doch falsch das »dass« hinterm Komma. Dabei ist es im Grunde ganz einfach. Trotzdem geraten »dass« und »das« immer wieder durcheinander, so wie auch in diesem Beispiel:

»Bislang galt die Lehrmeinung, das die Natur diesem Säureangriff nicht hilflos gegenübersteht. Tatsächlich wirkt Speichel wie ein natürlicher Verdünner für die Säuren und kann ihr Erosionspotenzial herabsetzen.«

Obacht, der Text geht noch weiter:

»Speichel und gewisse Nahrungsmittel wie etwa Milch und Käse enthalten auch Kalzium und Phosphor, sodass man bisher davon ausging, dass diese Mineralien den erweichten Zahnschmelz wieder remineralisieren, dass heißt, diesen wieder härten.«

Nachdem der Verfasser zu Beginn eindeutig zu geizig mit dem Doppel-»s« umgegangen ist, sind zum Schluss des Absatzes offenbar die Gäule mit ihm durchgegangen. Dass das nicht »dass heißt« heißt, sondern dass das »das heißt« heißt, liegt daran, dass wir es beim »das« mit einem Pronomen zu tun haben.

Das einfache »das« ist schon für sich allein genommen sehr vielseitig. Es kann sächlicher Artikel sein (»das Ding«, »das Zauberbuch«, »das Universalgenie«), es kann Demonstrativpronomen sein und für »dies« oder »dieses« stehen (»*Das* wünsch ich dir«, »*Das* war hervorragend!«, »Kennst du *das* auch?«), und es kann als Relativpronomen fungieren, gleichbedeutend mit »welches«: »Ein Thema, *das* alle gleichermaßen interessiert, gibt es nicht«, »Nicht alle asiatischen Länder sind so gut dran wie Japan, *das* zu den sieben reichsten Industrienationen der Welt zählt«.

Wann immer man also anstelle von »das« auch »dies« oder »welches« sagen könnte, ist es ein Pronomen und wird genau wie der Artikel nur mit einem »s« geschrieben. Im Land der Schwaben kennt man noch eine andere Faustregel: Wann immer man auf Schwäbisch »des« sagen kann, schreibt man »das«, ansonsten »dass«: »Dass des so schwer sei soll, des versteh i net!«

»Das Hubble-Weltraumteleskop hat in Hunderten von Erdumrundungen ein Bild aufgenommen, *dass* das Weltall in seiner frühen Jugend zeigt.«

Richtig oder falsch? Richtig ist, wenn Sie auf »falsch« getippt haben! Denn hier könnte man auch sagen: »... ein Bild aufgenommen, *welches* das Weltall in seiner frühesten Jugend zeigt.« Und damit ist klar, dass es sich bei dem ersten »das« um ein Pronomen handelt.

Hieße der Satz aber so: »Mit Hunderten von Bildern hat das Hubble-Weltraumteleskop bewiesen, dass das Weltall in seiner frühen Jugend sehr viel dichter war als heute«, dann wäre das »dass« korrekt, denn dann handelt es sich um eine Konjunktion.

Eine Konjunktion ist ein »Bindeglied«, ein Wort, das (= welches) Satzteile oder Sätze miteinander verbindet. Die berühmteste Konjunktion ist »und«, über den verbindenden Charakter dürften keine Zweifel bestehen. Neben »und« gibt es mindestens drei Dutzend weiterer Bindewörter, und »dass« gehört dazu.

Die verwirrende Gleichheit zwischen der Konjunktion und dem Pronomen ist übrigens keinesfalls ein exklusives Phänomen der deutschen Sprache. Auch in anderen Sprachen spielen kleine Wörtchen eine solche Doppelrolle. Doch das Deutsche scheint die einzige Sprache zu sein, die zwischen der Konjunktion und dem Pronomen eine orthografische Unterscheidung vornimmt. Im Englischen gibt es »that« und »that«, im Niederländischen »dat« und »dat«, im Französischen »que« und »que« – jeweils als Konjunktion und als Relativpronomen, jeweils gleich ausgesprochen und gleich geschrieben.

Manch einer hatte gehofft, der Unterschied zwischen dem Pronomen »das« und der Konjunktion »daß« würde mit der Rechtschreibreform abgeschafft. Doch das war nicht der Fall. Der orthografische Unterschied blieb – und wurde sogar noch kniffliger. Musste man vorher immerhin den Finger noch zu einer anderen Taste bewegen, um die Konjunktion mit Eszett zu tippen, so hängt die Unterscheidung nun allein davon ab, ob man die »s«-Taste ein- oder zweimal anschlägt. Einige glauben feststellen zu können, dass die Verwechslung seit Einführung der neuen Orthografie zugenommen habe. Möglicherweise aber ist dies nur ein Zufall, genauer gesagt Folge eines Zusammentreffens unterschiedlicher Faktoren: Denn neben der Rechtschreibreform hat auch die rasche Ausbreitung des Internets einen erheblichen Anteil am munteren Gedeihen des orthografischen Wildwuchses.

Dass das »dass« nicht immer nur ein braves Single-Dasein führt, sondern häufig auch in Gesellschaft wechselnder Partner auftritt, macht die Sache nicht gerade leichter: So gibt es neben dem einfachen »dass« die erweiterten Konjunktionen »sodass«, »auf dass«, »anstatt dass« und »ohne dass«. Aber nicht »und dass«, wie offenbar einige Schreiber meinen, denen wir Beispiele wie die folgenden zu verdanken haben:

»Und *dass*, obwohl im Formel-1-Fahrerlager eine Menge Leute herumlungern, die ziemlich feine Ohren haben.«

»Ein Krankenhaussprecher sagte, Mutter und Kind hätten die schwere Geburt unbeschadet überstanden – und *dass*, obwohl die Fahrt ins Krankenhaus acht Stunden gedauert habe.«

Hinter solchen Sätzen stecken Dramen, davon macht sich der Leser da draußen keine Vorstellung! Da bringt eine tapfere Mutter unter derart widrigen Umständen ein Kind zur Welt, dass selbst der Redakteur noch unter den Nachwehen zu leiden hat, wenn er nämlich das Ganze in einen Bericht fassen und sich über *dies* und *dass* den Kopf zerbrechen muss.

Ein Aufeinandertreffen von »und« und »dass« ist selbstverständlich trotzdem möglich: »Ich weiß, dass auch du nur ein Mann bist *und dass* auch du nichts vom Geschirrspülen hältst. Trotzdem wirst du heute den Abwasch machen, und wenn es das Letzte ist, was du tust!«

Wenn die »das/dass«-Verwechslung nicht nur im Internet, sondern auch in gedruckten Zeitungen zugenommen hat, so vielleicht deshalb, weil immer mehr Redaktionen aus Kostengründen auf Korrekturleser verzichten. Wozu braucht man die auch noch, wo es doch die Rechtschreibhilfe von Microsoft gibt! Die weiß allerdings auch nicht immer, welches *das(s)* gerade gefragt ist.

Der »Zwiebelfisch« hat die Probe aufs Exempel gemacht: Vier Sätze gleicher Bauart mit insgesamt vier »das/dass«-Fehlern. Die Korrekturhilfe von Word hat nur einen einzigen erkannt:

> Ich weiß, das ich nichts weiß, und das ist schon eine ganze Menge.
> Ich weiß, dass ich nichts weiß, und dass ist schon eine ganze Menge.
> Ich weiß, das ich nichts weiß, und dass ist schon eine ganze Menge.
> Ich weiß, dass ich nichts weiß, und das ist schon eine ganze Menge.

Tatsächlich ist nur einer der vier Sätze fehlerfrei. Wer nicht draufkommt, welcher es ist, der wird diesen Artikel wohl oder übel noch einmal von vorne lesen müssen. Denn dass das eine klar ist: Bei »dass« und »das«, da endet der Spaß!

Für den Berliner allerdings fängt er da gerade erst an, wie nachstehendem Text zu entnehmen ist, der ein köstliches Zeugnis Berliner Mundart ist:

»Det mit dem Det, det is doch janz einfach. Wenn de sachst, det Auto, det ick mir jekooft habe, det is dufte, denn wird det Det mit s jeschriem. Sar ick aba, ick gloobe, det de damit rinjefallen bist, denn wird det Det mit ß jeschriem – weil det Det nich det Det is, det de jrade jebraucht hast.«

Vierzehntäglich oder vierzehntägig?

Frage eines Lesers aus Siegburg: Ich frage mich immer wieder, was denn nun richtig ist: »die Zeitung erscheint vierzehntägig« oder »die Zeitung erscheint vierzehntäglich«. Es gibt doch beide Wörter – und bestimmt auch einen Unterschied. Wie lautet der?

Antwort des Zwiebelfischs: Zwischen vierzehntäglich und vierzehntägig besteht tatsächlich ein Unterschied. Zusammensetzungen mit »-tägig« beziehen sich auf die Dauer, Zusammensetzungen mit »täglich« beziehen sich auf das Intervall. Etwas, das »ganztägig« ist, dauert den ganzen Tag; etwas, das »tagtäglich« passiert, geschieht jeden Tag aufs Neue. Eine vierzehntägige Tour dauert zwei Wochen. Eine vierzehntägliche Tour hingegen kann ganz kurz sein, findet dafür aber regelmäßig alle zwei Wochen statt.

Derselbe Unterschied offenbart sich auch in dem Wortpaar »zweiwöchig« und »zweiwöchentlich«: eine zweiwöchige Konferenz dauert 14 Tage, eine zweiwöchentliche Konferenz ist eine Konferenz, die im Zwei-Wochen-Rhythmus abgehalten wird.

Auch von Monaten und Jahren lassen sich Wortpaare mit demselben Bedeutungsunterschied ableiten: Eine dreimonatige Kreuzfahrt dauert drei Monate, ein dreimonatlich verkehrendes Kreuzfahrtschiff legt alle drei Monate einmal an. Eine zweijährige Ausstellung läuft ohne Unterbrechung zwei Jahre lang, eine zweijährliche Ausstellung findet alle zwei Jahre statt.

Ein nachmittägiges Kaffeetrinken ist ein Kaffeetrinken, das am Nachmittag stattfindet. Wenn es nicht nur einmal, sondern täglich stattfindet, ist es ein nachmittägliches Kaffeetrinken.

Eine Zeitung, die im Zwei-Wochen-Rhythmus erscheint, erscheint vierzehntäglich. Ein vierzehntägiges Erscheinen gibt es auch – im ungünstigsten Fall kommt eine Zeitung nicht darüber hinaus; das bedeutet, dass ihr Erscheinen bereits nach zwei Wochen wieder eingestellt wird.

Nur von Montag's bis Sonntag's

Früher ging man zum Gruseln ins Kino oder fuhr mit der Geister-
bahn. Heute genügt ein Spaziergang durch die Fußgängerzone. Dort
präsentiert sich eine wahre Galerie des Grauen's: Häk'chen, wohin
das entzündete Auge blickt. Beim Genitiv, beim Plural – und beim
Kellerstüber'l und bei roten Ampel'n. Treten Sie ein und staunen
Sie! Aber bitte beachten Sie die Öffnung's Zeiten!

Wir kennen sie alle, wir haben sie alle schon gesehen: Pros-
pekte und Schaufensterinschriften, die uns »PC's« und
»Notebook's« verheißen. Daran gewöhnen werden wir uns
aber nie, denn dass die Pluralendung im Deutschen apostrophiert würde, steht in keinem Lehrbuch.

»Kaufe alles aus Oma'ß Zeiten!« – Dieser Spruch am
Schaufenster eines Antiquitätengeschäfts in Dresden habe
sein Leben verändert, schreibt ein bekennender Apostro-
phobiker auf seiner Homepage. Seitdem sammle er Bilder
von Katastrophen mit Apostrophen. Wie das von jenem
Kleinbus, auf den ein Transportunternehmer voller Stolz
den Satz lackieren ließ: »Ich halte nur an roten Ampel'n!!!«
Sehr schön ist auch das Hinweisschild, das den Ortsunkun-
digen zum »Bauer'n-Hof« führen soll.

Besonders schlimm erwischt hat es die Wochentage. Von
»Montag's« bis »Sonntag's« tanzen die Häkchen Samba. Der
normale Montag wurde abgeschafft, ebenso das schlichte
»montags« – es heißt jetzt immer »Montag's geschlossen«
oder »Durchgehend von Montag's bis Samstag's geöffnet«.
Wobei ich klarstellen möchte, dass »es heißt jetzt« nicht
heißt, dass es so richtig wäre. Man liest es nur immer häufiger. So machen es die Leute – schuld daran kann nicht allein
die Rechtschreibreform sein. Die erlaubt zwar Großschreibung von Morgen und Abend in Fügungen wie »heute Mor-

gen« und »gestern Abend«, aber an der Schreibweise von »morgens« und »abends« hat sie nichts geändert. Von Apostrophen war dabei nie die Rede! Da muss der flinke Fotohändler etwas gründlich missverstanden haben, der seinen Kunden mit einem liebevoll gereimten Vers verspricht: »Filme bis Abend's gebracht – die Bilder bis Morgen's gemacht!«

Einige Häkchen sind derart grotesk, dass sie fast schon wieder sympathisch wirken. Da preist ein wehmütiger Motorradveteran seine alte SR 500 mit folgenden Worten an: »Sie war steht'z ein guter Begleiter, aber irgendwann kam die Familie und sie wurde in den Keller verbannt.« So steht's tatsächlich auf Ebay zu lesen.

Stets zu Tränen gerührt ist man auch beim Anblick all jener Häkchen, die durch irgendein bedauerliches Missgeschick verrutscht sind und dem Schriftzug den Charme eines zerlaufenen Make-ups geben, so wie bei jener Imbissbude namens »Waldi,s Wurst Wig Wam«, bei der nicht nur der Apostroph heruntergekommen wirkt. Die Aussage »Hier schmeckt,s lecker«, mit der ein Eisverkäufer auf sich aufmerksam zu machen versucht, scheint sich in einen Hauptsatz (»Hier schmeckt«) und einen Nebensatz (»s lecker«) zu teilen, denn wo eigentlich ein Apostroph stehen sollte, hat es nur zum Komma gereicht. Dabei sind das ja nun wirklich zwei Paar Schuh.

Apostrophe sind auch nicht dasselbe wie Akzente! Ein Café zum Beispiel hat einen Akzent auf dem »e«, keinen Apostroph. Darüber war sich der Inhaber des Ladens »La Belle E'poque« offenbar nicht ganz im Klaren. Und der Betreiber der Berghütte, bei der man sich zum »Apre's Ski« trifft, wohl auch nicht.

In manchen Gegenden Deutschland's sieht es wahrhaft trostlos aus. Da kann ein buntes Schild schon viel Freude bereiten. So wie der Hinweis auf »Heike's Zoo'eck«. Allerdings wäre hier anstelle des Apostroph's (und ich rede nicht von

Heike's) ein Bindestrich angebracht. Wenn überhaupt. Noch besser als Zoo-Eck ist nämlich Zooeck. Zoo'eck jedenfalls ist grammatisch äußerst fragwürdig, um nicht zu sagen biz'arr.

Manch einer, der das Wort »Türe« gebraucht, ahnt insgeheim, dass es sich dabei um eine mundartliche Variante des Wortes »Tür« handelt. Vielleicht war das der Grund, der einen Lokalbesitzer dazu brachte, die handgeschriebene Bitte an die Gäste um einen Apostroph zu ergänzen: »Bitte Tür'e leise schließen!«

Falls es irgendjemanden tröstet: Nicht nur die Deutschen stehen dem Apostroph hilflos gegenüber. Auch in Österreich herrscht längst nicht überall vollständige Klarheit über den korrekten Umgang mit dem tückischen Häkchen. Ausgerechnet auf dem Campus der Wiener Universität wurde ein Schild gesichtet, das dem durstigen Studiosus den Weg ins »Kellerstüber'l« weisen soll. Der Apostroph ist hier geradezu ein Sakrileg, denn die österreichische Endsilbe »-erl« bildet eine feste Einheit und ist so untrennbar wie Schlag und Obers oder wie Kaiser und Schmarrn. Das wäre so, als lüde jemand auf Hochdeutsch ins »Kellerstübche'n«.

Dass viele Deutsche angesichts einer schier unüberschaubaren Zahl unterschiedlicher italienischer Pastasorten ratlos vor dem Regal stehen, kann den Einzelhandel nicht kalt lassen. In meinem Supermarkt gibt es deshalb seit neuestem einfach »Nudel'n«, und das zu einem sagenhaft günstigen »Preiss« (das ist Bayerisch und bedeutet »Fischkopf«). Jetzt überlege ich mir, wenn einer in das Wort »Türe« einen Apostroph einschlägt und bei »Nudeln« auch, wie mag er dann das Wort »Türen« schreiben? Mit zwei Apostrophen?

Es wurden auch schon Fälle von unsichtbarer Apostrophitis gesichtet. Das ist ein Widerspruch in sich, denken Sie jetzt vielleicht, denn wie kann man etwas sichten, das unsichtbar ist? Ich zeige es Ihnen: »Die schönsten Büro s am Kurfürstendamm«. So steht es auf einem großen Transparent, das quer über die Fassade eines Berliner Neubaus gespannt ist. Haben Sie's bemerkt? Da ist kein Apostroph zu sehen, und doch spürt man seine Gegenwart ganz deutlich. Geradezu gespenstisch, finden Sie nicht? Oder bin ich der Einzige, der hier etwas sieht? Dann wäre das Sick s sechs ter Sinn.

Ganz und gar unschlagbar ist jene Regalbeschriftung, die man in einem Media-Markt bestaunen kann. Nachschlagewerke auf CD-Rom werden dort unter der Rubrik »Lexica's« geführt. Da ist nicht nur der Apostroph zu viel, sondern auch der letzte Buchstabe. Ganz zu schweigen davon, dass man Lexikon und Lexika auf Deutsch schon lange nicht mehr mit »c« schreibt. Ob man es bei einer Berichtigung, so es je zu einer kommen sollte, tatsächlich schafft, alle Fehler auf einmal zu beseitigen? Vermutlich wird man sich zu »Lexicon's« entschließen. Denn irgendetwas muss doch apostrophiert werden. Sonst sieht es doch gar nicht mehr nach Deutsch aus – und schon gar nicht nach Werbung.

Die kommt nämlich immer seltener ohne Häkchen aus: Ein Prospekt der Modekette H&M stellt die These auf: »Es geht um's Gewinnen«. Es geht offenbar nicht ums richtige Deutsch. Wann wacht Saturn endlich auf und apostrophiert seinen berühmten Schrei-Slogan? »Gei'z ist gei'l« – damit würden sie Media's Markt doch glatt in den Schatten stellen!

Wie lang und breit ist Mecklenburg?

Frage eines Lesers: Ist es richtig, dass »Mecklenburg« nicht mit kurzem »e«, wie es die Schreibweise nahe legt, sondern mit langem »e« gesprochen wird? Wenn ja, warum ist dies so?

Antwort des Zwiebelfischs: Mecklenburg wird tatsächlich mit einem langen »e« gesprochen. Jedenfalls wurde es früher so gesprochen, und wer sich auskennt, der spricht es auch heute noch so. Denn bei dem »c« handelt es sich nicht um ein zweites »k« (wie in Zucker, Bäcker und schlecken), sondern um ein sogenanntes norddeutsches Dehnungs-c. Der Name Mecklenburg geht zurück auf das althochdeutsche Wort »michil«, welches »groß« bedeutet. »Michilinburg«, wie man im 11. Jahrhundert sagte, bedeutete also »große Burg«. Die befand sich im Süden von Wismar und gab dem umliegenden Land seinen Namen. Im Niederdeutschen des Mittelalters sprach man es »Mekelenborch« aus; irgendwann ist das zweite »e« dann ausgefallen, und übrig blieb »Meklenburg«, gesprochen »Meeklenborch«.

Unsere Schriftsprache kennt zwei Möglichkeiten, um die Dehnung eines Vokals zu markieren: Entweder wird der Vokal verdoppelt (aa, ee, oo) oder von einem Dehnungsbuchstaben begleitet. Heute gibt es als Dehnungsbuchstaben nur noch das »h« (wie in Mehl, Bohne, Fahrer) und, hinter dem »i«, das »e« (wie in Liebe, Tiere, Miete). Früher konnte das »e« auch hinter einem »o« stehen, wenn dieses »o« lang gesprochen wurde: Ortsnamen wie Soest, Oldesloe, Coesfeld und Itzehoe zeugen noch heute davon. Kein Norddeutscher käme auf die Idee, dieses »oe« als »ö« auszusprechen.

Auch das »c« im Wort Mecklenburg war ursprünglich ein Dehnungszeichen. Unglücklicherweise fiel es mit jenem

Platzhalter zusammen, der im Hochdeutschen das verdoppelte »k« ersetzt und phonetisch genau das Gegenteil bewirkt, nämlich den Vokal verkürzt. Das Wissen um die tatsächliche Länge des »e«-Klangs im Namen Mecklenburg geht langsam verloren. Selbst junge Mecklenburger »meckern« heute, anstatt zu »mekeln«. Ein Fehler ist das aber nicht, denn beide Ausspracheweisen gelten heute als richtig. Auch in einigen plattdeutschen Dialekten wird Mecklenburg mit kurzem »e« gesprochen.

Das Dehnungs-c findet man noch in vielen anderen norddeutschen Namen, die traditionell mit langem Vokal gesprochen werden: Schönböcken (gesprochen: Schönbööken), Bleckede (gesprochen: Bleekede). Auch Lübeck, das im 12. Jahrhundert noch Lübeke hieß, besaß einst ein langes »e«. Und der Name der berühmten Lübecker Buddenbrooks geht zurück auf den pommerschen Ortsnamen Buddenbrock. Um zu verhindern, dass alle Welt seine Romanfamilie mit kurzem »o« spricht, hat Thomas Mann sich für die (untypische, aber unmissverständliche) Schreibweise mit Doppel-o entschieden. Auch Namen wie Brockhaus und Brockmann wurden früher mit langem »o« gesprochen.

Ein weiteres Beispiel für das norddeutsche Dehnungs-c liefere ich übrigens selbst. Der norddeutsche Name Sick leitet sich nämlich von Siegfried ab und wurde lange Zeit entsprechend mit langem »i« gesprochen. Alteingesessene Norddeutsche sprechen ihn auch heute noch so aus: »Moin, Herr Sieeek!«

Die umgangssprachliche Verkürzung »Meck-Pomm«, die das nordöstliche Bundesland klanglich in die Nähe eines Fastfoodprodukts befördert, ist scherzhaft, aber keineswegs herabwürdigend. Wir Deutschen sind schließlich ein durchaus genussfreudiges und genießbares Volk: Man denke nur an Frankfurter (Würstchen), Berliner (Pfannkuchen), Hamburger (Frikadellen) und Thüringer (Bratwurst).

Und täglich berichten die Kreise

Wir alle haben schon oft gehört oder gelesen, dass jemand in bestimmten Kreisen verkehrt, und gelegentlich sieht man auch, wie sich jemand im Kreisverkehr verfährt. So etwas lässt sich erklären. Doch was zum Teufel hat es mit all den vielen Kreisen auf sich, aus denen ständig und immerzu zitiert wird?

Kaum schlägt man die Zeitung auf oder ruft seine Lieblingsnachrichtenseite im Internet auf, schon stolpert man über sie: Regierungskreise, Unternehmenskreise, Militärkreise, Führungskreise – Kreise, wohin das Auge blickt. Kreise in allen Formen und Größen. Selbst vor Kardinalskreisen und Rebellenkreisen ist man nicht sicher.

Kreise sind die Kronzeugen des Zeitgeschehens. Was immer in Politik und Gesellschaft getuschelt, gemunkelt, geklatscht und spekuliert wird – die Nachrichtenwelt erfährt es meistens aus irgendwelchen Kreisen.

Wie entstehen solche Kreise? Zum Beispiel so: Ein Reporter ruft einen Staatssekretär an, um ihm eine Stellungnahme zu einem brisanten Thema zu entlocken. Der Staatssekretär salbadert in gewohnter Manier drauflos, redet sich richtig schön in Fahrt, lässt sich zu leichtsinnigen Äußerungen hinreißen, beleidigt seine politischen Gegner und gibt womöglich parteiinterne Geheimnisse preis – und wenn der Reporter fragt: »Kann ich das zitieren?«, dann lautet die Antwort: »Aber halten Sie meinen Namen raus! Das haben Sie nicht von mir, haben Sie mich verstanden?« Da es sich der Reporter mit dem Staatssekretär nicht verscherzen will, hält er sich daran, und so liest man anderntags in der Zeitung: »... hieß es aus Kreisen der Regierung.«

Kreise sind für den Journalisten ein wichtiges Hilfsmittel, fast noch wichtiger als die automatische Rechtschreibprüfung von Microsoft. Denn viele Informationen kämen nie oder nur mit erheblicher Verspätung in Umlauf, wenn man sich nicht auf »Kreise« berufen könnte. Oftmals werden Informationen überhaupt nur unter der Bedingung preisgegeben, dass der Name des Informanten nicht genannt wird. »Das habe ich Ihnen unter zwei gesagt«, bekommt der Journalist dann zu hören. Das ist für ihn das Signal, beim Zitieren auf »Kreise« auszuweichen. »Unter eins« bedeutet: »Sie dürfen mich wörtlich zitieren.« Aussagen, die man »unter zwei« gesagt bekommt, darf man zitieren, aber ohne Nennung der Quelle; und alles, was man »unter drei« gesagt bekommt, das muss man ganz für sich behalten, jedenfalls fürs Erste.

Je heißer das Eisen, das ein Journalist anfassen will, desto größer die Wahrscheinlichkeit, dass ihm als zitierfähige Quellen nur ominöse Kreise zur Verfügung stehen.

Adelsreporter zum Beispiel brächten ohne Kreise vermutlich keine einzige Zeile zu Papier. Kaum hat mal wieder jemand im Buckingham-Palast gegen die Etikette verstoßen und die Queen ihrem Ärger beim nachmittäglichen Fünfuhrtee Luft gemacht, liest man beim Friseur: »Wie aus Palastkreisen verlautete, war die Queen *not amused.*« Für viele Briten mag der Buckingham-Palast der Nabel der Welt sein, um den sich alles dreht. Daher ist die Assoziation eines Kreismittelpunktes, von dem aus sich beim geringsten Hüsteln der Queen konzentrische Ringe über die gesamte Oberfläche der britischen Gesellschaft verbreiten, nicht ganz abwegig. Wer sich mit der Regenbogenpresse auskennt, weiß aber, dass die Kreise vor allem aus Geiern bestehen, die unaufhörlich um den Palast flattern, die Kamera und das Tonbandgerät permanent im Anschlag, und die in ständiger Verbindung stehen mit sämtlichen Kammerdienern, Zofen, Gärtnern und engsten Freundinnen irgendeiner Lady Chatterer, die zufällig dabei war und genau gesehen haben will, wie die Königin für einen kurzen Augenblick die Contenance verlor.

Und das ist noch der günstigste Fall. Im ungünstigeren – und vermutlich häufigeren – Fall steht der Hofberichterstatter nur mit anderen Hofberichterstattern in Verbindung und kennt weder einen Kammerdiener noch eine Zofe, geschweige denn eine enge Freundin von irgendwem; dann verbirgt sich hinter den zitierten Palastkreisen nichts weiter als ein Ondit. Das ist Französisch und bedeutet Gerücht.

»Kreise« können für vier verschiedene Gruppen von Informanten stehen. Erstens für die »darf ich nicht verraten«, zweitens für die »zu unbedeutend, um mit Namen genannt zu werden«, drittens für die »hab mir den Namen zwar irgendwo notiert, kann ihn im Moment aber nicht finden« und viertens für die, deren Existenz nicht bewiesen werden kann. Diese letzte Kategorie findet man vor allem links und rechts des Boulevards, in seriösen Redaktionen hat sie selbstverständlich Hausverbot.

Der wesentliche Vorzug der Kreise liegt in ihrer formlosen Beschaffenheit. Sie sind wie Nebel gestaltlos, transluzent, ungreifbar. Und damit auch unwiderlegbar. Kreise sind praktisch, das lässt sich nicht leugnen. Daher ist die Versuchung groß, sich ihrer häufiger zu bedienen, als dem Informationsgehalt gut tut. Denn da Kreise nun einmal nicht dingfest zu machen sind, wirkt sich ihr verstärktes Auftreten zu Lasten der Glaubwürdigkeit aus. Da hilft es auch nichts, sie in altmodischer Manier mit Attributen wie »wohlunterrichtet«, »eingeweiht« oder »gut informiert« zu schmücken. Die Annahme, die Kreise würden durch solche Zusätze glaubwürdiger, um nicht zu sagen runder, ist trügerisch.

Lästig ist auch die Angewohnheit, die einmal in den Text eingeführten Kreise weiter zu verwenden und dabei auf eine nähere Bestimmung zu verzichten. Es heißt dann einfach nur noch »verlautete aus den Kreisen« oder »hieß es aus den

Kreisen«, quasi analog zu bekannten Versatzstücken wie »sagte der Sprecher« oder »erklärte der Minister«.

Man kann sich fragen, welchen Informationswert solche Angaben haben: »… war aus den Kreisen zu vernehmen«, »hieß es aus den Kreisen«. Vor allem darf man sprachästhetische Zweifel anmelden. Schon allein das allzu häufig nachgeschobene »hieß es« ist hilflos; das Anhängen irgendwelcher Kreise verbessert nicht den Lesefluss, sondern verwässert den Lesegenuss.

Am tollsten wird's jedoch, wenn plötzlich Kreise auftauchen, die zu keinem Zeitpunkt im Text näher bestimmt und zugeordnet werden. Kreise, die aus dem Nichts auftauchen, durch nichts erklärt werden und somit nichts besagen. Da heißt es zum Beispiel:

»Kreisen zufolge geschah dies bereits im Juli 2001, also vor den Terroranschlägen, und damit bevor die Luftfahrtbranche in die Krise stürzte.« (»Börsen-Zeitung«)

Um welche Kreise es sich handelt, muss sich der Leser aus dem Zusammenhang selbst zusammenreimen. Und dass er sich Dinge selbst zusammenreimen muss, ist eigentlich nicht der Sinn einer Meldung.

»Kurz vor Verabschiedung der Gesundheitsreform im Kabinett wurde der Entwurf im Detail noch verändert. Wie aus Kreisen verlautete, sollen Apotheker künftig beliebig viele Apotheken führen dürfen.« (»Die Welt«)

Dass hier Regierungskreise gemeint sein könnten, liegt im Bereich des Wahrscheinlichen, Gewissheit hat der Leser jedoch nicht.

»Die CDU in Nordrhein-Westfalen schließt nach Angaben aus Kreisen den Rückzug des Bundesfraktionsvorsitzenden aus dem Parteipräsidium nicht mehr aus.« (SPIEGEL ONLINE)

Welche Kreise mögen hier gemeint sein? Rhein-Sieg-Kreis? Lippe? Minden-Lübbecke? Hochsauerland-Kreis?

Nein, die Kreise, um die es hier geht, sind auf keiner Karte und keinem Autokennzeichen zu finden. Vielmehr handelt es sich um Parteikreise, aber das wollte der Verfasser aus unerfindlichen Gründen nicht enthüllen. Und es kreist munter weiter:

»Im EU-Verfahren gegen den Software-Riesen hat Kreisen zufolge Konkurrent Real-Networks demonstriert, dass Microsoft sein Windows-Betriebssystem nicht ausschlachten muss, um die EU-Forderungen zu erfüllen.« (»Frankfurter Rundschau«)

Ein Freund, dem ich meine Besorgnis über die Zunahme der unbestimmten Kreise im Nachrichtenwesen mitteilte, wusste eine Antwort: »Das geht zurück auf die wilden Siebziger! Damals hat doch jeder Journalist Trips eingeworfen, davon bekam er Halluzinationen und sah lauter psychedelische Kreise. Das wirkt offenbar bis heute nach.« Vielleicht hat er Recht. Die Welt mag sich im Kreis drehen, in der Medienwelt dreht sich alles um Kreise.

»Störe meine Kreise nicht«, soll der griechische Gelehrte Archimedes einem römischen Soldaten zugerufen haben, der nach der Eroberung von Syrakus in sein Haus eindrang. Gemeint waren die geometrischen Figuren, die Archimedes in den Sand gezeichnet hatte. Dieser Ausspruch steht, in leicht abgewandelter Form, im Gebetbuch manches Journalisten gleich auf Seite eins: »Bitte lasst mir meine Kreise!« Er soll sie ja auch behalten. Nur soll er pfleglich mit ihnen umgehen, das heißt sie nicht überstrapazieren und vor allem nicht unerklärt lassen. So verlautet aus Zwiebelfischkreisen.

Provozierend provokant

Frage einer Leserin: Was ist der Unterschied zwischen provozierend, provokativ und provokant?

Antwort des Zwiebelfischs: »Duden« und »Wahrig« schreiben den drei Begriffen keinen erkennbaren Bedeutungsunterschied zu. Schlägt man unter »provokant« und »provokativ« nach, so findet man als Erklärung »herausfordernd, provozierend«. Dafür kennen die Wörterbücher noch eine vierte Variante: provokatorisch – was ebenfalls dasselbe bedeutet.

»Provozierend« wurde im 16. Jahrhundert aus dem lateinischen *pro-vocare* entlehnt, »provokant« gelangte im 17. Jahrhundert aus dem Französischen (*provocant*) in unsere Sprache. »Provokativ« ist wiederum eine Ableitung des Provokateurs, der erst im 20. Jahrhundert aus Frankreich kommend in den deutschen Sprachraum eindrang. »Provozierend« ist demnach die älteste Form, die von Gelehrten gebildet wurde, um künstlich hervorgerufene Reaktionen in naturwissenschaftlichen Disziplinen benennen zu können. So spricht man beispielsweise von krebsprovozierenden Substanzen, neuerdings wohl auch von »Krebs provozierenden« Substanzen, nicht aber von krebsprovokanten Substanzen. Provokant kann dafür eine Äußerung oder ein Verhalten sein, der Begriff scheint eher gesellschaftlicher als wissenschaftlicher Natur zu sein. Dasselbe gilt für provokativ. Und wer sich wie ein Provokateur, also wie ein Aufwiegler verhält, der verhält sich provokatorisch.

Der Jugendjargon hält übrigens noch eine weitere Ableitung bereit: Wer gerne demonstriert und Krawalle liebt, der ist »voll provomäßig drauf«. Womit wir gleich beim nächsten Thema wären ...

Die maßlose Verbreitung des Mäßigen

Dass die Umgangssprache einem Rinnsal gleich immer nach dem kürzesten Weg sucht, ist nachweislich falsch. Viele Menschen könnten ihre Telefonkosten halbieren, wenn sie sich angewöhnten, auf überflüssige Wortanhängsel zu verzichten. Doch das fällt offenbar genauso schwer wie der Verzicht auf Süßes und Kartoffelchips.

Gemessen am Unglück anderer geht es uns Deutschen eigentlich recht gut, und trotzdem ist eines der am häufigsten gehörten Wörter in unserer Alltagssprache »mäßig«. Manche Gespräche strotzen geradezu vor Mäßigkeiten: »Und wie klappt es bei dir so, beruflich und privat?« – »Jobmäßig läuft alles normal, urlaubsmäßig haben wir zwar noch keine Pläne, aber beziehungsmäßig sind wir im Moment total happy, das lässt sich nicht anders sagen!«

Doch, will man spontan widersprechen, das lässt sich anders sagen! In gemäßigterer Form nämlich, ohne all die überflussmäßigen Wortanhängsel. Stilistisch ist so ein Redebeitrag nämlich eine Zumutung; notenmäßig bekäme er bestimmt kein »Gut«, nicht einmal ein »Befriedigend«, sondern bestenfalls ein »Mäßig«.

Tatsächlich, um nicht zu sagen »tatsachenmäßig« lässt sich feststellen, dass die Deutschen auf das Suffix »-mäßig« nicht mehr verzichten können. Selbst der Duden räumt ein, dass das Wort »mäßig« heute »eine überaus große Rolle als Suffix« spiele. Ursprünglich, wenn nicht gar »ursprungsmäßig« geht »mäßig« auf »Maß« zurück, und bei den Begriffspaaren gleichmäßig/Gleichmaß, ebenmäßig/Ebenmaß und mittelmäßig/Mittelmaß lässt sich die unmittelbare Verwandtschaft nicht leugnen. Doch was sind Jobmaß, Urlaubsmaß und Beziehungsmaß? Von Maßhalten kann angesichts der inflationsmäßigen Verbreitung der Endung keine Rede sein.

Die Zeiten sind vorbei, da man dieses Phänomen noch als Jugendjargon oder WG-Küchengeschwätz abtun konnte. Inzwischen hat »mäßig« sämtliche Bereiche unserer Gesellschaft erfasst. Es treibt sich im Sport herum (»Das heimische Team muss sich angriffsmäßig schon etwas einfallen lassen, um das Bollwerk zu knacken«), es wabert durch die Wirtschaft (»Die Zuwachsraten lagen auch im vergangenen Jahr im guten zweistelligen Bereich: umsatzmäßig wie auch renditemäßig«) und ist selbstverständlich auch in der Politik anzutreffen, wo man sich ausdrucksmäßig bekanntlich stets um äußerste Präzision bemüht.

Wenn die Mitglieder eines Kabinetts oder einer Kommission sich in einer bestimmten Frage nicht einigen können oder schlichtweg keine Meinung haben, dann heißt es neuerdings, man habe sich noch nicht »beschlussmäßig positioniert«. In der Sache also kein Ergebnis, aber wischiwaschimäßig ein Volltreffer. Das ist Schaumschlägerei auf mäßig hohem Niveau. »Mäßig« hilft dabei, die Grammatik zu überlisten. Störende Gedanken über den richtigen Gebrauch von Präpositionen und Artikeln entfallen wie auch das Nachdenken über die korrekte Deklination. Statt »Mit den Plätzen hatten wir großes Glück« sagt man: »Platzmäßig hatten wir großes Glück.« Mäßig ist schnell und bequem. Die Abstumpfung hat gesiegt.

Nicht einmal das Militär ist gegen die sprachliche Unterwanderung geschützt: So war von einem General zu lesen, der sich redlich Mühe gab, die Sorge zu zerstreuen, »dass sicherheitsmäßig ganz Afghanistan aus der Balance geraten könnte«.

»Wichtig ist jetzt erst einmal, überhaupt die Bereitschaft hinzubekommen, sich auf unsere Bedingungen diskussionsmäßig einzulassen«, beschwor derweil eine Grünen-Politikerin – vermutlich vergebens – die diskussionsresistente Industrie.

Psychologen wissen: »Eine kopfmäßige Überzeugung führt noch lange nicht zu einer Bewusstseinsänderung oder Änderung der Wertmaßstäbe«, und mancher heutige Oberklassenwagenbesitzer erinnert sich lächelnd, dass er sich in den Siebzigern »automäßig für einen knallbunten R4 entschieden« habe. Ach ja, die goldenen Siebziger! Würde Hans Rosenthal noch leben und bei »Dalli Dalli« in die Luft springen (»Das war Spitze!«), so müsste er heute wohl ausrufen: »Das war spitzenmäßig!«

Vor etlichen Jahren gab es den Versuch, auch das Adjektiv »technisch« als Suffix zu etablieren. Da liefen die Dinge »beziehungstechnisch« mal besser, mal schlechter, man hatte »arbeitstechnisch« die Nase vorn und war »informationstechnisch« auf dem Laufenden, lange bevor der Begriff »Informationstechnologie« in unserer Sprache auftauchte. Aber dieses Anhängsel war vielleicht zu kompliziert, zu technisch, jedenfalls hat es den Erfolg des schlichteren »mäßig« nie erreicht.

Und »mäßig« wuchert ungehemmt. Schon werden andere, bis vor kurzem noch völlig unstrittige Wörter in Mitleidenschaft gezogen: Der »ordnungsgemäße Zustand« wird immer häufiger zum »ordnungsmäßigen Zustand«, und eine »blitzartige Reaktion« gibt es auch schon als »blitzmäßige Reaktion«.

»Wir stehen finanzmäßig mit dem Rücken zur Wand«, stöhnt der Vorstandsvorsitzende einer Krankenkasse erbarmungsmäßig. Wer hat ihm bloß gesagt, dass »finanziell« nicht mehr geht, bloß weil bei seiner Kasse finanziell nichts mehr geht?

Man ist ja heutzutage geneigt, hinter jeder sprachlichen Unsitte einen Anglizismus zu vermuten. Und tatsächlich gibt es ein berühmtes Beispiel der Filmgeschichte, das diese Annahme stützt: In Billy Wilders Meisterwerk »Das Appartement« aus dem Jahre 1960 taucht ein Mann namens Kirkeby auf, der die höchst eigenwillige Angewohnheit hat, an alle möglichen und unmöglichen Wörter ein »-wise« anzuhängen – was in der deutschen Synchronfassung sehr treffend mit »-mäßig« wiedergegeben wird: »Prämienmäßig und rechnungsmäßig liegen wir um 18 Prozent besser als im letzten Jahr – oktobermäßig«, hört man Kirkeby zum Beispiel diktieren. Der Angestellte C. C. Baxter, dargestellt von Jack Lemmon, macht sich über diese Sprechweise lustig: »Fahren Sie vorsichtig«, sagt er zur Aufzugführerin Fran Kubelik (Shirley McLaine), »Sie befördern kostbare Fracht – ich meine arbeitskraftmäßig.« Und weiter: »Sie werden es nicht glauben, Miss Kubelik, aber ich liege an der Spitze – leistungsmäßig. Und vielleicht ist das heute mein großer Tag – aufstiegsmäßig.« Die junge Frau lacht und erwidert: »Sie fangen schon an, Mr-Kirkeby-mäßig zu reden!« Am Ende werden die beiden ein Paar – Baxter hat den Vogel abgeschossen, kubelikmäßig. Hier wurde eine Marotte zur Kunstform stilisiert, doch das ist etwas anderes als das mäßige Deutsch, das uns in der Alltagssprache begegnet.

Wie ein wirbelloses Tier quetscht sich der »mäßig«-Zusatz noch durch die engste Ritze und nistet sich in Lücken ein, die eigentlich gar keine sind. So wird aus einer »nicht erwerbstätigen Person« plötzlich eine »nicht erwerbsmäßig tätige Person«, eine Bilderbuchlaufbahn leiert zu einer »bilderbuchmäßigen Laufbahn« aus, und »verkehrsgünstige Anbindungen« werden unnötigerweise als »verkehrsmäßig günstige Anbindungen« angepriesen.

Da kann einem magenmäßig schlecht werden, und zwar saumäßig, und man möchte den Überträgern der Suffixseuche den dringenden Rat erteilen: »Mäßigen Sie sich!«

Wie nennt man das Ding an der Kasse?

Frage eines Lesers: Lieber Zwiebelfisch, ich suche die Bezeichnung für die Dinger, die man beim Einkaufen auf das Laufband legt, um die eigenen Waren von denen des Vordermanns abzugrenzen. Kannst du mir vielleicht weiterhelfen?

Antwort des Zwiebelfischs: Über das Ding an der Kasse haben sich schon erstaunlich viele Menschen den Kopf zerbrochen, es ist ein Dauerbrenner unter den »Wie nennt man«-Fragen. Einigen gilt es gar als eines der letzten fünf ungelösten Rätsel unserer Zeit. (Fragen Sie mich nicht, welches die anderen vier sein sollen.) Als ich zum ersten Mal nach dem Ding an der Kasse gefragt wurde, hatte ich keine Antwort parat. Seitdem ging mir die Frage nicht mehr aus dem Kopf. Ich konnte nicht mehr einkaufen, ohne daran zu denken. Ständig hämmerte es in meinem Hirn: »Wie nennt man das Ding an der Kasse?« Ich fing an, wichtige Besorgungen zu vergessen, vertat mich beim Geldabzählen, packte gedankenverloren die Einkäufe des folgenden Kunden mit in meine Tüte. Irgendwann kam mir der Gedanke, die Kassiererin zu fragen. Die sieht das Ding doch ständig vor ihrer Nase, da muss sie doch auch wissen, wie man es nennt. »Wie lustig, dass Sie danach fragen«, erwiderte sie, »dasselbe habe ich mich nämlich auch schon immer gefragt!«

Es blieb mir also nur, die Sache logisch anzugehen. Wozu dient das Ding?, fragte ich mich. Es trennt die Waren auf dem Kassenfließband. Und ein Ding, das Waren trennt, sollte auch so genannt werden: »Warentrenner«. Ich machte flugs die Probe aufs Exempel und gab den Begriff »Warentrenner« in eine Internetsuchmaschine ein. Und ich wurde prompt fündig. Zu meiner Freude stellte ich fest, dass sich bereits ein ganzes Diskussionsforum zur Klärung dieser bedeutsamen Frage zusammengefunden hatte. Dabei zeigte sich, dass auch die anderen Sprachinteressierten mehrheitlich für die Bezeichnung »Warentrenner« plädieren. Weitere Vorschläge lauten: (Waren-)Trennbalken, (Waren-)Trennstab, Trendy, Warenstaffelstab, Kassenbandriegel und Separator. In der Schweiz kennt man außerdem den Ausdruck »Kassentoblerone«. Besonders gefiel mir auch »Näkubi«, kurz für »Nächster Kunde bitte!«. Die mit Abstand charmanteste Idee stammt aus Ostfriesland: »Miendientje«, weil man es zwischen »meins« (mien) und »deins« (dien) legt.

Bereits vor einigen Jahren hat das »Jetzt«-Magazin der »Süddeutschen Zeitung« seinen Lesern den Begriff »Warenstopper« empfohlen. Der setzte sich allerdings nicht durch, denn er ließ vermuten, das Ding sei dazu da, die Waren daran zu hindern, vom Kassenband herunterzufallen. Der Kolumnist Max Goldt machte den Vorschlag, das Ding an der Kasse »Warenabtrennhölzchen« zu nennen. Nur ist das Hölzchen heute meistens aus Kunststoff oder Metall.

Das sicherste Indiz liefern in solchen Fällen für gewöhnlich Handel und Industrie. Die Hersteller und Vertreiber müssen schließlich wissen, wie ihre Produkte heißen. Die Internetsuche mit dem Begriff »Warentrenner« führt auf die Seiten mehrerer Werbeartikelanbieter, bei denen man Warentrenner in den verschiedensten Größen und Formen bestellen kann.

Ihre Frage wirft übrigens gleich die nächste auf: Was ist ein Laufband im Unterschied zum Kassenband? Laufbänder findet man eher in Fitness-Studios als in Supermärkten. Einige Handelsketten empfehlen ihren Kassierern und Kassiererinnen allerdings, regelmäßig Sport zu treiben, es wäre also denkbar, dass das Kassenband nach Ladenschluss zum Laufband wird. Fortgeschrittene benutzen dann womöglich die Warentrenner zum Hürdenlauf.

Von der deutschlandweiten Not, amerikafreundlich zu sein

Eine Angst geht um in deutschen Landen. Die Angst, zusammenzuschreiben, was zusammengehört. Sie ist »Deutschland-weit« verbreitet und führt zu bizarren Schreibweisen wie »Veilchen-artig«, »Tollwut-frei« und »Amerika-freundlich«. Dabei ist es gar nicht schwer, ein Adjektiv richtig zu schreiben. Man muss sich nur trauen.

Eine junge Fernsehredakteurin, die sich nach eigener Auskunft gerade mit dem Thema Paarungsverhalten beschäftigt, stellt mir folgende Frage: »Wenn ein Mensch sich ähnlich wie ein Pavian verhält, hat man es dann mit einem ›Pavian-ähnlichen Verhalten‹ oder einem ›Pavian ähnlichen Verhalten‹ zu tun?« Ich verwerfe sowohl die erste als auch die zweite Variante und schlage stattdessen eine dritte vor: »Schreiben Sie die beiden Wörter einfach zusammen und machen Sie ein *pavianähnliches* Verhalten daraus!« – »Geht das denn?«, fragt sie ungläubig. »Aber gewiss doch!«, erwidere ich. »Es handelt sich um ein Adjektiv, nichts weiter. Auch wenn es aus zwei Teilen besteht – pavianähnlich wird genauso zusammengeschrieben wie affenartig.« – »Das klingt einleuchtend«, sagt sie, »darauf hätte ich eigentlich auch selbst kommen können. Irgendetwas hielt mich bislang immer davon ab, große und kleine Wörter zusammenzuschreiben.«

Ihre Skepsis ist symptomatisch für eine weit verbreitete Scheu vor der Zusammenschreibung zusammengesetzter Eigenschaftswörter. Diese Scheu ist besonders stark, wenn der erste Teil eine Gattungsbezeichnung oder ein geografischer Name ist. Wie oft stößt man in Texten auf seltsame Konstruktionen wie »Europa-weit« oder »Amerika-freundlich«. Dabei gilt für Namenswörter dasselbe wie für alle Hauptwörter: Werden sie zu Adjektiven oder Adverbien umgebaut, büßen sie ihre Großschreibung ein – eine Konsequenz, vor der sich viele zu fürchten scheinen. Seltsam – *wo doch heute sonst kaum noch jemand rücksicht auf groß- und kleinschreibung nimmt.*

So wie man menschenfreundlich und kinderfreundlich sein kann, kann man auch amerikafreundlich sein. Der eine ist weinselig, der andere stresserprobt, und wer längere Zeit in Ungarn gelebt und viel über Ungarn erfahren hat, der ist ungarnerfahren. Was für Frankreich typisch ist, das ist frankreichtypisch – wenn es nicht typisch französisch ist. Und wer beim Verlassen Berlins Entzugserscheinungen verspürt, der ist höchstwahrscheinlich berlinsüchtig.

»Und was ist, wenn jemand gleichzeitig Amerika und Europa gegenüber freundlich gesinnt ist?«, fragt die Redakteurin weiter. »Ist er dann ›Amerika, klein, mit Bindestrich/neues Wort: und/neues Wort: Europa, klein, plus freundlich, ohne Leerzeichen‹?« Ich setze die Diktiervorgaben vor meinem geistigen Auge in Schrift um und sage mit einem Nicken: »Ganz genau, dann ist er amerika- und europafreundlich.«

Die Scheu vor der Zusammenschreibung hat die deutschsprachige Presse fest im Griff. Wie oft liest man: »Wie aus Unions-nahen Kreisen verlautete ...« So unflexibel ist die Union nicht, dass sie nicht eine Koalition mit einem Adjektiv eingehen könnte: unionsnahe Kreise – voilà! Weitere Beispiele der gleichen Bauart:

· *MTX ist ein Virus, das sich Wurm-ähnlich verbreitet und versucht, auf der Festplatte ein trojanisches Pferd abzulegen.*
· *Der Van ist nicht Oberklassen-kompatibel.*
· *Obelisken sind steinerne Säulen mit Pyramiden-förmiger Spitze, die zur Ehrung des Sonnengottes Ra aufgestellt wurden.*

Zwar sind Computerviren fiese Dinger, und ein Ausschluss aus der Oberklasse ist ein harter Schlag. Dennoch sind die Wörter wurmähnlich und oberklassenkompatibel genau wie pyramidenförmig nichts anderes als kleine, niedliche und völlig harmlose Adjektive. Ihr Anblick ist weder abschreckend noch »Gewöhnungs-bedürftig«. Sie tun nichts, sie beißen nicht, man kann sie anfassen und streicheln. Man muss sich nur trauen. Sie derart auseinander gerissen zu sehen ist für geübte Leser eher befremdlich. Genauso befremdlich wie »Gewitter-artige Schwüle« oder »Betriebs-bedingte Kündigung«. Im ungünstigsten Fall kann der Bindestrich sogar zu höchst bedauerlichen Missverständnissen führen. Bei Zusammensetzungen, die aus zwei gleichrangigen Adjektiven bestehen, hat der Bindestrich nämlich eine andere Funktion, als nur der Lesbarkeit zu dienen: Er ersetzt ein »und«. Beispiele: ein blassgrün-dunkelbraunes Hemd ist sowohl blassgrün als auch dunkelbraun; ein deutsch-französisches Unternehmen ist deutsch und französisch; ein rötlich-rundlicher Stein ist einerseits rötlich und andererseits rundlich. Was wäre demnach ein Mann, der als »türkisch-stämmig« beschrieben wird? Manchmal wirkt das Auseinanderschreiben nicht nur grafisch, sondern auch inhaltlich entstellend.

Eine mögliche Ursache für die häufig auftretende Getrenntschreibung zusammengesetzter Eigenschaftswörter liegt in der Rechtschreibprüfung von Microsoft, die bei den meisten in »Word« geschriebenen Texten zur Anwendung kommt. Sie unterstreicht alle Wörter, die das Programm nicht kennt, mit einer gezackten roten Linie. Die neueste Version dieser Rechtschreibprüfung ist zwar schon deutlich besser als ihre Vorgängerinnen, aber noch immer gibt es eine Vielzahl von Wortzusammensetzungen, die das Programm nicht kennt. Das ist auch gar nicht verwunderlich, denn theoretisch sind in der deutschen Sprache unendlich viele Wortzusammensetzungen möglich. Das zeichnet unsere Sprache ja gerade aus und macht sie so unermesslich reich. Von diesem Reichtum scheinen allerdings viele ihrer »Anwender« gar nichts zu wissen.

Über die Nachricht »Peking erklärt Chinas Schweine für Vogelgrippe-frei« haben sich die Fleischfresser in aller Welt bestimmt sehr gefreut. Sie hätten es aber genauso getan, wenn dort »vogelgrippefrei« gestanden hätte, in Analogie zu tollwutfrei, alkoholfrei, rauchfrei, autofrei und eisfrei. Zugänge, die den Bedürfnissen von Behinderten gerecht werden, dürfen getrost als »behindertengerecht« bezeichnet werden. Das Prädikat »Behinderten-gerecht« sieht die deutsche Grammatik jedenfalls nicht vor.

Und damit nicht genug: Selbst Eigennamen können zu Adjektiven verbaut werden und kommen dann in den ungewohnten Genuss der Kleinschreibung. Im Duden findet man zum Beispiel unter dem Buchstaben »G« das Stichwort »goethefreundlich«. Die neue deutsche Rechtschreibung erlaubt inzwischen zwar auch das Setzen eines Bindestrichs, wenn der Name hervorgehoben werden soll, aber bei einem derart bekannten Namen wie Goethe ist dies eigentlich nicht nötig. Auch ein »schrödernaher Vertrauter« und eine »merkelähnliche Frisur« können zusammengeschrieben werden, sofern aus dem Zusammenhang hervorgeht, welcher Schröder und welche Merkel gemeint sind.

»Und wie verhält es sich dann mit Abkürzungen?«, will die Redakteurin von mir wissen. »Gilt auch da Klein- und Zusammenschreibung? Eine spdnahe Stiftung? Eine gmbhähnliche Struktur? Ein euweites Verbot?« – »Selbstverständlich nicht«, beruhige ich sie, »das könnte ja nun wirklich kein Mensch mehr lesen und verstehen. Bei Abkürzungen behilft man sich mit dem Bindestrich: eine SPD-nahe Stiftung, eine GmbH-ähnliche Struktur, ein EU-weites Verbot. Aber eben nur bei den Abkürzungen. Bei ganzen Wörtern hingegen sollte man sich in Zusammenschreibung üben. Was immer auf -ähnlich, -freundlich, -mäßig, -artig oder -nah endet, ist ein gewöhnliches Eigenschaftswort und bedarf keiner Kopplung.«

»Hör ich richtig?«, mischt sich der neugierige Assistent ein, der sich zu uns gesellt hat. »Ihr unterhaltet euch über Rechtschreibung?« – »Wir streicheln Adjektive!«, sagt seine Kollegin. »Das solltest du auch mal machen, es fühlt sich wirklich toll an!« Der Assistent wirkt verdutzt: »Ihr streichelt Adjektive?« – »Ganz genau! Ich lerne gerade, meine Scheu vor der Zusammenschreibung zu überwinden. Ich glaube, ich könnte jetzt Begriffe wie *kohlendioxidhaltig* und *auberginenfarbig* in einem Rutsch durchschreiben!« – »Und Sie werden feststellen«, sage ich, »es tut überhaupt nicht weh!«

Wer Amerika freundlich gesinnt ist, ...	... der ist amerikafreundlich.
Wer sich für Asien interessiert, ...	... der ist ein asieninteressierter Mensch.
Wer Chinesisch kann, ...	... der ist chinesischkundig.
Wer in ganz Deutschland bekannt ist, ...	... der ist deutschlandweit bekannt.
Ein fürs Fernsehen taugliches Gesicht ...	... ist ein fernsehtaugliches Gesicht.
Wer sich Franzosen gegenüber feindlich verhält, ...	... der verhält sich franzosenfeindlich.
Ein für den Oscar nominierter Film ...	... ist ein oscarnominierter Film.
Wer sich einem Pavian ähnlich verhält, ...	... der zeigt ein pavianähnliches Verhalten.
Eine Lampe, die die Form einer Pyramide hat, ...	... ist eine pyramidenförmige Lampe (auch: eine pyramidale Lampe).
Wer wie ein Roboter geht, ...	... der hat einen roboterartigen Gang.
Ein Gebiet, das frei von Tollwut ist, ...	... ist ein tollwutfreies Gebiet.
Wer türkische Vorfahren hat, ...	... der ist türkischstämmig.
Prominente, die der Union nahe stehen, ...	... sind unionsnahe Prominente.
Ein von einer Videokamera überwachter Parkplatz ...	... ist ein videoüberwachter Parkplatz.
Wer der Weihnacht müde ist, ...	... ist ein weihnachtsmüder Mensch.

Grammatischer Radbruch

Frage eines Lesers: Beim Lesen einer renommierten Berliner Tageszeitung stolperte ich in einem Bericht über Paul McCartney über folgende Formulierung: »McCartney hat diesen Blick des ewig unbedarften Jungen auch mit 60 noch gut konserviert, dem man nur schlecht böse sein kann. Auch dann nicht, als er ein paar Kinderverse auf Deutsch radebrach.« Dass McCartney Probleme mit der deutschen Sprache hat, ist verzeihlich und nicht weiter überraschend. Aber es stellt sich doch die Frage, wer »radebrach« hier mehr?

Antwort des Zwiebelfischs: Ihre Zweifel sind durchaus berechtigt, das Verb »radebrechen« wird tatsächlich regelmäßig gebeugt:

er radebrecht (nicht: radebricht)
er radebrechte (nicht: radebrach)
er hat geradebrecht (nicht: hat radegebrochen)

Das Wort geht ins Mittelalter zurück, als Übeltäter für ihre Vergehen noch aufs Rad gebunden wurden (daher auch: gerädert), wo man ihnen dann alle Knochen brach. In späteren Jahrhunderten erlangte es die Bedeutung »quälen«, und seit dem 17. Jahrhundert bezeichnet »radebrechen« das Schinden einer Sprache.

Obwohl mit dem unregelmäßig gebeugten Verb »brechen« verwandt, hat »radebrechen« als feste Fügung einen anderen Konjugationsweg eingeschlagen. Die zitierte Zeitung hat also beim Beugen eine grammatische Reifenpanne gehabt, treffender gesagt: einen Radbruch.

Hier werden Sie geholfen!

»Das kostet Ihnen keinen Cent!«, verspricht ein Anbieter im Internet. Offenbar kostet uns seine Werbung dafür den Akkusativ. Doch nicht nur die Reklamesprache gibt uns immer wieder neue Rätsel auf. Auch manchem Politiker sind schon die Fälle davongeschwommen. Dem muss man dann erst mal wieder richtiges Deutsch lernen.

Jeder kennt die Werbung für die Telefonauskunft, bei der Verona Feldbusch ihr Image als grammatikschwaches Dummchen geschickt vermarktet, wenn sie die berühmten Worte spricht: »Da werden Sie geholfen.« Die meisten wissen natürlich, dass dies falsches Deutsch ist und dass es richtig heißen muss: »Da wird Ihnen geholfen.« Den meisten ist bekannt, dass das Verb »helfen« aktivisch und mit dem Dativ gebildet wird, nicht passivisch wie in »Hier werden Sie beraten« oder »Da werden Sie verschaukelt«.

Den meisten, wohlgemerkt. Die meisten sind aber nicht alle. So wurde mir von einem Fall berichtet, bei dem eine Kundin in einem Schuhgeschäft die höfliche Frage einer Verkäuferin, ob sie eine Beratung wünsche, mit den Worten erwiderte: »Nein danke, ich werde schon geholfen!« Die Verkäuferin sah die Kundin ungläubig an und wartete auf ein Zwinkern, ein Lächeln, auf irgendein Zeichen, mit dem die Kundin zu erkennen gab, dass sie sich einen sprachlichen Scherz erlaubt habe. Aber da kam nichts. Offenbar war die Kundin fest davon überzeugt, die richtigen Worte gewählt zu haben. Und dabei sah sie Verona Feldbusch nicht einmal ähnlich.

Schlimmer noch als die Verwechslung von Aktiv und Passiv ist die Verwechslung von Akkusativ und Dativ. Ein Freund von mir sagt hartnäckig, er sei »im Gespräch verwickelt gewesen«, was für mich so klingt, als hätte während des Gesprächs plötzlich jemand ein Netz über ihn geworfen. Unlängst schrieb mir eine besorgte Leserin, sie habe das Gefühl, dass immer mehr Menschen nach Präpositionen, die den Dativ erfordern, den Akkusativ benutzten. Als sie kürzlich in einem Geschäft mit ihrer Kreditkarte bezahlen wollte und diese sich nicht durch das Kartenlesegerät ziehen ließ, habe ihr die Kassiererin gesagt: »Das liegt an den Apparat.« Die Leserin fragte sich indes, woran es liege, dass die Kassiererin hier den Akkusativ wählte. An falschen Vorbildern in der Werbung?

Man darf den Einfluss der Werbung nicht überschätzen. Wenn die deutsche Sprache im Fall eines dritten oder vierten Falles gelegentlich ins Schwanken gerät, so liegt dies vor allem an der Tatsache, dass wir Deutschen ein Volk von Dialektsprechern sind. Und jede Mundart hat ihre eigenen Regeln, gerade was den Gebrauch der Fälle angeht. Der Berliner zum Beispiel kann mit dem Akkusativ nicht viel anfangen. So lautet die schönste Erklärung, die ein Mensch einem anderen machen kann, auf Berlinerisch: »Ick liebe dir.«

In anderen Gegenden wiederum erfreut sich der Akkusativ weitaus größerer Beliebtheit als der Dativ. Im Ruhrgebiet zum Beispiel heißt es am Frühstückstisch: »Gib mich mal die Butter.« Auch der Aachener kommt problemlos ohne »mir« und »dir« aus und lässt auch sonst alles weg, was nach seinem Gefühl nicht unbedingt nötig ist. Wenn ihm das Angebot in der Kantine nicht zusagt, sagt er: »Ich jeh nach Haus und koch mich selbst.« Bei gegenständlichen Objekten verwendet er auch gerne mal den Nominativ: »Kannste mich mal der Schlüssel jeben?«

Auch der Kölner lehnt die Existenz von mehr als zwei Fällen hartnäckig ab. Man sagt »dat Mensch« im Nominativ und im Akkusativ, und »demm Mensch« im Dativ und im Genitiv. In Köln kommt man damit wunderbar zurecht. Dass sich, je nach Region, bei bestimmten Wendungen ein unterschiedlicher Kasusgebrauch eingebürgert hat, ist weder ungewöhnlich noch unerklärlich. Es ist historisch so gewachsen.

Schließlich ist es selbst im Hochdeutschen längst nicht immer eindeutig. Heißt es »auf *sein* Recht beharren« oder »auf *seinem* Recht beharren«? Der Duden lässt hier nur den Dativ gelten. Bei »auf etwas bestehen« geht hingegen beides, man kann »auf *seinem* Recht bestehen« (wenn man darauf beharrt), und man kann »auf *sein* Recht bestehen« (wenn man es einfordert). Immer wieder gerate ich ins Grübeln, wenn ich mit der Frage konfrontiert werde, ob es »Er hat *ihm* auf die Füße getreten« heißt oder »Er hat *ihn* auf die Füße getreten«. Aber auch hier ist beides möglich.

Einem Bericht der »taz« zufolge soll der bayerische Ministerpräsident Edmund Stoiber einmal gesagt haben, »wir müssen den Ausländern richtiges Deutsch lernen«. Diese Aussage hat seinerzeit viele Menschen stutzig gemacht, und einige meinten, vielleicht solle man erst einmal die Politiker in unserem Lande richtiges Deutsch lehren. Jemanden etwas lehren (nicht lernen) wird im Allgemeinen mit dem doppelten Akkusativ gebraucht: einen Menschen (wen = Akkusativ der Person) das Fürchten (was = Akkusativ der Sache) lehren.

Das war in früheren Jahrhunderten auch mal anders, da konnte der Meister seinem Lehrling auch im Dativ das Handwerk lehren, aber heute wird der Dativ im Zusammenhang mit dem Wort »lehren« überwiegend als falsch empfunden. Diese schmerzliche Erkenntnis musste auch jene Werbeagentur machen, die im Januar 2004 den amerikanischen Spielfilm »Mona Lisas Lächeln« auf dem deutschen Markt anpries. »In einer Welt, die ihnen vorschrieb, wie man lebt, lehrte sie ihnen, wie man denkt.« So stand es auf Tausenden von Kinoplakaten zu lesen. Und auf den Gesichtern Tausender Kinobesucher bildeten sich große Fragezeichen: Ist das richtig so?

Als der Film einige Zeit später als DVD herauskam, war auf der Hülle der Satz in leicht abgewandelter Form zu lesen. »In einer Welt, die ihnen vorschrieb, wie man lebt, lehrte sie sie, wie man denkt«, hieß es nun. Es geschehen doch noch Zeichen und Wunder. Man soll die Hoffnung nicht aufgeben, auch nicht in Bezug auf die Werbung. Vielleicht verfällt eine pfiffige Agentur eines Tages auf die Idee, einen Konkurrenten der Auskunftsfirma Telegate mit dem Ausspruch zu bewerben: »Hier wird Ihnen wirklich geholfen!« Das wäre doch ein Knüller! Ein hoher Aufmerksamkeitsbonus wäre garantiert, und im (grammatischen) Vergleich stünde Telegate als Dummchen da.

Bei meinem Besuch in Aachen kam mir ein weiteres amüsantes Beispiel zu Ohren. Eine Aachenerin berichtete mir von einem persönlichen Erlebnis in einer Modeboutique. Sie wollte einen Bademantel kaufen, den sie im Schaufenster gesehen hatte. »Das ist ein Markenartikel«, sagte ihr die Verkäuferin und tat dabei etwas wichtiger, als es dem Anlass gebührte, denn der Bademantel war immerhin herabgesetzt. Und erklärend setzte sie nach: »Das ist von Tschiwentschi, aber das wird Sie nichts sagen.«

Dass sich der Name Givenchy dabei eher nach Tschiwabtschitschi anhörte als nach einem französischen Designer, war schon komisch genug. Der falsche Kasus aber setzte dem Ganzen die Krone auf. »Das Verb ›sagen‹ wird mit dem Dativ gebraucht, aber das wird Ihnen nichts sagen«, hätte die Aachenerin erwidern können. Aber dazu war sie zu höflich. Nicht jeder kann wissen, wie's richtig gehört, aber einige wissen zum Glück noch, *was* sich gehört. Janz besonders der Aachener (Öcher, wie er sich selbst nennt), »der kennt sich mit so was!«.

Der gekaufte Schneid

Frage eines Lesers aus Erlangen: Woher kommt die Redewendung »jemandem den Schneid abkaufen«? Und was genau bedeutet sie? Meine Internet-Recherche ergab bisher leider nichts. Können Sie mir helfen?

Antwort des Zwiebelfischs: Zunächst einmal sei gesagt, dass »jemandem den Schneid abkaufen« nichts mit einem Geschäft zu tun hat, auch wenn es sich danach anhört. »Abkaufen« ist hier eine schönfärberische Umschreibung für »rauben«, »wegnehmen«. Das Wort »Schneid« ist ein alter Ausdruck für Mut, Tatkraft und war im 19. Jahrhundert vor allem in der Soldatensprache anzutreffen. Wer Schneid hat, der besitzt Mut. Schneid und das davon abgeleitete Adjektiv »schneidig« sind verwandt mit der Schneide (eines Messers); denn wer kräftig und forsch daherkommt, der ist *scharf wie eine Schneide*. Wem der Schneid geraubt wird, dem wird der Mut genommen. Jemandem den Schneid abkaufen bedeutet daher heute noch *jemanden mutlos machen, einschüchtern*.

Die Sauna ist angeschalten!

Es gibt Dinge, die gibt's einfach nicht. Zum Beispiel Verbformen, die völlig sonderbar klingen. Man meint, sich verhören zu haben, und muss erkennen: Man hat richtig gehört! Da ist von Kindern die Rede, die genaschen haben, und von Häusern, die angemalen worden sind. Unsere Sprache wird täglich neu gestalten.

Ich wollte es ja erst nicht wahrhaben: Da schrieb mir ein verzweifelter Leser und flehte mich auf Knien an, ich möge doch dringend mal etwas über die korrekte Bildung des Perfektpartizips von »schalten« schreiben. Immer häufiger höre er Menschen sagen, ein Gerät sei »ausgeschalten« oder ein Motor »eingeschalten«. Dabei heiße es doch »ausgeschaltet« und »eingeschaltet«! Wie sei es möglich, lamentierte der Leser, dass hier plötzlich falsche Formen auftauchen, die dann auch noch eine so rasante Verbreitung finden?

Ich habe die Anfrage, wie ich es mit allen Zuschriften mache, ausgedruckt und abgeheftet, und zwar unter dem Stichwort »Perfekt, pervertiertes«. Eine interessante Beobachtung, dachte ich mir, aber doch wohl eher eine kuriose Ausnahmeerscheinung. Da ich selbst bis zu diesem Zeitpunkt noch nie gehört hatte, dass jemand »geschalten« statt »geschaltet« sagt, sah ich keinen dringenden Handlungsbedarf. Bis ich Anfang des Jahres in den Urlaub nach Südtirol reiste, um mich ein paar Tage in einem sogenannten Wellness-Hotel zu erholen. Auf meine Frage, ob man die Sauna schon benutzen könne, erwiderte die Empfangsdame an der Therme in tadellosem Hochdeutsch und mit einem bezaubernden Lächeln: »Aber selbstverständlich, die Sauna ist angeschalten!« Ich war wie vom Donner gerührt.

Zitternd gab ich die Perfektform »geschalten« in Google ein. Ich wollte doch mal sehen, wie es tatsächlich um die

Verbreitung dieses absonderlichen Partizips steht. Und tatsächlich: 66 000 Fundstellen! Da konnte es wenig trösten, dass über der Trefferliste die automatisch erstellte Korrekturanfrage erschien: »Meinten Sie ›geschaltet‹?«

Wenn Fernsehkonsumenten sich plötzlich fragen, ob irgendjemand »das Programm umgeschalten hat«, und wenn immer neue Parks und Einkaufszentren von namhaften Architekten »gestalten« werden, so liegt dies möglicherweise an der Ähnlichkeit der Verben »schalten« und »gestalten« mit dem Verb »halten«. Letzteres wird im Perfekt bekanntlich zu »hat gehalten« und nicht zu »hat gehaltet«. Aber bei »halten« handelt es sich um ein unregelmäßiges Verb, das im Präteritum seinen Hauptklang verändert: Aus »halt« wird »hielt«. Schalten hingegen ist ein regelmäßiges Verb, das seinen Hauptklang behält. Und weil es im Präteritum nicht zu »schielt« wird, wird es im Perfekt auch nicht zu »geschalten«, sondern zu »geschaltet«. Eigentlich ganz einfach.

Im buchstäblichen Sinne *gespalten* sind die Meinungen über die korrekte Bildung des Perfektpartizips von »spalten«. Obwohl es sich – auf den ersten Blick – um ein regelmäßiges Verb zu handeln scheint (ich spalte, ich spaltete, nicht etwa: *ich spielt* oder gar *ich spolt*), existiert die Perfektform »gespalten«. »Gespaltet« gibt es gleichwohl, doch das ist inzwischen viel seltener zu hören: »Ich habe das Holz gespaltet«; »Die einen hatten sich von den anderen abgespaltet.« Gerade als Adjektiv verwendet man fast ausschließlich die Form »gespalten«: »Wir haben ein gespaltenes Verhältnis«; »Der weiße Mann spricht mit gespaltener Zunge.« Offenbar gibt es nicht nur regelmäßige und unregelmäßige Verben, sondern auch noch regelmäßig-unregelmäßige Verben. Nun ja, warum auch nicht: Sprache ist wie Botanik. Es gibt wunderschöne Blüten und jede Menge Unkraut. Und ab und zu zwittert es halt im deutschen Verbenwald.

Meine Recherchen ergaben, dass die ungewöhnlichen

Formen »ausgeschalten« und »eingeschalten« für bestimmte Regionen durchaus typisch sind. Weite Teile des deutschsprachigen Südens gehören dazu, über Österreich bis Südtirol. Die freundliche Dame in dem Südtiroler Hotel hatte demnach keinen grammatischen Blackout, so wie man es von Viva-Moderatoren gewohnt ist, sondern benutzte ein regionaltypisches Partizip.

In einigen Gegenden soll man angeblich auch statt »Wir haben gebadet« sagen können: »Wir haben gebaden.« Im Badischen zum Beispiel. Nun, das ist ja auch nicht verwunderlich. Wer aus Baden-Baden kommt, dem kommt das »gebaden« ganz automatisch über die Lippen. Wollte man ihn korrigieren, könnte er womöglich erwidern: »Wieso? Ich wohn doch schließlich net in Badet-Badet!«

Und im Aachener Dom werden die Hände zum Gebet nicht nur gefaltet, sondern auch »gefalten«. Auch in Sachsen sind Formen wie »gemalen« und »gebaden« bekannt. Ich müsste mal meine Freundin Moni fragen. Die wohnt in Chemnitz und spricht Sächsisch erster Güte. Moni würde vermutlich sagen: »Mir ham gebaden.«

Bei Moni lasse ich das selbstverständlich durchgehen, denn Sächsisch ist nun mal Sächsisch, und das ist nicht ganz dasselbe wie Hochdeutsch. Man findet die Form »gebaden« aber auch in hochdeutschen Zusammenhängen, in Internetforen zum Beispiel. Da fragt ein gewisser Michael, ob Meerschweinchen eigentlich schwimmen können, und eine Melanie antwortet ihm: »Nein, Meerschweinchen dürfen nicht gebaden werden, die können sich eine Lungenentzündung holen und eine Erkältung!«

Die Perfektform »gebaden« würde freilich voraussetzen, dass »baden« zur Gruppe der sogenannten starken, besser gesagt: unregelmäßigen Verben zählt. So wie »laden«, das im Präteritum zu »lud« wurde und dann im Perfekt zu »geladen«. Aber »baden« wird im Präteritum nicht zu »bud«, sondern zu »badete«, wird also ganz regelmäßig gebildet – und muss im Perfekt daher auch »gebadet« heißen. Melanies Antwort war also grammatisch nicht ganz einwandfrei, trotzdem sei ihr von Herzen gedankt, denn vermutlich hat sie damit mehreren Meerschweinchen das Leben gerettet.

Sehr ans Herz zu legen ist in diesem Zusammenhang die Internetseite der »Gesellschaft zur Stärkung der Verben«, auf der sich eine drollige Liste mit (wohlgemerkt!) ausgedachten Ableitungen befindet. Die Grundannahme lautet: Was wäre, wenn es im Deutschen nur starke (also unregelmäßige) Verben gäbe? Wie hörte sich das an? Und so tummeln sich auf der Liste so herrliche Formen wie »bescheren, beschor, beschoren«, »herrschen, harrsch, gehorrschen« und »schimpfen, schampf, geschompfen«. Mein Favorit ist »faulenzen«, das im Präteritum zu »lonz faul« und im Perfekt zu »faulgelonzen« wird.

Unsere Sprache hat bekanntermaßen kein in Beton gegossenes, unveränderliches Fundament. Vielmehr gleicht sie einem Sumpf, einem Treibsand oder einem mit Tiefen und Untiefen gesegneten See, der von einer Eisschicht bedeckt ist, die wir »Standarddeutsch« nennen. Wie dünn diese Eisschicht ist, erfuhr ich erst kürzlich wieder, als ich mit einem alten Bekannten telefonierte. Auf meine harmlose Frage »Und, wie läuft's so bei euch beiden?« antwortete er: »Danke, kann nicht klagen, wir sind ganz gut ins neue Jahr *gestarten*!« Nachdem ich aufgelegt hatte, setzte ich mich an meinen Schreibtisch. Was tat ich dann? Ach ja, ich habe den Monitor eingeschalten und den Computer gestarten, um eine Geschichte zu schreiben über seltsame Arten und noch seltsamere Unarten des Perfekts.

Regelmäßige und unregelmäßige Verben auf -alten/-elten		
Infinitiv	Präteritum	Perfekt
erkalten	die Lava erkaltete	die Lava ist erkaltet
falten	ich faltete	ich habe gefaltet
gestalten	ich gestaltete	ich habe gestaltet
schalten	ich schaltete	ich habe geschaltet
verwalten	ich verwaltete	ich habe verwaltet
zelten	wir zelteten	wir haben gezeltet
spalten	ich spaltete	ich habe gespaltet/ gespalten
gelten	das galt	das hat gegolten
halten	ich hielt	ich habe gehalten
schelten	ich schalt	ich habe gescholten

Zum Eingefrieren ungeeignet?

Frage einer Leserin aus Hannover: Mein Sohn ist heute mit einem Diktat nach Hause gekommen, in dem unter anderem der folgende Satz enthalten war: »… das zum Eingefrieren verwendet werden kann.« Google kennt ca. 2000 Einträge für »eingefrieren«, aber korrigiert mich: *Meinten Sie: »einfrieren«?* Bitte helfen Sie mir, ich wüsste gerne, ob die Lehrerin einen Fehler gemacht hat!

Antwort des Zwiebelfischs: Wenn man darüber nachdenkt, was alles einfrieren kann und was sich alles einfrieren lässt, so stellt man fest, dass es eine grundsätzliche Unterscheidung zu treffen gilt zwischen der intransitiven und der transitiven Form des Wortes »einfrieren«. Im ersten Fall friert etwas selbst ein (zum Beispiel eine Wasserleitung), im zweiten Fall wird etwas eingefroren – Fleisch oder Gemüse zum Beispiel oder diplomatische Beziehungen.

In dem zitierten Diktat ging es offenbar um die zweite Form – bei der Dinge wörtlich oder im übertragenen Sinne »auf Eis gelegt« werden. Der Duden kennt für diesen Vorgang sowohl »einfrieren« als auch »eingefrieren«, wobei er die zweite Form als Nebenform der ersten ausweist. Ich selbst kenne in diesem Zusammenhang nur den Ausdruck »einfrieren«. Aber das muss nichts heißen. Ich bin ein Nordlicht, und als solches lasse ich mich immer wieder gern überraschen von den vielfältigen Variationen, die der Süden zu bieten hat.

So ist im Badischen und im Schwäbischen das Wort »eigfriere« (also »eingefrieren«) gebräuchlich, wenn's ums Tiefkühlen von Lebensmitteln geht – im Unterschied zum »Eifriere« (Einfrieren) der Zehen oder Finger an kalten Tagen. In der Pfalz sagt man entsprechend »oigfriere«, und in Bayern »eing'frian«. Im süddeutschen Raum ist übrigens auch das kuriose Wort »aufgefrieren« bekannt – in der Bedeutung »auftauen«.

Zwar spricht man allgemein von »Gefrierschrank« und »Gefrierbeuteln« – es käme wohl niemand auf die Idee, »Frierschrank« oder »Frierbeutel« zu sagen. Die gängige Verbform im Hochdeutschen lautet indes »einfrieren«.

Weil das ist ein Nebensatz

Sprache ist ständig neuen Moden unterworfen. Manches verschwindet nach einiger Zeit wieder – manches aber hält sich und wird irgendwann sogar amtlich. Einer der größten »Hits«, den die Umgangssprache je hervorgebracht hat, ist die Abschaffung des Nebensatzes hinter Bindewörtern wie »weil« und »obwohl«. Eine grammatische Revolution – oder bloß grober Unfug?

Freitagabend. Ich treffe mich mit Freunden im Lokal, um das Wochenende einzuläuten. Philipp und Maren sind da, und schließlich stößt auch Henry noch dazu. »Habt ihr schon bestellt?«, fragt er. »Nein, haben wir noch nicht«, sagt Philipp, »weil wir haben auf dich gewartet!«

»Das ist nett«, sagt Henry, »aber kein Grund, die Inversion zu vernachlässigen. Weil: Ich kann's wirklich nicht mehr hören!« Philipp zuckt die Schultern: »Ich kenne nur die Invasion in der Normandie, aber das hat hiermit vermutlich nichts zu tun – obwohl ... bei dir kann man das ja nie so genau wissen.« Henry seufzt und vertieft sich in die Speisekarte. Maren ist neugierig geworden: »Was meinst du denn mit Invasion?« – »Ich meine nicht Invasion, sondern Inversion«, stellt Henry richtig. »Inversion bedeutet Umkehrung oder Gegenstellung. Beim Hauptsatz steht das Prädikat normalerweise in der Mitte, also hinter dem Subjekt und vor dem Objekt. In der Frage wandert das Prädikat an den Satzanfang, beim Nebensatz wandert es nach hinten.«

»Will noch jemand Wasser?«, frage ich und halte die Sprudelflasche in die Luft. »Siehst du«, sagt Henry zu Maren, »das war jetzt gerade eine typische Inversion von Subjekt und Prädikat im Fragesatz. Aus ›Jemand will noch‹ wird ›Will noch jemand‹. Anhand dieser Umstellung kann jeder erkennen, dass es sich um eine Frage handelt. Man braucht am Ende nicht mal die Stimme zu heben.« – »Schon klar«, sagt Philipp, »da erzählst du mir nichts Neues ... obwohl so genau hätte ich das jetzt nicht erklären können.« – »Und in Nebensätzen gibt es auch so eine ... Inversion?«, fragt Maren. »Normalerweise ja«, sagt Henry. »Steht in dem Hauptsatz ›Wir sitzen im Kino‹ das Prädikat noch an zweiter Stelle, nimmt es im Nebensatz ›während wir im Kino sitzen‹ die Schlussposition ein. So sieht es unsere Grammatik vor. In letzter Zeit aber wird immer häufiger auf die Inversion verzichtet. Statt hinter ›weil‹, ›obwohl‹ und ›wobei‹ einen Nebensatz zu bilden, fangen viele einfach einen neuen Hauptsatz an.«

»Und ist das falsch oder bloß eine neue Entwicklung?«, will Maren wissen. »Sowohl als auch«, antwortet Henry, »es ist eine neue Entwicklung, die mit den Regeln der Grammatik bricht. Und wenn sie sich weiter so ungehemmt ausbreitet, steht zu befürchten, dass sich die Grammatikwerke dem irgendwann anpassen und die Einleitung von Hauptsätzen mit ›weil‹ und ›obwohl‹ als zulässig erklären. Ich persönlich achte darauf, dass ich hinter ›weil‹ einen Nebensatz bilde, also das Prädikat ans Ende setze. Und seit ich darauf achte, fällt mir ständig auf, wie viele andere es offenbar nicht tun!« – »Woher kommt das denn?«, fragt Maren weiter. »Der Hauptgrund dürfte in der Bequemlichkeit liegen«, meint Henry. »Es ist einfacher, einen Hauptsatz zu konstruieren als einen Nebensatz. Wie oft fängt man beim Sprechen einen Satz an, ohne genau zu wissen, wie er enden wird. Ehe man sich's versieht, hat man das Wort ›weil‹ ausgesprochen und befindet sich mitten in einem abhängigen Kausalsatz. Man denkt: ›Ups, wie komme ich da bloß wieder raus?‹, und rettet sich, indem man kurz Luft holt und dann mit einem neuen Hauptsatz beginnt. So als hätte man nicht ›weil‹ gesagt, sondern ›denn‹. Denn die Konjunktion ›denn‹ gehört zur Gruppe der sogenannten ›koordinierenden Konjunktionen‹, das sind Wörter, die Hauptsätze miteinander verbinden. So wie ›und‹, ›oder‹, ›aber‹ und ›sondern‹. ›Weil‹ hingegen gehört zur Gruppe der ›subordinierenden Konjunktionen‹, die Nebensätze einleiten. Und in Nebensätzen steht das Prädikat nun mal am Ende. Das ist für manch einen offenbar zu kompliziert. Heute Morgen hörte ich im Radio den Satz: ›Ziehen Sie sich warm an, weil heute wird es noch kälter.‹ Ein Nebensatz aus sechs Wörtern, das ist doch eine überschaubare Angelegenheit, und trotzdem war der Sprecher mit der korrekten Platzierung des Prädikats überfordert.«

»Fest steht doch«, sagt Philipp, »dass Sprache sich entwickelt und Strukturen sich verändern können. Wenn die Mehrheit findet, dass es praktisch ist, hinter ›weil‹ einen neuen Hauptsatz zu beginnen, warum sollte man das dann nicht akzeptieren?« – »Ich habe ja auch nie behauptet, dass ich gegen Wandel in der Sprache sei«, stellt Henry klar. »Ich trete lediglich für einen bewussten Umgang mit der Sprache ein. Und ich bin absolut dafür, die Möglichkeiten der Sprache voll auszuschöpfen – dort, wo es sinnvoll ist.« Ich pflichte Henry bei: »Gerade beim Satzbau lässt übrigens die deutsche Sprache sehr viel mehr Gestaltungsmöglichkeiten zu als beispielsweise das Englische. Dort werden Sätze nach der immer gültigen Formel ›SPO‹ zusammengebaut.« Philipp grinst und sagt: »Die Sozialdemokraten haben wirklich überall ihre Finger im Spiel – sogar in der Grammatik!« – »SPO steht für Subjekt, Prädikat und Objekt – die drei Hauptbestandteile des Satzbaus. Auch im Deutschen werden die meisten Sätze nach dem SPO-Schema gebaut, doch das ist nicht zwingend. Es geht auch anders. Statt ›Ich vertrage Paprika nicht‹ kann man auch sagen: ›Paprika vertrage ich nicht.‹ Das Subjekt kann ohne weiteres seinen Platz mit dem Objekt tauschen. Im Englischen geht das nicht, da steht das Subjekt immer vor dem Prädikat, sowohl im Hauptsatz als auch im Nebensatz.« – »Vergiss nicht Yoda aus ›Krieg der

Sterne‹!«, wirft Henry ein. »Bei dem stand das Objekt immer am Satzanfang: ›Auf die Macht zu hören du erst lernen musst!‹«

»Dann handelt es sich womöglich um einen Anglizismus«, mutmaßt Maren, »wir übernehmen doch ständig Dinge aus dem Englischen. Vielleicht ist diese Verdrehung hinter ›weil‹ ja auch so eine Übernahme. Kennst du den Song ›Because you loved me‹? Der heißt ja nicht ›Because you me loved‹.« – »Und wie würdest du diesen Titel ins Deutsche übersetzen?«, frage ich. »›Weil du mich liebtest‹ oder ›Weil du liebtest mich‹?« Maren überlegt kurz und sagt: »›Weil du mich liebtest‹. Das klingt irgendwie … rhythmischer. Bei ›Weil du liebtest mich‹ hakt es in der Mitte.« Ich stimme Maren zu: »Sprache ist immer auch eine Frage von Melodie und Rhythmus. Es geht also nicht allein um richtig oder falsch, sondern auch um den Klang, genauer gesagt um den Wohlklang. Für meine Ohren hört es sich schöner an, wenn hinter ›weil‹ ein Nebensatz folgt. Aber das muss jeder für sich selbst entscheiden.« – »Ich sage nur: Rettet den Nebensatz!«, sagt Henry, »weil …«, er macht eine Pause und holt tief Luft, »… es wirklich schade wäre, wenn er verloren ginge!«

»Können wir nicht mal das Thema wechseln?«, fragt Philipp, »weil das Grammatikgerede macht mich langsam müde!« Henry und Maren blicken ihn gleichermaßen strafend an. Philipp knurrt: »Also schön: weil mich das Grammatikgerede langsam müde macht!«

Das Rätsel des Steinhuder Meeres

Frage eines Lesers aus Hessen: Wieso wird das Steinhuder Meer eigentlich Steinhuder Meer genannt? Es hat doch kein Salzwasser. Und es schwimmen auch keine Wale darin. Es ist nicht mal besonders groß. Wie kommt's? Die Niedersachsen müssten doch wissen, was ein Meer ist, schließlich haben sie die Nordsee! Wie war eine solche Verwechslung nur möglich?

Antwort des Zwiebelfischs: Die Frage, warum das Steinhuder Meer Steinhuder Meer heißt, ist ganz schnell beantwortet: Weil's bei Steinhude liegt, warum wohl sonst?

Doch Scherz beiseite: Die Bezeichnung »Meer« ist im nordwestdeutschen und niederländischen Raum häufiger für stehende Gewässer anzutreffen. Bei Oldenburg gibt es das Zwischenahner Meer und bei Emden das Große Meer. Dieses Meer geht zurück auf das mittelniederdeutsche Wort *mere*, das Binnenseen bezeichnete. Im Niederländischen wimmelt es noch heute von Meeren, denn was bei uns ein See ist, das ist in Holland »een meer«. Dafür spricht man im Niederländischen von »de zee«, wenn wir vom »Meer« sprechen.

So wie sich das Wort »See« in zwei Richtungen entwickelte (der See = Binnengewässer/die See = Meer), so hat auch das Wort »Meer« zwei Richtungen eingeschlagen. Dass das Meer von den Germanen als stehendes Gewässer angesehen wurde, spiegelt sich heute außerdem noch in den Wörtern Moor und Marsch, die beide mit dem Wort »Meer« verwandt sind. Auch die als Maare bekannten Kraterseen in der Schwäbischen Alb und in der Eifel (zum Beispiel Randecker Maar, Dauner Maar) gehen auf das Wort »Meer« zurück – ganz genau auf das dem Vulgärlateinischen entlehnte Wort »mara«, eine Ableitung des lateinischen Wortes »mare«.

Nach oben hinauf und von oben herunter

»Holladi-ho!«, klingt es von den Bergen hinab. Oder klingt es herab? Wie man in den Wald ruft, so schallt es hinaus. Oder schallt es heraus? Erfahren Sie am Beispiel einer nie gezeigten Folge der Kultserie »Heidi«, wie schwer sich manche Menschen mit dem Hin und Her in der deutschen Sprache tun.

Heidis Welt sind die Berge, das wissen wir alle, denn das haben uns Gitti und Erika oft genug um die Ohren gejodelt. Die beliebte japanische Zeichentrickserie hat Generationen von Fernsehzuschauern beglückt. Und so ist die Geschichte des kleinen Mädchens, das bei seinem Großvater auf der Alm aufwächst, bis heute lebendig geblieben und einem großen Publikum ans Herz gewachsen. Eine Folge allerdings bekamen wir nie zu sehen, da sie nie fertig gestellt wurde. Unsere Mitarbeiter haben in jahrelanger akribischer Recherchearbeit dieser unfertigen Folge nachgespürt und sie tatsächlich gefunden. Es handelt sich um die Folge 46: Clara ist bei Heidi zu Besuch, und ihre Gouvernante, das gestrenge Fräulein Rottenmeier, gibt penibel Acht, dass Clara sich nicht zu viel zumutet. Wir sind überaus glücklich, Ihnen heute exklusiv die Eingangsszene dieser nie gezeigten Folge wiedergeben zu dürfen:

Fräulein Rottenmeier: Guten Morgen, Adelheid, warum bist du denn heute schon so früh auf?
Heidi: Guten Morgen, Fräulein Rottenmeier. Der Geißenpeter und ich wollen heute mit der Clara ins Tal!
Fräulein Rottenmeier (kreischt entsetzt): Clara? Ins Tal? Das kommt überhaupt nicht in Frage! Das kann ich unmöglich erlauben! Der Weg ist viel zu gefährlich! Wie soll Clara in ihrem Rollstuhl ...

Heidi: Der Peter wird die Clara tragen! Und er kennt einen sicheren Weg über die Wiesen, der ins Tal herabführt!

Fräulein Rottenmeier (streng): Es heißt *ins Tal hinab*, Adelheid!

Heidi: Herab, hinab, ist das nicht das Gleiche?

Fräulein Rottenmeier: Nein, es ist nicht das Gleiche. Es kommt auf die Richtung und die Perspektive an. Wenn du von hier oben nach dort unten gehst, dann gehst du – von dir aus gesehen – hinab. Wer dich unten im Tal kommen sieht, der sieht dich herabsteigen. Für dich ist es hin, für ihn ist es her.

Heidi: Gut, Fräulein Rottenmeier, ich will es mir merken!
Es klopft.

Heidi (erfreut): Oh, das wird der Geißenpeter sein!
Sie springt auf, läuft zur Tür und öffnet.

Heidi: Hallo, Peter! Komm nur hinein!

Geißenpeter (schüchtern): Hat denn dein Besuch nichts dagegen?

Fräulein Rottenmeier: Nein, hat er nicht, Geißenpeter. Er hat nur etwas dagegen, dass unsere Adelheid die Adverbien durcheinander wirft. Adelheid, du musst zu Peter sagen: Komm herein!

Heidi: Aber haben Sie nicht eben gesagt, für mich sei es hin und für ihn her?

Fräulein Rottenmeier: Wenn du den Peter aufforderst, in unsere Stube zu treten, dann bittest du ihn herein, nicht hinein.

Geißenpeter: Also, darf ich dann jetzt herein?

Fräulein Rottenmeier: Ja, begreift ihr denn gar nichts? Du musst fragen: Darf ich hinein, denn für dich ist es hin, wenn du zu uns herkommst! Das kann doch nicht so schwer sein!

Geißenpeter (kratzt sich am Kopf): Also, ich glaub, das ist zu hoch für mich. *(Er wendet sich wieder Heidi zu)* Wo ist die Clara? Will sie nicht mit uns kommen?

Fräulein Rottenmeier (bestimmt): Clara wird nirgendwohin mitkommen. Sie ist viel zu schwach. Eine derartige Anstrengung würde ihr nur schaden.

Geißenpeter: Dann gehen wir halt allein! Wir können ihr ja etwas aus dem Dorf mitbringen!

Heidi (zu Fräulein Rottenmeier): Sollen wir für Sie und für Clara etwas aus dem Dorf mit hinaufbringen?

Fräulein Rottenmeier: Du meinst, ob du uns etwas mit heraufbringen kannst, Adelheid! *(Zu sich selbst gesprochen)* Ich habe ja sofort erkannt, dass dieses Kind kein Umgang für unsere Clara ist. Es hat den Verstand einer Berggeiß!

Heidi: Wieso heißt es nun auf einmal wieder herauf? Ich dachte, aus meiner Sicht ...

Fräulein Rottenmeier: Du sollst nicht denken, sondern zuhören! Wenn du für Clara und mich etwas mitbringst, dann bringst du es zu uns herauf, nicht hinauf.

In diesem Moment betritt der Großvater die Stube.

Alm-Öhi: Guten Morgen! Was macht denn der Peter so früh schon hier?

Heidi: Guten Morgen, Großvater! Peter und ich wollten heute mit der Clara ins Tal, aber Fräulein Rottenmeier ist dagegen. Sie sagt, es wäre zu anstrengend für Clara. Obwohl der Peter sie doch tragen will.

Alm-Öhi: Was, der Peter will Fräulein Rottenmeier tragen?

Heidi (lacht): Nein, nicht Fräulein Rottenmeier, sondern Clara!

Alm-Öhi: Herab mag's vielleicht noch gehen, aber habt ihr euch auch überlegt, wie ihr wieder hinaufkommen wollt? Bergan trägt es sich viel schwerer!

Fräulein Rottenmeier (schrill): Hinab, wenn ich bitten dürfte! Und herauf! Also von Ihnen hat die Adelheid das! Nun, das hätte ich mir ja gleich denken können!

An dieser Stelle tritt Clara durch die Tür. Alle starren sie wie vom Donner gerührt an.

Heidi: Clara! Du kannst ja auf einmal wieder gehen! Wie ist das nur möglich?

Alm-Öhi: Ein Wunder ist geschehen!

Geißenpeter: Prima! Dann können wir ja doch noch alle ins Tal her... äh ... hin... also, nach unten ins Tal gehen!

Fräulein Rottenmeier: Das verstehe ich nicht! Clara sollte doch erst in Folge 51 wieder laufen können. Warum hält sich denn hier niemand ans Drehbuch? Und warum bin ich immer die Einzige, die fehlerfreies Deutsch spricht?

In diesem Moment löst sich ein Balken aus der Studiodekoration.

Heidi: Vorsicht, Fräulein Rottenmeier, der Balken dort fällt gleich hinab!

Fräulein Rottenmeier: Adelheid! Hast du es denn immer noch nicht begriffen? Nur wenn etwas von dir aus gesehen nach unten fällt, dann fällt es *hinab*. Wenn aber etwas von oben auf dich fällt, dann fällt es ...

Der Balken fällt herunter, trifft Fräulein Rottenmeier und wirft sie zu Boden.

Fräulein Rottenmeier (stöhnend): ... auf mich herab!

An dieser Stelle bricht die Aufzeichnung ab. Aufgrund des chaotischen Drehverlaufs und vielleicht auch wegen der allzu nervenden Besserwisserei Fräulein Rottenmeiers wanderte die Folge unvollendet und ungezeigt ins Archiv. Die Zuschauer sahen stattdessen eine Folge, in der Heidi, Clara und Peter einen glücklichen Tag auf der Almwiese verbringen. Dabei geht es um Freundschaft und Mut, um Vertrauen und die Überwindung von Angst, aber um Adverbien geht es nicht.

Und dies entspricht auch der Wirklichkeit, denn die Unterscheidung zwischen »hin« und »her« wird selten so genau genommen wie in der oben zitierten Zeichentrickepisode. Im wahren Leben spielt der Unterschied oft keine Rolle mehr.

Dabei hat Claras Gouvernante (so unangenehm sie uns auch erscheinen mag) prinzipiell Recht. »Her« kennzeichnet die Richtung auf den Sprecher zu, »hin« markiert die Richtung vom Sprecher weg. So erklärt es auch der Duden. Darum heißt es auch »Komm her zu mir!« und nicht »Komm hin zu mir!« und entsprechend »Geh zu ihm hin!« und nicht »Geh zu ihm her!«.

Der Vogel, der aus dem Nest gestoßen wird, fällt – vom Nest aus gesehen – aus dem Nest hinaus. Aus Sicht des Igels unten im Gras fällt der Vogel aus dem Nest heraus. Sofern Igel derlei Vorgängen in der Natur überhaupt Beachtung schenken.

Der Vogel selbst denkt während des Falles: »Ach du Schreck, jetzt bin ich hinausgefallen!«, und nachdem er unten im Gras gelandet ist, kann er dem Igel berichten, er sei aus dem Nest herausgefallen. Es kommt also auf die Richtung an – und auf den Blickwinkel.

Dies gilt allerdings nicht für Verben, die im übertragenen Sinn gebraucht werden. Sie werden durchgehend mit »her« gebildet: über jemanden herfallen, auf jemanden hereinfallen, für etwas herhalten, etwas herunterspielen.

In der norddeutschen Umgangssprache entfällt die Unterscheidung zwischen »hin« und »her« komplett, da gibt es nur noch »her-«, und das auch nur in verkürzter Form: »Komm doch mal rüber!« (= herüber), »Lass uns reingehen!« (= hineingehen), »Bleib, wo du bist, Liebling, ich komme runter!« (= herunter), »Da geht's in den Keller runter!« (= hinunter).

In Süddeutschland hingegen wird die Unterscheidung zwischen »hin« und »her« selbst in der verkürzten Form der Umgangssprache noch vorgenommen: Die Nachbarsleute kommen *rüber* (= herüber), aber man geht zu ihnen *'nüber* (= hinüber), der Wanderer kommt zu uns *rauf* (= herauf), und er steigt den Berg *'nauf* (= hinauf).

Jawohl, ihr lieben Preiß'n, da staunt ihr, ausgerechnet die

Bayern zeigen euch hier, wo's sprachlich langgeht. Genauer gesagt: wo's 'naufgeht und wo's runtergeht mit den Adverbien. Die Bayern und die Österreicher kennen übrigens auch noch die Wörter »herunten«, »heroben«, »herinnen« und »heraußen«, die allerdings nichts mit den hier beschriebenen richtungweisenden Adverbien zu tun haben. Das »her« steht in diesen Fällen für »hier«, »herunten« ist also eine verkürzte Form für »hier unten«.

Wer nun immer noch nicht weiß, ob Rapunzel ihr Haar hinunter- oder heruntergelassen hat, der braucht sich nicht zu grämen. Es gibt Schlimmeres! Und wer sich nicht den Kopf darüber zerbrechen will, ob er den Hammer *hinaufreichen* soll, wenn er gebeten wird, ihn *heraufzureichen*, der reiche ihn einfach nach oben.

hin	her
Es zog ihn zu ihr **hin**.	Sie zog ihn zu sich **her**.
Ich ziehe demnächst von hier dort**hin**.	Ich ziehe demnächst von dort hier**her**.
Peter geht in den Garten **hin**aus.	Peter kommt aus dem Haus **her**aus.
Heidi geht ins Haus **hin**ein.	Heidi kommt von draußen **her**ein.
Großvater sieht zum Fenster **hin**aus.	Man sieht Großvater zum Fenster **her**ausschauen.
Peter treibt die Ziegen von der Alm ins Tal **hin**ab.	Die Leute im Dorf sehen Peter mit den Ziegen ins Tal **her**abkommen.
Heidi steigt die Leiter zum Großvater **hin**auf.	Heidi kommt die Leiter zum Großvater **her**auf.
Rapunzel lässt ihr Haar (zum Prinzen) **hin**unter.	Rapunzel, lass dein Haar (zu mir) **her**unter!
Petrus lässt es auf die Erde **hin**abregnen.	Es regnet auf uns **her**nieder.
Er ging zum Nachbarn **hin**über.	Sie kam vom Nachbarn **her**über.

Von solchen und anderen Sanktionen

Frage eines Lesers: Der Begriff »Sanktion« wird, so scheint es mir, für zwei sich widersprechende Tatbestände verwendet: einerseits im Sinne von Bestrafung und andererseits im Sinne von Erlaubnis. Könnten Sie da mal etwas Licht ins Dunkel bringen und erklären, wie es zu so einer doppelten Bedeutung kommt?

Antwort des Zwiebelfischs: Das Fremdwort Sanktion, im 18. Jahrhundert aus dem französischen Wort *sanction* entlehnt, welches wiederum auf das lateinische *sanctio* zurückgeht, hat die Bedeutung »Billigung, Bestätigung, Erteilung der Gesetzeskraft«. Dass darin das Wort *sanctum* (= heilig) anklingt, ist kein Zufall: Früher galten Gesetze oft als heilig – oder sollten zumindest als heilig angesehen werden. Mit einer Sanktion hat man es also immer dann zu tun, wenn eine Autorität (König, Papst, Regierung, Parlament) etwas bestätigt, billigt, für rechtmäßig oder gar zum Gesetz erklärt.

Weil dies natürlich auch Zwangsmaßnahmen betreffen kann, hat das Wort »Sanktion« noch eine zweite Bedeutung erlangt, die im scheinbaren Widerspruch zur ersten steht. Aus der Billigung wurde die Bestrafung. Meistens wird es dann im Plural gebraucht. Man unterscheidet zwischen Sanktionen zur Bestrafung eines Staates und allgemeinen Sanktionen gegen ein bestimmtes Verhalten:

Kriegslüsterne Politiker fordern militärische Sanktionen gegen Schurkenstaaten; die Uno verhängt wirtschaftliche Sanktionen über ein Land; ein Unternehmen beschließt eine Reihe von Sanktionen, um einen Streik zu brechen; überall auf der Welt müssen Raucher mit immer drastischeren Sanktionen rechnen.

Das Verb »sanktionieren« wird überwiegend in der ersten Bedeutung, also als »billigen, gutheißen, zum Gesetz erklären«, gebraucht. Wenn die USA Sanktionen über Kuba verhängen, heißt das nicht, dass sie Fidel Castros politischen Kurs sanktionieren – im Gegenteil.

Was vom Apfel übrig blieb

Die Vielseitigkeit unserer Sprache offenbart sich ganz besonders bei allem, was essbar ist. Und manchmal auch bei dem, was vom Essen übrig bleibt. Für einen abgenagten Apfel zum Beispiel, den man normalerweise achtlos wegwirft, hat das Deutsche mehr Begriffe, als es Automodelle auf unseren Straßen oder Zeitschriftentitel am Kiosk gibt. Lassen Sie sich in ein exotisches Randgebiet der Sprachforschung entführen und staunen Sie über die unerhörte Vielzahl von Wörtern für ein kleines Stückchen Biomüll.

Die deutsche Sprache steckt voller Wunder und Geheimnisse. Für manche Dinge oder Zustände hat sie kein Wort parat, so wie für das Gegenteil von »durstig« zum Beispiel. Immer wieder fragen sich Menschen, ob es denn kein Pendant zu »satt« gebe. Viel ist darüber bereits geschrieben worden, mehrere Wettbewerbe wurden ausgerichtet, Dutzende, wenn nicht gar Hunderte Vorschläge wurden abgewogen – und wieder verworfen. Ein Wort für das Gegenteil von »durstig« wurde bis heute nicht gefunden. Für andere Dinge hat unsere Sprache dann wiederum mehr Wörter parat, als man sich träumen ließe. Die letzte Obsternte hatte gerade begonnen, da stellte mir ein Leser die Frage, welche regionalen Begriffe für den Rest des Apfels mir bekannt seien. Also für jenes Gebilde aus Blüte, Stengel (neudeutsch auch: Stängel), Kerngehäuse und restlichem Fruchtfleisch, das vom Verzehr des Apfels (meistens) übrig bleibt und für gewöhnlich im Müll, auf dem Komposthaufen oder irgendwo im Gebüsch landet.

Als norddeutschem Gewächs war mir selbst bis dato nur die Bezeichnung »Griebsch« bekannt. Doch schon eine interne Umfrage in der Redaktion von SPIEGEL ONLINE förderte mehrere Varianten zutage. Ein Kollege aus Stuttgart rief mir »Butzen« zu, ein Sportredakteur aus Hessen kannte das Wort »Krotze«, und einem Mitarbeiter aus dem Bildressort, einem gebürtigen Hamburger, kam spontan der Ausdruck »Knust« in den Sinn. »Das sagt man doch zum Brotkanten«, wandte ich ein. »In Hamburg sagt man das auch zum Apfel«, beteuerte er. Später wurde mir dies von anderen Hamburgern bestätigt.

Ich befand, dass die Frage eine tiefergehende Untersuchung wert sei, und rief die Leser meiner Kolumne »Zwiebelfisch« auf, mir per E-Mail ihnen bekannte regionale Begriffe für den Rest des Apfels zu schicken. Die Resonanz war überwältigend. Ein wilder Stier, der mit gesenkten Hörnern einen prallen Apfelbaum rammt, hätte nicht überraschter sein können, so prasselten die unterschiedlichsten, kuriosesten und noch nie zuvor gehörten Begriffe auf mich ein. Hunderte von E-Mails gingen in meinem elektronischen Postfach ein, es dauerte mehrere Tage, sie alle auszuwerten und auf ihren jeweiligen Kern, genauer gesagt: auf das jeweilige Kerngehäuse zu prüfen. Dabei war eine klare Tendenz festzustellen: Im Norden und im Osten dominieren die Ableitungen des Wortes Griebs, im Westen sind es Nüssel (mit weichem »s«-Laut) und Kitsche, in der Mitte Grutze und im Süden Butzen. Dazwischen aber gibt es mannigfaltige Variationen, die teils Abwandlungen der genannten Hauptformen sind, teils auf einen völlig anderen (Apfelbaum-) Stamm zurückgehen. Manche klingen putzig, andere ein bisschen eklig, was dem Charakter des Apfelrestes ja genau entspricht. Die größte Artenvielfalt in Deutschland bietet Nordrhein-Westfalen. Allein aus dem Siegerland wurden mir 17 verschiedene Begriffe gemeldet. Beeindruckend ist auch der Reichtum an Varianten, den man im Land der Schweizer finden kann. Das kann ich mir nur so erklären: Nachdem Wilhelm Tell den Apfel vom Kopf seines Sohnes geschossen hatte, stürzte ein jeder, der den Schuss mit angesehen hatte, auf den zerborstenen Apfel und nahm ein Stückchen an sich, um es zu sich nach Hause in sein Tal zu tragen und ihm einen eigenen Namen zu geben. Während sich die in Deutschland geläufigen Begriffe in männliche (der Griebsch, der Butzen, der Kitsch) und weibliche (die Kitsche, die Kröse, die Krotze) aufspalten, sind die Schweizer Varianten durchgehend sächlich (das Bütschgi, das Gräubschi).

Neben all den vielen Begriffen brachte die Erhebung auch noch die amüsante Erkenntnis mit sich, dass sich die »Zwiebelfisch«-Leser grundsätzlich in zwei Kategorien einteilen lassen: nämlich in diejenigen, die den Rest des Apfels wegwerfen, und diejenigen, die den Apfel vollständig aufessen. Viele Leser schickten mir auch gleich noch die in ihrer Region übliche Bezeichnung für die Brotrinde mit – auch für diesen Nahrungsrest scheint es eine erstaunliche Vielzahl von Begriffen zu geben. Dazu lohnt sich bestimmt einmal eine weitere Leserbefragung. Was für den Apfel gilt, gilt übrigens gleichermaßen für die Birne. Alle Bezeichnungen für den abgenagten Rest der Frucht lassen sich statt mit »Apfel« genauso mit »Birnen« zusammensetzen: Birnengriebsch, Birnenbutzen, Birnenkitsche und so weiter.

Immer wieder kam es vor, dass Leser mit Nachdruck beteuerten, die von ihnen genannte Bezeichnung sei die einzige, die in ihrer Region gebräuchlich sei, und kurz darauf traf eine weitere E-Mail aus derselben Region ein, die ein völlig anderes Wort als das einzige dort verbreitete ausgab. Mitunter wohnten die Absender nur wenige Kilometer voneinander entfernt. Daraus kann man eigentlich nur folgern: Wir sollten mehr mit unseren Nachbarn reden!

Natürlich stellte sich auch die Frage, wie denn – neben all den vielen regionalen Formen – die »offizielle« hochdeutsche Bezeichnung lautet. »Kerngehäuse« ist zweifellos ein hochdeutsches Wort, aber es bezeichnet nur das Innere der

Frucht. Griebsch/Butzen/Kitsche/Nüssel – oder wie immer man es nennen will – umfasst mehr: nämlich auch den Stengel (Stängel) und die Blüte. Die Antwort auf diese Frage lieferten die Leser gleich mit; sehr viele Zuschriften begannen nämlich mit Formulierungen wie »Bei uns sagt man zum Apfelrest auch ...« oder »Ein anderes Wort für den Apfelrest ist ...«. Zahlreiche E-Mail-Schreiber aus den unterschiedlichsten deutschsprachigen Regionen haben es intuitiv niedergeschrieben, also könnte das Wort »Apfelrest« als der gemeinsame hochdeutsche Nenner angesehen werden. Noch steht es zwar nicht im Duden, aber vielleicht findet es aufgrund dieser Untersuchung Eingang in die nächste Neuauflage.

Ich schließe mit einem Gedicht, das mir Leser Rudolf Kleinert aus Bad Reichenhall geschickt hat. Es stammt von dem Arnsberger Fritz Ottensmann, der es im Jahre 1946 bei der Abiturfeier in Wennigloh vortrug:

Adam und Eva
Sie aß vom Apfel erst das Beste,
geht mit dem Nüsel dann zum Mann
und dreht die kümmerlichen Reste
noch voller List dem Adam an.
Doch wo wären wir Männer heut ohne diese?
Nach der Bibel zu schließen im Paradiese.

In der nachstehenden Tabelle sind die Begriffe zusammengestellt, die mir die Leser zugeschickt haben. Sollten Sie eine Variante vermissen, so bitte ich um Nachsicht. Diese Auflistung erhebt keinen Anspruch auf Vollständigkeit. Die Sprachforschung zum Apfelrest ist ein unerschöpfliches Gebiet, das sicherlich ein ganzes Buch füllen könnte. Um es mit den Worten Fontanes zu sagen: »Ach, Luise, lass ... das ist ein zu weites Feld!«

Schleswig-Holstein	Apfelgriebsch, Gripsch, Grubsch, Gnatsch, Apfel-knochen
Hamburg	Appelknust, Krubber, Krobber, Krubs, Krobs
Niedersachsen	
Westniedersachsen, Bremen	Apfelnürsel, Nüssel, Gnütschen, Kautz, Kabutz, Stummel, Hüske, Bolle
Ostniedersachsen (Lüneburg)	Apfelkautz, Patsch, Stummel
Südniedersachsen (Hannover, Göt-tingen)	Apfelgrips, Knutsch, Pietsche(n), Gnötzel
Nordrhein-Westfalen	
Ostwestfalen	Appelnüssel, Nürsel, Hünkel, Mengel, Hunkepeil, Hunkepiel, Hünksel, Kinkel, Kröps, Strunk
Münsterland	Appelkröse, Krose, Kippe, Kitsche, Mengel
Sauerland	Appelnüssel, Nürsel, Hunkepiel, Schnüssel, Pik
Siegerland	Appelgrotze, Krotz, Maas, Marzel, Masel, Mäsel, Nesel, Nösel, Gritze, Grötz, Gröbsch, Grütz, Grebs, Gäiz, Kröps, Knost, Stronk
Bergisches Land	Appel(s)knüsel, Knürsel, Knösch
Rheinland	Appelkitsch, Kitsche, Nüssel, Nürsel, Krotz
Ruhrgebiet	Appelnüssel, Kippe, Kitsch, Kitsche, Krose, Kröse, Knössel
Niederrhein	Äppelknutsch, Keetsch
Mecklenburg-Vorpommern	Apfelgriebsch, Griebs, Gripsch, Grubsch
Berlin/Brandenburg	Apfelgriebsch, Grübsche
Sachsen-Anhalt	Appelgriebsch, Griebs, Hunkhuus, Kaue, Knabbel, Knösel, Knust, Puul, Puler, Quase, Strunk(s)
Thüringen	Apfelkrebs, Kriebs, Krüpps, Gröbs, Gröbst, Krötsch, Schnirps, Schnerps
Sachsen	Abbelgriebsch, Griebs
Hessen	
Nordhessen	Appelkrütze, Krips, Grips, Grütz, Knirbitz, Kriwwitz
Südhessen	Äbbelgrotze, Abbelkrotze

Rheinland-Pfalz

Westerwald	Äbbelkrützjer
Trier	Apelbatz, Batzen, Krutz
Pfalz	Abbelgrutze, Grutz, Grotze, Grotz, Krutze, Krutz

Saarland	Abbelkrutz, Grutz, Gripsch, Gnutze

Baden-Württemberg

Badisches Land	Epfelbutzen, Butze, Butzge, Grutze
Schwaben	Eppelbutze, Äpflbutza, Apflbutza

Bayern

Oberfranken	Apfelgrübs, Griebs
Mittelfranken	Apfelbutzen
Oberpfalz	Apfegruzl
Oberbayern	Apfebutzn

Schweiz

Basel	Bätzgi, Bätzi, Bütschgi, Ürbsi
Zürich/St. Gallen	Bütschgi, Bitschgi, Bitzgi
Bern	Bätzi, Gigertschi, Gräubschi, Gröibschi, Gürbs(ch)i, Gütschi

Liechtenstein	Öpflbotza

Österreich	Opfibitz, Butz, Putzen, Purzen

Südtirol	Apfelprobscht

Ostpreußen	Apfelgriepsch, Krunsch

Schlesien	Äppelgriebsch, Gryzek (dt.-poln.)

Sudetenland	Äpplgrieabes

Fünf Wörter auf -nf

Frage eines Lesers: Seit einigen Jahren hält sich in meinem Bekanntenkreis das Gerücht, dass es in der deutschen Sprache genau fünf Wörter gibt, die auf -nf enden. Senf, Hanf, fünf – und die Stadt Genf. Unglücklicherweise kennt niemand, den wir bisher gefragt haben, das fünfte Wort auf -nf. Können Sie mir sagen, wie dieses ominöse Wort heißt, falls es denn überhaupt existiert?

Antwort des Zwiebelfischs: Diese Frage wurde mir schon mehrfach gestellt. Seltsam. Niemand interessiert sich für Wörter, die auf -sk oder -mp enden. Alle beschäftigt nur das Mysterium der Endung -nf. Es scheint wie die Suche nach dem heiligen Granf.

Die Antwort auf die Frage, wie viele Wörter es im Deutschen gibt, die auf -nf enden, schwankt zwischen drei und unendlich. Im engeren, strengeren »Wort«-Sinne gibt es zunächst drei: Hanf, Senf, fünf.

Hinzu kommen zwei Namenswörter aus der Schweiz: die Stadt Genf und das von Ihnen mit Spannung erwartete fünfte Wort. Es lautet Sernf. Das ist der Name eines Flusses im Kanton Glarus.

Damit wäre man bei fünf. Diese fünf Wörter stehen allesamt im Wörterbuch und gelten somit als verbürgt.

Einigen ist darüber hinaus auch noch das Wort Ganf bekannt, eine Nebenform zu Ganeff, der Rotwelschvariante des jiddischen Wortes Ganove. Doch da dieses Wort zu speziell ist, findet man es nicht im Wörterbuch. Es bleibt demnach bei fünf.

Besonders pfiffige Sprachfüchse kommen auf eine sehr viel höhere Zahl. Sie behaupten, es gebe unendlich viele Wörter auf -nf! Wenn man ungläubig nachhakt, fangen sie an zu zählen: »einhundertfünf, zweihundertfünf, dreihundertfünf ...«

Es gibt indes auch Gegenden in Deutschland, in denen die Buchstabenkombination »nf« völlig unbekannt ist, weil die Bewohner sich der phonetischen Umsetzung hartnäckig verweigern. Im Ruhrgebiet wird jedes »nf« wie »mpf« ausgesprochen, selbst wenn die beiden Buchstaben nur zufällig aufeinander treffen und gar nicht zum selben Wort gehören. Da heißt es dann beispielsweise: »Mampfred, gib mich ma den Sempf« oder »Watt, wie spät is? Schom pfümpf?«.

Ein ums nächste Mal

Wann hätten Sie denn mal Zeit? Dieses Wochenende, das kommende, das nächste oder erst das darauf folgende? Geht's auch unter der Woche oder erst in acht Tagen? Bei der Festlegung eines Termins kommt es immer wieder zu Missverständnissen. Man kann sich eigentlich nur wundern, dass Menschen zwischen diesem und dem nächsten Mal überhaupt zueinander finden.

Ich beneide jene Menschen, die von sich behaupten, dass sie keine Schwierigkeiten hätten, sich mit anderen Menschen zu verabreden. Nicht dass ich kontaktscheu wäre. Ich denke da eher an die vielen sprachlichen Hürden, die es zu nehmen gilt, ehe ein Treffen zustande kommt. Schon die Vereinbarung eines Termins stellt – sprachlich gesehen – nicht selten ein schier unlösbares Problem dar.

Mein Freund Henry chattet. Gelegentlich, wie er sagt, nur so zum Spaß. Meistens tausche er mit interessierten jungen Damen Kochrezepte aus, behauptet er. Neulich aber hatte er eine Chat-Bekanntschaft tatsächlich so weit gebracht, dass sie sich mit ihm treffen wollte. Ein Live-Date! Damit aber fingen die Schwierigkeiten erst an. Während des Essens in unserem Stammlokal schildert Henry mir den Ablauf des Chats:

HOBBYKOCH: Wollen wir uns treffen?
KATINKA1977: Ja, sehr gerne!
HOBBYKOCH: Wann hätten Sie denn mal Zeit? Passt es Ihnen vielleicht nächstes Wochenende? Ich könnte was Leckeres für uns kochen!
KATINKA1977: Ich fahre am Samstag nach Bonn zu meiner Mutter, da werde ich nicht vor Sonntagabend zurück sein. Aber das Wochenende darauf wäre fein!
HOBBYKOCH: Das meinte ich ja auch.

KATINKA1977: Ach so. Ich dachte, Sie meinten das kommende Wochenende.

HOBBYKOCH: Dann hätte ich »dieses« Wochenende geschrieben. Das nächste kommt danach.

KATINKA1977: Für mich ist das Nächste eigentlich immer das, was mir am nächsten ist, also das, was als Nächstes drankommt ...

HOBBYKOCH: Da heute bereits Mittwoch ist, können Sie davon ausgehen, dass mit dem »nächsten« Wochenende nicht das Wochenende in drei Tagen gemeint ist.

An dieser Stelle unterbreche ich Henrys Ausführungen: »Das kann ja wohl nicht wahr sein! Du bist vermutlich der einzige Mann, der selbst einen Internet-Chat noch dazu nutzt, um seinen Mitmenschen kostenlose Nachhilfe zu erteilen.« – »Warum nicht«, erwidert Henry gelassen, »du siehst doch, dass in dieser Frage ganz offensichtlich Aufklärungsbedarf bestand.« Also weiter im Text:

KATINKA1977: Aber wenn ich einem Taxifahrer sage, er soll bei der nächsten Ampel rechts abbiegen, dann meine ich damit doch nicht die Ampel nach der, die als Nächstes kommt?

HOBBYKOCH: Es kommt darauf an. Wenn Sie nur noch wenige Meter von einer Ampel entfernt sind und von der »nächsten Ampel« sprechen, dann wird das meist auf die zweite Ampel bezogen.

Mein Kommentar hierzu: »Wolltest du sie nun eigentlich treffen oder ihr die Relativitätstheorie erklären?« Henry knurrt. »Wart's ab«, sagt er, »es wird noch richtig drollig.«

KATINKA1977: Was das »Nächste« ist, ist demnach also keine Frage der Reihenfolge, sondern unterliegt der persönlichen Einschätzung? Das merke ich mir für den Supermarkt!

HOBBYKOCH: Was hat das mit dem Supermarkt zu tun?

KATINKA1977: Wenn die Verkäuferin an der Fleischtheke fragt: »Wer kommt als Nächstes?«, und es steht nur noch eine Kundin vor mir in der Reihe, dann melde ich mich, weil die vor mir ja praktisch nicht mehr mitgezählt wird.

HOBBYKOCH: Mit dieser Auslegung könnten Sie sich eventuell in Schwierigkeiten bringen.

KATINKA1977: Wieso? Ich berufe mich einfach auf Sie!

HOBBYKOCH: Hätten Sie vielleicht auch mal unter der Woche Zeit?

KATINKA1977: »Unter« der Woche? Was genau meinen Sie damit?

HOBBYKOCH: Unter der Woche ist ein Ausdruck für werktags.

KATINKA1977: Ach so! Na, bei Ihnen lerne ich ja noch was. Ich sage immer »in der Woche«.

HOBBYKOCH: »In« der Woche ist missverständlich, weil der andere denken könnte, es sei eine bestimmte Woche gemeint. »Unter« der Woche ist eindeutig.

KATINKA1977: Und was ist dann »über« der Woche? Ist damit das Wochenende gemeint?

HOBBYKOCH: Nein, den Ausdruck gibt es nicht. Mir ist er jedenfalls nicht bekannt.

KATINKA1977: Also gut, ich fürchte aber, dass ich Ihnen »unter« der Woche nicht viel bieten kann. An Zeit, meine ich.

HOBBYKOCH: Dann also doch nächstes Wochenende? Also das in acht Tagen?

KATINKA1977: In acht Tagen? Da ist doch kein Wochenende? Heute ist Mittwoch, plus acht, das ist nächste Woche Donnerstag!

HOBBYKOCH: Nein, ich meine von diesem Wochenende an gerechnet.

KATINKA1977: Da komme ich auf Montag!

HOBBYKOCH: »In acht Tagen« bedeutet dasselbe wie »in einer Woche«. Kennen Sie nicht Wum und Wendelin? Die haben immer gesagt: Einsendeschluss für den »Großen Preis« – Samstag in acht Tagen!

KATINKA1977: Der große Preis? Ich fürchte, das war vor meiner Zeit. Aber eine Woche hat doch nicht acht Tage?

HOBBYKOCH: Ich glaube, wir schauen doch besser in unsere Terminkalender und legen uns auf ein numerisches Datum fest, was meinen Sie?

KATINKA1977: Das hört sich zwar irgendwie sehr technisch an, aber vielleicht ist es wirklich das Beste.

HOBBYKOCH: Wie wäre es mit dem 23.? Passt Ihnen das?

KATINKA1977: Meinen Sie diesen Monat oder den nächsten?

Zu einem Treffen zwischen Henry und Katinka1977 ist es bis heute nicht gekommen. Wie mein Freund mir aber dann verrät, war Katinka1977 nicht die einzige junge Dame, bei der er sich um ein Rendezvous bemühte. »Aber ich chatte nicht parallel mit ihnen«, beteuert er. »Immer hübsch eine nach der Nächsten!« – »Eine nach der Nächsten?«, frage ich. »Sollte es nicht eher heißen: eine nach der anderen? Wenn du dich immer erst mit derjenigen triffst, die du nach der Nächsten ansprichst, dann kommst du ja nie zum Zuge!« – »Elender Besserwisser!«, zischt Henry. »Wer von uns ist eigentlich dran mit Zahlen?«, frage ich. »Du hast beim letzten Mal gesagt, dass du die nächsten beiden Male zahlen würdest«, sagt Henry. »Na schön«, erwidere ich, »dann kannst *du* ja *dieses* Mal noch zahlen! Herr Ober, der Herr hier würde gern die Rechnung begleichen!«

Adventslichter in der Adventzeit

Frage eines Lesers aus Österreich: Ich habe beobachtet, dass man bei uns im österreichischen Raum »Adventzeit« sagt, während es in Deutschland auf Plakaten, Ankündigungen und in Fernsehzeitschriften immer »Adventszeit« heißt. Mir persönlich ist Adventzeit sympathischer und logischer, für ein Fugen-s sehe ich keinen Grund. Welcher Ausdruck ist richtig?

Antwort des Zwiebelfischs: Ihre Beobachtung ist absolut korrekt. Das Wort »Advent« wird in Deutschland und Österreich unterschiedlich behandelt. Es wird auch unterschiedlich ausgesprochen. In Deutschland wird es allgemein mit einem weichen »w« gesprochen und bekommt in Zusammensetzungen ein Fugen-s: Adventszeit ist die Zeit des Advents, hier lässt sich das Fugen-s also mit dem Genitiv rechtfertigen.

In Österreich wird der Advent vielerorts mit »f« gesprochen und erhält in Zusammensetzungen kein Fugen-s: Adventzeit, Adventkalender. Dass Sie die Formen ohne Fugenzeichen schöner finden, ist ganz natürlich, denn man empfindet immer das als schöner, was einem vertraut ist. In Österreich ist »Adventzeit« richtig, in Deutschland »Adventszeit«. Wie so oft gilt mehr als eine Möglichkeit. Besonders große Liebhaber des Fugenzeichens sprechen übrigens auch gerne vom »Adsventskranz«, denn das zischt so schön. Diese Form wird aber – wohlgemerkt – nur scherzhaft gebraucht und gipfelt in der Frage nach dem einzigen deutschen Wort, das vier »tz« enthält: Atzwentzkrantzkertzen!

Wie die Sprache am Rhein am Verlaufen ist

Es gibt in der deutschen Sprache so manches, was es offiziell gar nicht gibt. Die sogenannte rheinische Verlaufsform zum Beispiel. Die hat weniger mit dem Verlauf des Rheins zu tun, dafür umso mehr mit Grammatik. Vater ist Fußball am Gucken, Mutter ist die Stube am Saugen. Und der Papst war wochenlang im Sterben am Liegen.

Meine Freundin Holly ist Amerikanerin, genauer gesagt Kalifornierin. Obwohl sie ein sehr aufgeschlossener und wissbegieriger Mensch ist und seit nunmehr fünf Jahren in Deutschland lebt, hat sie mit der deutschen Sprache noch immer ihre liebe Not. »Deutsch ist so ... *complicated*«, schimpft sie, »andauernd hat man es mit Ausnahmen zu tun.« – »Ich glaube nicht, dass es irgendeine Sprache gibt, die ohne Ausnahmen auskommt«, erwidere ich, »dafür sind die meisten Sprachen einfach zu alt und haben schon zu viele Entwicklungen durchgemacht.« – »Es ist aber eine Tatsache, dass die deutsche Sprache nicht wirklich praktisch ist«, sagt Holly, »eure Wörter sind so furchtbar lang, mit all den vielen Endungen, die Sätze hören gar nicht mehr auf, der Satzbau ist *confusing*, mal steht das Subjekt vorne, mal das Objekt, wer soll sich da zurechtfinden? Mark Twain hielt die deutsche Sprache für besonders unordentlich und systemlos. Er hatte Recht!« – »Es klappt doch aber schon ganz gut bei dir«, versuche ich sie zu beschwichtigen. Da fällt Holly noch etwas anderes ein: »Und weißt du, was dem Deutschen außerdem fehlt? Es hat keine *continuous form*!« – »Keine was?«, frage ich. »Continuous form – *I'm reading a book, you are watching TV* und so weiter.« – »Ach so, du meinst die Verlaufsform«, sage ich. »Genau«, sagt Holly, »die ist ungeheuer praktisch! Es ist doch ein Unterschied, ob ich sage

›I am eating fish‹ oder ›I eat fish‹. Das Erste bedeutet, dass ich gerade jetzt einen Fisch verspeise; das Zweite bedeutet dagegen, dass ich grundsätzlich Fisch esse, aber das kann ich auch sagen, während ich gerade eine Mousse au Chocolat esse. Wenn man im Deutschen ausdrücken will, dass sich eine Handlung auf einen bestimmten Zeitraum bezieht, dann muss man einen Satz bilden wie ›Ich bin gerade dabei, das und das zu tun«. Das ist doch total umständlich! Sogar im Japanischen gibt es eine Verlaufsform, warum nicht im Deutschen?«

An dieser Stelle muss ich Widerspruch einlegen: »Dass es im Deutschen keine Verlaufsform gibt, ist nicht richtig.« Holly blickt mich erstaunt an: »Tatsächlich? Wie sieht die denn aus?« – »Nun, das kommt darauf an, es gibt nämlich mehrere Möglichkeiten, die Verlaufsform zu bilden. In der Standardsprache wird dabei nach folgendem Rezept verfahren: Man nehme eine Form von ›sein‹, dazu die Präposition ›beim‹ und den substantivierten Infinitiv, fertig ist die Verlaufsform. ›Ich bin beim Einkaufen‹, ›Mutter ist beim Geschirrspülen‹, ›Lars ist beim Renovieren‹ und ›Alle sind beim Essen‹, um nur ein paar Beispiele zu nennen. Schöner, aber seltener ist die mit ›im‹ gebildete Verlaufsform: ›Bärte sind wieder im Kommen‹, ›Ich war schon im Gehen, da rief er mich noch einmal zurück‹.« – »Ach, das ist die deutsche *continuous form*? Dann wird ›I'm thinking about you‹ auf Deutsch zu ›Ich bin beim Denken an dich‹?« – »Nein, die Verlaufsform bietet sich nicht für alle Verben an. Jedenfalls nicht in der standardsprachlichen Ausführung. Es gibt daneben aber noch eine umgangssprachliche, die sehr viel flexibler ist. Sie wird mit der Präposition ›am‹ gebildet.« – »Nenn mal ein Beispiel!«, bittet Holly.

»Alle sind am Jubeln, wenn Deutschland Europameister wird. Mein Nachbar ist total am Verzweifeln, weil sein PC schon wieder am Spinnen ist. Wenn andere schlafen, bin ich am Arbeiten.« Holly nickt: »Stimmt, das kenne ich! ›Ich bin am Arbeiten‹, das sagen manche Leute wirklich.« – »Und wenn dich jemand fragt: ›Möchtest du noch ein Stück Kuchen?‹, dann kannst du – mit Rücksicht auf deine Hüften-Verlaufsform – antworten: ›Nein danke, ich bin gerade am Abnehmen.‹« – »Das wiederum habe ich noch nie gehört«, behauptet Holly und lacht.

Ich nenne weitere Beispiele: »Statt ›Ich denke gerade nach‹ oder ›Ich überlege noch‹ hört man auch sehr oft ›Ich bin gerade am Nachdenken‹ oder ›Ich bin noch am Überlegen‹.« – »Aber ist das richtiges Deutsch?«, fragt Holly. »Wie gesagt, es ist nicht Standard. Doch in weiten Teilen Deutschlands ist es absolut üblich. Die Regel sieht vor: ›Ich telefoniere gerade‹, und die Umgangssprache macht daraus: ›Ich bin gerade am Telefonieren‹! Wenn der Chef in Rage gerät, raunen sich die Kollegen zu: ›Der ist mal wieder voll am Durchdrehen!‹ Und wenn's so richtig Ärger gibt, dann ist ›die Kacke am Dampfen‹. Letzteres funktioniert sogar ausschließlich in der Verlaufsform. Den Ausdruck ›dann dampft die Kacke‹ gibt es nicht.«

Holly ist begeistert: »Das ist wirklich faszinierend! Warum bringen sie einem das nicht im Deutschunterricht bei? Da lernt man alle möglichen Regeln und Formen, aber dass es diese Verlaufsformen gibt, das verheimlichen sie einfach!« – »Lehrer sind angehalten, nur Hochdeutsch zu unterrichten. Für Sonderformen der Umgangssprache ist im Deutschunterricht normalerweise kein Platz. Obwohl man ein paar Kenntnisse manchmal schon brauchen kann – bei der Zeitungslektüre zum Beispiel. Gelegentlich findet man die umgangssprachliche Verlaufsform nämlich selbst in Überschriften. In der ›Frankfurter Allgemeinen Zeitung‹ konnte man lesen: ›Das Geschäftsmodell für den Smart ist am Wanken‹. Und im ›Kölner Stadt-Anzeiger‹ stand unlängst: ›Ölpreis weiter am Sinken‹. Da ist mancher Leser verständlicherweise ›am Kopfschütteln‹. In Düsseldorf und Köln allerdings wird kaum jemand Anstoß daran genommen haben. Die Rheinländer benutzen die Verlaufsform nämlich besonders gern und haben sie auf ihre Weise perfektioniert. Daher spricht man auch von der rheinischen Verlaufsform.«

Holly kommt aus dem Staunen gar nicht mehr raus: »Die rheinische Verlaufsform? Willst du sagen, das Rheinland hat eine eigene *continuous form*?« – »Genau! Das Rheinland hat den Karneval und eine eigene Verlaufsform. Nehmen wir mal den Satz ›Ich packe die Koffer‹. Das ist eine ganz normale Aussage im Präsens. In der herkömmlichen Verlaufsform wird es zu ›Ich bin am Kofferpacken‹. In der rheinischen Verlaufsform wird es zu ›Ich bin die Koffer am Packen‹. Und ein Satz wie ›Chantal föhnt sich die Haare‹ wird zu ›Dat Chantal ist sich die Haare am Föhnen‹. Das Ganze gipfelt im ›rheinischen Rodeo‹.« – »Was, ein Rodeo haben die auch?« – »Ja, da ist der Bauer die Kuh am Stall am Schwanz am raus am Ziehen. Das ist das rheinische Rodeo. Im benachbarten Ruhrgebiet sind diese Formen ähnlich populär, da weiß man zum Beispiel: ›Wenn dat einmal am Laufen fängt, hört dat nich mehr auf.‹ Dort hängt man übrigens auch gern noch das Wörtchen ›dran‹ dran. Da heißt es dann: ›Na, wat bisse heut so am Machen dran?‹ Das ist dann allerdings schon eine Lektion für Fortgeschrittene.« Holly atmet tief durch: »Wow! Das ist *amazing*! Ich frage mich, ob Mark Twain das wohl gewusst hat.«

»Jetzt noch mal zur Übung«, sage ich. »Nehmen wir den Satz ›Tim repariert den Motor‹. Der wird in standardsprachlicher Verlaufsform zu ›Tim ist beim Reparieren des Motors‹. Und wie lautet nun die verschärfte rheinische Form?« – »Moment, warte, ich komm drauf: Tim ist dem Motor am Reparieren! Right?« – »Perfekt! Damit bist du bald jeder Rheinländerin Konkurrenz am Machen!«

Die Place, die Gare, die Tour?

Frage eines Lesers: Nach einem Parisbesuch tauchten in Bezug auf Plätze, Bahnhöfe und besondere Bauten, die im Deutschen den männlichen Artikel verlangen, auf Französisch jedoch weiblich sind, folgende Fragen auf: Sagt man *die* oder *der* Place de l'Étoile? Sagt man *die* oder *der* Gare de l'Est? Sagt man *die* oder *der* Tour Montparnasse? Gibt es dafür eine Regel?

Antwort des Zwiebelfischs: Die Place oder der Place – darüber lässt sich trefflich streiten! Als Romanist habe ich selbst lange Zeit dem französischen Geschlecht Vorrang erteilt und Sätze gesagt wie »Wir trafen uns auf der Place Vendôme« und »Wir trennten uns an der Gare du Nord«. Inzwischen aber bin ich zu der Überzeugung gelangt, dass in deutschen Sätzen auch nach deutscher Grammatik verfahren werden sollte. Schließlich ist nicht jeder des Französischen mächtig. Und müsste man dann nicht auch bei jedem anderen Gebäude dieser Welt nach dem Geschlecht forschen, das ihm die jeweilige Landessprache zuweist?

Im Englischen sind Gebäude grundsätzlich sächlich, deswegen heißt es im Deutschen aber nicht »das Tower« oder »das Royal-Albert-Hall«. Ebenso wenig »das London-Bridge«, »das Piccadilly Circus« oder »das Victoria-Station«. Ganz selbstverständlich wählen wir hier den Artikel des entsprechenden deutschen Wortes: der Tower (der Turm), die Royal-Albert-Hall (die Halle), die London-Bridge (die Brücke).

Da mir bislang kein überzeugender Grund dafür eingefallen ist, weshalb man französische Gebäude im Deutschen anders behandeln sollte als englische, plädiere ich dafür, sich auch bei »Place«, »Gare« und »Tour« nach dem Geschlecht der deutschen Entsprechung zu richten. Also »der Place de l'Étoile«, »der Gare de l'Est« und »der Tour Montparnasse«. Wer übrigens in Paris die U-Bahn benutzt, der fährt mit »der Metro« – nicht mit »dem Metro«, auch wenn es auf Französisch »le métro« heißt.

Neben dem Genus kann mitunter auch der Numerus Probleme bereiten. Manche Namenwörter stehen nämlich im Plural, so wie die berühmteste aller Pariser Pracht-straßen, die Champs-Élysées. In der populären verkürzten Form wird die »Avenue des Champs-Élysées« nicht zu *der* Champs-Élysées, sondern zu *den* Champs-Élysées; denn Champs-Élysées ist ein Pluralwort und bedeutet »Elysien-felder«.

Beim Stichwort »Champs-Élysées« fällt mir natürlich der Schlager von Joe Dassin ein (»Oh, Champs-Élysées«). Da heißt es in einer Strophe: »Von La Concorde bis zum Étoile erklingt Musik von überall.« Étoile ist hier männlich, ob-wohl es im Französischen weiblich ist. Wenn selbst ein Franzose wie Joe Dassin sich der deutschen Grammatik fügt, dann können wir es mit ruhigem Gewissen auch.

Die Franzosen haben ihrerseits keine Bedenken, deutsche Gebäude in französischen Sätzen nach den Regeln der fran-zösischen Grammatik zu behandeln. Die Frage »Holst du mich am *Hauptbahnhof* ab?« wird im Französischen zu: »Tu vas me chercher à la *Hauptbahnhof*?«

Sprichwörtlich in die Goldschale gelegt

Kennen Sie das auch? Da benutzt jemand eine bekannte Redewendung, und man wird das Gefühl nicht los: Irgendetwas stimmt da nicht. Haben Sie schon mal gehört, dass Liebe auf den Magen schlägt, dass einem etwas Unterkante Oberwasser steht und dass jemand friert wie ein Rohrspatz? Dann kennen Sie vielleicht meine Freundin Sibylle.

Sibylle ist ein lieber Mensch, und sie redet sehr gern. Eigentlich ununterbrochen. Dabei hat sie eine ausgesprochene Vorliebe für bildhafte Vergleiche und klangvolle Redewendungen; allerdings trifft sie nicht jedes Mal den Hammer auf den Nagel. Den Hammer auf den Nagel? Es heißt doch wohl »den Nagel auf den Kopf«. Sie sehen schon, worauf ich hinauswill. Sibylle verwendet Ausdrücke, die in keinem Wörterbuch stehen. Man versteht die Redewendung zwar, aber man wird das Gefühl nicht los, dass irgendetwas mit ihr nicht ganz richtig ist. Mit der Redewendung, meine ich, nicht mit Sibylle.

Sibylle hat ein großes Herz, Kleinigkeiten lässt sie großzügig »unter den Teppich fallen«, und sie lässt auch gerne mal »alle viere gerade sein«. Besonders mag Sibylle Tiere. »Auch eine blinde Kuh findet die Spreu im Weizen«, sagt sie zum Beispiel. Und sie würde auch niemals »mit Tauben auf Spatzen schießen«. Dafür sind ihr gelegentlich schon mal »die Pferde durchgebrochen«. Sibylle weiß, »wo der Hase begraben ist«, und wenn sie etwas nicht weiß, dann steht sie da »wie die Kuh vorm Himmelstor«. Sibylle macht sich nicht viel aus Fleisch, aber zu Hühnchen sagt sie nicht Nein, und wenn ihr etwas ganz besonders verrückt vorkommt, dann ruft sie: »Da wird doch das Huhn in der Pfanne verrückt!« Meinen Hinweis, dass es der Hund sei, der da verrückt wird, wehrt sie entrüstet ab: Was soll denn ein Hund in der Pfanne? Das klinge doch eher nach einem chinesischen Sprichwort. Manchmal allerdings blickt Sibylle überhaupt nicht durch, dann sieht sie »den Baum vor lauter Bergen« nicht oder ist schlicht und einfach »auf dem falschen Holzdampfer«. Was für den einen böhmische Dörfer sind und dem anderen spanisch vorkommt, das ist für Sibylle praktischerweise eins: »Für mich ist das ein spanisches Dorf«, sagt sie.*

Derlei Verdrehungen ziehen sich durch Sibylles Wortschatz »wie ein rotes Tuch«. Kaum ein »Fettschnäppchen«, in das sie nicht schon getreten wäre. Sie kann Politiker nicht leiden, weil die meistens »mit zweischneidiger Zunge« reden. Auch von anderen Männern hält Sibylle nicht viel. Wenn das Gespräch auf ihren Ex kommt, dann winkt sie ab. Mit dem ist sie nie auf einen »grünen Nenner« gekommen. Der brauche mal jemanden, der ihm ordentlich »die Levanten« liest, sagt sie. Jawohl, auch vor der Bibel macht Sibylle nicht Halt. Einmal ist sie so erschrocken, dass sie nach eigenen Worten »fast zur Salzsäure erstarrt« ist.

Nicht dass Sie denken, ich wollte mich über Sibylle lustig machen. Das käme mir nicht in den Sinn. Schließlich ist sie eine liebe Freundin, und wenn ich sie nicht hätte, wäre mein Leben ärmer. Auf jeden Fall gäbe es für mich weniger zu lachen. Und zu lernen. Denn Sibylle ist ausgesprochen lebensklug. Sie weiß, dass es nicht immer ratsam ist, Entscheidungen »über den Zaun zu brechen«, und für drastische Maßnahmen hat sie eine entwaffnende Rechtfertigung parat: »Der Zweck bringt die Mittel auf.« Auch Körperbehinderte kommen bei ihr besser weg als anderswo, denn »unter den Blinden« ist Sibylle zufolge »der Einbeinige König«. Und wenn alles schief geht, kann man sich auf Sibylle verlassen, denn sie hat meistens noch »einen Triumph im Ärmel«.

* Im Tschechischen und im Französischen spricht man tatsächlich von »spanischen Dörfern«, wenn man sich mit einer Sache nicht auskennt.

Viele Redewendungen enthalten Begriffe, die aus unserer Alltagssprache längst verschwunden sind. Wer weiß denn noch, was ein Scheffel* ist? Sibylle jedenfalls nicht. Sie rät allen, die ihrer Meinung nach zu bescheiden sind, ihr Licht nicht »unter den Schemel« zu stellen.

Irgendwann einmal habe ich Sibylle empfohlen, sich doch lieber mit ihren eigenen Worten auszudrücken. »Sprich wörtlich, nicht sprichwörtlich«, lautete mein Rat. Sibylle erwiderte, ich solle nicht immer jedes Wort in die Goldschale legen und mich lieber an der eigenen Nase herumführen.

Macht nix. Ich hab Sibylle trotzdem gern. »Man wird alt wie eine Kuh und lernt trotzdem nichts dazu«, sagt sie selbstironisch. Und schließlich sei die Suche nach dem passenden Ausdruck oft »das reinste Waggon-Spiel«. Recht hat sie. Wer könnte schon von sich behaupten, dass ihm solche Fehler nicht auch ab und zu unterliefen? Ein kleiner »Wehmutstropfen« hier, ein weiterer Fall von »Mund-zu-Mund-Propaganda« dort. Ein bisschen Sibylle steckt vermutlich in jedem von uns.

Zum Beispiel in jenem Sportreporter, der da in einem Bericht über die Formel 1 sibyllinisch, wenn nicht gar sibyllisch schrieb: »Teamchef Eddie Jordan hat Berichte dementiert, wonach sein Team erneut kurz vor dem Aus stehe – dabei hatte der Ire erst vor wenigen Tagen der Belegschaft den Schwarzen Peter an die Wand gemalt.«

---

* Scheffel = schaufelartiges Gefäß, das als Getreidemaß diente. Eine dahinter gestellte Lampe war abgeschirmt und leuchtete nicht weit.

So heißt es richtig:	Und das bedeutet es:
Liebe geht durch den Magen	Mit einem gut gekochten Mahl gewinnt man leichter die Zuneigung eines anderen Menschen
etwas steht einem (bis) Oberkante Unterlippe	etwas ist einem gründlich zuwider
schimpfen wie ein Rohrspatz	laut und unablässig schimpfen
etwas unter den Teppich kehren	etwas vertuschen, herunterspielen
fünfe gerade sein lassen	etwas nicht so genau nehmen
Auch ein blindes Huhn findet mal ein Korn	jeder hat irgendwann mal ein bisschen Glück
mit Kanonen auf Spatzen schießen	unverhältnismäßige Mittel einsetzen
die Pferde gehen jmdm. durch	jmd. gerät außer sich, verliert die Beherrschung
da liegt der Hase im Pfeffer/da liegt der Hund begraben	das ist der entscheidende Punkt
dastehen wie der Ochs vorm Berg/ wie die Kuh vorm Scheunentor/ vorm neuen Tor	völlig ratlos sein, sich nicht zu helfen wissen
Da wird der Hund in der Pfanne verrückt	Das ist nicht zu fassen!
den Wald vor lauter Bäumen nicht sehen	das Nächstliegende nicht erkennen
auf dem falschen Dampfer sein/auf dem Holzweg sein	sich im Irrtum befinden
Das sind für mich böhmische Dörfer	Davon verstehe ich nichts
Das kommt mir spanisch vor	Das kommt mir seltsam vor
sich wie ein roter Faden durch etwas ziehen	Etwas ist ein immer wiederkehrendes Motiv
ins Fettnäpfchen treten	eine Taktlosigkeit begehen
mit gespaltener Zunge reden	die Unwahrheit sagen

So heißt es richtig:	Und das bedeutet es:
Das ist ein zweischneidiges Schwert	Das hat Vor- und Nachteile
etwas auf einen gemeinsamen Nenner bringen	etwas angleichen, in Übereinstimmung bringen
auf einen grünen Zweig kommen	Erfolge verbuchen können, wirtschaftlich vorankommen
jemandem die Leviten lesen	jemandem gehörig die Meinung sagen
zur Salzsäule erstarren	wie angewurzelt dastehen
eine Entscheidung übers Knie brechen	eine Entscheidung um jeden Preis herbeiführen
einen Streit vom Zaun brechen	einen unnötigen Streit herbeiführen
Der Zweck heiligt die Mittel	Der Zweck rechtfertigt die Maßnahmen
sein Licht nicht unter den Scheffel stellen	sich nicht zu bescheiden geben
Unter den Blinden ist der Einäugige König	Ein Mensch mit geringer Begabung gilt etwas unter Menschen mit noch geringerer Begabung
noch einen Trumpf im Ärmel haben	etwas Erfolgversprechendes in Reserve haben
alles auf die Goldwaage/auf die Waagschale legen	alles sehr genau nehmen, etwas allzu wörtlich nehmen
jmdn. an der Nase herumführen	jmdn. hereinlegen
sich an die eigene Nase fassen	prüfen, ob man einen Fehler, den man anderen vorhält, nicht selbst gemacht hat
Man wird alt wie eine Kuh und lernt immer noch dazu	Man ist nie zu alt, um noch etwas dazuzulernen
Vabanquespiel (von frz. va banque = »Es gilt die Bank«, d.h. es geht um den gesamten Einsatz)	ein hohes Risiko eingehen
etwas ist ein kleiner Wermutstropfen	etwas trübt die Freude

So heißt es richtig:	Und das bedeutet es:
Mundpropaganda	mündliche Verbreitung einer Nachricht (hat nichts mit Mund-zu-Mund-Beatmung zu tun)
jemandem den schwarzen Peter zuschieben	jemandem die Schuld an etwas geben
den Teufel an die Wand malen	ein Unheil heraufbeschwören

Wie die Faust aufs Auge

Frage einer Leserin: Lieber Zwiebelfisch, ich bin mir sicher, dass Sie helfen können, die Bedeutung einer Redensart zu klären, die ich seit meiner Kindheit verwende: Das passt »wie die Faust aufs Auge« wurde in meiner Familie immer für Dinge verwendet, die überhaupt nicht zueinander passen, wie zum Beispiel zwei Farben, die »sich schlagen«. Nach meinem Gefühl ist das die korrekte Deutung. Nun gibt es aber in meinem Bekanntenkreis einige, die diese Redensart genau im umgekehrten Sinn verwenden, für Dinge, die besonders gut zueinander passen. Das erscheint mir unlogisch. Ich konnte mich aber bis jetzt mit meiner Ansicht nicht durchsetzen, da mir das »schlagende« Argument fehlt. Jetzt wende ich mich voller Hoffnung an Sie. Welche Deutung ist die richtige?

Antwort des Zwiebelfischs: Die Redewendung von der »Faust aufs Auge« ist ein klassisches Beispiel für die Wandlungsfähigkeit der deutschen Sprache. Mit dem Vergleich wurde ursprünglich ausgedrückt, dass etwas überhaupt nicht zu etwas passt. Faust und Auge passen nicht zusammen, weil es höchst unangenehm ist, einen Faustschlag aufs Auge zu bekommen. Als einen solchen Faustschlag konnte zum Beispiel der modebewusste Mensch unpassende Kleider- und Farbkombinationen empfinden: »Roter Rock zu orangefarbener Bluse – das passt wie die Faust aufs Auge!« So die ursprüngliche Bedeutung, wie Sie sie kennen gelernt haben.

Durch häufigen ironischen Gebrauch entwickelte sich aber eine zweite, und zwar genau gegenteilige Bedeutung: etwas passt sehr gut, ganz genau zueinander. Die ironische Sinnverdrehung gipfelte in der scherzhaften Abwandlung

»Das passt wie Faust aufs Gretchen«, bei der auf Goethes »Faust« Bezug genommen wird.

Die zweite Deutung ist heute die geläufigere, auch wenn die ursprüngliche nach wie vor gültig ist. Im Zweifelsfall erschließt sich die passende Deutung aus dem Zusammenhang.

Krieg der Häkchen: Episode »2« – die »Rückkehr«

Der Deutsche an sich hat eine unerklärliche Vorliebe für Häkchen. Aus lauter Begeisterung setzt er sie auch gerne dort, wo sie nichts zu suchen haben. Falsche Kommas, sind an der Tagesordnung. Auch vor Apostroph'en ist niemand mehr sicher. Aber es kommt noch dicker: Jetzt hat den Deutschen die »Anführungswut« gepackt – und es gibt »kein Entrinnen« mehr!

Als ich kürzlich am Bahnhof vorbeiging, fiel mein Blick auf ein Schild, das an einer Mauer angebracht war:

> „Hier bitte keine
> Fahrräder abstellen"

»*Hier bitte keine Fahrräder abstellen*«, stand darauf. Ich blieb ruckartig stehen, wandte den Kopf und sah mir das Schild noch einmal ganz genau an. Ich hatte mich nicht getäuscht, dort stand tatsächlich »*Hier bitte keine Fahrräder abstellen*« – und zwar genau so, wie Sie es hier sehen: mit An- und Abführungszeichen. Es handelte sich demnach offenbar um ein Zitat, denn Zitate werden in Anführungszeichen wiedergegeben. Also suchte ich nach einer Quellenangabe, nach dem Namen des Urhebers, doch da stand nichts weiter. Irgendwer musste diesen Spruch aber geprägt haben. Vielleicht war er zu unbedeutend, um auf dem Schild erwähnt zu werden? Aber warum wurde er dann überhaupt zitiert? Die Sache ließ sich leider nicht mehr aufklären.

Ein paar Tage später entdeckte ich in einem Kaufhaus ein Schild, auf dem folgender Hinweis stand: *Gerne packen wir Ihre »gekauften Artikel« in unserer Geschenkabteilung ein.* Auf ein solches Schild muss man zweimal schauen; denn die An- und Abführungszeichen rund um die »gekauften Artikel« haben eine irritierende Wirkung. So wie ein Augenzwinkern. Wenn ich mir bei der Kleideranprobe einen Pullover überziehe, der mir ein paar Nummern zu groß ist, und der Verkäufer sagt: »Das macht nichts, da wachsen Sie noch rein!«, und dabei zuckt er heftig mit dem linken Auge, dann weiß ich: Das war nicht so gemeint, das war nur ein kleines Späßchen. Genauso fühlte ich mich von den Gänsefüßchen bei den »gekauften Artikeln« angezwinkert. So als wollte das Schild mir sagen: »Na, alter Langfinger, haste wieder was mitgehen lassen?« Möglicherweise sollte dieses Schild gar kein Hinweis auf den Verpackungsservice sein, sondern war am Ende ein äußerst subtiles Mittel zur Verhütung von Ladendiebstählen!

Das Erlebnis im Kaufhaus erinnerte mich an eine Beobachtung, von der Freunde mir berichtet hatten. Auf irgendeinem Flughafen war ihnen ein Schild aufgefallen, das folgende Aufschrift trug: *Bitte lassen Sie Ihr »Gepäck« nicht unbeaufsichtigt!* Die Häkchen vor und hinter dem Wort *Gepäck* verliehen dem Ganzen einen geradezu empörend arroganten Unterton. Meine Freunde lasen unwillkürlich zwischen den Zeilen heraus: »Ihre schäbigen Koffer verdienen zwar kaum die Bezeichnung *Gepäck*, aber lassen Sie sie trotzdem nicht unbeaufsichtigt.«

Die Mode des gedankenlosen Setzens von Anführungszeichen greift immer wilder um sich. Dabei wird der gewünschte Effekt, nämlich Betonung, längst nicht immer erreicht. Oft ist eher das Gegenteil der Fall, und die Empfehlung schlägt in Abschreckung um. Wenn ich im Schwimmbad eines Hotels den Hinweis lese dann frage ich mich doch unweigerlich, was ich vom Frischegrad dieser Handtücher zu halten habe – und benutze lieber mein gebrauchtes.

Geradezu beängstigend wird es, wenn ich an Bord eines Flugzeugs in einem Prospekt lesen muss: *Wir wünschen Ihnen einen »guten Flug«*. Für mich liest sich das nämlich so: »Hallo, lieber Fluggast, Sie wissen ja, der Ruf unserer Gesellschaft ist nicht gerade der beste, also erwarten Sie nicht zu viel. Beschwerden bitte direkt in die dafür vorgesehene Spucktüte! Und jetzt heißt es: Anschnallen und beten!«

Anführungszeichen erfüllen vier unterschiedliche Funktionen.

Erstens dienen sie der Ein- und Ausleitung direkter Rede:

· *»Das hätten wir geschafft!«, rief er.*
· *»Ich heiße Sabine«, sagte Sabine, »und wie heißt du?«*

Zweitens dienen Anführungszeichen dazu, Zitate kenntlich zu machen:

· *Der Ausspruch »Erlaubt ist, was gefällt« stammt von Goethe.*
· *In der Bibel steht: »Du sollst nicht töten.«*

Drittens dienen Anführungszeichen der Hervorhebung einzelner Wörter oder Wortgruppen:

· Das Wort »*Standard*« schreibt sich am Ende mit »*d*«.
· *Unter dem Stichwort »Liebe« findet man mehr als tausend Einträge.*

In Anführungszeichen stehen Namen von Zeitungen, Zeitschriften, Büchern, Kinofilmen, Fernsehsendungen, Musikstücken, Kunstobjekten und Bühnenwerken, um dem Leser zu signalisieren: »Achtung, dies ist ein Name!« Mozarts »Figaro« ist eben nicht der Mann, der Mozart die Haare frisierte, sondern eine Mozartoper. Und wenn man liest: *Er sah jeden Montag als Erstes in den »Spiegel«*, dann weiß man, dass damit nicht der Badezimmerspiegel, sondern das Nachrichtenmagazin gemeint ist. Ich komme übrigens jeden Morgen auf dem Weg zur Arbeit am »Atlantik« vorbei. Stünden die Anführungszeichen nicht da, so könnte man jetzt denken, ich wohnte am Meer. Das »Atlantik« ist aber ein Hotel. Auch Namen von Hotels, Schiffen und Gaststätten können in Anführungszeichen stehen.

Viertens dienen Anführungszeichen dazu, Ironie, eine Wortspielerei oder eine Distanzierung kenntlich zu machen. Letzteres ist zum Beispiel häufig bei der Verwendung von Begriffen der Fall, die historisch belastet sind oder einen ethisch verwerflichen Vorgang in schönfärberischer Weise beschreiben, so wie das Wort »Säuberung«, das in Wahrheit oft eine zutiefst schmutzige, wenn nicht gar blutige Angelegenheit bedeutet. Die »Bild«-Zeitung hat die Abkürzung DDR stets in Anführungszeichen gesetzt, um deutlich zu machen, dass sie die DDR nicht anerkannte.

Anführungszeichen weisen auf das anders Gemeinte hin, sie dienen der Hervorhebung, aber nicht der Betonung. Wer ein einzelnes Wort mit typografischen Mitteln stärker betonen will, dem stehen dafür zahlreiche andere Möglichkeiten zur Verfügung. Innerhalb eines Textes kann man das Wort <u>unterstreichen</u>, man kann es **fetten,** g e s p e r r t schreiben oder *kursiv* setzen. Auf Einladungen, in Prospekten oder Schildern kann man außerdem entweder eine andere Farbe oder `Schriftart` verwenden oder das Wort einfach größer schreiben. Es gibt viele geeignete Mittel und Wege, ein Wort zu betonen. Die Verwendung von »Anführungszeichen« gehört nicht dazu.

Eine Betonung soll ja erreichen, dass einem das Wort in seiner primären Bedeutung sofort ins Auge springt. Anführungszeichen aber lenken die Aufmerksamkeit von der primären Bedeutung auf eine übertragene Bedeutung. Sie sind ein typografisches Augenzwinkern. Wer den Autor dieses Buches als einen Mann für alle Fälle bezeichnet und das Wort »Fälle« dabei in Anführungszeichen setzt, macht damit klar, dass es sich um ein Wortspiel handelt und mit den Fällen keine Gelegenheiten, sondern Nominativ, Genitiv, Dativ und Akkusativ gemeint sind.

Anführungszeichen stehen also immer dann, wenn etwas nicht in seiner wörtlichen Bedeutung gemeint ist. Was aber könnte mit einem *Schnitzel »Wiener Art«* anderes gemeint sein als ein Schnitzel Wiener Art? Wo steckt das Wortspiel in der Aussage *Unsere Pizza ist garantiert »ofenfrisch«?* Was ist so eindeutig zweideutig an jenem Lokal, das als *Der älteste »Gasthof« Rügens* ausgewiesen wird? Wovon distanzieren sich die Betreiber des Einkaufszentrums, das *Nur »2 Minuten Fußweg« vom Bahnhof* gelegen sein soll? Und was verbirgt sich tatsächlich hinter der Tür, durch die *Leckeres aus unserer »Küche«* getragen wird? Ist es als ein Indiz für gestiegenen Marihuanakonsum zu werten, wenn Kantinen darauf hinweisen, dass *»Rauchen« nicht gestattet* sei?

Die Anführungswut ist kaum noch aufzuhalten. Im Supermarkt werden Orangen als »Orangen« angeboten (sind es in Wahrheit mutierte Clementinen?), und der Elektrohändler hat ein Schild ins Fenster gehängt, auf dem herabgesetzte DVD-Geräte als »Neuware« angepriesen werden. So ein Schelm!

Nichts bringt den Unsinn mit den Anführungszeichen besser auf den Punkt als jene Zeichnung des Karikaturisten Martin Perscheid, auf der ein Mann vor einem Schild mit der Aufschrift "Frische Brötchen" steht und verwundert ob der An- und Abführungszeichen denkt: »Ein Apostroph reicht jetzt wohl nicht mehr.«

Thema »Rente« oder Thema Rente?

Frage eines Lesers aus Wiesbaden: Ich beobachte immer wieder schwankenden Gebrauch der Anführungszeichen in Fällen wie diesen:

Er gehört zur sogenannten Generation Golf.
Er gehört zur sogenannten »Generation Golf«.

Beim Thema Rente erzielten die Politiker Einigkeit.
Beim Thema »Rente« erzielten die Politiker Einigkeit.

Wann sind die Anführungszeichen sinnvoll, wann sind sie unsinnig?

Antwort des Zwiebelfischs: Anführungszeichen dienen der Hervorhebung von Wörtern. Die Hervorhebung kann aber auch auf andere Weise erreicht werden, durch VERSALIENSCHREIBUNG zum Beispiel, durch *Kursivschrift*, oder: einen Doppelpunkt. Und nicht selten ergibt sie sich aus dem Zusammenhang. Signalwörter wie »sogenannt« erfüllen die gleiche Funktion wie Anführungszeichen; das Setzen von Anführungszeichen hinter »sogenannt« bedeutet streng genommen eine Verdoppelung der Hervorhebung, die von einigen eher als »störend« denn als zweckdienlich empfunden wird.

Im Fall der Generation Golf können Sie sich zwischen zwei Möglichkeiten entscheiden:

Er gehört zur »Generation Golf«.
oder:
Er gehört zur sogenannten Generation Golf.

Ansonsten sind Anführungszeichen überall dort willkommen, wo es gilt, Missverständnisse zu vermeiden, so wie hier:

Sie sprachen über das Thema »Beziehungen« mit geschiedenen Männern.

Setzt man die Anführungszeichen an anderer Stelle, werden aus Gesprächen *mit* Männern plötzlich Gespräche *über* Männer:

Sie sprachen über das Thema »Beziehungen mit geschiedenen Männern«.

Lautet der Satz aber nur: »Sie sprachen über das Thema Beziehungen«, kann auf Anführungszeichen verzichtet werden, da keine Verwechslungsgefahr besteht.

Auch der folgende Beispielsatz enthält keine Verwechslungsgefahr und somit keine Notwendigkeit für das Setzen von Anführungszeichen:

Zunächst leitete Herr Peters das Ressort Kultur und Gesellschaft.

Das ändert sich jedoch, wenn ein weiteres Ressort hinzukommt:

Von 2002 bis 2005 leitete Peters die Ressorts »Jugend« und »Kultur und Gesellschaft«.

Ohne die Anführungszeichen könnte dieser Satz nämlich als Aufzählung dreier Ressorts interpretiert werden.

Das Wörtchen »als« im falschen Hals

Es ist klein und unscheinbar – und dabei doch so ungemein praktisch und wichtig. Das kleine Wörtchen »als« erfüllt in unserer Sprache viele wichtige Funktionen. Leider wird es im Sprachalltag nicht
besonders gut behandelt. Entweder fehlt es, wo es vonnöten wäre,
oder es steht dort, wo es gar nicht hingehört.

»Als dein Freund kann ich's dir ja sagen«, sagt Henry zu mir,
»deine Kochkenntnisse verdienten mal eine kleine Auffri-
schung.« Den zweiten Teil des Satzes habe ich gar nicht
mehr wahrgenommen, weil schon der erste Teil meine gesamte Aufmerksamkeit absorbierte. »Als dein Freund«, hat
Henry gesagt. Völlig zu Recht, und grammatisch tadellos.
Das Wörtchen »als« steht hier nämlich für die (sehr viel umständlichere und daher nicht unbedingt zu empfehlende)
Formulierung »... in meiner Eigenschaft als«.

Wenn ich mich »als Freund« um jemanden bemühe, dann
heißt das nicht, dass ich sein Freund werden will, sondern
dass ich bereits sein Freund bin. Diese Feinheit scheint aber
nicht jedem bewusst zu sein. Erst kürzlich las ich wieder
eine Meldung, in der es um die Neubesetzung des Postens
des Weltbankpräsidenten ging. »Die Kandidatur von US-Vi-
zeverteidigungsminister Paul Wolfowitz als Präsident der
Weltbank hat in Europa heftige Kritik ausgelöst«, hieß es da.
Wer aber »als Präsident« kandidiert, der ist bereits Präsident.

In den USA kann sich derzeit nur George W. Bush als Präsident für den Chefposten der Weltbank bewerben. Ob das
Protokoll das zulässt, weiß ich nicht, aber wenigstens lässt
es die Grammatik zu. Im Falle Paul Wolfowitz' lässt sie es
nicht zu. Der kann bestenfalls (in seiner bisherigen Funktion) *als* stellvertretender Verteidigungsminister der USA
für einen möglicherweise einträglicheren Posten kandidie-
ren. »Als« bezieht sich auf das, was er ist, und nicht auf das,

was er werden will. So wie sich Henry als mein Freund offenbar um den Abwasch bewirbt, wenn er glaubt, ungestraft über meine Kochkünste spotten zu können.

Man bewirbt sich *für* ein Amt oder *um* eine Stelle, aber wer sich *als* jemand bewirbt, der ist dieser jemand bereits. Wer »als Pirat« oder »als Prinzessin« zum Karneval geht, der hat die Kostümierung schon vorher angelegt. Und wer seine Freunde und Bekannten per Anzeige »als Verlobte grüßen« lässt, der ist bereits verlobt und gibt nicht erst mittels dieser Anzeige seine Verlobungsabsicht bekannt.

Die Frage »Soll Joschka Fischer sich als Bundespräsident bewerben?« muss folglich so beantwortet werden: Erst mal soll er Präsident werden, dann sieht man weiter, wofür er noch so alles taugt. Viele Journalisten bekommen das kleine Wörtchen »als« immer wieder in den falschen Hals. Zwar kann man als Sieger aus einem Wettkampf hervorgehen, doch wird man nicht als Sieger gekürt, sondern zum Sieger.

Andererseits ist es falsch, wenn man sagt: »Dich hätte ich gern zum Vorgesetzten!« Hier muss es richtig heißen: »Dich hätte ich gern als Vorgesetzten!« Zwischen »als« und »zum« besteht ständige Verwechslungsgefahr. Dabei bedeuten sie keinesfalls dasselbe. »Als« steht vor dem, was ist, »zum« (oder »zur«) steht vor dem, was sein wird. Am deutlichsten offenbart sich der Unterschied anhand des folgenden Beispiels:

Als Minister taugte er nicht = Er war Minister und versagte kläglich im Amt.
Zum Minister taugte er nicht = Er sollte besser nicht Minister werden.

Die Präposition »als« ist noch in anderer Hinsicht phänomenal. Hinter bestimmten Verben (als da zum Beispiel wären »erklären«, »ansehen«, »betrachten« und »erachten«)

steht sie in einer interessanten Konkurrenz zum Wörtchen »für«, die eine etwas genauere Betrachtung verdient.

Warum heißt es »jemanden *als* vermisst« melden, aber »jemanden *für* tot erklären«? Warum nicht »für vermisst« oder »als tot«? In der Wahl des jeweiligen Verhältniswörtchens offenbart sich ein Bedeutungsunterschied. Wenn ich Henry »für« verrückt erkläre, so spiegelt das meine Meinung wider und beruht nicht unbedingt auf Tatsachen. Wenn er hingegen meine Kochkünste »als« unzureichend erklärt, so hört sich das wie das unumstößliche Ergebnis einer Prüfungskommission an. Im Wörtchen »für« schwingt also eine gewisse Subjektivität mit, während »als« den Anschein von Objektivität hat. Wer »für tot erklärt« wird, der gilt als tot, ohne dass man es beweisen kann. Wer »als vermisst gemeldet« wird, der wird tatsächlich vermisst. Wenn eine Unterschrift »als echt anzusehen« ist, dann gibt es keinen Zweifel an ihrer Authentizität. Wird sie hingegen »für echt angesehen«, dann wird sie nur für echt gehalten, kann aber dennoch gefälscht sein.

Als Adolf Hitler 1936 die Olympischen Spiele in Berlin eröffnete, erklärte er sie nicht »für eröffnet«, sondern »als eröffnet«. Hitler hat es bekanntermaßen mit Gesetzen und Regeln nicht sehr genau genommen, auf seinem Weg an die Macht und in den Untergang hat er sich über die meisten Gebote (zum Beispiel die der Vernunft und der Menschlichkeit) auf grausige Weise hinweggesetzt. In diesem Fall aber nahm er es zumindest mit der Grammatik sehr genau. Denn die Erklärung gab keine subjektive Einschätzung wieder, sondern schuf eine für alle Beteiligten verbindliche Tatsache. Man kann nun darüber streiten, ob die Formulierung »Hiermit erkläre ich das Büffet für eröffnet« nicht korrekterweise heißen müsse »Hiermit erkläre ich das Büffet als eröffnet«. Ich rate dringend davon ab, deswegen einen Streit vom Zaun zu brechen. Das könnte die Partystimmung vermiesen. Vor allem rate ich davon ab, sich in dieser Frage auf Adolf Hitler zu berufen. Das könnte noch viel mehr vermiesen als nur eine Party.

Geduldig hat sich Henry während des Geschirrspülens meine Ausführungen über »als« und »für« angehört. Schließlich legt er den Putzschwamm zur Seite und sagt: »Hiermit erkläre ich dich für unverbesserlich und den Abwasch als beendet!«

Gibt es das Wort »ebend«?

Frage eines Lesers: In einer Talkshow gebrauchte eine Frau wiederholt das Wort »ebend«. Ich kenne es nicht und kann es auch im Duden nicht finden. Es soll wohl dasselbe bedeuten wie »eben«. Gibt es dieses Wort tatsächlich, oder handelt es sich um falsches Deutsch?

Antwort des Zwiebelfischs: Bei dem Wort »ebend« handelt es sich um eine Dialektform. So ist »ebend« zum Beispiel im Ruhrgebiet zu hören, aber auch in Mecklenburg, in Brandenburg und in Berlin. »Da harrik ebend nich uffjepasst«, sagt der Berliner auf seine unverwechselbare Art und Weise und meint damit: »Da habe ich eben nicht aufgepasst.« Da wir Deutschen nun mal ein Volk von Dialektsprechern sind, muss man akzeptieren, dass es von ein und demselben Wort mehrere Aussprachemöglichkeiten gibt. Dies ist im Übrigen auch keinesfalls ein Nachteil, sondern der beste Beweis für die Lebendigkeit und Wandlungsfähigkeit unserer Sprache. Mundartliche Sonderformen bieten bekanntlich immer wieder Stoff für Witze und Parodien. Der Schauspieler und Kabarettist Diether Krebs war einst in einem Sketch zu sehen, der genau dieses Thema trefflich auf die Schippe nahm: Ein Mann kommt in eine Metzgerei und sagt: »Ich hätte gerne ein Pfund Nackend!« Erwidert der Metzger: »Das heißt Nacken!« Darauf der Kunde: »Na ebend!«

Wo lebt Gott eigentlich heute?

Als Gott noch in Frankreich lebte, nährte sich unsere Sprache haupt-
sächlich von französischen Begriffen. Das war chic und en vogue.
Heute ist Französisch »uncool«, wenn nicht gar »out«. Man sagt
Date statt Rendezvous, Model statt Mannequin, Level statt Niveau.
Gott lebt heute in Miami und genießt kalifornischen Chardonnay.

Mireille Mathieu wusste 1972 noch zu singen: »Gott lebt in
Frankreich, denn Frankreich ist schön.« Und niemand hätte ihr damals widersprochen. Frankreich ist immer noch
schön, aber Gott ist umgezogen. Er wohnt jetzt in den USA.
Vermutlich im Rentnerparadies Miami oder im beschau-
lichen Santa Barbara. Wie ich darauf komme? Unsere Sprache liefert genügend Indizien dafür! Einst war die deutsche
Sprache mit französischen Ausdrücken gespickt. Denn bevor die Deutschen ihre Antennen ganz und gar auf die USA
ausrichteten, kamen die wichtigsten kulturellen – und somit auch sprachlichen – Impulse aus Frankreich.

Als Gott noch in Frankreich lebte, da wusste noch jeder,
was »Savoir-vivre« und »Laisser-faire« bedeuten. Heute dreht
sich alles um Lifestyle, und aus dem Laisser-faire-Prinzip
wurde »Take it easy!«. Was früher »en vogue« war, ist heute
»trendy«, und eine Mode, die irgendwann »passé« war, ist
heute »out«. Wer auf dem Laufenden war, der war mal »à
jour«, und wenn er einverstanden war, dann war er »d'ac-
cord«. Heute ist er »up to date« und gibt sein »okay«. Und wer
im Fahrstuhl jemandem auf die Füße tritt, der sagt nicht
mehr »Pardon!«, sondern murmelt nur noch »Sorry!«.

Wer seinen Geburtstag feiern will, der gibt keine Fete
mehr, sondern eine Party. Und der Grand Prix Eurovision de
la Chanson nennt sich neuerdings auch bei uns Eurovision
Song Contest. Wenn irgendwann auch die französische

Punktezählung abgeschafft wird (»L'Allemagne deux points«), dann ist der Sieg der englischen Sprache komplett. Adieu la France, oder genauer gesagt: bye, bye!

Als Gott noch in Frankreich lebte, trafen sich Verliebte noch zum Rendezvous, heute haben sie ein Date. Der Charmeur von einst gilt inzwischen als Womanizer, und die altmodische Romanze wurde zur modernen »love affair« umgedichtet. In so mancher Familie (neudeutsch: »family«) wird der Vater nicht »Papa« oder »Pa« gerufen, sondern »Daddy« oder »Dad«.

In den Sechzigern und Siebzigern wurden in Deutschland noch unzählige Filme aus Frankreich gezeigt, und jeder kannte die großen französischen Stars. Deutsche Männer träumten von Brigitte Bardot und Catherine Deneuve. Heute träumen sie von Nicole Kidman und Hilary Swank. Lange bevor es Bruce Willis gab, war Alain Delon der Inbegriff des lässigen Helden. Und man lachte hierzulande noch herzlich über Louis de Funès in seiner Rolle als »Der Gendarm von St. Tropez«. Ein Remake hätte heute vermutlich nur unter dem Titel »Der Cop von St. Louis« an den Kinokassen eine Chance.

Der Billy-Wilder-Film »The Apartment« wurde seinerzeit noch mit »Das Appartement« übersetzt. Da wurde der Doorman auch noch Portier genannt, und der Taxidriver war tatsächlich noch ein Chauffeur. Früher wurde der Gutschein auch mal Coupon genannt, heute bekommt man einen Voucher. Man kauft auch keine Billetts mehr, sondern Tickets. Hotels haben ihr Vestibül zur Lobby umgebaut und ihr Foyer zur Lounge. (Ironischerweise sprechen viele Menschen das Wort »Lounge« französisch aus – die Sehnsucht nach französischem Flair scheint noch nicht gänzlich erloschen.)

Das Kellergeschoss von Warenhäusern heißt nicht mehr Souterrain, sondern Basement. Dort befindet sich häufig die Weinabteilung, in der man hervorragenden kalifornischen Chardonnay bekommt – und Champagner, selbstverständlich. Der ist, wenn trocken, nicht mehr »sec«, sondern »dry«.

Wer heute ein Café eröffnet, nennt es vorausschauend »Coffeeshop«, denn die Amerikaner sind ja für ihren Kaffee berühmt. Wie auch für ihr Essen (»Food«), weshalb man heute nicht mehr von »Nouvelle Cuisine« spricht, sondern von »french cooking«. Vorab gibt's anstelle des Hors d'œuvre einen »Appetizer«. Machte man früher den Salat mit einer Soße oder Vinaigrette an, so bekommt er heute ein »Dressing« verpasst. Da selbst Hunde und Katzen ihr Fleisch bereits »in zarter Jelly« serviert bekommen, wird sich das französische Gelee wohl auch bei den Zweibeinern nicht mehr lange halten.

Wann waren Sie das letzte Mal in einer Boutique? Die wirklich angesagten Klamotten bekommt man heute im »Fashion Store«, und den wiederum gibt's in jedem Shopping-Center. Frankreich hat seinen Status als Mutterland der Haute Couture und der Prêt-à-porter-Modeschauen eingebüßt – heute heißt das »Fashion Week«. Da führen die Models, die früher Mannequins genannt wurden, nicht mehr knackige Dessous vor, sondern »hot underwear«. Frauen, die sich einst in »schicken Kostümen« zeigten, haben heute ein »stylishes Outfit«. Wer ehedem salopp oder leger gekleidet war, der trägt heute »casual wear«.

Auch die Hautevolee und die Crème de la Crème mussten sich einer Modernisierung unterziehen und nennen sich jetzt »Celebrities«. Und der liebe Gott? »Mon Dieu!«, wer sagt das noch, heute ruft man »Oh my God!«. Es besteht kein Zweifel: Gott lebt heute in Amerika. Von dort schrieb er mir kürzlich eine Karte: »Wow, es ist einfach cool hier! Fühle mich great! Jeden Tag Party und Fun! Alles viel relaxter als bei den Frenchies!« So ein Bullshit, hab ich gedacht und die Karte zerrissen.

Kommt »ausgepowert« aus dem Französischen?

Frage einer Leserin aus Potsdam: Ich habe mal gehört, dass das Wort »ausgepowert« gar nicht aus dem Englischen, sondern aus dem Französischen kommen soll. Ist das richtig?

Antwort des Zwiebelfischs: Das stimmt tatsächlich! Wider Erwarten geht das Wort »ausgepowert« nicht auf das englische Wort »power« zurück, sondern auf das französische Wort »pauvre«, welches »arm« bedeutet. Daher wurde es früher auch anders ausgesprochen, nämlich so, wie man es schreibt, mit einem »o« und einem »w«, ähnlich wie das deutsch-jiddische »ausbaldowern«, das »auskundschaften« bedeutet. Die in unseren Augen heute so englisch anmutende Schreibweise war in Wahrheit die Angleichung des deutschen Schriftbildes an den französischen Klang.

»Auspowern« hatte die Bedeutung »jemanden um sein Hab und Gut bringen«, »ausbeuten«, »ausplündern«, kurzum: »arm machen«. Im 19. Jahrhundert wäre es wohl niemandem eingefallen, »ausgepowert« mit einem »au«-Laut zu sprechen. Erst in den letzten Jahrzehnten hat sich dies geändert. Da unsere Sprache von englischen Begriffen völlig durchdrungen ist, nahm man an, dieses Wort müsse mit dem englischen »power« zusammenhängen – und sprach das »ow« wie »au«. Dadurch änderte sich auch die Bedeutung des Wortes. »Ausgepowert« heißt heute meist nicht mehr als »erschöpft«, »entkräftet«. Die ursprünglich viel weiter, nämlich an die materielle Existenz gehende Bedeutung ist verloren gegangen.

Eine ähnlich interessante Geschichte hat das Wort »schick«. Zwar geht es in seiner heutigen Bedeutung »modisch«, »hübsch« tatsächlich auf das französische Wort »chic«

zurück, doch ist dieses wiederum ein Lehnwort aus der deutschen Sprache. Dass etwas »schicklich« ist oder »sich schickt«, sagte man im Deutschen nämlich schon lange, bevor die Mode »chic« wurde. Das mittelniederdeutsche Wort »schick« stand für Gestalt, Form und Brauch, »schicklich« hat die Bedeutung »angemessen«, »geziemend«. Irgendwann galt es als unschicklich, schick zu sagen, das Wort geriet aus der Mode. Über das Elsass und die Schweiz gelangte es in den französischen Sprachraum, von wo aus es im 19. Jahrhundert als »chic« nach Deutschland reimportiert wurde, um dann wiederum zu »schick« eingedeutscht zu werden. »Schick« ist also ein deutsch-französisch-deutsches Wort, während »ausgepowert« ein französisch-deutsches Wort ist, das nachträglich anglisiert wurde.

Der Pabst ist tod, der Pabst ist tod!

Zu den bewegendsten Begebenheiten des Jahres 2005 zählen zweifellos das Sterben und der Tod des Papstes Johannes Paul II. Millionen haben ihn geliebt und verehrt, auch bei uns in Deutschland. Als er starb, war die Trauer groß. Ob der allgemeinen Bestürzung schien die deutsche Sprache zeitweise völlig durcheinander zu geraten.

Lange hat es gedauert, das Pontifikat Johannes Pauls II. Und lange währte auch das Siechtum dieses Papstes. Am 2. April 2005, einem Samstag, starb er, der von so vielen Menschen in aller Welt verehrte Mann. Manche nannten ihn respektvoll den »Jahrhundert-Papst«. Für die meisten war er aber einfach »der Papst«. Abgesehen von denjenigen, für die er immer »der Pabst« war.

Nicht nur Millionen Gläubige haben sein Sterben mit großer Anteilnahme begleitet, auch die Medien waren rund um die Uhr dabei. Immer wieder gab es Unterbrechungen laufender Sendungen und Live-Schaltungen nach Rom mit der bangen Frage: »Lebt er noch, oder ist er ...?« Viele Reporter hatten Scheu, das Wort »tot« in den Mund zu nehmen, solange der Tod des Papstes noch nicht offiziell feststand. Das ist durchaus verständlich, man wollte ja nichts beschreien. Also warteten die Reporter gespannt auf die Verkündung, auf die amtliche Bekanntmachung. Einige warteten auch auf die »Verkündigung«. So nennt man – vor allem im theologischen Zusammenhang – eine feierliche Bekanntmachung, wie zum Beispiel die Verkündigung der Auferstehung Christi.

Kaum war der Papst tot, war die Scheu vor dem t-Wort wie weggeblasen, und »tot« war in aller Munde. Nun wurde der Papst sogar für jene Zeit zum Toten erklärt, in der er noch quicklebendig war. Ein Redakteur erinnerte sich an die

»vielen Länder, die der tote Papst bereist hat«. Doch ein toter Papst reist höchstens im Sarg. Die nachgereichte Korrektur »die der tote Papst *zu Lebzeiten* bereist hat« machte es nicht besser. Der Papst hat gelebt, aber »der tote Papst« ist nur eines: tot. Auf der Internetseite newsroom.de war der Papst allerdings fünf Stunden lang »tod«, bevor er endlich »tot« sein durfte. Dafür war er zuvor auch von anderen immer wieder als »totkrank« geschildert worden – wiewohl »todkrank« zweifellos zutreffender gewesen wäre (siehe Tabelle am Ende dieses Kapitels). Ein Blick in den Duden kann sich selbst im Angesicht des Todes noch als nützlich erweisen. Zumindest sollte man nicht davor zurückschrecken, wenn man über den Tod eines Menschen schreibt. Auch ein prüfender Blick auf nebeneinander gestellte Begriffe kann nicht schaden. In den letzten Tagen vor seinem Tod wurde der Papst häufig als »stark geschwächt« beschrieben. Ein unfreiwillig komisches Paradoxon, wenn man's genau nimmt. Demnach wäre jemand, dem es nach schwerer Krankheit wieder etwas besser geht, »schwach gestärkt«.

Prompt las man von »Pilgerern«, die zu Tausenden nach Rom strömten, um von Papst Johannes Paul II. Abschied zu nehmen. Ein Fehler, der übrigens immer wieder auftaucht und selbst renommierten Tageszeitungen unterläuft, wie die folgenden Beispiele zeigen:

»Mit Heiligenschein und segnend ausgebreiteten Armen steht er auf einer Weltkugel und begrüßt die Pilgerer.« (»Die Welt«, 6.12.2003)
»Auch Altbischof Hubert Luthe, der Begründer dieser Tradition, ließ es sich nicht nehmen, die Pilgerer zu begleiten.« (»WAZ«, 10.4.2004)
»Aus dem Bub in der Kapelle wird ein Paris-Pilgerer, ein unermüdlicher Reisender in der Weltliteratur.« (»Süddeutsche Zeitung«, 16.4.2004)

Es heißt »die Wanderer«, aber nicht »die Pilgerer«. Ein schlichtes »Pilger« genügt uns, sowohl im Singular als auch im Plural. Allein die weibliche Form hat – wie so oft – eine Silbe mehr und lautet »Pilgerin«. Wie die Pilger, so führen auch die Gläubigen in die sprachliche Verwirrung. Ein Radioreporter berichtete, »dass Zehntausende Gläubiger auf dem Petersplatz zusammengekommen sind«. Das ist zwar nicht falsch, aber missverständlich, denn im Genitiv fallen die Gläubigen mit den Gläubigern zusammen, und wer nicht rechtzeitig schaltete, konnte glauben, der Papst sei hoch verschuldet gestorben. Der Duden empfiehlt in diesem Fall, auf eine Konstruktion mit »von« auszuweichen: »Zehntausende von Gläubigen«.

Sie kämen, um dem Papst »die letzte Referenz zu erweisen«, sagte ein Sprecher des Fernsehsenders Phoenix. Er meinte aber bestimmt nicht die Empfehlung, sondern die Ehrerbietung. Die schreibt sich »Reverenz« und wird mit weichem »W«-Laut in der Mitte gesprochen.

»Alle wollen dem Papst kondolieren«, verkündete das Internetportal GMX in seiner Nachrichtenspalte. Kondolieren kann man aber schwerlich einem Toten. Das Wort »kondolieren« geht auf die lateinischen Wörter »con« (= mit) und »dolor« (= Schmerz, Leid) zurück. Kondolieren bedeutet also »mit jemandem leiden, den Schmerz mit jemandem teilen«. Man kondoliert in der Regel den Hinterbliebenen: der Witwe oder dem Witwer, den Kindern, den Angehörigen. Dem Verstorbenen selbst aber »erweist man die letzte Ehre«.

Nicht nur »kondolieren« hat es in sich, auch das Wort »Konklave« macht vielen zu schaffen. Die Kardinalsversammlung, die zur Wahl eines neuen Papstes zusammentritt, wird *das Konklave* genannt. Nicht etwa *die* Konklave und auch nicht *der* Konklave. Es mag zwar *die Enklave* und *die Exklave* heißen, aber das Wort »Konklave« ist sächlich. Was sich reimt oder ähnlich auslautet, muss nicht unbedingt gleichen Geschlechts sein. Zwar gehen Exklave und Konklave auf dasselbe lateinische Wort (clavis = Schlüssel) zurück, doch haben sie sich, zumindest hinsichtlich ihres Geschlechtes, unterschiedlich entwickelt.

An anderer Stelle war zu lesen, die Gläubigen würden in kilometerlangen Schlangen vor dem Petersdom ausharren, »in dem der Leichnam des Papstes aufbewahrt ist«. Nun ja, für die Tage bis zur Beisetzung mag das Verb »aufbewahren« zutreffend sein, obwohl dann doch »verwahren« vorzuziehen wäre, denn »aufbewahren« klingt allzu dinglich. Briefe kann man aufbewahren oder einen Gutschein, aber einen Leichnam? Im tiefsten Inneren seines Herzens wollte uns der Schreiber sicherlich etwas anderes mitteilen. Er wollte von der Aufbahrung berichten, nicht von der Aufbewahrung.

Ein herausragendes Beispiel mangelnder Pietät lieferte die »Bild«-Zeitung am 5. April. »Wer kriegt das Herz vom toten Papst?«, fragte sie sich laut auf der Titelseite. Das ist nicht nur geschmacklos in der Aussage, sondern auch noch grammatisch unsauber: *Vom Papst* hat man, solange er noch lebte, einen Eindruck »kriegen« (besser: erhalten oder bekommen) können, vielleicht auch die Vergebung der Sünden, einen gut gemeinten Ratschlag oder einfach einen Händedruck. Dass aber ein Papst, noch dazu ein toter, Herzen unters Volk geworfen hätte, ist in keiner noch so wüsten Sage überliefert. Befürchtete man bei der »Bild«-Zeitung, mit der grammatisch korrekten Formulierung »das Herz des toten Papstes« die Leser womöglich zu überfordern? Leider ist dies kein Einzelfall, der sich auf den Boulevard beschränkt. Gerade im Angesicht »vom Tod von Papst Johannes Paul II.« muss der Genitivus possessivus, der besitzanzeigende Wes-Fall, in fast allen Nachrichtenmedien ums Überleben kämpfen.

Johannes Paul II. ist tot. Doch er hat Spuren hinterlassen. Ob nun als Papst oder als Pabst. Möge er in Frieden ruhen.

»Tod« und »tot« in Zusammensetzungen	
als Adjektiv	als Verb
mundtot	totarbeiten
todblass, totenblass	totkriegen
todbringend	totlachen
todernst	totlaufen
todesmutig	totsagen
todkrank	tot sein
todlangweilig	totschießen
tödlich	totschlagen
todmüde	totschweigen
todschick	totstellen (auch: tot stellen)
todtraurig	tottrampeln
todunglücklich	tottreten

Vom Zaubermann zur Zauberfrau

Frage eines Lesers aus Aachen: Wie lautet die weibliche Form des Wortes Zauberer? Ist es eine Zauberin oder eine Zaubererin?

Antwort des Zwiebelfischs: Um die weibliche Form von einer männlichen Bezeichnung auf »-er« zu bilden, hängt man in der Regel die Silbe »-in« ans Ende. So wird der Lehrer zur Lehrerin, der Schüler zur Schülerin, der Reiter zur Reiterin und der Pilger zu Pilgerin. Wie jede Regel hat aber auch diese ihre Ausnahmen. Eine dieser Ausnahmen sieht in wenigen Fällen eine Umlautung vor, so wie bei Bauer und Bäuerin, Schwager und Schwägerin, und eine andere Ausnahme betrifft die männlichen Formen, die mit einem doppelten »er« enden. Bei der Bildung der weiblichen Form fällt das zweite »er« nämlich weg. Der Zauberer verwandelt sich also nicht in eine Zaubererin, sondern in eine Zauberin. Und der Wanderer wird zur Wanderin, genau wie der Förderer zur Förderin. Das lässt sich mit Sprachökonomie begründen. Denn die Wörter »Wandererin«, »Zaubererin« und »Fördererin« sind nicht gerade leicht zu sprechen; wenn man nicht ganz langsam und deutlich artikuliert, geht die vorletzte Silbe in einem knurrenden Gurgeln unter. Da kann man sie ebenso gut weglassen. Und so hat man's dann auch getan.

Neben dem Zauberer und der Zauberin gibt es übrigens auch noch den Zaubrer und die Zaubrerin, genau wie auch den Wandrer und die Wandrerin. Diese Formen sind allerdings nur noch selten anzutreffen, hauptsächlich in Märchen und Gedichten. »Harry Potter«-Lesern stellt sich die Frage nach der korrekten femininen Form des Wortes Zauberer übrigens nicht. Die wissen: Das weibliche Pendant zum Zauberer ist – ganz klar – eine Hexe!

Lauter Erbauliches über laut

Die Fronten sind seit Jahren erstarrt. Auf der einen Seite stehen die Genitivisten in ihren bunten Uniformen, auf der anderen Seite die Dativisten mit ihren Federbuschhelmen. Über Stacheldraht und Gräben hinweg rufen sie sich zu: »Laut eines!« – »Laut einem!« Und dann werfen sie mit Fibeln und Grammatikbüchern. Ein Ende des Kampfes ist nicht abzusehen.

Überraschung für alle Genitiv-Muffel: Die Präposition »laut« regiert den Genitiv! Ihr glaubt es nicht? Es ist aber wirklich so! Es heißt »laut des Berichtes«, ebenso »laut eines Papiers aus dem Ministerium« und außerdem »laut Ihres Schreibens vom Soundsovielten«.

Allen Genitiv-Freunden dürfte diese Information Genugtuung bereiten. Doch damit ist das Thema nicht vom Tisch. Im Gegenteil. Der Kasuskrieg tobt erbittert weiter. Die Dativ-Anhänger sind auf dem Vormarsch, und sie haben gute Argumente, die nicht so einfach von der Hand zu weisen sind. Zum Beispiel sagen sie, dass sinnverwandte Präpositionen wie »gemäß«, »entsprechend« und »zufolge« allesamt den Dativ regieren: entsprechend dem Bericht, gemäß dem Beschluss der Regierung, seinem Plan zufolge ... Warum also nicht auch »laut«? Man täte der deutschen Sprache doch eher einen Gefallen, wenn man hier für Einheitlichkeit sorgte. Gab es zu diesem Thema nicht sogar ein Buch eines gewissen Bastian Sick mit dem Titel »Tod dem Genitiv! Es lebe dem Dativ!« – oder so ähnlich?

Und nun, liebe Genitiv-Freunde, haltet euch fest: Laut Duden ist hinter »laut« auch der Dativ erlaubt! Es ist also nicht falsch, »laut dem Bericht« zu sagen, auch »laut einem Papier« und »laut Ihrem Schreiben« sind zulässig.

Grabenkämpfe zwischen Genitiv- und Dativ-Anhängern

sind berüchtigt. Im Falle der Präposition »wegen« zieht sich der Kampf schon seit Generationen hin, und auch wenn »wegen dem« in der gesprochenen Sprache über »wegen des« gesiegt hat, so gilt der Genitiv hier nach wie vor als standardsprachlich. »Wegen dem« kann man sagen, aber schreiben sollte man es nicht.

Anders verhält es sich mit »laut«. Da haben es die Dativ-Anhänger bereits erreicht, dass auch im Schriftdeutsch der Gebrauch des Dativs gestattet ist. Es bleibt also jedem selbst überlassen, sich seinen Kasus hinter »laut« frei zu wählen. Gemäß dem Shakespeare'schen Motto: Was ihr wollt!

Übrigens: Steht »laut« direkt vor einem einzelnen Hauptwort im Singular, ohne Artikel oder Attribut, dann wird dieses Hauptwort überhaupt nicht gebeugt. Dann heißt es flexionslos: laut Gesetz, laut Bericht, laut Befehl, laut Zwiebelfisch. Man braucht also nur den Artikel zu streichen, schon herrscht Waffenstillstand zwischen Genitiv- und Dativ-Anhängern.

Doch worum geht es in diesem Krieg überhaupt? Um die Auslöschung des Genitivs? Um die Zurückdrängung des anscheinend übermächtig gewordenen Dativs? Nein, darum geht es gar nicht – in Wahrheit geht es um die Rettung der Grammatik. Welcher Kasus nun bevorzugt wird, ist zweitrangig – Hauptsache, es findet überhaupt noch eine Beugung statt!

Und nun kommt das Beste: Steht »laut« direkt vor einem (stark gebeugten) Hauptwort im Plural, ohne einen Artikel oder ein Attribut dazwischen, dann ist der Dativ gefordert – als Retter des Genitivs! Denn der Genitiv selbst unterscheidet sich im Plural nicht von Nominativ und Akkusativ, sehen Sie selbst: die Briefe, der Briefe, den Briefen, die Briefe – der einzige Kasus mit erkennbarer Veränderung ist hier der Dativ: den Briefen. Daher heißt es: laut Briefen – nicht um dem Genitiv eins auszuwischen, sondern weil der Genitiv einfach nicht kompliziert genug ist! Der Dativ beugt sich ein Stück weiter – daher erhält er den Zuschlag.

Übrigens: Laut Wörterbuch kann die Präposition »laut« nur vor einem Hauptwort stehen, das etwas Gesprochenes oder Geschriebenes wiedergibt. Also nicht »laut Bauplan« oder »laut Zeichnung« (und entsprechend wohl auch nicht »laut Malerei«, obwohl es ja die Lautmalerei gibt). Da kommt man aber ins Grübeln: Demnach müsste nämlich auch »laut Herrn Müller« nicht korrekt sein, denn Herr Müller mag zwar viel Gesprochenes oder Geschriebenes von sich geben, doch ist er selbst immer noch ein Mensch aus Fleisch und Blut. Also nur »laut Anweisung von Herrn Müller«? Und was ist mit all den vielen »laut Bundeskanzler Schröder« und »laut Präsident Bush«, die man täglich in den Nachrichten findet? Die Definition muss wohl etwas erweitert werden: »laut« darf auch vor Personen stehen, die die Quelle der Verlautbarung sind. Zum Beispiel: »laut des Sprechers« oder »laut dem Sprecher« – oder kurz: »laut Sprecher« (nicht zu verwechseln mit Lautsprecher).

Wer hinter »laut« Personen erlaubt, der muss auch Pronomen erlauben. Doch wie heißt es richtig, lieber Zwiebelfisch? »Laut ihm« oder »laut seiner«? Klingt der Genitiv hier nicht reichlich ungewöhnlich? Gestelzt und antiquiert? Tja – wofür würden Sie sich entscheiden? Ring frei für die nächste Runde: Der Genitiv ist noch längst nicht so tot, wie der Dativ ihm gern hätte!

Wie baut man einen Türken?

Frage einer Leserin: Immer wieder stolpere ich in der Presse über die Bezeichnung »getürkt«, wenn es um Betrug und Fälschung geht. Zum Beispiel in einem Artikel über einen ins Zwielicht geratenen deutschen Wissenschaftler. Darin heißt es: »Zunächst für den Nobelpreis vorgeschlagen und dann zum Scharlatan erklärt: Nach zehn Jahren verliert ein Bonner Chemiker seinen Doktortitel wegen getürkter Experimente.« Dafür hätte ich gerne eine verständliche Erklärung. Nicht dafür, dass man dem Chemiker den Titel aberkennt, sondern für die Verwendung des Wortes »getürkt«. Man will doch nicht allen Ernstes Türken mit Fälschern gleichsetzen?

Antwort des Zwiebelfischs: Der Ausdruck »etwas türken« geht zurück auf die Redewendung »einen Türken bauen« (älter auch: »einen Türken stellen«) und bedeutet tatsächlich »fälschen«, »fingieren«. Im Herkunftswörterbuch aus dem Dudenverlag steht, dass die Etymologie des Wortes trotz aller Deutungsversuche ungeklärt sei. Zwei dieser Deutungsversuche findet man im »Lexikon der populären Sprachirrtümer« von Walter Krämer und Wolfgang Sauer.[*]

Dort heißt es, dass bei der Einweihung des Nord-Ostsee-Kanals (damals noch »Kaiser-Wilhelm-Kanal« genannt) im Jahre 1895 alle durchfahrenden Schiffe mit der jeweiligen Nationalhymne ihres Landes begrüßt wurden. Als ein Schiff mit der Fahne des Osmanischen Reiches auftauchte, war der Dirigent ratlos, denn man hatte keine Noten einer türkischen Hymne. Um nicht unhöflich zu erscheinen, intonier-

---

[*] Krämer, Walter/Sauer, Wolfgang: »Lexikon der populären Sprachirrtümer«. Eichborn Verlag, Frankfurt am Main 2001.

te das Orchester stattdessen »Guter Mond, du gehst so stille« – inspiriert vom Halbmond auf der Fahne. Daraus soll sich die Redensart »einen Türken bauen« entwickelt haben.

Die andere Erklärung geht ins 18. Jahrhundert zurück und bezieht sich auf einen Schachautomaten, den ein gewisser Baron Wolfgang von Kempelen gebaut hatte. Dabei handelte es sich um eine Art Kommode, an die eine orientalisch gekleidete Puppe montiert war. Dieser Automat gewann fast alle Partien, aber freilich nicht durch Zauberei, sondern durch einen raffinierten Trick: Im Inneren hielt sich ein Schachmeister versteckt, der seine Figuren über Hebel bewegte. Nachdem der Schwindel aufgeflogen war, wurde der Ausdruck »einen Türken bauen« zum Sinnbild für »tricksen« und »fälschen«.

Ob eine dieser Erklärungen der tatsächlichen Herkunft des Wortes »türken« entspricht, ist nicht erwiesen. Sicher ist jedoch, dass »türken« nichts mit einem Völkerklischee zu tun hat. Der Ausdruck gilt allerdings als umgangssprachlich, von seiner Verwendung in Nachrichtentexten ist daher abzuraten.

Weltsprache Deutsch

Deutschland exportiert nicht nur Autos, Bier und Kuckucksuhren, sondern auch Teile seiner Sprache. Im Bulgarischen kennt man das Wort »schteker«, im Russischen den »schlagbaum«, in der Ukraine »feijerwerk« und in Chile die »bierstube«. Deutsche Wörter sind über die ganze Welt verstreut.

Nicht selten kommt es im Ausland zu denkwürdigen Begegnungen mit der deutschen Sprache. Damit sind hier nicht die eigenwilligen Kreationen gemeint, wie man sie auf Speisekarten in Urlaubsländern findet, so wie »Huhn besoffen mit Getränke« oder »Tintenfisch kochte mit Allen« oder »Bewegte Eier mit Schurken«. Gemeint sind deutsche Wörter, die von fremden Kulturen importiert, abgekupfert, geborgt oder, vornehmer ausgedrückt: entlehnt worden sind – weshalb sie auch Lehnwörter genannt werden. Davon gibt es mehr, als man denkt.

Die Gesellschaft für deutsche Sprache (GfdS) hat im letzten Jahr damit begonnen, deutsche Wörter in anderen Sprachen zu erfassen. In einer Pressemitteilung wandte sie sich an die Öffentlichkeit und rief dazu auf, deutsche Wörter, die in fremden Sprachen gebraucht werden, einzuschicken. Das Echo war überwältigend: In den folgenden Wochen und Monaten gingen insgesamt rund 7500 Vorschläge von 450 Teilnehmern aus aller Welt bei der GfdS ein. Einige schickten ein einzelnes Wort, das sie irgendwo aufgeschnappt hatten, andere sandten umfangreiche Listen ein, die sie über Jahre zusammengestellt und mit Beispielen gefüllt hatten.

In der »Zwiebelfisch«-Kolumne »Deutsch als Amtssprache der USA« ging es bereits um deutsche Wörter, die ins Englische aufgenommen worden waren. Wenn man beim Betreten eines klimaanlagengekühlten Geschäfts in den

USA plötzlich niesen muss, kann es passieren, dass einem ein freundliches »gesundheit!« zugerufen wird. Und während in den letzten Jahren immer mehr Deutsche Halloween feiern, findet in immer mehr amerikanischen Städten ein »oktoberfest« statt. Englisch ist vermutlich die Sprache mit den meisten deutschen Wörtern. Aber sie ist bei weitem nicht die einzige. Deutsche Wörter findet man fast überall, vom Nordkap bis zum Kap der Guten Hoffnung, vom Roten Platz bis zur Copacabana.

Die Dänen benutzen den Ausdruck »salonfaehig«, in den Niederlanden kennt man das Wort »fingerspitzengefühl«, in Bulgarien das »zifferblatt« und im Koreanischen »autobahn«.* Aus Somalia wurden die Wörter »shule« und »kaputi« gemeldet. In Russland kennt man deutschstämmige Wörter wie »butterbrot«, »durschlag« und »kompott«. Nicht zu vergessen den »riesenschnauzer« – Hundenamen rangieren auf der Liste der deutschen Exportwörter ganz oben. Mit den Hundenamen haben wir auch gleich die dazugehörigen Kommandos exportiert: »Platz!«, »Sitz!«, »Pass auf!«, »Hopp«, »Such!« und »Pfui« gibt es im Englischen und im Russischen.

Ebenfalls weit verbreitet sind kulinarische Begriffe aus dem Deutschen. Die Russen und die Serben kennen das Wort »krumbeer«, gewissermaßen eine Weiterzüchtung der in Südhessen, Rheinland-Pfalz und Baden-Württemberg beheimateten Grundbirne, einer regionalen Bezeichnung für die Kartoffel. Sowohl in Italien als auch in Chile gibt es »strudel«. Die Briten züchten »kohlrabi«, die Türken braten »snitzil«, und unsere beliebten Bratwürste sind als »bratwurst«, »wurstel« oder »wirstle« gleich von mehreren Sprachen übernommen worden. Ebenso »kuchen«, »pumper-

* Wörter aus Sprachen, die keine lateinische Schrift verwenden, werden in diesem Text in der transkribierten Form wiedergegeben, wie sie auch von der GfdS verwendet wurde.

nickel«, »wiener« und »zwieback«. Am erfolgreichsten sind allerdings Metalle und Mineralien: »Nickel« und »Quarz« kommen nach Auskunft der Dudenredaktion in mindestens zehn verschiedenen Sprachen vor, »Gneis« und »Zink« noch in neun. Was nicht heißt, dass sie häufiger gebraucht würden als die »essbaren« Begriffe.

Viele der deutschen Exportwörter lassen interessante Rückschlüsse auf die Wahrnehmung der deutschen Kultur durch andere Völker zu. Man importiert ja für gewöhnlich nur etwas, das man selbst nicht hat, und man importiert es von dem, der als Erster damit auf dem Markt war oder der am meisten davon zu bieten hat. So sind wir natürlich stolz darauf, dass das deutsche Wort »kindergarten« ein Welterfolg geworden ist. Nicht minder freuen wir uns über die wundervollen Wörter »wirtschaftswunder« und »wunderkind«. Auch auf den Exportschlager »autobahn« sind wir stolz, wobei wir die Entstehungszeit dieses Wortes gnädig ausblenden. Dass man in Griechenland das Wort »volkswagen« stellvertretend für alle Kleintransporter verwendet, erscheint uns wie eine Auszeichnung.

Und wie schwillt uns erst der Kamm angesichts der Tatsache, dass ausgerechnet die Japaner, berühmt für ihren Fleiß, ein Wort namens »arubaito« haben, das unverkennbar auf das deutsche Wort Arbeit zurückgeht! Haben wir nicht immer gewusst, dass die Arbeit in Deutschland erfunden wurde? Ja, wir Deutschen sind Spitze, das steht außer Frage. Wir haben der Welt »sauerkraut«, »gemuetlichkeit« und »fahrvergnuegen« geschenkt, von uns haben die anderen den »walzer«, das »lied« und den »rucksack«. Und wir waren die Ersten, die sich laut und besorgt über das Waldsterben Gedanken machten, sodass »le waldsterben« im Französischen zum Inbegriff für deutsche Öko-Hysterie wurde.

Das ist aber nur die eine Seite der Medaille. Auf der anderen Seite findet man etliche Begriffe, die einen doch stutzig machen. Was sagt es über uns Deutsche aus, wenn sich die Finnen von uns das Wort »besserwisser« ausleihen, die Schweden dazu noch den »streber«, und die Kanadier den »klugscheisser«? Was haben wir davon zu halten, dass man im Tschechischen das Wort »sitzflaijsch« und im Polnischen den Begriff »hochsztapler« findet? Die Ernüchterung folgt auf dem Fuße: Das Wort »arubaito« steht im Japanischen nicht etwa für reguläre Arbeit, sondern bezeichnet Teilzeitarbeit und Aushilfstätigkeit. Da erscheint die fernöstliche Reputation des Deutschen doch gleich in einem anderen Licht.

Trösten wir uns mit einem *schnaps*, den kennt man nämlich fast überall auf der Welt.

E-Mail for you

Das wird viele überraschen: Die Annahme, dass Rechtschreibung beim E-Mail-Schreiben keine Rolle spiele, ist falsch! Und Smileys ersetzen keine Interpunktion. Wie viel »Re: AW: Re: AW: Hallo!« verträgt ein Mensch am Tag? Was gehört in die Betreffzeile? Und wofür steht eigentlich LOL? Ein paar Gedanken über Form und Inhalt von E-Mails.

Es besteht kein Zweifel: E-Mail hat unser Leben verändert. Als die Post noch ausschließlich auf dem Landwege verschickt wurde, bekam man frühestens nach zwei Tagen eine Antwort. Dank E-Mail ist heute die Antwort oft schon nach wenigen Minuten da. Ob vom Kollegen, der nur ein paar Zimmer weiter sitzt, oder vom Freund aus der Schweiz – die Entfernung spielt keine Rolle mehr. E-Mail ist zu einer Form der schriftlichen Kommunikation geworden, die aus dem Alltag, insbesondere dem Büroalltag, nicht mehr wegzudenken ist und die klassische Form des Briefschreibens in weiten Teilen abgelöst hat.

Eine Bekannte hat mir unlängst berichtet, dass sie auf einem Postamt war, um eine einzelne schöne Briefmarke zu kaufen. Der Schalterbeamte sagte ihr, sie müsse entweder gleich einen ganzen Bogen mit zehn Stück erwerben oder sich mit einer Marke aus dem Automaten begnügen. Einzeln würden Briefmarken nicht mehr verkauft. So weit ist es also schon gekommen. Dies ist zweifellos eine Folge des E-Mail-Verkehrs, der parallel zur Ausbreitung des Internets in den letzten zehn Jahren rasant zugenommen und immer weitere Bevölkerungsteile für die Teilnahme an der elektronischen Kommunikation gewonnen hat.

Wenn die Elektro-Post den traditionellen Briefverkehr derart zurückgedrängt hat, dass das klassische Hobby des

Briefmarkensammelns zum Aussterben verurteilt ist, ist es zweifellos angebracht, sich über Form und Inhalte von E-Mails Gedanken zu machen. Das Verschicken von Post über das Internet mag sehr viel einfacher, schneller und auch billiger geworden sein als auf dem Landweg, aber das heißt nicht, dass sämtliche Regeln des traditionellen Briefverkehrs außer Kraft gesetzt sind.

Die oder das E-Mail, da fängt das Problem schon einmal an. Millionen Menschen im deutschsprachigen Raum verschicken tagtäglich Millionen von E-Mails, und die meisten sind sich nicht einmal über das Geschlecht dieser Kommunikationsform im Klaren.* Ganz zu schweigen von der korrekten Schreibweise: kleines »e« oder großes »E«, in einem Wort geschrieben oder mit Bindestrich? Ich empfehle in solchen Fällen stets, sich an bestehenden Schreibweisen zu orientieren: die U-Bahn, der O-Saft, das A-Hölzchen**, die E-Musik – das würde schließlich auch niemand in einem Wort schreiben. Folglich auch nicht die E-Mail, sonst läse es sich wie das Wort Email, und das hat eher etwas mit Kochtöpfen und Badewannen und weniger mit elektronischer Kommunikation zu tun. Auch der Duden lässt für die elektronische Post allein die Schreibweise E-Mail zu. Die oft gesehenen Varianten eMail und e-Mail sind somit offiziell aus dem Rennen um den »Grand Prix der Orthografie«.

---

* In der Standardsprache hat sich die weibliche Form durchgesetzt; in Süddeutschland, Österreich und der Schweiz wird daneben sehr häufig auch die sächliche Form verwendet. Der Duden lässt beides zu.
** Holzspan, den der Arzt zum Herunterdrücken der Zunge bei der Untersuchung von Mund und Rachenraum verwendet, während der Patient »Aaaah« sagt.

Sinn und Nutzen der Betreffzeile

	To:	max_mustermann@bad-example.com
	Cc:	
Subject:	‹no subject›	

Die Erfinder der E-Mail haben die wunderbare Idee gehabt,
jeder E-Mail eine sogenannte Betreffzeile zuzuweisen. Stellen Sie sich vor, so etwas hätte es im klassischen Briefverkehr bereits gegeben – ein Vermerk auf dem Umschlag, der
den Inhalt des Schreibens bezeichnet: »Betrifft: Mahnung!«
oder »Betrifft: Beschwerde!«. Wie viel umständliches Öffnen von Briefumschlägen hätte man sich da sparen können!
Die Betreffzeile macht es für den Empfänger leichter, die
E-Mails in seinem elektronischen Postfach zu verwalten,
sprich: Sie hilft ihm zu entscheiden, ob die Mail es überhaupt wert ist, geöffnet zu werden, oder ob sie nicht gleich
gelöscht werden kann.

Den Schreibenden indes stellt die Betreffzeile bisweilen
vor unlösbare Probleme. Denn er ist aufgefordert, seinen
Worten eine Überschrift zu geben, den Kern seiner eigenen
Mitteilung zu erfassen, die Quintessenz aus seinem Anliegen zu ziehen. Viele sind damit überfordert und schreiben
einfach nur »Hallo« oder gar nichts.

Das ist freilich kein Verbrechen, doch muss man angesichts der enormen Werbeflut, die heute elektronische Post-
fächer zu verstopfen pflegt, damit rechnen, dass eine E-Mail
mit leerer Betreffzeile gar nicht erst geöffnet, sondern vom
Empfänger ungelesen gelöscht wird.

Anrede und Signatur

Einige E-Mail-Schreiber fallen grundsätzlich mit der Tür ins Haus – sie verzichten auf die Anrede und kommen gleich zur Sache. In privater Korrespondenz mag das noch angehen, im Geschäftsverkehr ist dies jedoch ziemlich unschicklich. Für ein »Hallo!« oder »Guten Tag!« sollte es auch bei einer eiligen Mail noch reichen.

Auch wenn die E-Mail an eine gesichtslose Adresse wie kundenservice@warehouse.com oder webmaster@yoursite.de geht und möglicherweise mit einer automatisch generierten Eingangsbestätigung erwidert wird, so gilt doch: Es sind Menschen, die diese E-Mails öffnen, lesen und bearbeiten, keine Maschinen. Menschen wie du und ich, die ein höfliches »Sehr geehrte Damen und Herren« bestimmt nicht verachten.

Wie viel sollte man von seiner Anonymität preisgeben, wenn man sich zum ersten Mal an jemanden wendet? Niemand erwartet wahrheitsgetreue Angaben über Alter und Körpermaße des Absenders, und erst recht will niemand gleich in der ersten Mail die komplette Lebensgeschichte eines Menschen lesen müssen. Doch ein vollständig ausgeschriebener Name wäre schon mal ganz nett. Wer seine Mail nur mit »U. Kronstadt« unterzeichnet, also nicht mit »Ihr« oder »Ihre« U. Kronstadt, der stellt den Empfänger vor ein Rätsel. Verbirgt sich hinter diesem U. ein Ulrich oder eine Ulrike? Ein Uwe oder eine Ute? Wie soll man da die Antwort beginnen? »Sehr geehrte(r) Herr/Frau Kronstadt?« Es bedeutet eine unnötige Verlegenheit, einem unbekannten E-Mail-Schreiber antworten zu müssen, der nicht einmal sein Geschlecht zu erkennen gibt.

Die meisten E-Mail-Programme bieten heute die Möglichkeit, jedem Schreiben eine automatische Signatur anzuhängen, komplett mit »herzlichen Grüßen«, dem vollständigen Namen, sämtlichen akademischen Titeln, mit Telefonnummer, Handynummer, Faxnummer, Büroanschrift, Privatanschrift, Firmensitz, Abteilungszugehörigkeit, Homepage, Skyper, Lebensmotto – alles, was das Herz begehrt. Hier sollte man sich auf das Wichtigste beschränken. Oder die Signatur ganz löschen – vor allem, wenn man seinen Freunden schreibt. Wie sieht das sonst aus? Urteilen Sie selbst:

Hallo Suse-Schnute
Ich freue mich auf dich!
Bis später,
dein Larsi-Hasi

Mit freundlichen Grüßen
Lars Winterfjord

Dr. Lars-Jakob Winterfjord
Hitzboehm-Entertainment
Konzeption/Marketing
10247 Berlin
Germany

Hitzboehm – ein Unternehmen der Prime Time Group Ltd.
»We make your party swing!«

Fon: 0049-30-xxxxx
Fax: 0049-30-xxxxx
Mob: 0049-179-xxxxxx

www.hitzboehm.com

Re: AW: Re: AW: Re: AW: Anfrage!

Gepriesen sei der Erfinder der Antwort-Funktion! Es steht außer Frage, dass es ungemein praktisch ist, zur Beantwortung einer E-Mail lediglich auf den »Antwort«-Button klicken zu müssen, und schon öffnet sich auf dem Bildschirm eine neue E-Mail-Maske. Der Adressat wird automatisch eingetragen, dem Betreff ist ein »AW:« (für Antwort) oder ein »Re:« (für Reply) vorangestellt, man verliert also keine Zeit und kann sofort »in die Tasten hauen«. Manche E-Mails wandern wie Pingpongbälle wieder und wieder zwischen den kommunizierenden Personen hin und her, jedes Mal wird die Betreffzeile um ein »Re:« oder »AW:« länger. Leider wird auch der Text der E-Mail jedes Mal länger, weil alle vorangegangenen Hin- und Her-Mails hinten dranhängen. Die meisten E-Mail-Programme sind nämlich so eingerichtet, dass beim Klicken auf die Antwort-Funktion auch der Text der E-Mail, auf die man antworten will, in der Antwortmaske erscheint, je nach Einstellung mit einem »>«-Zeichen am Zeilenanfang versehen. Meistens setzt der Schreibende den Antworttext einfach darüber. Das ist allerdings nicht unbedingt logisch. Denn wir lesen von links nach rechts und von oben nach unten. Die Antwort gehört also unter den Ursprungstext, nicht darüber. Bei der Gelegenheit bietet es sich an, den automatisch kopierten Text (das sogenannte Zitat) auf die Aussage zu verkürzen, auf die man wirklich Bezug nimmt. Kürzen und Löschen gilt im E-Mail-Verkehr keinesfalls als unhöflich, im Gegenteil!

Stellen Sie sich vor, Sie kommunizieren mit einem Anbieter, fragen ihn, ob er ein bestimmtes Produkt hat, er schreibt in seiner Antwort »Muss ich mal nachsehen«, Sie schreiben zurück »Okay, tun Sie das, vielen Dank!«, er meldet sich mit »Re: AW: Re: Anfrage«: »Nein, den Artikel habe ich leider nicht vorrätig«, Sie fragen ihn, ob er ihn bestellen könne, er erwidert, das dauere aber mindestens drei Wochen, Sie fragen, ob er Ihnen vielleicht sagen könne, bei wem man dieses Produkt sonst beziehen könne, er schreibt, versuchen Sie es mal bei dem und dem, Sie fragen nach einer Telefonnummer, er schreibt sie Ihnen samt Anschrift und E-Mail-Adresse, Sie klicken erfreut auf »E-Mail drucken«, um sich die Angaben auszudrucken, und der gequälte Drucker braucht vier Minuten und fünf Blatt Papier, um eine einzige E-Mail auszuspucken, die aus rund einem Dutzend miteinander verschmolzener »Re: AW: Re: AW:«-Mails besteht. Fünf Blatt Papier für eine Telefonnummer! Von den Kosten für Druckertinte ganz zu schweigen. Das Erstellen eines Antwortformulars kostet uns nur einen Mausklick, aber es nimmt uns nicht das Nachdenken darüber ab, ob der empfangene Text wirklich nochmal in Gänze mitverschickt werden muss.

Schöne bunte HTML-Welt!

Früher bekam man bisweilen Briefe, die mit Oblaten verziert waren. Kennen Sie das noch? So wunderbar kitschige Klebebildchen von Engeln oder Hundebabys, die links oben in der Ecke oder am unteren Rand appliziert wurden, manchmal auch mitten auf der Seite, wenn es galt, einen peinlichen Fehler zu kaschieren oder den dürftigen Inhalt zu strecken, damit die Seite irgendwie gefüllt wurde.

Heute bekommt man gelegentlich E-Mails, in die lustige Comiczeichnungen einmontiert sind. Vorzugsweise animiert, das heißt, sie bewegen sich, so wie die Personen auf den Fotos und Gemälden in »Harry Potter«. In der Weihnachtszeit, zu Ostern und zum Geburtstag ist es am schlimmsten. Nichts ahnend öffnet man die Mail, die mit »Frohe Weihnachten!« oder »Herzlichen Glückwunsch!« überschrieben ist, und – zack – springt einem ein winkender Weihnachtsmann ins Gesicht, oder ein gar *luustisches* Glückshäschen schlackert mit den Ohren. Man erschrickt, und reflexartig klickt man die E-Mail wieder zu. Und ob man den Mut aufbringt, sie später noch einmal wieder zu öffnen, um die eigentliche Grußbotschaft zu lesen, ist äußerst fraglich.

Immer mehr Menschen entdecken die Möglichkeiten! Nicht die, die ihnen der Ikea-Katalog verheißt, sondern die Möglichkeiten, ihre E-Mails mit Hilfe von HTML-Befehlen zu »verschönern«. Da kann man für seine E-Mail zum Beispiel eine ganz individuelle Hintergrundfarbe wählen. Oder am besten gleich eine Mustertapete. Nicht selten wird in diesem kreativen Rausch jedoch versäumt, die Schriftfarbe auf den Hintergrund abzustimmen. Schwarze Buchstaben vor einem moosgrünen oder einem marineblauen Hintergrund sind nicht besonders gut zu erkennen. Es kann passieren, dass sie überhaupt nicht zu erkennen sind und der Text erst sichtbar wird, wenn man mit gedrückter linker Maustaste suchend über den Hintergrund fährt und alles markiert. Das erinnert an die Zeit, als man sich Briefe mit unsichtbarer Zaubertinte schrieb, die nur mit Hilfe eines Bügeleisens sichtbar wurde: »Generation Yps mit Gimmick« lässt grüßen!

Jeder Mensch hat seine persönliche Schmerzgrenze. Bei einigen beginnt sie dort, wo es im buchstäblichen Sinne »zu bunt« wird. Manchmal hilft dann nur noch ein Klick auf den »Löschen«-Button.

Abkürzungen

Lol! Lol, lol, lol! Lollen Sie auch so gerne? Jeder Mensch sollte wenigstens einmal am Tag herzhaft gelollt haben, denn der chinesische Volksmund weiß: Ein Tag ohne Lol ist ein vellolenel Tag! Sie wissen nicht, wovon ich spreche? Ich wusste es bis vor kurzem selbst nicht. Dabei werden tagtäglich zigtausende E-Mails verschickt, in denen es vor »Lol« nur so wimmelt. »Lol« ist eine der vielen im elektronischen Verkehr gebräuchlichen Abkürzungen und bedeutet »laugh out loud«, zu deutsch: lauthals lachen. Oder, um es in der Comicsprache zu sagen: lautlach! »lol« ist die Vorstufe zum berüchtigten Smiley. Früher waren Briefe von Mädchen gefürchtet, die über jedes »i« ein Herzchen malten. Heute lacht und kichert und zwinkert es aus zahllosen E-Mails, dass einem ganz blümerant wird.

Das seit Jahrzehnten völlig vernachlässigte Satzzeichen Semikolon hat durch die E-Mail eine ungeahnte Renaissance erfahren. Kaum eine Mail, in der nicht mindestens ein Satz mit der Tastenkombination Semikolon, Divis, runde Klammer endet. Wenn man den Kopf zur Seite neigt und dieses Zeichen in der Horizontalen betrachtet, kann man darin mit ein wenig Phantasie ein verschmitzt lächelndes Gesicht mit einem zwinkernden Auge erkennen. Dieser Zwinker-Smiley erfüllt die Funktion der Ironie-Warnlampe und bedeutet: Achtung, das, was ich eben geschrieben habe, war ein Scherz! Bitte nicht missverstehen!

Wissen Sie, was »mfg« heißt? Es ist das am häufigsten zu lesende Wort am Ende von E-Mails. Drei zusammengeschriebene kleine Buchstaben: m-f-g. Aus Donald-Duck-Comics kennt man lautmalerische Wörter wie »sprotz«, »börks« und »grumpf«, aber »mfg« ist neu. Das heißt, so neu nun auch wieder nicht, das gab es auch schon im Telex-Zeitalter, als man die sehr geehrten Damen und Herren noch zeichen- und kostensparend mit »sgduh« anschrieb, aber zu einem Massenphänomen wurde »mfg« erst dank E-Mail. Es handelt sich um eine Abkürzung und bedeutet »Mit freundlichen Grüßen«. Daneben gibt es noch »lg«, das ist noch kürzer und bedeutet »lieber Gruß« oder »liebe Grüße«. Wie viel aber kann man auf die Freundlichkeit des Absenders geben, wenn er sich nicht mal die Zeit nehmen mochte, das Wort »freundlich« auszuschreiben? Er braucht die »freundlichen Grüße« ja nicht einmal mehr Buchstabe für Buchstabe zu tippen, wir leben schließlich im Zeitalter elektronischer Textverarbeitung, wo man Sätze und Phrasen, ja ganze Textbausteine nur zu markieren braucht, um sie in einen neuen Text einzufügen. Ein Programm wie »Word« zum Beispiel verwandelt »mfg« heute außerdem ganz von selbst in die Langfassung. Ein kopierter freundlicher Gruß ist weniger unschicklich als ein abgekürzter.

Beim Verschicken von Kurznachrichten übers Mobiltelefon (kurz: Simsen) sind solche Abkürzungen freilich kein Makel. Auch beim Chatten stören sie nicht. SMS und Internet-Chat sind andere Medien, für die andere Regeln und Sachzwänge gelten. In diesem Kapitel geht es ausschließlich um E-Mail.

Wenn »mfg« für »Mit freundlichen Grüßen« und »lg« für »liebe Grüße« steht, dann müsste »fg« eigentlich für »freundliche Grüße« stehen. Könnte man meinen. Seltsamerweise findet man die Abkürzung »fg« aber nie am Ende der Mail, sondern mittendrin. Doch seit wann verabschiedet man sich mitten im Satz? Die Abkürzung »fg«, oftmals zwischen Sternchen gesetzt (*fg*), steht für »freches Grinsen«, kurz »frechgrins«, es handelt sich also nicht um eine Grußformel, sondern um ein Mitglied aus der Familie der »lol«-Wörter, das sich vom Internet-Chat in den E-Mail-Verkehr ausgebreitet hat. »Frechgrins« erfüllt dieselbe Funktion wie Semikolon, Divis, runde Klammer: He, Mann, war nur Spaß ;-)

In privater Korrespondenz darf jeder selbstverständlich so viel und so frech grinsen, wie ihm beliebt – solange er sicher ist, dass der Empfänger das nicht albern findet. In geschäftlichen Schreiben allerdings sollte man aufs Grinsen verzichten, egal ob freundlich oder frech.

Rechtschreibung und Zeichensetzung

hallo ich wollte sie fragen ob es moeglich ist das sie mir sagen wo ich denn aku bestellen kann den sie auf ihre hompage zeigen und ob in dem preiss von 35 euros die versandtkosten bereit's enthalten sind danke

Irgendein finsteres Wesen aus Mittelerde muss vor langer Zeit das Gerücht in Umlauf gebracht haben, dass im E-Mail-Verkehr sämtliche Regeln der deutschen Orthografie außer Kraft gesetzt seien. Die Überzeugung, man könne in E-Mails so schreiben, wie es einem gerade passt, hat sich jedenfalls weit verbreitet und hält sich hartnäckig.

Wenn jemand aus der Schweiz schreibt und auf das »ß« verzichtet, so ist das sein verbrieftes Recht. Wenn jemand mit einer amerikanischen Tastatur schreibt und deshalb keine Umlaute erzeugen kann, so ist auch das verzeihlich. Allerdings verfügt auch die amerikanische Tastatur über eine sogenannte Shift-Taste, die man hinunterdrücken kann, um Großbuchstaben zu erzeugen. Der vollständige Verzicht auf Großschreibung lässt sich also nicht mit einem Auslandsaufenthalt entschuldigen. Eigentlich lässt er sich mit gar nichts entschuldigen. Mit Coolness oder einem »irgendwie trendigen grafischen Innovationsanspruch« schon gar nicht. Ein Text, in dem alles kleingeschrieben wurde, ist nämlich weder optisch ansprechender, noch ist er leichter zu lesen als ein Text in herkömmlicher Orthografie, im Gegenteil, es bereitet dem deutschen Auge deutlich mehr Mühe, einen kleingeschriebenen Text zu entziffern.

In seinen privaten E-Mails kann selbstverständlich jeder so schreiben, wie es ihm beliebt, sofern er sicher ist, dass es dem Empfänger genauso beliebt. Etwas anderes ist es mit den vielen hunderttausend Mails, die jeden Tag in offizieller Mission verschickt werden: von Geschäftsleuten an ihre

Partner, von Kunden an Anbieter, von Ratsuchenden an Auskunftsstellen, von zufriedenen oder unzufriedenen Wählern an Politiker, von Lesern an Redaktionen und Verlage. Wer glaubt, dass bei dieser Form der Kommunikation die Rechtschreibung keine Rolle spiele, der befindet sich im Irrtum. E-Mail ist nicht dasselbe wie SMS!

Auch vom anderen Extrem, nämlich ALLES KONSEQUENT IN GROSSBUCHSTABEN ZU SCHREIBEN, ist abzuraten. Dies wird von vielen Empfängern als SCHREIEN empfunden, und wer lässt sich schon gerne anschreien? Dasselbe gilt für Sätze in Rotschrift. Wer etwas hervorheben möchte, kann dies zum Beispiel *durch Sternchen* tun, das gilt als wesentlich feiner und ist nicht weniger wirkungsvoll.

Äußerst bedenklich sind solche Mails, die mit einem Hinweis der folgenden Art enden: »bitte entschuldigen sie wenn ich in meiner mail auf die unterscheidung von gross- und kleinschreibung sowie auf umlaute, ß und interpunktion verzichte« – und die dann unterschrieben sind mit »a. kaufmann, diplomübersetzerin« oder »b. liebig, textchef« oder »d. körner, werben und texten«. Daraus ergeben sich für mich zwei Fragen. Erstens: Warum sollte ich das entschuldigen? Und zweitens: Warum sollte ich es ausgerechnet bei einer Diplomübersetzerin, einem Textchef oder einem Werbetexter entschuldigen? Wenn nämlich nicht einmal diejenigen, die die deutsche Sprache zu ihrem Beruf gemacht haben, diese mit der gebotenen Achtung und Sorgfalt behandeln, wie sollen es dann die Heerscharen von verkrachten PISA-Existenzen da draußen?

Der Vertraulichkeitshinweis

Zu guter Letzt: der lästige Rattenschwanz, im Fachjargon auch Disclaimer genannt. Er weist auf die Vertraulichkeit des Inhalts hin und fordert den Empfänger auf, die E-Mail sofort zu löschen, sollte er nicht der richtige Adressat sein. Rund hundert verschiedene Formen dieses Anhangs sind derzeit im Umlauf. Einen tatsächlichen Nutzen, so wurde mir von mehreren sachkundigen Juristen glaubhaft versichert, haben diese Klauseln nicht. Wer wirklich vertrauliche Informationen zu verschicken hat, der wählt dafür andere Wege.

Diese E-Mail enthält vertrauliche und/oder rechtlich geschützte Informationen. Wenn Sie nicht der richtige Adressat sind oder diese E-Mail irrtümlich erhalten haben, informieren Sie bitte sofort den Absender und vernichten Sie diese Mail. Das unerlaubte Kopieren sowie die unbefugte Weitergabe dieser Mail ist nicht gestattet.

This e-mail may contain confidential and/or privileged information. If you are not the intended recipient [or have received this e-mail in error] please notify the sender immediately and destroy this e-mail. Any unauthorised copying, disclosure or distribution of the material in this e-mail is strictly forbidden.

Ungeachtet ihrer Nutzlosigkeit machen diese Vertraulichkeitshinweise inzwischen den größten Teil des elektronischen Postverkehrs überhaupt aus. Man sollte immer damit rechnen, dass der Empfänger einer E-Mail diese ausdruckt. Der Rattenschwanz kostet dabei unnötiges Papier und führt nur zu Verärgerung. Verzichten Sie darauf! Sie wollen doch auch nicht, dass Ihnen der Briefträger vor Aushändigung Ihrer Post jedes Mal eine Rechtsbelehrung erteilt, oder?

Morgens um 8.30 Uhr im Treppenhaus: »Guten Morgen,

Frau Brauer, ich habe hier eine Postkarte für Sie! Ich kläre Sie darüber auf, dass der Inhalt dieser Postkarte vertraulich ist. Sollten Sie nicht die richtige Adressatin sein, so sind Sie verpflichtet, dies umgehend zu melden und/oder die Postkarte sofort und ungelesen zu vernichten. Das Kopieren oder Weiterreichen dieser Postkarte ist nur mit ausdrücklicher Genehmigung des Absenders erlaubt! Einen schönen Tag, Frau Brauer!«

Fazit

Klarheit ist gefordert! Gute Lesbarkeit, lieber eine zu große Schrift als eine zu kleine, ganz normale Sätze mit Subjekt, Prädikat, Objekt, Kommas und einem Punkt am Ende, ein Mindestmaß an Höflichkeit und vor allem: nichts, was blinkt und grell ist, flackert oder pulsiert oder auf sonst eine Art und Weise geeignet wäre, das Auge des Empfängers zu beleidigen. Wer sich an einen ihm persönlich nicht bekannten Adressaten wendet und auf eine Antwort hofft, sollte sich um ein gewisses Maß an Verbindlichkeit bemühen. Fröhlichkeit ist dabei keinesfalls unangebracht, Förmlichkeit aber auch nicht. Eine E-Mail ist wie eine Visitenkarte, sie verrät weit mehr über uns als ihr schierer Inhalt.

Wenn man einen neuen Gedanken beginnt, schadet es nicht, dies durch einen Absatz kenntlich zu machen. Genau wie Punkte und Kommas können auch Absätze zur besseren Lesbarkeit und Verständlichkeit von E-Mails beitragen. Ein strukturierter Text lässt Rückschlüsse auf die strukturierten Gedanken des Schreibers zu.

Und wer sich vor dem Klick auf »Versenden« kurz die Zeit nimmt, das Geschriebene noch einmal selbst zu lesen und gegebenenfalls zu korrigieren, tut nicht nur dem Empfänger, sondern auch sich selbst damit einen großen Gefallen. Eine originelle, eindeutige Betreffzeile, ein gepflegtes Schriftbild mit ausgeschriebenen Wörtern, ein klarer Name und ein klar formuliertes Anliegen erhöhen die Chance um ein Vielfaches, vom Empfänger wahr- und ernstgenommen zu werden.

Zum Thema E-Mail ließe sich noch vieles sagen. Man könnte ohne weiteres ein ganzes Buch damit füllen. Um den Rahmen nicht zu sprengen, habe ich mich auf einige ausgesuchte formale Aspekte beschränkt, die die Oberfläche des Ganzen berühren.

Da E-Mail-Adressen im Unterschied zum guten alten Post-absender selten Rückschlüsse auf die Herkunft des Schreibers zulassen, ist es durchaus sympathisch, wenn man am Ende der Mail hinter dem Namen auch den Wohnort nennt. Das lässt den anonymen Versender weniger virtuell erscheinen und gibt ihm eine real existierende Heimat, ein »menschliches Zuhause«.

In diesem Sinne:
mit freundlichen Grüßen
Ihr Zwiebelfisch, Hamburg

```
><((((º>
¯`·.¸.·´¯`·.¸.·´¯`·.¸.><((((º>
><((((º>¯`·.¸.·´¯`·.¸.·´¯. ><((((º>
¯`·.¸.·´¯`·.¸.·´¯. ><((((º> ¯`·.¸.·´¯`·.¸.·´¯. ><((((º>
```

Wie gut ist Ihr Deutsch?

Wie sicher sind Sie in Rechtschreibung, Grammatik und Fragen des Stils? Hier können Sie Ihr Wissen testen: 60 Fragen aus dem Fundus der Irrungen und Verwirrungen unseres Sprachalltags, teils leicht, teils knifflig. Nicht immer geht es nur um richtig oder falsch, manchmal wird unter mehreren Möglichkeiten die »optimalste« Lösung gesucht. Manchmal geht es auch um Fremdwörter, denn auch die sind Teil der deutschen Sprache. Wer beide »Dativ«-Bände aufmerksam gelesen hat, der ist bestens gerüstet. Viel Spaß!

1. Vervollständigen Sie diesen Satz: Wer »brauchen« nicht gebrauchen kann, braucht »brauchen« auch nicht
a) verwenden
b) zu benutzen

2. Mit welchen Worten protestiert die verwöhnte Diva korrekt?
a) Eine solche Behandlung bin ich nicht gewohnt!
b) Eine solche Behandlung bin ich nicht gewöhnt!

3. Bei »Lidl« werden modische »body bags« angeboten. Was genau heißt das englische Wort »body bag« auf Deutsch?
a) Rucksack
b) Umhängetasche
c) Leichensack

4. Manchmal ist auch der Akkusativ den Genitiv sein Tod! Wie heißt es richtig?
a) im Sommer diesen Jahres
b) im Sommer dieses Jahres

5. Wohl denen, die leichten Sinnes sind! Welche Form ist richtig:
a) wohlgesinnt
b) wohlgesonnen

6. Da war Frau Meier aber platt! War sie nun
a) baff erstaunt
b) bass erstaunt

7. Post von Inge und Jürgen! Ratet mal, woher?
a) aus Mallorca
b) von Mallorca

8. An der Grenze zu Österreich werden die Fahrzeuge heute alle
a) durchgewinkt
b) durchgewunken

9. Im »Media Markt« werden auch schlaue Bücher verkauft. Zum Beispiel Nachschlagewerke. Man findet sie dort unter der Rubrik »Lexica's«. Wie heißt es richtig?
a) Lexicas
b) Lexika
c) Lexikons

10. Was *unkaputtbar* ist, das ist auf gut Deutsch
a) unverwüstbar
b) unverwüstlich

11. Sehen Sie den mit Muskeln bepackten Bodyguard? Für den hat sich seit der Rechtschreibreform gar nicht so viel geändert. Er schreibt sich immer noch gleich. Ist er demnach

a) ein Muskel bepackter Bodyguard
b) ein muskelbepackter Bodyguard
c) ein Muskel-bepackter Bodyguard

12. Die Bewohner des Iraks heißen auf Deutsch
a) Iraker
b) Iraki
c) Irakis

13. Hierüber sind die Meinungen gespalten: Heißt es
a) ausgeschalten
b) ausgeschaltet

14. Vervollständigen Sie den Satz: Ich kann morgen nicht kommen, weil ...
a) ich habe irre viel zu tun.
b) ich habe sehr viel zu tun.
c) ich irre viel zu tun habe.

15. Wenn EU-Bürger nach Russland reisen, dann brauchen sie
a) Visas
b) Visa
c) Visums

16. Ob Kommas oder Kommata – Hauptsache, man setzt sie an der richtigen Stelle. Welche Kommasetzung ist hier richtig?
a) Ohne dass der Chef davon wusste hatte Meier, mehrere Millionen transferiert.
b) Ohne, dass der Chef davon wusste, hatte Meier mehrere Millionen transferiert.
c) Ohne dass der Chef davon wusste, hatte Meier mehrere Millionen transferiert.

17. Der Film »Mona Lisas Lächeln« wurde mit zwei Sprüchen beworben. Auf dem Kinoplakat stand zunächst der falsche. Auf der DVD-Hülle war der Satz dann berichtigt. Welcher ist der richtige?
a) In einer Welt, die ihnen vorschrieb, wie man lebt, lehrte sie sie, wie man denkt.
b) In einer Welt, die ihnen vorschrieb, wie man lebt, lehrte sie ihnen, wie man denkt.

18. Meiner Überzeugung nach war Kolumbus kein Portugiese. Was wissen Sie darüber?
a) Meines Wissens nach stammte Kolumbus aus Genua.
b) Meines Wissens stammte Kolumbus aus Genua.

19. Der Minister und die Finanzkrise. Welcher der folgenden drei Sätze ist korrekt?
a) Der Minister sprach von einem zeitweisen Engpass.
b) Der Minister sprach von einem zeitweisem Engpass.
c) Der Minister sprach von einem zeitweiligen Engpass.

20. Richtiges Befehlen will gelernt sein. Welcher Imperativ ist korrekt?
a) Bewerb' dich doch beim Militär!
b) Bewirb dich doch beim Militär!
c) Bewerbe dich doch beim Militär!

21. Etwas geschieht auf seltsame Weise. Anders ausgedrückt:
a) sonderbarer Weise
b) sonderbarer weise
c) sonderbarerweise

22. Die optimale Lösung ist Ihnen nicht genug? Für welche entscheiden Sie sich dann?
a) die optimalste Lösung

b) die bestmöglichste Lösung

c) die beste Lösung

23. Welche beiden Pluralformen des Wortes »Globus« sind
im Deutschen erlaubt?

a) Globi und Globen

b) Globusse und Globen

c) Globoï und Globusse

24. Kleine Gedenkminute. Wie heißt es richtig?

a) Wir gedenken der Opfer.

b) Wir gedenken an die Opfer.

c) Wir gedenken den Opfern.

25. Eine Zone, in der es keine atomaren Waffen gibt, ist

a) eine Atomwaffen freie Zone

b) eine Atomwaffen-freie Zone

c) eine atomwaffenfreie Zone

26. Noch irgendwelche Fragen? Ach ja! Wie schreibt man ...

a) irgendwoher

b) irgendwo her

c) irgend woher

27. Niemand weiß, wann der Kanzler kommt. Ich persönlich
habe starke Zweifel, ...

a) ob er überhaupt noch kommt.

b) dass er überhaupt noch kommt.

28. Dem jungen Arthur gelang es als Einzigem, das Schwert
aus dem Stein ...

a) hinauszuziehen

b) herauszuziehen

29. Wie wird das »oe« in den deutschen Ortsnamen Soest, Oldesloe, Coesfeld und Itzehoe korrekt ausgesprochen?
a) »ö«
b) »o-e«
c) »oo«

30. Obwohl sie alle nach dem gleichen Muster gestrickt sind, ist nur einer der drei folgenden Sätze grammatisch korrekt. Welcher?
a) Der Wind peitschte mich ins Gesicht.
b) Der Indianer biss mich ins Bein.
c) Die Sonne stach mich ins Auge.

31. Wer ist die »First Lady« Deutschlands?
a) Doris Schröder-Köpf
b) Angela Merkel
c) Eva Köhler

32. Nachts ist es kälter als draußen. Und nur einer der drei folgenden Sätze ist richtig. Welcher?
a) In Spanien herrschen wärmere Temperaturen als in Deutschland.
b) In Deutschland herrschen kühlere Temperaturen als in der Sahara.
c) In der Sahara herrschen höhere Temperaturen als in Spanien.

33. Der Arzt verschrieb seinem Patienten ...
a) ein Antibiotikum
b) ein Antibiotika
c) Antibiotikas

34. Was für den Dänen gut ist, ist für alle Dänen gut. Wie steht es mit uns?

a) Was für uns Deutsche gut ist, ist für alle Deutsche gut!

b) Was für uns Deutsche gut ist, ist für alle Deutschen gut!

c) Was für uns Deutschen gut ist, ist für alle Deutschen gut!

35. Aus diesem Zug bitte alle aussteigen! Wie geht die Ansage richtig weiter?

a) Diese Zugfahrt endet hier!

b) Dieser Zug endet hier!

c) Dieser Zug verendet hier!

36. Er sagte, nun wachse zusammen, was zusammengehöre. Inzwischen sind zahlreiche Straßen und Plätze nach ihm benannt. Welche Benennung ist richtig?

a) Willy Brandt Platz

b) Willy Brandt-Platz

c) Willy-Brandt-Platz

37. Welche der folgenden Aussagen ist nicht deutschen Ursprungs, sondern entstand durch Übersetzung aus dem Englischen?

a) Das ist sinnvoll.

b) Das macht Sinn.

c) Das hat einen Sinn.

38. An Ostern, auf Ostern, zu Ostern – die Dialekte kennen viele Möglichkeiten. Doch wie sagt man es auf Hochdeutsch am besten?

a) Wir sehen uns zu Ostern wieder.

b) Wir sehen uns an Ostern wieder.

c) Wir sehen uns Ostern wieder.

39. Die Geldbörse darf man nach neuer Rechtschreibung *Portmonee* schreiben. Wie sieht die klassische Schreibweise aus?

a) Portemonnaie
b) Portmonée
c) Portemonnée

40. Wer ein Thema zur Sprache bringt, der bringt es
a) aufs Tablett
b) aufs Trapez
c) aufs Tapet

41. Welche der drei Varianten ist die richtige, wenn man in einem Brief die Frau und den Schwager des Adressaten grüßen lässt?
a) Bitte grüßen sie ihre Frau und ihren Bruder von mir!
b) Bitte grüßen Sie Ihre Frau und Ihren Bruder von mir!
c) Bitte grüßen Sie Ihre Frau und ihren Bruder von mir!

42. Man nennt Mireille Mathieu bei uns in Deutschland auch
a) den Spatz von Paris
b) den Spatz von Avignon
c) den Spatzen von Avignon

43. Wer allem Anschein nach nicht zugehört hat, der hat ...?
a) anscheinend nicht zugehört
b) scheinbar nicht zugehört
c) anscheinbar nicht zugehört

44. Das Kurzwort für Information lautet Info. Wie schreibt man es im Plural?
a) Info's
b) Infos

45. Beates T-Shirt ist orange. Das lässt sich freilich auch anders sagen. Standardsprachlich ist nur eine Variante zulässig – welche?

a) Beate trägt ein orangenes T-Shirt.
b) Beate trägt ein oranges T-Shirt.
c) Beate trägt ein orangefarbenes T-Shirt.

46. Was sich in der Nähe des Flusses befindet, das befindet sich ...
a) nahe des Flusses
b) nahe dem Fluss

47. Ich bin nicht ganz so groß wie Peter, denn Peter ist ein paar Zentimeter ...
a) größer wie ich
b) größer als ich
c) größer als wie ich

48. Zwei Züge treffen nach unterschiedlich langer Fahrt zur selben Zeit im Bahnhof ein. Sie erreichen den Bahnhof demnach ...
a) gleichzeitig
b) zeitgleich

49. Die Abkürzung p. a. bedeutet »jährlich/aufs Jahr« und steht für ...
a) per anno
b) pro anno
c) per anum

50. Die Bewohner des südamerikanischen Landes Venezuela nennt man ...
a) Venezolaner
b) Venezueler
c) Venezulanen

51. Bei gefährlichen Einsätzen tragen Polizisten bisweilen ...

a) Schutzschilde
b) Schutzschilden
c) Schutzschilder

52. Was seltsam, drollig, verschroben ist, das ist mit einem anderen Wort ...
a) skuril
b) skurill
c) skurril

53. Nachdem Frau Buck die Fenster geputzt hatte, ...
a) hing sie die Wäsche auf die Leine.
b) hängte sie die Wäsche auf die Leine.

54. Ich würde mir wünschen, der Winter würde vorbeigehen und der Frühling würde kommen. Das lässt sich auch besser sagen, nämlich wie?
a) Ich wünschte, der Winter geht endlich vorbei und der Frühling kommt.
b) Ich wünschte, der Winter gehe endlich vorbei und der Frühling komme.
c) Ich wünschte, der Winter ginge endlich vorbei und der Frühling käme.

55. Immer schön der Reihe nach, und zwar ...
a) einer nach dem anderen
b) einer nach dem Nächsten

56. Der Betriebsausflug fällt leider ins Wasser. Auf Hochdeutsch fällt er aus ...
a) wegen schlechtem Wetter
b) wegen schlechten Wetters
c) wegen schlechtes Wetter

57. Immer mehr Menschen kommunizieren mittels elektronischer Post. Das schreibt sich auf gut Deutsch
a) E-Mail
b) eMail
c) Email

58. In der Antike wurden die Mauern einer eroberten Stadt
oft niedergerissen. Sie wurden mit anderen Worten
a) geschleift
b) geschliffen

59. Wer unter Mordverdacht steht, der ist ...
a) ein vorgeblicher Mörder
b) ein mutmaßlicher Mörder
c) ein vermeintlicher Mörder

60. Alle Jahre wieder feiern wir ...
a) Sylvester
b) Silvester

Antworten:

1. Antwort **b** ist korrekt, denn im Unterschied zu »müssen« und »dürfen« erfordert »brauchen« nach wie vor den Infinitiv mit »zu«.

2. Antwort **a** ist richtig. Es heißt »etwas gewohnt sein« oder »sich an etwas gewöhnt haben«.

3. Schaurig, aber wahr: Antwort **c** ist richtig.

4. Antwort **b**. Der Genitiv der sächlichen Pronomen »dieses« und »jenes« lautet »dieses« und »jenes«.

5. Antwort **a** ist korrekt; »wohlgesinnt« ist ein Adjektiv, das vom Substantiv »Sinn« abgeleitet wurde; es unterscheidet sich von den (unregelmäßigen) Verben besinnen, entsinnen, ersinnen und nachsinnen, die ein Perfektpartizip auf -sonnen haben.

6. Man kann entweder baff (das heißt: verblüfft) sein oder bass (das heißt: sehr) erstaunt sein, aber nicht baff erstaunt. Antwort **b** ist daher richtig.

7. Antwort **b** ist richtig. Man kann zwar Post *aus* Spanien bekommen, aber nicht *aus* einer Insel. Daher heißt es *von* Mallorca.

8. Antwort **a** ist richtig. Die Form »durchgewunken« gibt es gar nicht, denn winken wird (wie hinken) regelmäßig gebildet: winken, winkte, gewinkt. Wäre »winken« ein unregelmäßiges Verb, müsste es im Präteritum auch »wank« heißen, so wie bei »sinken, sank, gesunken«.

9. Antwort **b** ist richtig. Daneben gibt es auch noch die Form »Lexiken«. So steht's im Lexikon.

10. Korrekt ist Antwort **b**. Antwort a wäre »unverzeihbar«.

11. Antwort **b** ist richtig. Wer mit Muskeln bepackt ist, ist muskelbepackt.

12. Antwort **a** ist richtig: Iraker. Die Formen »Iraki« und »Irakis« sind Anglizismen, abgeleitet vom Englischen »Iraqi/Iraqis«.

13. Antwort **b** ist richtig. Das Verb schalten wird regelmäßig gebeugt: schalten, schaltete, geschaltet – genau wie gestalten, verwalten und falten.

14. Richtig kann nur Antwort **c** sein, weil im Nebensatz das Prädikat immer am Ende steht.

15. Antwort **b**. Die Einzahl lautet Visum, die Mehrzahl Visa.

16. Antwort **c**. Es genügt ein Komma, das den Nebensatz vom Hauptsatz trennt. Die Konjunktion »ohne dass« wird nie durch Komma getrennt.

17. Antwort **a** ist korrekt, hinter »lehren« stehen sowohl die Sache als auch die Person im Akkusativ.

18. Antwort **b** ist korrekt. Im Genitiv ist die Präposition »nach« überflüssig.

19. Korrekt ist Antwort **c**. »Zeitweilig« ist ein Adjektiv und kann als Attribut dienen, »zeitweise« ist ein Adverb und kann nicht als Attribut gebraucht werden.

20. Antwort **b** ist korrekt, der Imperativ von »bewerben« lautet »bewirb«!

21. Da hier nicht nach einem kauzigen Gelehrten gefragt wurde, kommt nur Antwort **c** in Betracht: Adverbien auf -weise werden stets und ausnahmslos in einem Wort geschrieben!

22. Richtig ist Antwort **c**: »die beste Lösung«. Optimal bedeutet bereits »das Beste im Rahmen der Möglichkeiten«, die Steigerung zur »optimalsten Lösung« ist daher nicht sinnvoll. Und die »bestmögliche« Lösung wäre noch vorstellbar, die »bestmöglichste« aber nicht.

23. Richtig ist Antwort **b**: möglich sind die Formen Globusse und Globen.

24. Richtig ist Antwort **a**: »Wir gedenken der Opfer«. Das Verb »gedenken« wird mit Genitiv und ohne die Präposition »an« gebraucht.

25. Richtig ist Antwort **c**: eine atomwaffenfreie Zone.

26. Richtig ist Antwort **a**, »irgendwoher« wird in einem Wort geschrieben, genau wie irgendwohin, irgendwann, irgendwer, irgendwie, irgendjemand und irgendetwas.

27. Richtig ist Antwort **b**: Der Objektsatz hinter »Zweifel haben an«, »zweifeln« und »bezweifeln« wird mit »dass« eingeleitet.

28. Antwort **b** ist richtig: »hin« bezeichnet die Richtung vom Subjekt weg, »her« die Richtung auf das Subjekt zu.

29. Richtig ist Antwort **c**: »oo«. Das »e« dient nicht dazu, einen Umlaut zu erzeugen, und es ist hier auch kein Eigenlaut, sondern dient der Dehnung des »o«-Lautes.

30. Antwort **b** ist korrekt. Bei Verben der körperlichen Berührung (zum Beispiel schlagen, peitschen, beißen, stechen) steht das Objekt immer im Dativ, wenn das Subjekt unpersönlich (Wind, Sonne) ist. Nur wenn das Subjekt eine Person (Indianer) ist, kann das Objekt auch im Akkusativ stehen. Bei a und c muss es also »mir« heißen, bei b geht sowohl »mich« als auch »mir«.

31. Antwort **c** ist korrekt. Der Begriff »First Lady« wird von vielen Journalisten oft als »Frau des Regierungschefs« missverstanden. Er bezeichnet aber die Frau des Staatsoberhauptes. In den USA sind Staatsoberhaupt und Regierungschef ein und dieselbe Person, in Deutschland aber nicht.

32. Temperaturen können nur hoch oder niedrig sein, daher ist Antwort **c** korrekt.

33. Antwort **a**. Die Einzahl lautet Antibiotikum, die Mehrzahl Antibiotika.

34. Richtig ist Antwort **b**. Siehe Tabelle auf Seite 44.

35. Antwort **a** ist korrekt. Die Zugfahrt endet im Bahnhof, der Zug hingegen endet am hinteren Ende des letzten Waggons.

36. Richtig ist Antwort **c**, weil »Willy« genauso zum Platz gehört wie »Brandt«.

37. Antwort **b**, aus dem Englischen »That makes sense«. Die bessere Wahl im Deutschen sind die Antworten a und c.

38. Die Lösung lautet **c**. Die Hochsprache kommt bei Feiertagen ohne Präposition aus.

39. Richtig ist Antwort **a**. Diese klassische Schreibweise ist – neben der neuen – übrigens noch immer erlaubt.

40. Antwort **c**: »Tapet« ist französisch und bezeichnet den Stoffbezug eines Konferenztischs.

41. Antwort **c** ist richtig; denn es gilt zu unterscheiden zwischen der Höflichkeitsform »Sie« und dem Personalpronomen »sie«: »Ihre« Frau = die Frau des Adressaten; »ihren Bruder« = deren Bruder, also der Schwager des Adressaten. Hieße es »Ihren Bruder«, wäre der Bruder des Adressaten gemeint (und nicht sein Schwager).

42. Der Spatz von Paris war Edith Piaf, Mireille Mathieu stammt aus Avignon, und der Spatz wird in Dativ und Akkusativ zum Spatzen. Richtig ist daher Antwort **c**.

43. Antwort **a** ist richtig. »Anscheinend« heißt »dem Anschein nach«, »scheinbar« bedeutet »nur zum Schein«, »nicht in Wirklichkeit«. Das Wort »anscheinbar« existiert nicht.

44. Allen falschen T-Shirt's, CD's und Video's zum Trotz: Das Plural-»s« wird niemals mit Apostroph abgetrennt! Korrekt ist Antwort **b**.

45. Die Lösung lautet **c**. Farbadjektive, die von Hauptwörtern abgeleitet wurden, werden nicht gebeugt. Daher ist entweder nur »ein orange T-Shirt« oder eben »ein orangefarbenes T-Shirt« möglich. Dasselbe gilt für beige, türkis und viele andere mehr.

46. Die Präposition »nahe« erfordert den Dativ! Korrekt ist Antwort **b**.

47. Antwort **b**. Im Hochdeutschen folgt nach dem Komparativ stets das Wörtchen »als«. Der Gebrauch von »wie« oder »als wie« ist mundartlich.

48. Richtig ist Antwort **a**; denn »gleichzeitig« bezieht sich auf den Zeitpunkt, während sich »zeitgleich« auf die Dauer bezieht.

49. Antwort **b** ist korrekt. Pro (= für) regiert den Ablativ, und der Ablativ von »annus« (= Jahr) lautet anno.

50. Korrekt ist Antwort **a**.

51. Lösung **a** ist richtig. Denn es heißt zwar »das Straßenschild, die Straßenschilder«, aber »der Schutzschild, die Schutzschilde«.

52. Richtig ist Lösung **c**.

53. Das transitive Verb »hängen« wird regelmäßig gebeugt: hängen, hängte, gehängt. Richtig ist Antwort **b**.

54. Im Irrealis ist Konjunktiv II erforderlich, Antwort **c** ist daher richtig.

55. Antwort **a** ist korrekt, Antwort b ist häufig zu hörender Unsinn.

56. Auf Hochdeutsch steht hinter »wegen« nach wie vor der Genitiv, daher ist Antwort **b** korrekt.

57. Denken Sie an U-Bahn, O-Ton und E-Musik, dann kommen Sie auf Antwort **a**!

58. Richtig ist **a**: Diamanten und Klingen werden geschliffen, Festungen und Mauern geschleift.

59. Richtig ist **b**, denn nur »mutmaßlich« hat die Bedeutung »vermutlich«. Die Wörter »vorgeblich« und »vermeintlich« schließen aus, dass es sich bei dem Verdächtigen tatsächlich um einen Mörder handelt.

60. Lösung **b** ist korrekt: Der letzte Tag des Jahres ist nicht nach Sylvester Stallone benannt, sondern nach Papst Silvester.

Der Dativ ist dem Genitiv sein Tod

Noch mehr Neues aus dem Irrgarten der
deutschen Sprache

Folge 3

Deutschpflicht gewinnt mehr Führsprecher
(Überschrift aus dem »Göttinger Tagblatt«)

»Mehr Licht!«
(Johann Wolfgang von Goethe)

bei mir kommt immer ne feler meldung
(Verzweifelter Windows-Nutzer in einem Internet-Forum)

»O du geschabte Rübe, öfföff!«
(Wutz in »Urmel aus dem Eis« von Max Kruse)

Inhalt

Vorwort

Beim Aufräumen fiel mir vor einiger Zeit mein erstes Grammatikheft in die Hände. Es musste noch aus der Grundschulzeit stammen. Auf dem Umschlag stand mein Name, und darüber in krakeliger Schrift »Gramatick«. Das mag orthografisch nicht ganz einwandfrei gewesen sein, ergab aber zumindest einen Reim. Ich weiß nicht mehr, ob ich damals geglaubt habe, Grammatik habe etwas mit »Tick« zu tun und sei etwas für Spinner. Immerhin bin ich sehr bald zu der Erkenntnis gelangt, dass Grammatik nichts mit »Gram« zu tun hat – im Gegenteil. Um künstlerisch oder spielerisch mit der Sprache umgehen zu können, muss man ihren Aufbau kennen und ihre Regeln verstehen.

Trotz des immer häufiger beklagten Verfalls unserer Sprachkultur stehe ich mit dieser Überzeugung nicht allein da. Das Interesse an meiner »Zwiebelfisch«-Kolumne und meinen ersten beiden Büchern hat es bewiesen. Und so habe ich weitergeschrieben – mit dem Ergebnis, dass nun der dritte Band über das Schicksal von Dativ und Genitiv vorliegt, jene fröhlichen und zugleich tragischen Helden der deutschen Grammatik.

»Damit ist dem Sick seine Triologie komplett«, erklärte meine Nachbarin Frau Jackmann mit einem Augenzwinkern, mit dem sie zu erkennen geben wollte, dass ihr die Sache mit dem falschen »dem sein« schon klar sei. Die andere Sache, die mit der zu lang geratenen Trilogie, war ihr hingegen nicht klar, sonst hätte sie mit beiden Augen gleichzeitig zwinkern müssen. Aber Frau Jackmann kommt aus dem Rheinland, und dort ist manches anders als im Norden. Im Norden ist wiederum manches anders als in Bayern, und in Bayern ist selbstverständlich fast alles anders als in Berlin, wo man dem Akkusativ gern mit den Dativ verwechselt.

In der Fußgängerzone nicht weit von meinem Arbeitsplatz entfernt hat vor einiger Zeit ein Coffeeshop eröffnet, eines jener Schnellcafés nach amerikanischem Vorbild, wie man sie inzwischen in fast jeder Stadt findet. Bei schönem Wetter bestelle ich mir dort gelegentlich einen Milchkaffee im Pappbecher, setze mich hinaus in die Sonne und genieße den Augenblick. Die Pappbecher gibt es in drei Größen: klein, mittel und groß. So heißen sie aber nicht. In dem Coffeeshop heißen die Größen »regular«, »tall« (mit langem, offenem »o« gesprochen) und »grande«, also »normal«, »groß« und »supergroß«. Ich bestelle mir immer einen großen Milchkaffee (der in Wahrheit also nur mittelgroß ist), und weil ich ihn draußen in der Sonne trinken will, bestelle ich ihn »zum Mitnehmen«. Der junge Mann an der Kasse ruft dann seiner Kollegin am Kaffeeautomaten zu: »Eine tolle Latte to go!« Darüber amüsiere ich mich jedes Mal. »Eine tolle Latte to go« – das ist kein Deutsch. Das ist aber auch kein Englisch. Ein amerikanischer Tourist könnte mit einer solchen Bestellung vermutlich nichts anfangen. Es ist auch kein Türkisch, auch wenn der junge Mann laut Namensschild »Cem« heißt. »Eine tolle Latte to go« ist moderner Verkaufsjargon, ein buntes Gemisch aus Deutsch, Englisch und Italienisch, wie es an keiner Schule gelehrt wird und wie es doch mitten unter uns wächst und gedeiht. »Eine tolle Latte to go« ist eines von vielen sprachlichen Phänomenen, die dafür sorgen, dass mir der Stoff so schnell nicht ausgeht.

Ein anderer, munter sprudelnder (und hoffentlich nie versiegender) Quell der Inspiration sind die unterschiedlichen Regionalsprachen und Dialekte. Nicht überall bekommt man Kaffee oder Brötchen »to go« – manchmal heißt das nämlich so: »Wat wollen Se de Brötchen für? Wollen Se die für zum Hieressen oder für zum Mitnehmen?« Ich weiß nicht, ob das Wort »Hieressen« im Duden steht, und ich bezweifle, dass sich das Aufeinandertreffen der Präpositionen »für« und »zum« mit dem Sprachstandard vereinbaren lässt, aber in einigen Gegenden Deutschlands »da jehört dat so«. Die Besonderheiten der deutschen Dialekte gehören zweifellos zu den schönsten Entdeckungen, die ich bei meiner Arbeit gemacht habe. Und täglich lerne ich Neues hinzu.

Dieses Buch enthält die Kolumnen, die im Laufe des vergangenen Jahres auf SPIEGEL ONLINE erschienen sind. Grammatikfreunde und Goldwaagenwörterwieger werden dabei ebenso auf ihre Kosten kommen wie Stilblütensammler, Dialektbestauner und Anekdotenliebhaber; denn es geht sowohl um spannende Themen wie Kongruenz und Adverbien, Syntax und Präpositionen als auch um ganz Alltägliches wie die Kartoffel, den Brotrest, den Urlaub auf Mallorca und den Friseur von nebenan. 2006 war für Deutschland das Jahr des Fußballs – daher darf ein Kapitel zum Thema Fußballerdeutsch nicht fehlen. 2006 war außerdem das Jahr, in dem die Rechtschreibreform in ihrer endgültigen Form in Kraft trat. Das zweite Kapitel dieses Buches kommentiert jenes bis heute umstrittene Werk und den mühsamen Prozess seiner Entstehung. Im Anschluss gibt es einen neuen Deutschtest – für alle, die ihr altes und neues Wissen gleich in der Praxis überprüfen wollen. Und zu guter Letzt wird das Abc aus dem ersten Band fortgesetzt, von »Albtraum« bis »zurückgehen«.
Ich danke den Menschen, die mir bei der Arbeit an diesem Buch geholfen haben, namentlich Birgit Schmitz, Dörte Trabert, Anne Jacobsen und Pamela Schäfer. Vor allem aber danke ich meinen Lesern, ohne deren Anregungen, Fragen und Ideen dieses Buch nicht zustande gekommen wäre. Regeln kann man nachschlagen, Fakten kann man recherchieren – aber die schönsten Quellen für meine Geschichten sind die Fundstücke, die meine aufmerksamen Leser mir

schicken, und die lustigen Begebenheiten, die man mir schreibt oder erzählt: »Wissen Sie, wie man hier bei uns sagt?«

Viel Spaß auch diesmal! Aller guten Dinge sind drei – oder, wie meine Freundin Sibylle sagen würde: Gut Ding will Dreie haben!

Bastian Sick
Hamburg, im August 2006

Wem sein Brot ich ess, dem sein Lied ich sing

Annes Armband ist unauffindbar? Konrads Kamera ist verschwunden? Ein Fall für Inspektor Dativ! Der nuckelt an seinem Pfeifchen und stellt fest: Alles eine Frage des Falles! Wenn man die Leute nach der Anne ihr Armband fragt und nach dem Konrad seine Kamera, dann tauchen all diese Dinge wie von selbst wieder auf.

Als ich mich vor drei Jahren zum ersten Mal in einer Geschichte mit dem Todeskampf des Genitivs befasste, war ich mir der Tragweite des Problems gar nicht bewusst. Ich hatte ein paar harmlose Bemerkungen über den Rückgang des Genitivs hinter bestimmten Wörtern wie »wegen« oder »laut« zu Papier gebracht und ahnte nicht im Geringsten, dass dies nur die Spitze des Eisbergs war.
Aufgrund der vielen Zuschriften, die ich nach Erscheinen meines ersten Buches erhielt, und der starken Resonanz, die der Titel »Der Dativ ist dem Genitiv sein Tod« überall in Deutschland hervorrief, dämmerte mir schließlich, dass ich, indem ich an der Spitze des Eisbergs gekratzt hatte, auf etwas viel Härteres gestoßen war, nämlich dem Eisberg seine Spitze.

Wer wie ich in einer genitivfreundlichen Biosphäre aufgewachsen ist, macht sich nicht immer klar, dass Michaels Mutter und Lauras Freunde für viele, wenn nicht gar für die meisten Deutschen »dem Michael seine Mutter« und »der Laura ihre Freunde« sind. Im gesprochenen Deutsch wird der Genitiv gern umgangen, deshalb heißt es wohl auch Umgangssprache. In den meisten Dialekten kommt er überhaupt nicht mehr vor, dort ist er dem Dativ seine fette Beute geworden.

Wenn man im Rheinland den Besitzer einer Tasche ermitteln will, stellt man die Frage so: »Wem sing Täsch is dat?« Mit »Wessen Tasche ist das?« brauche man es gar nicht erst zu versuchen, klärte mich der großartige Sprachkabarettist Konrad Beikircher unlängst auf, »das verstehen die Rheinländer nicht, da gucken die weg«. Der »Wem-sing«-Fall, also der besitzanzeigende Dativ, regelt klar und verständlich, was Sache ist, und vor allem: wem seine Sache es ist.

Eine Lehrerin aus Baden-Württemberg sagte mir, dass der Genitiv in ihrer Region komplett ausgestorben sei, sie sehe daher keinen Sinn mehr darin, ihn heute noch zu unterrichten. »Ich bin Lehrerin für lebende Sprache, nicht für tote Fälle«, schloss sie lächelnd.

Selbst Linguisten sehen keinen Grund, dem Genitiv nachzuweinen. Andere Sprachen kämen ja auch ohne Wes-Fall aus. Das stimmt natürlich. Doch müssen wir uns andere Sprachen zum Vorbild nehmen? Dann könnten wir das unbequeme Deutsche doch gleich ganz abschaffen und Englisch als Landessprache einführen.

Aber so weit würden wir wohl doch nicht gehen wollen. Denn wenn wir ehrlich sind, dann lieben wir die deutsche Sprache, auch wenn sie kompliziert ist und ihre Macken hat. Vielleicht ja sogar gerade deswegen.

Und so unpopulär, wie es den Anschein hat, ist der Genitiv gar nicht. Ein hartnäckiger Rest hält sich selbst in jenen Dialekten, die mit hochdeutscher Grammatik angeblich nichts zu tun haben. Im Schwäbischen zum Beispiel taucht der Genitiv noch vor männlichen Personen auf: Wer die Katze des Nachbarn meint, der kann außer *am Nachber sei Katz* oder *d' Katz vom Nachber* auch noch *'s Nachber Katz* sagen, und dieses *'s* ist ein Überbleibsel des Artikels »des« und somit ein Beweis für die Existenz eines schwäbischen Wes-Falles.*

Die Sprache steckt nicht nur voller Missverständnisse, sondern auch voller Ironie und bisweilen unfreiwilliger Komik. Dass der Genitiv mit dem »s« am Ende ausgerechnet als »sächsischer Genitiv« bezeichnet wird, erscheint geradezu absurd. Denn mit dem Genitiv hat das Sächsische heute nicht mehr viel zu tun.

Das Bairische erst recht nicht. Im Lande des exzentrischen Märchenkönigs Ludwig II. ist der Genitiv schon vor Jahrhunderten in irgendeinem riesigen Maßkrug ertrunken. Des Königs Cousine ist »am Kini sei Basn«, wobei »am« hier nicht als Präposition zu verstehen ist, sondern – genau wie im Schwäbischen – als unbetonter männlicher Artikel: dem König seine Base also. Anders ausgedrückt: die Sisi**.

Das beste Hochdeutsch wird ja angeblich in der Region Hannover gesprochen. Das wird jedenfalls immer wieder behauptet, besonders von Hannoveranern. Und ausgerechnet dort findet man einen Dativ in Stein gehauen, der es in sich hat: Vor dem Bahnhof in Hannover steht ein Reiterdenkmal, das Ernst August von Hannover zeigt. Nicht den mit dem Regenschirm und dem befeuchteten türkischen Pavillon, sondern den einstigen König. Und dessen Pferd natürlich. In den Sockel sind die Worte eingemeißelt:

DEM LANDESVATER
SEIN TREUES VOLK

Das ist zugegebenermaßen etwas missverständlich. Hätte der Graveur hinter den »Landesvater« einen Gedankenstrich

---

* So nachzulesen bei Wolf-Henning Petershagen: »Schwäbisch für Durchblicker«, Theiss-Verlag, Stuttgart 2004, S. 56.
** Auch bekannt als Sissi.

gesetzt, wäre die Sache klar, dann läse sich die Inschrift so, wie sie aller Wahrscheinlichkeit nach gedacht war: »Dem Landesvater (gewidmet) – (gezeichnet:) sein treues Volk«.

Ohne Gedankenstrich aber liest man die Inschrift in einem Rutsch durch und wundert sich: Sollte dies am Ende gar kein Denkmal für den König sein? Hatte es vielmehr der König selbst in Auftrag gegeben, um sein Volk zu ehren? Wenn das zutrifft, dann hatte Ernst August offenbar eine Genitiv-Schwäche; denn in korrektem Hochdeutsch hätte es »Des Landesvaters treuem Volk« heißen müssen. Oder aber der Graveur war ein heimlicher Marxist und hat die Widmung für den König extra so gesetzt, dass man sie auch als Widmung für das Volk deuten konnte. Doch das sind Spekulationen. Wahrscheinlicher ist, dass dem Graveur sein subversives Handeln gar nicht bewusst war und dass er in Wahrheit ein unbescholtener Mann war – denn im Königreich Hannover galt wie überall: Wes Brot ich ess, des Lied ich sing. Heute würde man wohl sagen: Wem sein Brot ich ess, dem sein Lied ich sing.

Die reformierte Reform

Am 1. August 2006 trat die Rechtschreibreform endgültig in Kraft. Zuvor war sie noch einmal gründlich zurechtgestutzt worden. Übrig blieb ein Kompromiss, der niemandem mehr weh tut – oder wehtut. Denn im Zweifelsfall gilt sowohl die alte als auch die neue Schreibung. Das gleiche Theater gab es übrigens vor hundert Jahren schon einmal.

Ein volles Jahrzehnt tobte der Reformationskrieg in Deutschland. Als im Juli 1996 die Vertreter der deutschsprachigen Länder in Wien eine Erklärung über die Neuregelung der deutschen Rechtschreibung unterzeichneten, sollte damit ein Schlusspunkt unter die Reform gesetzt werden. Tatsächlich kam die Debatte danach erst richtig in Gang, und unter dem Druck der Öffentlichkeit wurde die Reform erneut reformiert – wieder und wieder.

Wenn man bedenkt, dass die Väter der Reform sehr viel radikalere Ideen hatten, dass ursprünglichen Plänen zufolge sogar die Großschreibung von Hauptwörtern abgeschafft werden sollte, dann ist das neue Regelwerk kaum mehr als eine harmlose kosmetische Korrektur der alten Orthografie. Ein *Känguru* hier, ein *Delfin* da – damit lässt sich leben. Wer empört ausruft, die Abschaffung des »ph« sei ein Sakrileg, der sei nur darauf hingewiesen, dass Wörter wie Fotografie und Telefon schon seit vielen Jahrzehnten ohne »ph« geschrieben werden. Also werden wir uns auch an den Delfin gewöhnen.

Dass man *Mayonnaise* jetzt auch *Majonäse* schreiben kann und *Ketchup* auch mit »sch« (*Ketschup*), hat mich nie gestört. Auch *platzieren* mit »tz« und *nummerieren* mit »mm« hielt ich für akzeptabel. Fremdwörter sind schließlich schon immer eingedeutscht worden. Wer würde heute die Zigarette noch mit »C« oder das Büro wie im Französischen »bureau« schreiben wollen? Vor einiger Zeit stöhnte mir jemand vor, er könne die Schreibweise »platzieren« mit »tz« nicht ertragen. Das sei doch ein Fremdwort und müsse daher mit »z« geschrieben werden. Ihm würde es in den Augen brennen, wenn er das sähe! Ich hatte wenig Mitleid mit ihm. Wenn er gegen die Eindeutschung von Fremdwörtern sei, entgegnete ich, warum beharre er dann auf der Schreibweise mit »z«? Früher schrieb man das Wort mit »c«: *placieren*, denn es kommt vom französischen »placer«. Die Form »plazieren« war bereits eine halbe Eindeutschung. Ob ihm halbe Sachen lieber seien als ganze, habe ich ihn gefragt. Darauf wusste er nichts zu erwidern.

Wenn es Gründe gab, sich über die Reform zu ereifern, dann lagen die nicht in neuen Schreibweisen wie *Biografie* und *Portmonee*. Einige Änderungen wurden ja sogar begeistert aufgenommen. Zum Beispiel die Abschaffung der Regel »Trenne nie s-t, denn es tut ihm weh«, für die es keine überzeugende Begründung mehr gab, seit Ligaturen aus der Mode geraten sind. Zahlreiche Befürworter fand auch die neue ss/ß-Regel, die ein Eszett (das sogenannte scharfe »S«) nur noch hinter langen Vokalen und Diphthongen (ei, au, äu, eu) zulässt. Hinter kurzen Vokalen steht indes Doppel-s, auch am Wortende: der Fluss (kurzes u), das Floß (langes o); der Schlosshund (kurzes o), der Schoßhund (langes o), der Strass (kurzes a), die Straße (langes a). Schließlich wurde auch der Beschluss, substantivierte Adjektive in Fügungen wie »im Stillen«, »im Dunkeln«, »im Allgemeinen« großzuschreiben, willkommen geheißen.

Das wesentliche Problem – und somit erheblicher Nachbesserungsbedarf – zeigte sich auf dem Gebiet der Zusammen-

und Getrenntschreibung. Da waren nämlich Wörter »auseinander gerissen« worden, die in zusammengeschriebener Form nie ernsthafte Probleme bereitet hatten. Der diensthabende Offizier war zum »Dienst habenden« Offizier degradiert worden, der gutaussehende Schauspieler musste sich mit der Rolle des »gut aussehenden« Schauspielers abfinden, und die milchproduzierende Wirtschaft war stillgelegt worden und durfte als »Milch produzierende« Wirtschaft neu anfangen. Die autofahrende Bevölkerung war zur »Auto fahrenden« Bevölkerung geworden, und die selbstgemachte Konfitüre war plötzlich nur noch als »selbst gemachte« Konfitüre zu haben.

Die blindwütige Trennung natürlich zusammengewachsener Wörter war es, die schließlich auch die Intellektuellen der Republik gegen die Reform aufbrachte. Weitreichende Maßnahmen sollten nur noch »weit reichend« sein, grundlegende Veränderungen hingegen »grundlegend« bleiben – weil »weit« ein steigerungsfähiges Adjektiv ist, »grund« hingegen ein »verblasstes Hauptwort«.

Die Reform wollte die Orthografie vereinfachen, stattdessen wurde die Sache immer komplizierter; denn bevor man wissen konnte, ob man zwei Wörter, die zusammen einen neuen Begriff ergaben, getrennt- oder zusammenschreiben darf, musste man sich Klarheit über die Wortart verschaffen: Ist der erste Teil ein Adjektiv, wenn ja, lässt es sich womöglich erweitern oder gar steigern? Ist der zweite Teil ein Partizip? Und was ist überhaupt ein Partizip? Die Sache war bald nicht mehr zu durchschauen.

Und so wurde der Protest immer lauter. Intellektuelle wie Günter Grass und Marcel Reich-Ranicki entrüsteten sich, Zeitungsverlage kündeten die Rückkehr zur alten Schreibweise an, und immer mehr Menschen in Deutschland erklärten sich zu Totalverweigerern der Reform.

Seit 2004 bemühte sich ein 39-köpfiger »Rat für deutsche Rechtschreibung« unter der Ägide des CSU-Politikers Hans Zehetmair, das drohende Scheitern der Reform abzuwenden. Man versuchte zu retten, was zu retten war, indem man den größten Unfug möglichst diskret wieder rückgängig machte. Der ehemals frischgebackene Ehemann, der seit 1998 ein »frisch gebackener« Ehemann war, durfte 2004 wieder als »frischgebackener« Ehemann auftreten. Überhaupt war jetzt sehr viel von »kann«-Bestimmungen und von »sowohl als auch« die Rede. Das machte es für die Deutschlehrer nicht gerade leichter, half aber, das laute Gezeter der Reformgegner zu dämpfen – ein Kompromiss eben. Den ersten Modifizierungen folgten weitere. Am Ende war die Reform kaum mehr als ein Reförmchen; unterm Strich ist das meiste beim Alten geblieben. Und so stellte die »Berliner Zeitung« treffend fest: »Zehn Jahre hat es gebraucht, um wieder dort anzukommen, wo man aufgebrochen ist.« Die umstrittenen neuen Schreibweisen wurden teils zurückgenommen, teils durch Wiederzulassung der alten Schreibweisen relativiert. Mit Erleichterung habe ich zur Kenntnis genommen, dass man das Wort »lahmlegen« jetzt wieder (wie früher) in einem Wort schreiben darf. So wie »stilllegen«, das man ebenfalls in einem Wort schreibt. Mir wollte nie einleuchten, warum man das eine plötzlich getrennt schreiben sollte und das andere nicht.

Mit dem Inkrafttreten der Reform ging eine der längsten Arien der Operngeschichte zu Ende. Und zum Glück keine A-rie der O-perngeschichte, denn die ästhetisch äußerst fragwürdige Entscheidung, einzelne Vokale abtrennen zu dürfen (Bi-omüll, Zwecke-he), ist ebenfalls wieder rückgängig gemacht worden.

Infratest hat eine Umfrage durchgeführt, die zu folgendem Ergebnis kam: Mehr als zwei Drittel der Deutschen (nämlich 68 Prozent) schreiben weiterhin nach den klassischen Rechtschreibungsregeln. Nur 19 Prozent richten sich komplett nach der neuen Regelung, und 12 Prozent verwenden dagegen eine Mischung aus alter und neuer Rechtschreibung.

Diese Angaben setzen freilich voraus, dass die Befragten genau wussten, was alte und was neue Rechtschreibung ist. Daran habe ich so meine Zweifel.

Mehrmals habe ich erlebt, dass Menschen, die sich über die Reform beklagten, als Beispiel das Wort »Albtraum« anführten, das sie immer schon mit »b« geschrieben hätten, weil es doch nichts mit den Alpen zu tun habe, sondern mit Alben (= Elfen). Da wurde mir klar, dass diese Menschen nicht gründlich informiert waren, denn die Schreibweise »Albtraum« ist die neue.* Nach klassischer Rechtschreibung war allein die Schreibweise »Alptraum« zulässig; bis 1998 galt die Schreibweise mit »b« als falsch.

Ebenso irren viele Deutsche, die der Überzeugung sind, das Eszett sei durch die Reform komplett abgeschafft. »Freundliche Grüsse« sind nur in der Schweiz korrekt, und das wiederum schon seit 70 Jahren. In Deutschland schreibt man nach wie vor »Freundliche Grüße«.

Dass die Deutschen die Rechtschreibreform mehrheitlich ablehnen, ist nicht allein mit den Ungereimtheiten zu begründen, die nach der ersten Phase zutage traten. Die ablehnende Haltung der Bevölkerung ist auch auf das Totalversagen der Politik zurückzuführen. Statt offensive Aufklärungsarbeit zu leisten, haben Kommission und Rat hinter verschlossenen Türen getagt. Nur spärlich gelangten Informationen über die Neuordnung an die Öffentlichkeit, und das meistens in kritischen Artikeln der Feuilletons – nichts, was von der Mehrheit gelesen würde. Aber für die

* Siehe hierzu auch den Abc-Eintrag »Albtraum/Alptraum« auf S. 705.

hat man sich ohnehin nicht interessiert. Im Fernsehen wurden immer nur Bilder von Schultafeln gezeigt, auf denen links die Wörter »Spaghetti«, »eislaufen« und »Delphin« standen und rechts »Spagetti«, »Eis laufen« und »Delfin«. Das war's, mehr Volksaufklärung gab es nicht.

Ich hätte es begrüßt, wenn man die neuen Regeln auf handliche Faltblätter gedruckt und als Hauswurfsendung an alle Bürger verteilt hätte – oder wenn man sie an Bushaltestellen plakatiert hätte. Das wäre immerhin praktisch gewesen. Das hundertseitige PDF, das man auf der Internetseite des Rechtschreibrates herunterladen kann, ist es jedenfalls nicht. Die Kulturpolitiker meinten, dem Volk die Entscheidung über die Gestaltung seiner Schriftsprache aus der Hand reißen zu können, und haben es nicht für nötig erachtet, das Volk in angemessener Weise auf dem Laufenden zu halten. Die Rechtschreibreform war für vieles beispielhaft: für einen leidenschaftlich geführten Kulturkampf, für Missmanagement, für absurdes Theater und Demagogie. Sie war kein Lehrstück in Sachen Demokratie.

Die Zukunft unserer Orthografie liegt nicht in den Händen von Politikern und auch nicht in der Duden-Redaktion, sondern in den elektronischen Kommunikationsmitteln. Der größte Teil dessen, was tagtäglich geschrieben wird – Artikel für Zeitungen, Geschäftsberichte, persönliche Korrespondenz –, entsteht heute am Computer. Und immer mehr Menschen verlassen sich dabei auf die automatische Rechtschreibprüfung ihres Textverarbeitungsprogramms. Auch ich nutze sie, obwohl ich meine liebe Not mit ihr habe, denn sie unterstreicht mir ständig das Wort »standardsprachlich«, das ich relativ häufig gebrauche. Vielleicht mag sie keinen Sprachstandard. Dann müsste sie sich allerdings selbst hassen. Das wäre ein Treppenwitz der Sprachgeschichte.

Viele nutzen beim Schreiben auch die schnellen Recherche-möglichkeiten, die das Internet bietet. Wer zum Beispiel nicht sicher ist, wie man das Wort »Matratze« schreibt, kann den Publikumsjoker einsetzen und das Wort in allen Varianten googeln: Für die (korrekte) Schreibweise mit »tz« werden ihm 3.590.000 Treffer angezeigt, für die Schreib-weise »Matraze« nur 239.000 Treffer: ein eindeutiges Vo-tum der recht- und schlechtschreibenden Internetgemeinde. Der Ratsuchende erhält von Google zusätzliche Hilfe, denn über der Liste mit der geringeren Trefferzahl erscheint die automatisch erstellte Frage: »Meinten Sie ›Matratze‹?« So wird er sanft in die richtige Richtung gelenkt.
Natürlich sind die von Google gelieferten Ergebnisse nicht in jedem Fall verlässlich. Mitunter können sie genauso in die Irre führen. Wer nicht weiß, ob die Mehrzahl von »Story« im Deutschen nun »Storys« oder »Stories« geschrie-ben wird, dem wird Google nicht helfen, denn im Internet überwiegt selbstverständlich der englische Plural auf -ies, für die korrekte deutsche Form (Storys) findet man deut-lich weniger Referenzstellen. Und die automatische Frage »Meinten Sie ›Stories‹?« lockt den Suchenden erst recht auf die falsche Fährte. Langfristig werden Internetmaschinen wie Google dazu beitragen, dass die Orthografie von Na-men und Fremdwörtern immer stärker internationalisiert wird. Nationalspezifische Formen verschwinden zuguns-ten der internationalen Mehrheitsschreibweise. Noch zeigt Google 9,6 Millionen Treffer für »Mailand« an, aber auf be-reits knapp 4 Millionen deutschsprachigen Internetseiten ist »Milano« zu finden.

Die restlichen Fragen klärt die Worterkennung der Mobil-telefone. Man braucht beim Schreiben einer SMS nur drei Buchstaben einzugeben, dann ergänzt das Programm das Wort eigenständig. So entstehen interessante Mitteilungen wie: »HALLO, ICH KÖNNE HEUTE ETWAS SPÄTER. WARTE NICHT MIT DEN ESSEN AUF MICH!« Einmal wollte ich das Wort »Pustekuchen« verschicken, und plötzlich stand im Display PURBERGSTRASSE. Ich kenne keine Purbergstraße und wollte das Wort löschen, doch in meiner Verwirrung habe ich stattdessen auf »versenden« gedrückt. Es hat mich ein zehnminütiges, teures Telefonat gekostet, um das Missverständnis aufzuklären.

Ich will nicht wissen, wie viele sinnlose Nachrichten auf diese Weise schon verschickt worden sind. Es müssen Zigtausende jeden Tag sein. Daneben erscheint die Frage, ob man nun »Portemonnaie« oder »Portmonee« schreibt, geradezu belanglos. Man kann sich freuen, wenn das Handy nicht PORTOMODERNE draus macht.

Kann sich die Geschichte wiederholen? Im Jahre 1901 hatte es schon einmal eine Reform der deutschen Rechtschreibung gegeben, die aus nichts anderem als Kompromissen zu bestehen schien. 1905 bemerkte Konrad Duden im Vorwort zur achten Auflage seines Wörterbuches: »Zwar hat man überall das von der Orthographischen Konferenz Geschaffene als zu Recht bestehend anerkannt, weder sind neue Reformvorschläge ans Licht getreten, noch hat man auf seiten der Gegner jeder Reform durch aktiven und passiven Widerstand das Werk zu hemmen versucht: es gilt unbestritten überall. Und doch würde man irren, wenn man glaubte, die ›Orthographische Frage‹ sei mit der Herausgabe der von den Regierungen aufgrund der Konferenzbeschlüsse veröffentlichten amtlichen Regelbücher glücklich zur Ruhe gelangt; sie ist vielmehr für verschiedene Kreise wieder lebhaft in Fluß gekommen. [...] Das Ergebnis der Orthographischen Konferenz von 1901 war nur dadurch zustande gekommen, daß die Anhänger verschiedener Richtungen sich gegenseitig Zugeständnisse machten.

Das geschah meistens durch Zulassung von Doppelschreibungen.«

Entweder hatte ich eben ein ganz starkes Déjà-vu, oder Konrad Duden war nicht nur Herausgeber eines Wörterbuchs, sondern nebenbei auch noch das Orakel von Delphi. Oder schreibt man das jetzt Delfi?

Glücklich zur Ruhe gelangt oder wieder lebhaft in Fluss gekommen: quo vadis, deutsche Rechtschreibung? Die Kultusminister waren sich bei der Verabschiedung des Gesetzes einig, dass die Reform in ihrer jetzigen Fassung endgültig und unwiderruflich sei. Von »Ruhe« war die Rede, von einem »Rechtschreib-Frieden« sogar, doch ob es einen solchen geben wird, bleibt abzuwarten. Einige prominente Verweigerer haben bereits signalisiert, dass sie ihren Widerstand gegen die neue Orthografie aufgeben werden. Andere wollen von der Reform nach wie vor nichts wissen. Dem Gesetzgeber tut es längst leid, dass er die Rechtschreibung jemals zur Reformsache gemacht hat. Zwischenzeitlich tat es ihm Leid (mit großem »L«), und nun doch wieder leid. Die Lehrer und Schüler, die von »leid tun« erst auf »Leid tun« umdenken mussten und sich nun an »leidtun« gewöhnen sollen, können einem nur leid ... Leid ... also, die kann man nur bedauern.

Der zähe Reformprozess hat aber nicht nur Verwirrung gestiftet und Verdruss gebracht, er hatte auch sein Gutes: In regelmäßigen Abständen sorgte er dafür, dass unser wertvollstes Kulturgut – die Sprache – ins Zentrum des öffentlichen Interesses gerückt wurde. Außerdem hat er die Intellektuellen hierzulande zehn Jahre lang geistig in Bewegung gehalten. Ohne Reformstreit würden sich viele vermutlich langweilen.

Seit Juli 2006 liegt die 24. Auflage des Dudens vor, die noch übersichtlicher und bunter ist als die 23. Auflage aus dem Jahr 2004: Die alten Schreibweisen sind schwarz gedruckt, die neuen sind rot, und gelb unterlegt sind die Duden-Empfehlungen. Nun wissen wir auch, wofür die Farben der Deutschlandfahne stehen: Schwarz für Tradition, Rot für Veränderung und Gelb für das jeweils Sinnvollste aus beidem. Doch nicht alle sind mit der Neufassung der Mannheimer Bibel zufrieden. Angeblich seien die Regelungen des Reformwerkes darin nicht immer so wiedergegeben, wie sie von der Kommission beschlossen wurden, behauptet Hans Zehetmair. Schon fragen sich die bangen Untertanen: Muss Konrad Duden jetzt ins Gefängnis? Wir sehen: Das letzte Wort in Sachen Rechtschreibung ist noch nicht gesprochen. Gott sei Dank!

Zuletzt will auch ich eine Empfehlung abgeben: Wer sich an den Delfin mit »f« partout nicht gewöhnen mag, der soll ihn ab sofort *Phlipper* schreiben.

Zweifach doppelt gemoppelt

Ein alter Greis, der im dichten Gedränge verschwindet, ein schneller Raser, der auf einer Baumallee verunglückt ist – so etwas hört und liest man manchmal ab und zu. Streng genommen sind solche Wortpaare und Zusammensetzungen jedoch unsinnig – doppelt gemoppelt nämlich.

Denn Greise sind immer alt, und im Gedränge steht man immer dicht an dicht. Raser würden nicht Raser genannt, wenn sie nicht tatsächlich schnell führen, und ohne Bäume wären Alleen auch keine Alleen, sondern gewöhnliche Straßen. Solche Bedeutungsverdopplungen nennt man Pleonasmen. Das kommt aus dem Griechischen und bedeutet »Überfluss«, »Übermaß« – bezogen auf den sprachlichen Stil also eine überflüssige Häufung sinngleicher oder sinnverwandter Begriffe. So erklärt es auch der Duden und führt als Beispiele den weißen Schimmel und den schwarzen Rappen an.

Pferdeliebhaber indes wissen, dass Schimmel längst nicht immer weiß sind, sondern in der Regel dunkel geboren werden und erst im Laufe der Zeit aufhellen. So gibt es Schimmel in allen möglichen Schattierungen: als Apfelschimmel, Fliegenschimmel, Fuchsschimmel, Rotschimmel und Blauschimmel (nicht zu verwechseln mit Käse), als Grauschimmel, Braunschimmel und sogar als Schwarzschimmel. Ein weißer Schimmel ist also keine Selbstverständlichkeit.

Auch hinter »kleinen Zwergen« muss nicht zwangsläufig ein Pleonasmus stecken. Denn alles ist bekanntlich relativ, und wer wollte ernstlich behaupten, dass alle Zwerge gleich groß (oder gleich klein) seien? Einige mögen größer sein als andere, und nicht umsonst heißt es im Volksmund: Auch Zwerge haben mal klein angefangen.

Eng verwandt mit Pleonasmen sind Tautologien, das sind gleichbedeutende Wörter derselben Wortart, also Wortpaare wie »angst und bange«, »ganz und gar«, »immer und ewig«, »schlicht und einfach«, »nie und nimmer«, »schließlich und endlich«, »aus und vorbei«, »still und leise«. Diese Doppelungen gelten als rhetorische Stilmittel und sind daher über jede sprachliche Kritik erhaben.

Natürlich können auch Pleonasmen als bewusst eingesetztes Stilmittel dienen. Oftmals allerdings entstehen sie aus schlichter Unwissenheit. Das betrifft vor allem die Zusammensetzungen aus Fremdwörtern und deutschen Vorsilben. Wer hätte nicht schon einmal von einem »vorprogrammierten Chaos« gesprochen – wiewohl ein »programmiertes Chaos« völlig genügen würde, denn programmiert wird immer im Voraus. Oder haben Sie schon mal von einem nachprogrammierten Ereignis gehört? Ein weiterer Dauerbrenner unter den Überflusswörtern ist das Verb »aufoktroyieren« – eine Verschmelzung aus dem französischen Lehnwort »oktroyieren« und der deutschen Übersetzung »aufzwingen«.

Meine Nachbarin Frau Jackmann ist eine Meisterin der Sinnverdoppelung. Als ich einzog, klärte sie mich detailliert über alle Mitbewohner des Hauses auf: »Die Lüders aus dem Erdgeschoss haben vier Jungs, richtige Rabauken, vor allem die zwei Zwillinge. Also wundern Sie sich nicht über den Krach!« Ich wunderte mich vor allem über den Hinweis, dass die Lüders zwei Zwillinge haben. Ich hätte mehr erwartet. Frau Jackmann überbot sich gleich darauf selbst, indem sie mir verriet, dass neben den Lüders ein »Zweierpärchen« wohne. Sollte es noch einen Untermieter aufnehmen, hätte man es dann mit einem »Dreierpärchen« zu tun? Im ersten Stock links wohne Herr Schaller, ein sehr netter Vertreter, von dem sie schon manches Mal ein »Gratis-Geschenk« bekommen habe.

Und in der Wohnung rechts lebe der »geschiedene Ex-mann« von Carolin Ölter, der Tochter von Manfred Ölter, der mit Billigmärkten im Osten reich geworden ist. Der sei heute ein »mehrfacher Multimillionär«. Einmal sei sie der Carolin Ölter ja wirklich begegnet. Die sah aber gar nicht aus wie eine Millionärstochter, denn ihr Halsschmuck war ein »künstliches Imitat«, das habe man sofort gesehen.

Als mein Freund Henry mich das erste Mal besuchte und sofort über den Zustand des Treppenhauses zu lamentieren begann, gab Frau Jackmann ihm recht und klagte: »Ich habe dem Hausmeister bereits schon gesagt, dass das Treppen-haus dringend neu renoviert werden muss, aber im augen-blicklichen Moment scheinen die Eigentümer angeblich kein Geld dafür zu haben.« Vier Pleonasmen in einem Satz! Das muss ihr erst mal jemand nachmachen. Henry nennt sie seitdem respektvoll »Jackie Pleonassis«. Wer in seiner Gegenwart von »ABM-Maßnahmen« spricht, wird kos-tenlos über die Bedeutung des Buchstabens »M« in »ABM« aufgeklärt. »Spontane Reflexe« lässt Henry genauso wenig gelten wie »natürliche Instinkte«, zumal das die Existenz unspontaner Reflexe und unnatürlicher Instinkte voraus-setzen würde, wie Henry sagt. Und wenn der Fernsehkoch zum Tranchiermesser greift und spricht: »So, und nun müs-sen wir das Ganze einmal schön in der Mitte halbieren«, dann schaltet Henry um.

Bei Frau Jackmann ist das »umgekehrte Gegenteil« der Fall. In pleonastischer Hinsicht ist eine Unterhaltung mit ihr im-mer lohnend. Frau Jackmann würde sagen: »lohnenswert«. Sie hat zu allem eine »persönliche Meinung«, und ich habe es bislang wohlweislich vermieden, sie nach ihrer unper-sönlichen Meinung zu fragen. In politischen Fragen ist sie unerbittlich. Nahezu alle Probleme unserer Zeit, sagt sie, seien die Folge der »weltweiten Globalisierung«. Ja, Frau Jackmann kennt sich aus! »Als der Schröder an die Regierung kam, da haben sich doch alle falsche Illusionen gemacht.« Offenbar macht sie sich lieber richtige Illusionen. Den Ausgang der jüngsten Bundestagswahl kommentierte sie mit den Worten: »Jetzt suchen natürlich alle nach einer gemeinsamen Schnittmenge!« Als die Koalition aus CDU und SPD dann stand, sagte sie achselzuckend: »Na ja, eine andere Alternative gab es in dieser Situation wohl auch nicht!« Womöglich gibt es nie mehr als eine einzige Alternative, wenn überhaupt. Aber darüber will ich mit Frau Jackmann lieber nicht diskutieren. Henry hat da weniger Skrupel. Letzte Woche traf er Frau Jackmann auf der Treppe. »Es gibt Regen«, rief sie ihm zu. »Wie kommen Sie darauf«, fragte Henry erstaunt, »es ist doch kein Wölkchen am Himmel zu sehen!« – »Ich spür das«, sagte sie, »ich hab da so ein inneres Gefühl!« Henry erwiderte, ihr »inneres Gefühl« sei ein Pleonasmus. Seitdem hält sie ihn für einen Arzt. Da sind falsche Missverständnisse natürlich bereits schon im Vorfeld vorprogrammiert.

Pleonasmen

doppelt gemoppelt	einfacher gesagt
angeblich sollen (z. B. sie soll angeblich einen Geliebten haben)	sie soll einen Geliebten haben; sie hat angeblich einen Geliebten
Attentatsversuch	Anschlag, Attentat, Mordversuch
aufoktroyieren	aufdrängen, aufzwingen, oktroyieren
anfängliche Startschwierigkeiten	anfängliche Schwierigkeiten, Startschwierigkeiten
im augenblicklichen Moment	im Augenblick, augenblicklich, im Moment, momentan
auseinanderdividieren	auseinanderrechnen, aufteilen, dividieren

Pleonasmen

doppelt gemoppelt	einfacher gesagt
Ausgangsvoraussetzungen	Voraussetzungen, Ausgangsbedingungen
Außenfassade	Außenseite, Fassade
Baumallee	Allee, von Bäumen gesäumte Straße
bereits schon	bereits, schon
ein berühmter Star	eine Berühmtheit, ein Star
Eigeninitiative	Eigenantrieb, Initiative
Einzelindividuum	Einzelwesen, Individuum
der Einzigste	der Einzige
erste Vorboten	erste Anzeichen, Vorboten
drei Drillinge	Drillinge
Düsenjet	Düsenflugzeug, Jet
fundamentale Grundkenntnisse	fundamentale Kenntnisse, Grundwissen
für gewöhnlich etwas zu tun pflegen	für gewöhnlich etwas tun, etwas zu tun pflegen
Fußpedal	Fußhebel, Pedal
gemeinsame Schnittmenge	Gemeinsamkeit, Schnittmenge
Glasvitrine	Glasschrank, Vitrine
herausselektieren	auslesen, herausfiltern, selektieren
hochstilisieren	hochloben, stilisieren
ein lästiges Ärgernis	ein Ärgernis, eine lästige Sache
leider etwas bedauern	leider etwas tun müssen, etwas bedauern
lohnenswert sein	lohnend sein, die Sache wert sein
manchmal ab und zu	manchmal, gelegentlich, bisweilen, hin und wieder, ab und zu
manuelle Handarbeit	Handarbeit, manuelle Arbeit
marginale Randerscheinungen	marginale Erscheinungen, Randerscheinungen

Pleonasmen

doppelt gemoppelt	einfacher gesagt
Mitbeteiligung	Beteiligung, Mitwirkung
möglich sein können (es könnte möglich sein)	es ist möglich; es könnte sein
neu renoviert	kürzlich instand gesetzt, renoviert
(höchst)persönlich anwesend sein	anwesend sein, da sein, zugegen sein
Rückerinnerung	Rückblende, Erinnerung
Rückerstattung	Erstattung, Rückzahlung
runder Kreis	kreisförmige Figur, Kreis
runde Kugel	Kugel
runterreduziert	herabgesetzt, reduziert
Sanddünen	Dünen, Sandhügel
schlussendlich	endlich, schließlich, zuletzt
Testversuch	Test, Versuch
tote Leiche	toter Körper, Leiche, Leichnam, der oder die Tote
Trommelrevolver	Revolver
Vogelvoliere	Vogelhaus, Voliere
Volksdemokratie	Demokratie, Volksherrschaft
Vorderfront	vordere Reihe, Front
vorprogrammiert sein	programmiert sein, unausweichlich sein
wahrscheinlich scheinen	scheinen, wahrscheinlich sein
weibliche Kandidatin	Kandidatin, weiblicher Kandidat
Zukunftsprognosen	Aussichten, Prognosen
zusammenaddieren	addieren, zusammenzählen
zwei Zwillinge	Zwillinge
ein Zweierpaar	ein Paar, zwei

Ich glaub, es hakt!

Das kennen wir alle: Beim Hacken auf der Tastatur bleibt man gelegentlich mal haken. Und Hühner scharren im Hof, während Könige ihren Hof um sich scharen. Alles klar so weit. Oder doch nicht? Ein paar Gedanken über Spuckgespenster, Bettlacken und andere eckelhafte Phänomene der deutschen Verkehrtschreibung.

»Ich warte hier«, steht auf einem Hundeverbotsschild vor einem Fleischerladen, und darunter ist der Hinweis zu lesen: »Bitte Hacken für Leine benützen.« Das stellt die Hundebesitzer vor ein Problem: Wie sollen sie den Hund draußen lassen, wenn sie sich die Leine an der Ferse befestigen sollen? Oder ist mit »Hacken« ein Werkzeug gemeint, eine Spitzhacke womöglich oder ein Hackebeil? Wenn ja, wo befindet sich dieses Gerät dann? Alles, was man draußen sieht, ist ein Haken an der Wand. Und man erkennt: Da hat wohl jemand Hacken mit Haken verwechselt.

Über ein solches Schild kann man schmunzeln, die Hundeleine vom Haken lösen und unbekümmert seines Weges ziehen. Doch schon bald wird man gewahr, dass diese Haken/Hacken-Verwechslung kein Einzelfall ist. Man begegnet ihr immer wieder. »Ich werde wegen der Software bei meinem Kollegen nochmal nachhacken«, schreibt jemand in einem Online-Forum – und man kann nur hoffen, dass er das nicht wörtlich meint, denn sonst wird der Kollege im Krankenhaus landen, wenn nicht gar im Leichenschauhaus. Aber gehackt wird nicht nur laienhaft in Foren, sondern auch professionell in Nachrichten: »Köhler hackt bei Schröder wegen Vertrauensfrage nach«, schrieb die »Neue Zürcher Zeitung« in ihrer Online-Ausgabe im Juli 2006. Da mag so mancher Leser empört gerufen haben: »Es hackt ja wohl!« Auf jeden Fall hakt es – und zwar mit dem Verständnis von kurzen und langen Lauten. »Dortmund hackt den Uefa-Pokal ab« lautete eine Überschrift auf FAZ.net am 30. April. Ein Serviceportal für Studenten bietet einen Preisvergleich für »Bettlacken« an. Man kennt »lacken« als Kurzform für »lackieren« – und fragt sich erstaunt, ob sich derart viele Maler auf das Lackieren von Betten spezialisiert haben, dass sich inzwischen sogar ein Preisvergleich lohnt.

Als Tippfehler kann man diese Irrtümer kaum entschuldigen, denn »c« und »k« liegen auf der Tastatur nicht nebeneinander. Womöglich ist dieses Phänomen mit Besonderheiten der regionalen Aussprache zu erklären, vielleicht werden in manchen Dialekten »hacken« und »haken« gleich ausgesprochen. Noch toller treibt es der Deutsche mit dem Spucken. »Ich find das Spuken am Fußballplatz mega eckelhaft!«, beschwert sich ein Diskutant in einem anderen Forum. Mit Recht zwar, aber mit fragwürdigen orthografischen Mitteln. Für »eckelhaft« spuckt Google übrigens mehr als 13.000 Treffer aus. Kein Zweifel: Es spukt in der deutschen Sprache! Dass einige auch die Wörter »Bodenluke« und »Dachluke« mit »ck« schreiben, erscheint schon fast konsequent, denn durch eine »Lucke« kann man immerhin »gucken« und »lucki-lucki« machen.
Geradezu schockiert steht man allerdings vor jener Tafel an einer Eisdiele, auf der die Geschmacksrichtung »Schockolade« angeboten wird. Und fast jedes dritte Küken, das im deutschsprachigen Internet schlüpft, ist ein »Kücken«.

Einige dieser Verkürzungsfehler entstehen durch Analogien – man orientiert sich an bekannten Formen. Da man ein *Paket* erst einmal *packen* muss, bevor man es am Paketschalter abgeben kann, haben es viele Menschen beharrlich mit »ck« geschrieben. So beharrlich offenbar, dass die

Rechtschreibreformer erwogen, die Schreibweise »Packet« zuzulassen – so wie ja auch *Päckchen* und *Packung* mit »ck« geschrieben werden. Doch ein mit »ck« geschriebenes »Packet« müsste – wie Becken, Dackel und Zucker – auf der ersten Silbe betont werden – wäre also kein »Pakeet« mehr, sondern ein »Packet«. So blieb es bei der Schreibweise mit einfachem »k«.

Wer hingegen »Dampflock« mit »ck« schreibt, der ist auch ohne reformatorische Verwirrung so gut wie entschuldigt, denn während das erste »o« in »Lokomotive« noch deutlich länger ausgesprochen wird, klingt es in der Kurzform »Lok« tatsächlich so kurz wie in »Bock« und »Rock«. Auch bei dem Wort »Plastik« ließe es sich noch verstehen, wenn es mit »ck« geschrieben wird, denn das »i« ist kurz. Es sei denn, man spricht es, in Anlehnung an seine französische Herkunft, »Plastieke« aus. Plastik ist in der Tat ein Fremdwort, ebenso wie Lok und Paket, und für Fremdwörter sieht unsere Rechtschreibung nur selten Dehnungs- oder Verkürzungszeichen vor, wie wir sie von deutschen Wörtern kennen. Daher schreibt sich auch die Maschine trotz langen I-Klangs eben nicht »Maschiene«. Auch wenn bei Ikea bereits »spühlmaschienenfeste« Gläser gesichtet wurden.

Bei deutschen Wörtern hingegen sind diverse Formen der Klangdehnung und -verkürzung möglich – und erforderlich. Es gibt kesse Hüte und Hüttenkäse, schiefen Boden und Boddenschiffe, legende Hennen und leckende Hähne, gepflegte Beete und befleckte Betten. Und es gibt Pfarrer mit Mähnen und Männer mit Fahrer. »MTV-Chefin Catherine Mühlenberg hat offenbar ein Faible für private Bande und scharrt gern die ihren um sich«, war am 10. Juli in der »Welt« zu lesen. Jeder, der schon einmal einer Schar Hühner beim Scharren zugesehen hat, weiß, dass Hühner in Scharen scharren – und dass sie sich zum Scharren scharen. Nun ist Frau Mühlenberg aber kein Huhn, deshalb ist ihr »Welt«-liches »Scharren« in Wahrheit ein bildliches »Scharen«. Auch hierbei fällt die Unterscheidung zwischen langem und kurzem A-Klang offenbar nicht allen ganz leicht.

So wie lange Vokale fälschlicherweise orthografisch verkürzt werden, werden kurze Vokale auch gern verlängert: »Vor zwei Wochen wurde mir der rechte Bakenzahn entfernt!«, jammert ein zahnleidender Mensch im Internet. Das schönste Beispiel für eine missverständliche Vokaldehnung war am 7. Mai auf »Spiegel Online« zu finden: »In Beiräten großer Unternehmen verdienen Politiker staatliche Honorare – fraglich ist nur wofür«, hieß es dort. Fraglich ist vor allem, ob es statt staatlich nicht stattlich hätte heißen müssen. Darum habe ich bei den Kollegen nachgehackt, und prompt wurde dem Spuck ein Ende bereitet.

Was man nicht in den Beinen hat ...

Klar, das Auge sieht bekanntlich mit. Aber jetzt mal Schwamm beiseite, sonst wecken wir noch schlafende Hühner. Feststehende Redewendungen sind längst nicht so fest, wie man meint. Viele wackeln, dass einem ganz schwindlig wird. Aber das hat auch sein Gutes. Denn verdrehte Redensarten sind das tägliche Brot in der Salzsuppe unserer Sprache.

Um eine fremde Sprache zu beherrschen, bedarf es nicht nur Kenntnisse des Vokabulars, der Grammatik und der Aussprache. Die größte Hürde stellen die sogenannten Idiome dar: Das sind feststehende Wortgruppen, die nur in ganz bestimmten Zusammenhängen einen Sinn ergeben. Wenn man zum Beispiel etwas nicht bemerkt oder übersieht, dann hat man »Tomaten auf den Augen«. Die Annahme, dass Tomaten generell für eingeschränkte Sinneswahrnehmung stehen, ist nicht richtig. Wer etwas nicht hört, der hat keinesfalls »Tomaten auf den Ohren«. Stattdessen hat er »Bohnen in den Ohren«.

Derlei lexikalisierte Fügungen gibt es Tausende in jeder Sprache. Oft lassen sie sich nicht wortgetreu übersetzen. Mit der deutschen Feststellung »Er fällt mir auf den Wecker!« kann weder ein Engländer (»He's falling on my clock«) noch ein Franzose (»Il me tombe sur le reveil«) etwas anfangen. Auf Englisch heißt es »He gives me the hump« (wörtlich: Er macht mir einen Buckel) und auf Französisch »Il me casse les pieds« (wörtlich: Er bricht mir die Füße). Mit wörtlicher Übersetzung kommt man nicht weit. Es hilft leider nichts: Um sich halbwegs sicher auf dem glatten Parkett einer Fremdsprache bewegen zu können, muss man ihre Idiome mühsam auswendig lernen.

Das gilt natürlich auch für die Muttersprache. Denn nicht nur das fremdsprachliche Terrain ist mit idiomatischen Stolpersteinen gepflastert. Auch im Deutschen kann man sich leicht vertun. So passierte es zum Beispiel Uwe Ochsenknecht, der in einem Fernsehinterview über seinen Filmpartner Armin Rohde schwärmte: »Dieser Mann ist ein Herz und eine Seele.«

Einige Menschen scheinen immer am falschen Fuß zu frieren, denn in der Zeitung liest man gelegentlich, wie jemand »auf dem kalten Fuß erwischt« worden ist. Die »Berliner Zeitung« wusste den »kalten Fuß« sogar noch eiskalt zu steigern. In einem Artikel über den Bundestagswahlkampf 2005 konnte man lesen: »Die geplanten Neuwahlen haben die CDU/CSU auf dem kalten Fuß erwischt, auf einem schon fast erfrorenen aber im Bereich der Kultur.« Füße scheinen übrigens ein grundsätzliches Sprachproblem darzustellen. Über Füße stolpert man jedenfalls besonders oft. Ein Mitarbeiter der Weltgesundheitsorganisation (WHO) klagte in einem Interview mit der »Basler Zeitung« über die Schwierigkeiten im Kampf gegen die Ausbreitung der Vogelgrippe und kam zu dem Schluss: »Mit den konventionellen Maßnahmen stehen wir auf verlorenem Fuß.«

»Lieber ein Schreck mit Ende, als wenn es so weitergegangen wäre«, sagte Hamburgs Bürgermeister Ole von Beust, nachdem er den erpresserischen Innensenator Ronald Schill entlassen hatte. Pierre Littbarski ist da anderer Meinung, denn von ihm stammt der Ausspruch: »Lieber ein Ende mit Schrecken als ein Schreck mit Ende.« Aber alle sind sich grundsätzlich darin einig, dass es einen Schrecken ohne Ende nicht geben darf. So erhob der DFB-Präsident Theo Zwanziger in einem Interview zum Hoyzer-Skandal mehrmals die Forderung, es müsse nun endlich »ein Schlusspunkt gezogen werden«.

Bei solch wunderbaren Worten muss ich natürlich an meine Freundin Sibylle denken. Denn die ist eine Sprachakrobatin ganz besonderer Art. Sie versteht es meisterlich, mit bekannten Redewendungen zu jonglieren und dadurch neue Wendungen entstehen zu lassen, die zwar nicht immer einen Sinn ergeben, dafür aber an Originalität kaum zu übertreffen sind.* Zu ihrem Repertoire gehören unübertroffene Aussprüche wie »Ab durch die Post!« und »Das ist die Kehrmedaille«. Und manchmal hat sie auch schon »in beiden Stühlen« gesessen.

Sibylles einmaliges Talent als Wortverdreherin entwickelte sich schon sehr früh. Als Kind glaubte sie nicht nur an den Weihnachtsmann und den Osterhasen, sondern an noch so manches andere, wie zum Beispiel an »einäugige Zwillinge«. »Ich dachte wirklich, die heißen so«, sagt Sibylle heute und lacht. Damals fand sie das freilich gar nicht komisch, und das Phänomen der »einäugigen Zwillinge« hat ihr Rätsel aufgegeben.

Nach ihrer Ausbildung hätte sie sich als Dekorateurin selbstständig machen können, aber sie hatte keine Lust, »Klingeln zu putzen«. Stattdessen hat sie als Tagesmutter gearbeitet. Doch auch das war »nicht das Wahre vom Ei«, sagt sie rückblickend. Sie war es leid, dass ihre Wohnung nach Abholung der Kinder immer aussah, als wäre »eine Bombe eingebrochen«. Ins Dekorationsgeschäft kann sie inzwischen nicht mehr zurück: »Der Zug ist abgelaufen«, meint sie.

* Siehe auch die Geschichte »Sprichwörtlich in die Goldschale gelegt« in »Der Dativ ist dem Genitiv sein Tod, Folge 2«.

Sibylles Musikgeschmack ist nicht besonders differenziert. Sie hört alles »querfeldbeet«, wie sie sagt. Früher hat sie sehr für Julio Iglesias geschwärmt, aber inzwischen sei »sein Zenit am Sinken«, und als sie das letzte Mal in einer CD-Abteilung nach Julio Iglesias gesucht habe, wusste der Verkäufer nicht einmal mehr, wer das ist, und hat sie allen Ernstes gefragt, ob sie nicht Enrique Iglesias meine.** Seitdem bestellt sie ihre CDs lieber im Internet. Dort nimmt sie auch an Auktionen teil, ersteigert leidenschaftlich gern irgendwelche unnützen Dinge und ärgert sich immer maßlos, wenn ihr mal wieder jemand etwas »vor den Fingern weggeschnappt« hat.

Sibylle engagiert sich sehr für ihre Freunde. Wer immer Hilfe braucht – sei's beim Montieren eines neuen Regals oder bei der Erörterung von Beziehungsproblemen –, der kann auf sie zählen. »Ich habe eben eine soziale Strähne«, sagt sie. Eigentlich ist Sibylle ja sehr tierlieb, daher bin ich nicht sicher, ob sie sich der Bedeutung ihrer Worte bewusst ist, wenn sie einem Touristen erklärt: »Da können Sie zu Fuß hingehen. Das ist von hier nur einen Katzenwurf entfernt!«

Als ihre Schwester schwanger wurde, war Sibylle total überrascht. »Da bin ich aus allen Socken gefallen«, berichtete sie mir später. Inzwischen geht ihr Neffe in die achte Klasse, steckt mitten in der Pubertät und hat Probleme in der Schule. »Wenn der sich nicht auf die Hammelbeine stellt, dann bleibt er sitzen«, prophezeit Sibylle. Zu Weihnachten hat sie ihm mein Buch geschenkt, und er hat sich nicht mal dafür bedankt. »Da kann einem auch als Tante schon mal die Hutschnur platzen!«, empört sie sich.

** Enrique Iglesias gibt es natürlich auch, das ist einer von Julios Söhnen.

Bei einer Internetrecherche nach prähistorischen Tieren stieß ich zu meiner Verwunderung auf die Seite des Hochzeitsausstatters confettiwelt.de, der unter der Überschrift »Geldgeschenke kreativ verpackt« folgende Behauptung aufstellte: »Viele Hochzeitspaare wünschen sich Geld- anstatt Sachgeschenke. Sei es nun, da sie ihren Hausstand schon komplett haben oder einfach nur selbst bestimmen wollen, wofür der schnöde Mammut ausgegeben wird.« Das wäre Sibylle nicht passiert. Sie hat sich nämlich mit mir zusammen beide Teile des Films »Ice Age« angesehen und weiß, dass Mammuts alles andere als schnöde sind. Zwar könnte sie nicht erklären, woher das Wort Mammon stammt und was es genau bedeutet***, aber dafür hat sie ja mich. Und alles andere steht im Branchenverzeichnis. »Schau am besten in den grünen Seiten nach!«, rät Sibylle mir gern.

Nachdem sie sich von ihrem Freund getrennt hatte, sind wir häufiger zusammen ins Kino gegangen, denn Sibylle brauchte etwas Ablenkung. Inzwischen aber scheint ihr Liebesleben wieder in Schwung zu kommen, denn als ich sie letztens fragte, ob sie sich mit mir »Das Parfum« ansehen wolle, schien es ihr nicht zu passen. »Das wird mir zu spät«, sagte sie, »bei mir stehen morgen um 7 Uhr die Handwerker auf der Matratze.«

*** »Mammon« ist ein aramäisch-griechisch-lateinisches Wort für Geld, Reichtum, Besitz. In der Bibel steht es für den personifizierten Materialismus: »Ihr könnt nicht Gott dienen, und dem Mammon« (Matth. 6, 24).

Von Modezaren und anderen Majestonymen

Was wäre eine demokratische Gesellschaft ohne Könige? Leiden-
schaftslos wählen wir unsere Parlamentarier, und leidenschaftlich
rufen wir immer neue Zaren, Fürsten und Päpste aus. Zum Teufel
mit der Bourgeoisie – seid umarmt, ihr Majestäten!

Zwar haben wir die Monarchie vor fast 90 Jahren abgeschafft, doch noch immer wimmelt es in unseren Nachrichten von gekrönten Häuptern. Und dies gilt längst nicht
nur für die Regenbogenpresse, die Woche für Woche die
Gier ihrer Leserinnen und Leser nach glamouröser und
skandalträchtiger Hofberichterstattung stillt und nährt.
Über Kaiser und Könige wird auch in anderen Blättern berichtet. Selbst dann, wenn die Persönlichkeiten, um die es
geht, in ihrem Leben niemals Kaiser oder Könige gewesen sind. Die Verleihung von Herrschertiteln ist im Journalismus selbstverständlich. Zu jedem großen Namen
gehört ein majestätisch klingendes Synonym, ein »Majes-
tonym«.

Als im Januar 2005 der Münchner Modemacher und Bou-
tiquenbesitzer Rudolph Moshammer ermordet wurde, las
man die Bezeichnung »Modezar« in sämtlichen Zeitungen
und Zeitschriften. Auch die gehobene Presse, von der
»Frankfurter Allgemeinen Zeitung« über den »Spiegel« bis
zur »Neuen Zürcher Zeitung«, verweigerte dem Mordopfer
den Kniefall nicht und sprach ihm schonungslos die Zaren-
würde zu. Moshammers Tod bedeutet freilich nicht das Ende des (Mode-)Zarentums. Solange es berühmte Designer
wie Jean-Paul Gaultier und Karl Lagerfeld gibt, solange wird
man sie mit dem Etikett »Modezar« bekleben.

Was das Zarentum für die Mode, sind die Moguln für die Medien. In Indien, wo sie einst das Sagen hatten, gibt es diese muslimischen Herrscher mongolischer Abstammung schon lange nicht mehr. In der deutschen Presse leben sie jedoch munter fort. Wann immer man einen Bericht über den amerikanisch-australischen Zeitungs- und Fernsehunternehmer Rupert Murdoch liest, findet man dort unter Garantie den Begriff »Medienmogul«. Auch der inzwischen pleitegegangene Filmhändler Leo Kirch wurde gern als »Medienmogul« bezeichnet, genauso wie natürlich Silvio Berlusconi. Die ebenfalls oft verwendete Bezeichnung »Medientycoon« trifft es schon eher, denn das chinesisch-japanisch-englische Wort »Tycoon« bezeichnet einen einflussreichen, mächtigen Geschäftsmann oder einen Industriemagnaten. Aber »Mogul« ist weitaus beliebter, zumal sich im Zusammenklang mit »Medien« ein hübscher Stabreim ergibt.

Als der italienische Lebensmittelkonzern Barilla die deutsche Bäckereikette Kamps übernahm, las man prompt vom »Nudelkönig Barilla«. Überhaupt: Von Königen wimmelt es geradezu. Man kennt »Kekskönige«, »Möbelkönige«, jede Menge »Bierkönige« und sogar »Harry, den Fliesenkönig«. Einst gab es den Walzerkönig Johann Strauß, heute gibt es immerhin noch den Schlagerkönig Ralph Siegel. Und nicht zuletzt gehört in diese Reihe natürlich (Fußball-)Kaiser Franz Beckenbauer.
Aller demokratischen Einsicht und Überzeugung zum Trotz scheint die Sehnsucht nach Monarchie lebendig geblieben zu sein. Übrigens nicht nur bei uns Deutschen: Auch die US-Amerikaner, die nie einen König hatten, verteilen großzügig Königskronen. Man denke nur an Elvis, den »King of Rock 'n' Roll«, oder an Michael Jackson, von vielen ehrfürchtig »King of Pop« genannt.

In einem Interview mit dem Kölner »Express« wurde die deutsche Sängerin Andrea Berg als »Musik-Königin« angesprochen. Dieser Titel wollte ihr jedoch nicht behagen, denn sie wies ihn mit den Worten zurück: »Ich bin keine Königin. Königinnen werden am Ende geköpft. Und das wäre kein schönes Schicksal für mich!« Das war eine verblüffend kluge Begründung. Einen Monat später schrieb der »Express« erneut über Andrea Berg – und bezeichnete sie diesmal als Schlagerkönigin.

Wer sich auf einem Gebiet als Spezialist erwiesen hat, wird schnell und mit Begeisterung zum »Guru« verklärt. Im deutschen Blätterwald wimmelt es nur so von Gurus. Da gibt es den Diät-Guru Robert Atkins, den Theater-Guru Jürgen Flimm, den Gitarren-Guru Carlos Santana, den Pop-Guru Diedrich Diederichsen, sogar einen Teppich-Guru Hans Eitzenberger, einen Schuh-Guru Manolo Blahnik, und nicht zu vergessen den Frisuren-Guru Udo Walz. Ein Guru ist ein religiöser Lehrer im Hinduismus, das Fremdwörterbuch definiert ihn außerdem als eine »von einer Anhängerschaft als geistiger Führer verehrte Persönlichkeit«. Mit der Unabhängigkeit der Presse kann es nicht weit her sein, wenn sie sich tagtäglich hundertmal irgendwelchen geistigen Führern unterwirft.

Und auch Päpste gibt es mehr als nur den einen in Rom. Literaturpäpste zum Beispiel, wie Marcel Reich-Ranicki. Experte oder Meister zu sein genügt eben nicht. Ein Hauch von Nerz, genauer gesagt von Hermelin, muss schon sein. Offenbar steht es nicht einmal im Widerspruch zu demokratischen Prinzipien, von »Parteifürsten« zu sprechen. Auch »Landesfürsten« gibt es in unserer Republik zuhauf, allen Revolutionen zum Trotz. Journalisten mögen auf diese Majestonyme nicht verzichten. Woher sie das

wohl haben? Von Sprachpapst Wolf Schneider bestimmt
nicht.

NUMBER541

Ich geh nach Aldi

Woher kommen wir, wo gehen wir hin? Das sind Fragen, auf die es tausend verschiedene Antworten gibt. Fast ebenso viele Möglichkeiten ergeben sich bei der Frage, wie man sprachlich korrekt zum nächsten Supermarkt gelangt.

Weil meine Uhr dauernd nachgeht, bin ich ständig in Eile, denn ich habe große Angst, mich zu verspäten. Auch an diesem Morgen verlasse ich die Wohnung wieder in ziemlicher Hast und wäre um ein Haar mit meiner Nachbarin Frau Jackmann zusammengeprallt. »Na, Sie haben es aber eilig«, ruft sie erstaunt, »wo wollen Sie denn hin? Nach Aldi?« – »Aldi?«, frage ich verwirrt, »was soll ich denn da?« – »Na, da rennen doch jetzt alle hin«, erwidert Frau Jackmann, »wegen diesem Plasma-Fernseher! Den gibt es im Aldi jetzt für 899 Euro!« – »Nein danke«, sage ich, »ich brauche keinen Fernseher – ich brauche eher eine neue Uhr.« – »Dann müssen Sie nach Tchibo! Die haben gerade wieder Uhren im Angebot!« – »Danke für den Tipp!«, rufe ich und eile die Treppe hinab. In der U-Bahn mache ich mir folgende Notiz: Was haben meine Uhr und meine Nachbarin gemeinsam? Beide gehen nach! Die eine zehn Minuten und die andere »nach Aldi«.

Frau Jackmann geht manchmal seltsame Wege, vor allem in sprachlicher Hinsicht. Dass man zu einem Supermarkt geht und nicht *nach* einem Supermarkt, das wollte ihr bis heute nicht einleuchten. Frau Jackmann geht beharrlich *nach* Aldi und *nach* Lidl, und analog zu ihrem Sohn, der jedes Jahr zum Wintersport nach Karlsbach fährt, geht sie regelmäßig zum Winterschluss *nach* Karstadt.

Die Supermarktkette der Gebrüder Albrecht hat es nicht nur in wirtschaftlicher Hinsicht zu bundesweiter Bekanntheit gebracht – auch als linguistisches Phänomen ist Aldi zu Ruhm gelangt. Denn kein sprachlicher Zweifelsfall entzweit die Deutschen so sehr wie die Frage, ob man nun »zu Aldi« geht oder »nach Aldi«. Und jeder kennt den Witz mit dem Manta-Fahrer, der auf der Suche nach einem Supermarkt neben einem Türken bremst. »Ey, sag mal, wo geht's hier nach Aldi?«, fragt er. »*Zu* Aldi«, verbessert der Türke. Der Manta-Fahrer guckt verdutzt: »Was denn, schon nach sechs?«

»Nach« heißt es immer dann, wenn das Ziel eine Stadt, ein Land* oder eine Insel ist:

Martin zieht *nach* Straßburg.
Kreti und Pleti fliegen *nach* Mallorca.
Theo fährt *nach* Lodz.

Eine meiner Cousinen, die in Thüringen lebt, verwendet gelegentlich den Ausdruck »Ich fahr auf Polen«. Beim ersten Mal habe ich sie noch verbessert: »Du meinst, du *stehst* auf Polen.« Da lachte sie mich aus und wiederholte: »Nein, ich *fahr* auf Polen!« Irgendwann habe ich dann begriffen, dass sie nicht die Menschen, sondern das Land meinte, und dass manche Leute offenbar nicht *nach* Polen fahren, sondern *auf* Polen. Diese interessante Verwendung der Präposition »auf« hat vor allem im Ruhrgebiet zahlreiche Anhänger. In der Gelsenkirchen-Version des oben zitierten Witzes fragt der Manta-Fahrer nämlich: »Wo geht's denn hier AUF Aldi?«, denn in Gelsenkirchen geht man schließlich *auf*

* Sofern der Ländername sächlichen Geschlechts ist und ohne Artikel gebraucht wird. Männliche, weibliche und pluralische Ländernamen stehen mit der Präposition »in«: in die Schweiz, in den Irak, in die Niederlande.

Schalke. Wer *nach* Schalke geht, der kommt zweifelsfrei nicht von Gelsenkirchen »weg«, sondern von woanders her und wird sich möglicherweise verlaufen.

Doch zurück zur Standardsprache. Wenn das Ziel eine Person ist, dann wird die Präposition »zu« verlangt:

Ich fahre *zu* Henry.
Wir fliegen *zu* meinen Eltern.
Elke zieht *zu* ihrem Freund.

Firmen werden in der Grammatik genauso behandelt wie Personennamen. Meistens ist der Name eines Unternehmens ja aus einem Personennamen hervorgegangen. Für Frau Jackmann scheint es sich bei Karstadt allerdings nicht um eine Firma zu handeln, sondern eher um eine Ortschaft; denn sie geht grundsätzlich »nach Karstadt«. Nun deutet der zweite Bestandteil des Namens ja auch auf eine stadtartige Beschaffenheit hin, und Frau Jackmann beweist immer wieder, dass man sich mühelos einen ganzen Nachmittag in dieser »Stadt« aufhalten kann, ohne dass einem langweilig wird.

Mit der Unterscheidung zwischen »zu« und »nach« ist es übrigens nicht getan. Die deutsche Sprache hat noch mehr zu bieten. In einigen Gegenden geht man nicht zu oder nach, sondern »bei Aldi«, so wie man beispielsweise auch sagt: »Am Sonntag gehen wir alle wieder schön bei der Oma!« Tagtäglich kann man auf unzähligen Spielplätzen in Deutschland den Ruf »Komm bei Mutti!« hören. Nicht zu verwechseln mit »Komm bei Fuß!« – diesen Ruf gibt es natürlich auch. Und wenn die Kinder »bei Mutti« und »bei der Oma« gehen, dann gehen die Erwachsenen konsequenterweise »bei Aldi«. Im Rheinland gehen sie auch gern »bei'n Aldi« – das lässt sich noch besser sprechen. Und im

Ruhrgebiet, wo man an so manches Gesprochene gern noch ein Wörtchen dranhängt, da wird das »bei« sogar noch verdoppelt, und die Aufforderung, näher zu rücken, wird dann zu: »Komm mal lecker bei mich bei!«

Das Verwirrende an diesen »Bei«-Spielen ist, dass Fügungen wie »bei Mutti« oder »bei der Oma« nicht grundsätzlich der Standardgrammatik widersprechen. Schließlich heißt es korrekt: »Ich bin gern bei meiner Oma« oder »Bei Mutti schmeckt's am besten«. Wenn die Person mit »wo« erfragt werden kann, dann ist »bei« die richtige Präposition. Die Verben »gehen« und »kommen« führen allerdings nicht zur Frage »Wo?«, sondern zur Frage »Wohin?« und können daher vor Personen nur mit »zu« gebraucht werden.

In Süddeutschland kauft man »beim« Aldi oder »beim« Lidl. Das liegt daran, dass Namen dort prinzipiell mit Artikel gesprochen werden: der Franz, die Elisabeth, das Mariandl. Man geht vornämlich zum Alois, zum Michl und zur Christa, aber auch nachnämlich zum Hillgruber, zum Moosbauer und zum Obermayer – folglich auch zum Aldi und zum Lidl. Wer also gerade »beim« Spar war, »zum« Edeka will oder »vom« Rewe kommt, der drückt sich nicht etwa falsch aus, sondern typisch süddeutsch.

Frau Jackmann kauft nicht *bei* Aldi, auch nicht *beim* Aldi, sondern *im* Aldi. Vermutlich würde sie argumentieren, dass Aldi ein Supermarkt sei, und schließlich heiße es »im Supermarkt«, also müsse man auch »im Aldi« sagen können. »Es heißt zwar ›alles im Eimer‹, aber eben nicht ›alles im Aldi‹«, bliebe mir nur zu erwidern. Immerhin kauft Frau Jackmann nicht »inne Aldi«, das sagt man in einigen Gegenden nämlich auch, und manch einer geht sogar »nach 'm Aldi hin«.

Dass Ausländer sich angesichts solcher Probleme mit deutschen Präpositionen besonders schwertun, ist nur allzu verständlich. Die junge Generation deutscher Türken (oder türkischer Deutscher) hat in ihrem hinreißenden Jargon das Problem auf ganz einfache, klare Weise gelöst: Vor Aldi, Lidl und anderen Geschäften steht überhaupt keine Präposition mehr. Der Streit über »nach« oder »zu« ist hinfällig: »Musste noch Lidl?«, heißt es zum Beispiel voll krass, und: »Nö, ich war gerade Aldi!« Frau Jackmann findet das ganz schauderhaft: »Wer so redet, der findet doch nie im Leben eine Arbeit. Nicht mal als Packer im Aldi.«

Einen Fall gibt es freilich, in dem man »nach Aldi« sagen kann, ohne dabei die Standardgrammatik zu verletzen. Wenn es nämlich heißt: Ich geh nach Aldi noch zu Lidl.

Unsinn mit Ansage

Wer viel reist, der kann was erleben. Er bekommt viel Interessantes zu sehen – und viel Seltsames zu hören. Vor allem, wenn er mit dem Zug fährt. Lautsprecherdurchsagen der Bahn geben den Reisenden immer wieder Rätsel auf.

Schon in Köln hatte es geheißen: »Der ICE 611 von Dortmund nach München über Frankfurt, Mannheim, Stuttgart trifft in der Ankunft voraussichtlich fünf Minuten später ein.« Eine faszinierende Formulierung, dieses »trifft in der Ankunft ein«. Man findet sie zwar in keinem Wörterbuch, aber ich beschließe, sie trotzdem in meinen aktiven Wortschatz aufzunehmen. Wenn ich das nächste Mal gefragt werde, wann mit meinem Erscheinen zum Essen zu rechnen sei, so werde ich erwidern: »Ich schätze mal, ich werde pünktlich in der Ankunft eintreffen!«

Weitere zehn Minuten später trifft der Zug dann tatsächlich ein: »Auf Gleis drei erhält jetzt Einfahrt der verspätete ICE 611 nach München, die Ankunft war 13:24 Uhr.« Auch diese Formulierung hat es in sich. Man kann sagen: Die Ankunft war lang ersehnt, oder: Sie war von Tumulten begleitet – aber sie »war 13:24 Uhr«? Gemeint ist freilich die geplante (»planmäßige«) Ankunftszeit. Aber Verkürzungen gehören zum Sprachalltag, das gilt auch für Lautsprecherdurchsagen. Jeder kennt Ankündigungen im folgenden Stil: »Nächster Halt: Hähnlein-Alsbach. Bitte in Fahrtrichtung links aussteigen!« Und manch einer hat sich vielleicht schon die Frage gestellt, warum er aufgefordert wird, in Hähnlein-Alsbach auszusteigen.

»Achtung! Ein Hinweis für die Reisenden auf Bahnsteig 4: Der Regionalexpress nach Wattenscheid, planmäßige Abfahrt 14:29 Uhr, fährt heute außerplanmäßig aus Gleis 5!« Auch über diese Aussage haben sich schon viele Reisende gewundert. Autos können aus der Stadt fahren, Menschen können aus der Haut fahren – und Züge offenbar aus dem Gleis. Mir wäre es lieber, sie blieben *auf* dem Gleis. Ein Bahnexperte könnte nun gewiss erklären, dass der Zug das Gleis Nummer 5 tatsächlich verlässt, wenn er auf die Hauptstrecke fährt, und trotzdem hat das Aus-dem-Gleis-Fahren einen sonderbaren Nebenklang. Außerdem sind die Ansager bei der Bahn nicht konsequent: Wenn ein Zug bei der Abfahrt *aus* dem Gleis fährt, müsste er bei der Ankunft entsprechend *in das* Gleis fahren. Trotzdem habe ich bis heute noch keine Durchsage gehört, in der es geheißen hätte: »Ins Gleis 4 erhält jetzt Einfahrt der Eurocity 412 aus Wien.« Was ich stattdessen immer wieder höre, ist Folgendes: »Aus diesem Zug bitte alle aussteigen! Dieser Zug endet hier!« Für mich beginnt ein Zug vorne mit der Lok und endet hinten mit dem letzten Waggon. Was da im Bahnhof endet, ist die *Zugfahrt*. Aber vielleicht sehe ich das zu eng. Andererseits – würde ein Busfahrer sagen: »Dieser Bus endet hier«, wenn er die Busfahrt meint? Und welche Mutter, die ihre Kinder morgens zur Schule fährt, würde sagen: »So, meine Kleinen, da wären wir! Raus mit euch! Dieses Auto endet hier!«? Ganz betroffen macht mich auch der Hinweis: »Dieser Zug endet hier und wird ausgesetzt!« Welch ein trauriges Schicksal: von allen verlassen und ausgesetzt – wie ein Hund auf einem Autobahnrastplatz! Ein weiteres seltsames Eisenbahner-Partizip lernte ich am Lübecker Hauptbahnhof kennen. Auf meine Frage, ob der leere Zug auf Gleis 5 der Zug nach Kiel sei, erhielt ich die Antwort: »Nein, bitte nicht einsteigen, dieser Zug wird abgeräumt.« Es war aber weit und breit kein Kellner zu sehen.

Zwischen Frankfurt und Mannheim folgt die nächste Überraschung: »Unsere Weiterfahrt wird sich noch um wenige Minuten verzögern aufgrund einer Überholung.« Du lieber Schreck, denke ich, jetzt muss der Zug auf offener Strecke gewartet werden? Was ist denn passiert? Sind die Bremsen defekt? Oder ist es wegen der Klimaanlage, die den Reisenden den Restsauerstoff absaugt? Ich hätte ja auch nichts dagegen, wenn sie endlich mal was gegen dieses furchtbare Quietschen der Ziehharmonikaelemente zwischen den Waggons unternähmen – aber das muss doch nicht jetzt sein! Der kurz darauf auf dem Nebengleis dahindonnernde Zug lässt mich erahnen, dass mit »Überholung« nicht Wartung, sondern das Vorbeifahren gemeint war. Da sollte ich meine Sprachkenntnisse in Bahndeutsch dringend mal überholen, sonst werde ich irgendwann vom Irrsinn überholt und verstehe am Ende nicht einmal mehr Bahnhof!

Derart seltsame Ansagen gibt es aber nicht nur im Schienenverkehr zu hören. Auch im Luftverkehr wird mancher Unsinn verzapft. Als ich vor Kurzem nach Kärnten flog, sagte die Stewardess bei der Landung: »Willkommen in Klagenfurt!« – »Moment mal«, dachte ich, »wie geht denn das? Die ist doch die ganze Zeit mit uns geflogen, wie kann sie mich jetzt plötzlich am Ziel willkommen heißen? Und woher weiß sie, dass ich in Klagenfurt willkommen bin? Womöglich wartet da draußen ein Erschießungskommando auf mich?« Was Stewardessen offenbar nicht wissen: Man kann nur dann jemanden willkommen heißen, wenn man ihn empfängt. Das Flugpersonal kann mich an Bord willkommen heißen, weil es mich dort empfängt, aber um mich in Klagenfurt willkommen heißen zu können, hätte die Stewardess eine Maschine früher nehmen müssen. Wenigstens aber hätte sie eben das Treppchen hinuntertrippeln müssen, etwas Klagenfurter Luft einatmen und anschließend das Treppchen wieder hinauftrippeln müssen, um sich für einen Willkommensgruß zu qualifizieren. Ihre Kollegin auf dem Rückflug macht es richtig: »Meine Damen und Herren«, sagt sie nach der Landung, »wir sind soeben in Hamburg gelandet.« Willkommen heißt mich dann mein Freund Henry, der am Ausgang auf mich wartet.

Mitunter können Lautsprecherdurchsagen der Bahn ja auch ganz originell sein, so wie jene, die ich im Hamburger Hauptbahnhof hörte. Um das Gedränge vor dem Einstieg zu entspannen, sagte eine Stimme über Lautsprecher: »Bitte benutzen Sie auch die anderen Türen! Der Zug ist innen hohl!«
Die knackigste Ansage hörte ich übrigens einmal irgendwo kurz hinter Göttingen: »Meine Damen und Herren, soeben ist unsere ofenfrische Brezelverkäuferin zugestiegen!« Na, dachte ich gleich, an der würde mancher Fahrgast sicherlich gern mal knuspern.

Nein, zweimal nein

Minus mal Minus ergibt Plus, so lehrt es die Mathematik. Nein mal Nein ergibt aber längst nicht immer Ja. Deshalb wird dringend davor gewarnt, den Sinn durch doppelte Verneinungen nicht ins Gegenteil zu verdrehen.

»Ich liebe die Sprache, weil sie logisch ist!«, schwärmte mir vor Kurzem ein Linguistikstudent vor, und ich fragte mich, an welcher Universität er so etwas gelernt haben könnte. Da hätte ich nämlich auch gern studiert. Tatsache ist, dass Sprache und Logik zwei unterschiedliche Disziplinen sind. Wer Sprache ausschließlich mit logischen Kriterien zu erklären versucht, ist zum Scheitern verurteilt. (Zum Trost sei gesagt: Es scheitern auch genügend andere an ihr.) Letztens sah ich an einem Kiosk ein Schild mit der Aufschrift: »Keine Annahme von Leergut zu keiner Zeit«. Für mich war klar: Der Kioskbesitzer hat die Schnauze voll, für die Dosensammler in seinem Viertel den Pfandautomaten zu spielen. Daher verweigert er die Leergutannahme, und zwar ausnahmslos. Ein Logiker indes könnte daraus schließen, dass Leergut hier zu jeder Zeit angenommen wird.

»Nanu, heute so schick in Schale?«, wundert sich meine Nachbarin Frau Jackmann, als sie mich aus meiner Wohnung kommen sieht. »Ich muss zu einem Fernsehauftritt«, sage ich, »es geht mal wieder um die Rettung der deutschen Sprache!« – »Na, dann machen Sie mal bloß keinen falschen Fehler!«, sagt Frau Jackmann. Vor falschen Fehlern habe ich eigentlich keine Angst, eher vor echten.

Zu früheren Zeiten wurde das Prinzip der doppelten Verneinung in der deutschen Sprache noch häufig angewandt.

Als der preußische Generalleutnant Blücher 1806 in meinem ostholsteinischen Heimatdorf Ratekau vor dem französischen Marschall Bernadotte kapitulierte, schrieb er unter die Urkunde: »Ich kapithullire, weil ich kein Brot und keine Muhnitsion nicht mehr habe.« Weder die »Kapithullatsion« noch die doppelte Verneinung wurden ihm als Fehler ausgelegt, denn Blücher wurde später sogar noch zum Generalfeldmarschall befördert und in den Fürstenstand erhoben.

Heute gilt die doppelte Verneinung wenn nicht als falsch, so mindestens als komisch oder gespreizt. In vielen Dialekten aber erfreut sie sich nach wie vor großer Beliebtheit. Was dem Franzosen sein »ne ... pas«, das ist dem Bayern sein »ka ... net«. So heißt zum Beispiel »Das interessiert doch niemanden« auf Bairisch: »Dös interessiert doch ka Sau net!« Im Verneinen sind die Bayern übrigens Weltmeister, denn sie bringen es sogar auf eine fünffache Verneinung. Ein Leser berichtete mir von einer Unterhaltung mit einem bayerischen Bergbauern, der über die große Armut klagte, in der er aufgewachsen war: »Koana hot niamals net koa Geld net g'habt.« Da war also definitiv nichts zu holen gewesen.

Aber nicht nur die mehrfache Verneinung hat es in sich. Schon ein einfaches »nicht« kann uns Probleme bereiten – zum Beispiel in einem Nebensatz oder in einer Frage. Bei irgendeiner Gelegenheit frage ich meinen Freund Henry: »Du hast nicht zufällig 50 Cent klein?«, und er erwidert: »Ja!« Erwartungsvoll blicke ich ihn an, aber Henry zuckt nur mit den Schultern. »Also, was ist denn jetzt«, frage ich, »hast du nun 50 Cent oder nicht?« – »Ich habe keine 50 Cent«, erwidert Henry gelassen. »Und wieso sagst du dann erst Ja?«, schnaube ich entrüstet. »Du hast mich gefragt, ob ich NICHT zufällig 50 Cent klein habe. Was der

Zufall damit zu tun haben soll, lasse ich mal dahingestellt. Ich konnte diese Frage nur mit Ja beantworten, weil das Nicht-Haben zutrifft, da sich in meinen Taschen zurzeit keine 50-Cent-Münze befindet. Hätte ich die Frage mit Nein beantwortet, hieße das nach den Gesetzen der Logik, dass das Nicht-Haben unzutreffend ist, ich also sehr wohl 50 Cent bei mir habe. Dann hätte ich meinen besten Freund belogen!« – »Dein bester Freund wird dich irgendwann zu einem Arzt schicken müssen«, stöhne ich, »jeder normale Mensch hätte in deiner Situation mit Nein geantwortet!« – »Mag sein«, sagt Henry, »logisch gesehen hätte er aber Ja gemeint. Ich gehöre nun mal zu denen, die sagen, was sie meinen.« – »Mit Logik kommt man hier nicht weiter. Die logische Antwort mag Ja lauten, doch die gefühlte Wahrheit lautet Nein!«, erwidere ich. Henry zieht erstaunt die rechte Augenbraue hoch: »Gefühlte Wahrheit? Sind das die Kriterien eines Sprachpflegers? In einem Punkt hast du allerdings recht: Von mehr als 50 Prozent der Weltbevölkerung weiß man, dass sie, wenn sie Nein sagen, in Wahrheit Ja meinen.« – »Welche 50 Prozent meinst du?«, frage ich. Zur Erklärung spielt Henry mir ein kleines Zwei-Personen-Stück vor:

»Darf ich Sie noch auf eine Tasse Kaffee einladen?«
»Nein!«
»Mit Milch und Zucker?«
»Nein!«
»Nein mit Milch oder Nein mit Zucker?«
»Keinen Zucker, bitte!«

Trotz seines umwerfenden Charmes tut sich mein Freund Henry mit diesen besagten 50 Prozent nicht gerade leicht. Vermutlich steht ihm die Logik dabei im Wege. Seine damalige Frau geriet jedes Mal in Rage, wenn er auf ihr ent-

schuldigendes »Du bist mir doch nicht böse, oder?« mit »Ja«
antwortete, weil »nicht böse« zutreffend war.

Apropos zutreffend: Die seinerzeit überaus beliebte Quiz-
Sendung »Was bin ich?« hat nicht nur durch Robert Lembkes
Frage »Welches Schweinderl hätten S' denn gern?« dauer-
haften Ruhm erlangt. Auch eine ganz bestimmte Fragestellung des Rateteam-Mitglieds Hans Sachs ist bis heute
unvergessen: »Gehe ich recht in der Annahme, dass ...?«,
immer gefolgt von einer Negation. Zum Beispiel: »Gehe
ich recht in der Annahme, dass Sie nicht mit Tieren zu tun
haben?« Wenn der Kandidat in seinem Beruf tatsächlich
nicht mit Tieren zu tun hatte, musste er trotzdem mit »Ja«
antworten, da die Frage eine zutreffende Verneinung enthielt, die er durch ein »Nein« abgestritten hätte. Und Robert Lembke nahm es schon sehr genau mit der Antwort
seiner Gäste, denn immerhin standen nicht weniger als fünf
Mark auf dem Spiel.

In einem Reiseführer über Mexiko las ich folgenden Satz:
»Es wird dringend davor gewarnt, seinen Mietwagen über
Nacht nicht auf unbeaufsichtigten Plätzen abzustellen.«
Vorne steht »Warnung«, und hinten der Rat, was man tun
oder lassen sollte – logisch betrachtet wird also vor dem
Ratschlag gewarnt. Auch von der Verhinderung eines ge-
wünschten Ergebnisses kann man immer wieder mal lesen:
»Ein satellitengestütztes Überwachungssystem soll verhindern, dass sich die Gefangenen nicht weiter als drei Meter
vom Gebäude entfernen.« Oder: »Ein Glücksfall verhinderte, dass das Manuskript beim Brand der Bibliothek im September 2004 nicht zerstört wurde.«

In der Mittagspause ruft Henry an und fragt, ob ich die Kar-
ten fürs Heimspiel am Samstag schon besorgt habe. »Nein,

habe ich nicht«, sage ich. »Ich wollte nichts unternehmen, bevor ich nicht sicher weiß, ob Friedrich mitkommt oder nicht.« – »Worauf wartest du dann noch?«, fragt Henry. »Du weißt es doch jetzt schon nicht sicher, noch unsicherer kannst du in dieser Sache kaum werden!« In solchen Momenten begreife ich, warum seine Frau ihn rausgeworfen hat.

Die Fügung »nicht ohne« ist auch nicht ganz ohne. »Er verneigte sich und ging – nicht ohne sich nicht noch einmal nach Véronique umzudrehen.« Gnädigerweise habe ich vergessen, in welchem Roman ich diesen Satz gefunden habe. Und ich weiß bis heute nicht, ob sich der Held nun noch einmal nach Véronique umgedreht hat oder nicht. Wie lautet die Formel: Nicht + ohne + nicht = Ja? Nein, wohl kaum. Das zweite »nicht« ist überflüssig, ein verstärkendes Füllwort, wie es die gesprochene Sprache so liebt und wie es bei Puristen und Logikern verpönt ist.

Wenn man von Verneinungen spricht, die gar keine sind, dann darf natürlich auch die nicht unbedeutende Vorsilbe »un« nicht fehlen. Normalerweise besteht ihre Aufgabe darin, die Wortbedeutung ins Gegenteil zu kehren: ein Unheil bringt kein Heil, eine Unordnung ist keine Ordnung, und Unrecht widerspricht dem Recht. Demnach aber dürften Unmengen keine Mengen sein, Unsummen keine Summen, und Unkosten dürften nichts kosten. Das Präfix »un« hat bei diesen Wörtern jedoch keine verneinende, sondern eine verstärkende Funktion: besonders große Mengen, sehr hohe Summen, äußerst lästige Kosten. Für die rätselhafte »Untiefe« gibt es sogar zwei Definitionen, die einander widersprechen. Für die meisten ist eine Untiefe eine sehr tiefe Stelle im Wasser; in der Fachsprache bedeutet Untiefe jedoch genau das Gegenteil, nämlich eine nicht tiefe, also eine flache Stelle. Der Nichtschwimmer meidet Untiefen, weil er dort ertrinken könnte, und der Kapitän meidet Untiefen, weil sein Schiff dort auf Grund laufen könnte. Wie auch immer, es gibt offenbar mehrere gute Gründe, Untiefen zu meiden. Deswegen lohnt es sich nicht, einen Streit anzufangen. Henry pflegt zu sagen: »Nichts für ungut. Alles für gut!«

Es macht immer Tuut-Tuut!

Manches tut weh, anderes tut gut, dieses tut not, und jenes tut tut. Autos zum Beispiel, und Schlepper im Hafen. Und meine Tante Olga. Die macht auch immer tut. Sie tut zum Beispiel gern verreisen. Die meisten täten das sicherlich anders sagen. Aber einige können vom Tun einfach nicht lassen.

Hamburg tut gut! Und U-Bahn-Fahren tut not! Vor allem, weil Henry seit Wochen ohne Führerschein ist. Er kann ihn einfach nicht finden, sagt er. So fahren wir also mit der Bahn zum Stadion. An den Landungsbrücken steigt ein älteres Ehepaar mit einem kleinen Jungen zu: zwei Rentner, die mit ihrem Enkel eine Hafenrundfahrt gemacht haben. Der Junge hat ein Bilderbuch dabei, auf dessen Vorderseite eine quirlige Hafenszene mit vielen Schiffen und Kränen zu erkennen ist. »Die Abenteuer des kleinen Schleppers Tuut-Tuut« lautet der Titel. Immer wieder streckt der Kleine seiner Großmutter das Buch entgegen. Doch die winkt ab und sagt: »Oma tut dir nachher vorlesen, wenn wir zu Hause sind!« Im nächsten Moment schaut der Kleine aus dem Fenster und ruft begeistert: »Da, da, ein Schiff!« – »Das ist die ›Cap San Diego‹«, erklärt Oma, »ein alter Bananenfrachter. Der tut aber schon lange nicht mehr fahren.« – »Tut, tut!«, ruft der Kleine. »Ja«, sagt die Oma, »früher hat das Schiff auch getutet. Heute ist es ein Museum. Wenn du größer bist, tut der Opa das mal mit dir besichtigen!« Der Kleine strahlt und ruft wieder: »Tut, tut!« Die Oma lächelt glücklich zurück. Ich stoße Henry sanft in die Seite und sage: »Sag mal, erinnerst du dich noch an das Lied ›Mein Tuut-Tuut, es macht immer Tuut-Tuut‹ von der Gruppe Leinemann?« Henry sieht mich an: »Das hatte ich erfolgreich verdrängt! Und nun kommst du, und schon tut sich wieder ein kultureller Abgrund auf! Schäm dich!« Ich versuche, mich ein bisschen zu schämen, kann aber nichts mehr daran ändern, dass uns »Mein Tuut-Tuut« für den Rest des Tages nicht mehr aus dem Kopf geht.

Vielen anderen Menschen geht es nicht aus der Grammatik – so wie der Oma in der U-Bahn. Und meiner Tante Olga. Die »tut« hin und wieder gern ins Theater gehen, aber nur »wenn's was Leichtes geben tut«. Das kleine Verb »tun« ist eines der faszinierendsten Verben überhaupt. Was täten wir nur, wenn es »tun« nicht geben täte! »Tun«, das früher einmal »tuen« geschrieben wurde, weshalb man heute noch neben der üblichen Form »ich tu« auch »ich tue« schreiben darf, erfüllt in unserer Sprache viele verschiedene Aufgaben:

Mal bedeutet es dasselbe wie »machen«:

»Das kannst du auch alleine tun«.
»Tut mehr für eure Gesundheit!«

Mal steht es für »zufügen«:

»Der tut nichts, der will bloß spielen«.
»Was du nicht willst, dass man dir tu, das füg auch keinem andern zu«.

Dann wieder für »platzieren«, »unterbringen« oder »hinzu-fügen«:

»Du musst mehr Salz in die Suppe tun«.
»Ich weiß nicht, wo ich das hintun soll«.

Sodann für »sich verhalten« oder »ein bestimmtes Verhalten vortäuschen«:

»Nun tu doch nicht so!«
»Er tat, als ob er schliefe«.

Und schließlich kann »tun« auch »geschehen« bedeuten:

»Was tut sich bei dir so?«
»Hier tut sich einiges«.

Und wer viel »zu tun hat«, der hat jede Menge Arbeit.

Wenn man die englische Begrüßungsformel »How do you do?« Wort für Wort übersetzt, kommt »Wie tun Sie tun?« dabei heraus. Die Verwandtschaft zwischen unserem »tun« und dem englischen »to do« ist unbestreitbar. Im Englischen dient »do« vor allem als Hilfsverb bei der Verneinung (I don't understand) und bei der Fragestellung (Do you love me?). Außerdem wird es zur Betonung gebraucht (Yes, I *do* like broccoli = Doch, ich *mag* Brokkoli!) und bei der Antwort auf Ja/Nein-Fragen: »Do you know him?« – »No, I don't«; »Do you love me?« – »Yes, honey, I do«. Es ist dem sicheren Sprachgefühl des Textdichters Michael Kunze zu verdanken, dass der Abba-Titel »I do, I do, I do, I do, I do« in der deutschen Version von »Mamma Mia« mit fünfmaligem »Ich will« wiedergegeben wurde – und nicht mit »Ich tu, ich tu, ich tu, ich tu, ich tu«. Das hätte dem Musical nicht gutgetan.

Im Rheinischen passt »tun« fast immer. Es hat dort gewissermaßen die Funktion des Universalverbs übernommen. Je nach Situation kann es auch »kaufen«, »spendieren«, »servieren«, »einpacken« und »zapfen« bedeuten: »Tust du uns bitte noch zwei Kölsch?«

Auf einem Kölner Wochenmarkt bittet ein kleines Mädchen seine Mutter um ein Eis: »Mama, tust du mich ein

Eis?« Die Mutter blickt ihre Tochter streng an und sagt: »Wie heißt das richtig, Gina-Marie?« Das Kind ruft: »Tust du mich BITTE ein Eis!« Die Mutter nickt zufrieden: »So ist's recht!«, und erfüllt ihrem Töchterchen den Wunsch. Nicht weit davon entfernt hört man auf einem Fußballplatz die Spieler rufen: »Tu mich mal die Ball!«

Die Verwendung des Wortes »tun« als Hilfsverb ist in bestimmten Fällen zulässig; zum Beispiel, um das eigentliche Verb zu betonen: »Rauchen tu ich schon lange nicht mehr«, »Sterben tut jeder irgendwann einmal«. In diesen Fällen wird das Verb in seiner Grundform an den Satzanfang gestellt, beugen *tut* sich dann dafür das Verb »tun«.

Auch bei der Umgehung des Konjunktivs erweist sich »tun« als praktisch: »Ich tät dir ja helfen«, »Das tät dir so passen!«, »Wir täten gern noch was essen«. Statt »ich würde« also »ich tät«. Vor allem in süddeutschen Dialekten wird diese Hilfskonstruktion gepflegt. So sagt man im Schwäbischen zum Beispiel: »I dät gärn a Eis schlotza!« (»Ich würde gern ein Eis schlecken!«)

Wenn aber nichts betont und kein Konjunktiv umschrieben werden soll und »tun« dennoch als Hilfsverb verwendet wird, dann haben wir es mit einem umgangssprachlichen Phänomen zu tun: »Ich tu ja von Beeren am liebsten Gelee machen«, »Was tust du auch immer so spät noch Musik hören!«, »Und wo tut ihr nächstes Jahr Urlaub machen?«. Diese Masche hat zugegebenermaßen einen Vorteil: Man braucht sich nur noch die Konjugationsformen eines einzigen Verbs zu merken, nämlich die von »tun« (ich tu, du tust, er tut usw.), und spart sich das Kopfzerbrechen beispielsweise darüber, ob es nun »Der Bäcker buk das Brot« oder »Der Bäcker backte das Brot« heißen muss. Man tut ganz einfach sagen: »Der Bäcker tat das Brot backen«, und damit ist es dann getan.

Die Neigung zur Simplifizierung der Grammatik manifestiert sich hier erstaunlicherweise nicht im Lassen, sondern im Tun. Genauer gesagt in der unsachgemäßen Verwendung des Wortes »tun« als Hilfsverb, ein in Deutschland zwar weitverbreiteter, aber nicht gerade eleganter Vorgang. Die Deutschen lieben die Tuterei und das Täterä, das war schon immer so, und wer eben gern so sprechen tut, der möge es in Gottes Namen tun, ich tät es zwar anders machen, aber das tut hier nichts zur Sache.

Das Spiel endet in einer schmerzlichen Niederlage. Wir wollen so schnell wie möglich nach Hause und teilen uns ein Taxi. Der Fahrer ist schlecht gelaunt, flucht an jeder roten Ampel und drückt ständig auf die Hupe: »Tut der Kerl pennen oder was?«, schimpft er laut. Und: »Ich fass es ja wohl nicht, jetzt tut der auch noch falsch abbiegen!« Ich drehe mich zu Henry und fange leise an zu singen: »Es macht immer Tuut-Tuut«. Henry blickt mich finster an: »Tu mir einen Gefallen und halt den Mund!« – »Okay, schon gut«, sage ich, »ich tu einfach so, als tät ich gar nichts tun!«

Der antastbare Name

Unsere Namen sind uns heilig; jeder legt Wert darauf, dass sein Name richtig geschrieben und in seinem Sinne ausgesprochen wird. Doch die Annahme, dass Namen unveränderlich seien, ist falsch. Auch für sie gelten die Regeln unserer Grammatik.

Ein fälschlicherweise mit »ai« geschriebener Meier oder ein mit »tz« buchstabierter Schulze kann die Betroffenen in Rage bringen. Manch einer fühlt sich geradezu beleidigt, wenn er seinen Namen falsch geschrieben sieht. Das ist nur allzu verständlich – der Name gehört schließlich zu uns wie die Nase im Gesicht. Mit seinem Namen identifiziert sich der Mensch, auch wenn er ihn nicht besonders leiden kann und sich selbst einen ganz anderen Namen ausgesucht hätte.

Und weil uns Namen heilig sind, haben viele von uns eine Scheu, die Schreibweise eines Namens zu verändern, wenn die Grammatik es erfordert. Berühmtestes Beispiel ist der Genitiv. Der zweite Fall macht Christa zu »Christas« und Auermann zu »Auermanns«. Ein ganz natürlicher Vorgang – eigentlich. Zahlreichen Geschäftsinhabern und Gaststättenbetreibern bereitet er jedoch beträchtliches Unbehagen. »Ich schreibe mich doch aber nicht mit s am Ende!«, denkt Christa. Und Auermann denkt: »Ich heiße doch nicht Auermanns!« Zum Glück gibt es ja den Apostroph, das ist Christa's Rettung. Und Herrn Auermann's auch. Wäre ja auch schlimm, wenn man dem Namen einfach so ein »s« anhängen müsste. Wo kämen wir da hin? Wie sähe das denn aus?

Inzwischen darf der Genitiv-Apostroph zur Verdeutlichung des Namens sein Unwesen sogar mit offizieller Billigung von Duden und Rechtschreibkommission treiben.

Und weil für viele Menschen ein »s« so schön wie das andere ist, hat der Apostrophenwahn inzwischen auch den Plural erwischt. Bei immer mehr Menschen stehen folglich nicht mehr die Schmidts vor der Tür, wenn Schmidts klingeln, sondern »die Schmidt's«.

Die Vorstellung, dass Namen nicht angetastet, sprich: orthografisch verändert werden dürften, ist tief im deutschen Bewusstsein verankert. Schade eigentlich, denn diese Vorstellung ist falsch. Auch für den Umgang mit Namen gibt es Rechtschreibregeln. Die sind im Zuge der Reform zwar gelockert worden, sodass die Grimmschen Märchen jetzt auch als Grimm'sche Märchen zu haben sind und ein goethekundiger Mensch sich auch als Goethe-kundig bezeichnen darf, aber die Annahme, ein Name sei unveränderlich, ist genauso falsch wie die Annahme, zwischen Vor- und Nachname dürfe niemals ein Bindestrich stehen.

Viele Kommunen stecken bekanntlich in Geldschwierigkeiten. Daher wird an allen Ecken und Enden gespart. Genauer gesagt an allen Straßen und Plätzen; und zwar nicht nur am Belag und an der Begrünung, sondern auch an Bindestrichen. Dieser Eindruck entsteht, wenn man mal wieder irgendwo auf einem Willy-Brandt-Platz steht und auf dem Straßenschild nur »Willy Brandt-Platz« liest. Auch dem »Heinrich Hertz-Ring« und der »Richard Wagner-Straße« ist das verbindende Zeichen abhandengekommen.
Viele Menschen glauben offenbar, der Freiraum zwischen dem Vornamen und dem Nachnamen sei eine Tabuzone, innerhalb deren man keine (ortho-)grafische Veränderung vornehmen dürfe. Das ist ein Irrtum. Die Regeln sind in diesem Fall eindeutig: Namen von Straßen, Gebäuden und Institutionen, die aus drei und mehr Teilen zusammengesetzt sind, werden durchgekoppelt. Also Willy-Brandt-

Platz, nicht Willy Brandt-Platz (und natürlich erst recht nicht Willy Brandt Platz). Es handelt sich ja nicht um einen Brandt-Platz, vor dem sich irgendein Willy herumtreibt, sondern um einen Platz, der nach Willy Brandt benannt wurde. Der Vorname gehört genauso zum Platz wie der Nachname.

Diese im Grunde doch ganz simple Erkenntnis will aber längst nicht jedem einleuchten. Selbst Universitäten tun sich damit schwer. Die hochangesehene Humboldt-Universität in Berlin hat bei der Benennung ihrer Gebäude auf den sinnstiftenden Bindestrich verzichtet. So findet man in Berlin-Adlershof das »Johann von Neumann-Haus« und das »Erwin Schrödinger-Zentrum«.

Mitunter sehen derlei halbherzige Zusammensetzungen eher wie Doppelnamen aus. Würden Sie Ihre Hand dafür ins Feuer legen, dass es sich bei »Bettina von Rath-Halle« und »Dominik Grünwald-Saal« wirklich um Veranstaltungsräume und nicht einfach um Personen mit einem Doppelnamen handelt? Wird der Name durchgekoppelt, ist jede Verwechslungsgefahr ausgeschlossen: Eine »Bettina-von-Rath-Halle« kann keine Person, sondern nur eine Halle sein.

Die ARD ist auch als »Das Erste« bekannt. Dennoch mutet es seltsam an, wenn eine Ansagerin verkündet: »Und morgen sehen Sie in Das Erste ...« Dass man den Namen auch beugen kann, ohne ihm die Individualität und den Reiz zu nehmen, beweist das Zweite. Denn das ZDF wirbt seit einiger Zeit mit dem doppelsinnigen Spruch: »Mit dem Zweiten sieht man besser«, womit einerseits das zweite Auge, andererseits das zweite Programm gemeint ist. Dieser Slogan wäre überhaupt nicht mehr doppelsinnig, sondern nur noch hirnrissig, wenn er hieße: »Mit Das Zweite sieht man besser«. Wie erfreulich doch, dass man sich beim Zweiten da nicht stur gestellt hat.

Das größte Brimborium wird mit Markennamen veranstaltet. Im Frühjahr 2005 wirkte ich bei einer Plakatkampagne des Vereins Deutsche Sprache (VDS) mit, der mir kurz zuvor die Ehrenmitgliedschaft angetragen hatte. Der VDS hatte mich um ein Foto und um einen Spruch zum Thema deutsche Sprache gebeten. Ich schlug diesen vor: »Unsere Sprache ist wie eine prall gefüllte Tonne bunter Lego-Steine, die sich immer wieder anders zusammensetzen lassen. Das macht sie so reich und uns alle zu Erfindern.« Der Spruch gefiel dem VDS, und voller Eifer machte man sich an die Gestaltung des Plakats. Um sicherzugehen, dass die Firma Lego gegen die Verwendung ihres Namens keine Einwände hatte, fragte der VDS höflich in der Firmenzentrale nach. Der zuständige Sachbearbeiter, vermutlich ein Jurist, erteilte die Erlaubnis – unter folgenden Bedingungen: Erstens müsse der Name Lego mit einem ®-Zeichen markiert sein, zweitens müsse er in Versalien geschrieben werden, und drittens müsse er isoliert stehen, zwischen dem Wort Lego und dem Wort Steine dürfe kein Bindestrich stehen.
Die erste Bedingung hätte der VDS noch akzeptiert. Die zweite verursachte den Verantwortlichen schon Bauchschmerzen: Lego in Großbuchstaben? Der Name war ja Teil eines Zitats, und innerhalb eines Zitats gelten die Regeln der deutschen Rechtschreibung. Denen zufolge werden nur Abkürzungen und Abkürzungswörter in Versalien geschrieben und auch nur solche, die man nicht wie ein Wort sprechen kann, sondern durchbuchstabiert. Die Firma KPMG zum Beispiel wird auch innerhalb eines Fließtextes in Großbuchstaben geschrieben, da man jeden Buchstaben gesondert spricht. Die Organisationen Nato, Uno, Esa und Unicef hingegen werden wie normale Wörter geschrieben, also lediglich mit großem Anfangsbuchstaben, da sie auch wie normale Wörter gesprochen werden. Wir sagen ja nicht En-A-Te-O oder U-En-O. Schriebe man Lego in Versalien,

müsste man es El-E-Ge-O aussprechen, also Buchstaben für Buchstaben, so wie bei USA und DDR, bei SPD und CDU, bei AGB und DBDDHKP...

Die dritte Bedingung, die die Firma L-E-G-O stellte, ließ sich am allerwenigsten mit den Grundsätzen des VDS vereinbaren: Der Verzicht auf den Bindestrich zum nachfolgenden Wort »Steine« hätte einen klaren Verstoß gegen die Regeln der deutschen Orthografie bedeutet. Bei dem Wort »Lego-Steine« handelt es sich um eine Zusammensetzung, und Zusammensetzungen werden im Deutschen entweder zusammengeschrieben oder gekoppelt. Dass ihre Bestandteile unverbunden nebeneinanderstehen, so wie im Englischen oft der Fall, sieht die deutsche Rechtschreibung nicht vor.

Selbstverständlich darf sich die Firma Lego in ihren eigenen Pressemitteilungen, auf ihren Packungen und in ihren Katalogen schreiben, wie es ihr beliebt. Aber sie darf von anderen nicht verlangen, die Regeln der deutschen Rechtschreibung zu missachten. Schon gar nicht vom Verein Deutsche Sprache. Und da die Firma Lego nicht bereit war, von ihren Forderungen abzurücken, entschlossen wir uns, das Zitat abzuändern und Lego kurzerhand rauszustreichen. »Wie ein Haus aus Steckbausteinen lässt sich unsere Sprache immer wieder neu zusammensetzen. Das macht sie so reich und uns alle zu Architekten.« Das haben die bei El-E-Ge-O nun davon.

Im Frühjahr 2005 zeigte der »Spiegel« alle Titelseiten, die im Laufe der 55-jährigen Geschichte des Magazins entstanden waren, in einer Ausstellung, die den Titel trug: »Die Kunst des SPIEGEL«. Noch schmerzhafter als die Unsitte, das Genitiv-s zu apostrophieren, ist die Praxis, es gänzlich zu unterschlagen. Denn das brennt nicht nur in den Augen, sondern kribbelt auch noch unangenehm in den Ohren. Der Duden stellt fest, dass das Weglassen der Genitivendung bei Eigennamen inzwischen zwar weit verbreitete Praxis sei, aber nach wie vor unkorrekt. Richtig sei »der Chefredakteur des ›Spiegels‹«, auch wenn der »Spiegel« selbst dies anders handhabe. Wann immer ich an einem Plakat vorbeikam, das auf die »Kunst des SPIEGEL« hinwies, zischte ich es wie eine Schlange an: »Sss! Des SPIEGELS!« Da ich bei der Ausstellungseröffnung vermutlich in einen Zisch-Krampf verfallen wäre, bin ich gar nicht erst hingegangen. »Die Kunst des SPIEGEL« fand ohne Genitiv-s statt – und ohne mich.

Eigennamen sind nicht unantastbar. Als Teil eines Satzes oder einer Wortgruppe werden sie zu Hauptwörtern und haben ein Recht darauf, als solche behandelt zu werden. So weit diese **BASTIAN SICK® Kolumne**.

Hallo, Fräulein!

Wie macht man in einem Lokal auf sich aufmerksam? Hallo, Sie, dürfte ich wohl … Entschuldigung! Haaallo, ich würde gern … Sie, hallo, könnten Sie bitte … Das gute alte Fräulein ist uns abhanden-gekommen, und bis heute haben wir keinen passenden Ersatz ge-funden!

In Restaurants kann man sie täglich beobachten: Herren bei der Lokalgymnastik. Erst drehen und wenden sie den Hals, dann recken sie in einem bestimmten Moment den Arm in die Luft und führen hektische Winkbewegungen aus – mal nur mit der Hand, mal mit dem ganzen Arm. In besonders engagierten Fällen auch mit beiden Armen. Manche erhe-ben sich dazu sogar vom Stuhl. Der Zweck dieser Übung ist, die Aufmerksamkeit der Kellnerin zu erregen, die wie verhext ausgerechnet immer dann in eine andere Richtung schaut, wenn man gerade etwas bestellen will oder zu zah-len wünscht. Dazu rufen die Herren »Hallo!« oder »Ent-schuldigung!«, zunächst noch dezent, bald schon lauter, nach mehreren gescheiterten Versuchen fast verzweifelt.

Mein Freund Henry hat das nicht nötig. Er ruft in freundli-chem Ton laut und vernehmlich »Fräulein!« durchs Lokal, und jeder dreht sich um, einschließlich der Bedienung. Für meinen Hinweis, dass »Fräulein« heute nicht mehr ange-bracht sei, hat Henry nur ein Schulterzucken übrig: »Aber ›Fräulein‹ wirkt! Und bisher hat sich noch keine der ange-sprochenen Damen bei mir beschwert.« – »Bis dir so ein ›Fräulein‹ irgendwann mal – ganz aus Versehen natürlich – ein volles Kännchen Kaffee über die Hose gießt!« – »Die Emanzipation der Frau mag uns das ›Fräulein‹ ausgeredet haben, aber sie hat uns keinen Ersatz geboten. Das war ein

Fehler. Nun sind wir zum Hallo-Rufen und zum Entschuldigung-Stammeln verurteilt. Damit gebe ich mich nicht zufrieden. Warum sollte ich jede Kellnerin um Entschuldigung bitten? Ich habe schließlich nichts Schlimmes getan. Ich will doch nur etwas bestellen.«

In einem hat Henry recht, die Streichung des Wortes ›Fräulein‹ von der Liste der gesellschaftlich akzeptierten Wörter geschah ersatzlos. Die Anrede »junge Frau« ist nicht schicklicher, erst recht nicht, wenn man erkennen muss, dass die vermeintlich junge Frau bereits kurz vor der Rente steht. Die Anrede »Frau Oberin« wäre zwar konsequent emanzipatorisch, würde aber zu Missverständnissen führen, gerade in Städten mit einem Nonnenkloster. Es ist ein Kreuz: Das Fräulein ist futsch! Und damit nicht genug: Auch »mein Herr« und »meine Dame« sind verloren gegangen – was das Deutsche im Vergleich mit anderen Sprachen deutlich schwächer dastehen lässt. In Frankreich begrüßt man einander mit »Bonjour Madame« oder »Bonjour Monsieur«, und es macht gar nichts, wenn man vergessen hat, wie der andere heißt. Die Frau und der Herr im Deutschen kommen indes nicht ohne Namen aus; eine mit »Guten Tag, Herr ...« begonnene Begrüßung zwingt uns stets zur Nennung des Namens – und bringt uns dadurch bisweilen in peinliche Situationen. Auch das französische Fräulein gibt es noch, und keinem Franzosen käme es in den Sinn, das Wort »Mademoiselle« abzuschaffen, auch nicht den Mademoiselles selbst, die empfinden es nämlich geradezu als beleidigend, wenn sie mit »Madame« angesprochen werden: »Mon Dieu, sehe ich etwa so verheiratet aus?«

In einer beneidenswerten Situation befinden sich auch die britischen Kellner und Verkäufer, die mich als Kunden formvollendet mit »May I help you, Sir?« anreden können.

Der gesellschaftliche Fortschritt hat uns Deutsche um die Möglichkeit gebracht, mit einem charmanten »Was kann ich für Sie tun, meine Dame« oder einem höflichen »Guten Abend, mein Herr« eine formvollendete Konversation zu beginnen, und sei es nur zum Zwecke eines Schuhverkaufs.

Mein alter Freund Peter hat sich in wirtschaftlich schwierigen Zeiten unter anderem als Bratpfannenverkäufer bei Hertie durchgeschlagen. Um die Kundinnen an seinen Stand zu locken, sprach er sie beherzt mit »Madame« an – was weder in unsere Zeit noch nach Hamburg passte. Aber es passte zu Peter – und zu den Damen, die bei Hertie einkaufen gingen. Und so kamen die »Madamms« an Peters Stand, bestaunten seine angeblich unverwüstlichen Kochgerätschaften und ließen sich von ihm einwickeln. Als Verkäufer, vor allem aber als Überredungskünstler hatte Peter ordentlich was auf der Pfanne.

Henry meint, die jungen Frauen nähmen heutzutage an der Anrede ›Fräulein‹ keinen Anstoß mehr: »Die finden das eher schon witzig!« Als die Kellnerin zum Kassieren an unseren Tisch kommt, frage ich sie, wie sie im Dienst am liebsten gerufen wird. »Empfinden Sie es als beleidigend, wenn jemand Sie mit ›Fräulein‹ anspricht?« Sie schüttelt den Kopf: »Wenn man in der Gastronomie arbeitet, wird ›Hallo‹ zwangsläufig zum zweiten Vornamen. Ich hasse ›Hallo‹! Da ist mir ›Fräulein‹ noch lieber!«

Das männliche Pendant zum Fräulein hat die Emanzipation unbeschadet überstanden: »Junger Mann, was darf's sein?« – »Kein Problem, junger Mann, kommt sofort!« So wurde ich jahrelang ganz selbstverständlich angesprochen. Inzwischen höre ich den »jungen Mann« zwar seltener, was aber nicht heißt, dass er aus der Mode gerät. Eher bin ich es, der langsam seinen Schmelz verliert. Manchmal allerdings wirkt er noch. Bei meinem nächsten Lokalbesuch stelle ich meine Frage erneut – diesmal einer männlichen Servierkraft. »Wie werden Sie am liebsten gerufen? Herr Ober? Junger Mann? Bedienung? Hallo? Entschuldigen Sie?« Der Kellner lächelt mich an und sagt: »Mario!«

An was erkennt man schlechten Stil?

Auf was kommt es beim Sprechen besonders an? Über was sollte man sich mehr Gedanken machen? Und gegen was sollte man sich wehren? Das sind Fragen, die es in sich haben! Menschliches Sagen und Ver-Sagen spielt dabei eine entscheidende Rolle.

Der junge Mann vom Radiosender wirkt reichlich nervös. Es sei sein erstes Interview, verrät er mir, und das ausgerechnet mit einem Experten für die deutsche Sprache! »Keine Angst, ich beiße nicht!«, versuche ich ihn zu beruhigen, »fangen Sie einfach an!« Der junge Mann drückt auf die Aufnahmetaste seines Diktiergeräts, hält mir das Mikrofon vor die Nase und fragt: »Erzählen Sie unseren Hörern doch bitte, durch was Sie zum Schreiben gekommen sind.« – »Durch meine Arbeit als Schlussredakteur«, erwidere ich, »ich habe zunächst einige Jahre die Texte meiner Kollegen korrigiert. Dabei habe ich so die eine oder andere Beobachtung gemacht, die ich später in meinen Kolumnen verarbeitet habe.« – »Verstehe«, sagt der Radioreporter und kommt gleich zur nächsten Frage: »Bei was zucken Sie denn am häufigsten zusammen?«

»Sie wollen wissen, *wobei* ich besonders häufig zusammenzucke?« Der junge Mann nickt: »Genau! Über was regen Sie sich am meisten auf?« – »*Aufregen* ist vielleicht nicht das richtige Wort. *Auffallen* trifft es eher. Es gibt immer wieder Dinge, die mir auffallen, weil sie gegen meine Sprachgewohnheiten verstoßen. Ich beobachte, höre, lese, notiere – und irgendwann fange ich an, darüber zu schreiben.« – »Mit was beschäftigen Sie sich im Moment?«, fragt der Radioreporter weiter. »Mit nichts Konkretem. Aber gerade kommt mir der Gedanke, eine Geschichte über Pronominaladverbien zu schreiben.« – »Um was handelt es sich dabei genau?« – »Pronominaladverbien werden auf Deutsch Umstandsfürwörter genannt; das sind kleine nützliche Platzhalter, die eine Fügung aus Präposition und Pronomen ersetzen. Ein Beispiel: Die Antwort auf die Frage ›Liegt es am Wetter?‹ könnte lauten: ›Ja, es liegt an ihm‹. Üblicherweise drückt man es aber kürzer aus: ›Ja, es liegt daran‹ oder ›Ja, daran liegt es‹. Das Wort ›daran‹ ist so ein Umstandsfürwort. Es ersetzt die beiden Wörter ›an ihm‹. Diese Pronominaladverbien sind sehr praktisch – leider geraten sie an einigen Stellen aus der Mode, gerade die mit ›wo‹ gebildeten.« – »Und an was liegt das Ihrer Meinung nach?« – »An falschen Vorbildern. Zum Beispiel daran, dass viele Radiosender keinen Wert auf grammatische Feinheiten legen und sich der Umgangssprache bedienen, um frisch und jung zu wirken.« Der Reporter spricht das Schlusswort: »Dann bekommen wir in Ihrer Kolumne also demnächst was über ... prominente Verben zu lesen. Da freue ich mich schon drauf. Vielen Dank für dieses Gespräch!«

Auch ich bin voll des Dankes für das Gespräch, liefert es mir doch gleich ein halbes Dutzend Beispiele für den Rückgang der mit »wo« gebildeten Umstandsfürwörter. Möglicherweise werden diese Umstandsfürwörter von vielen eher als *umständliche Fürwörter* empfunden, das würde ihr Verschwinden aus der Alltagssprache erklären; dennoch gelten »woran«, »womit« und »wofür« nach wie vor als die bessere Wahl; die Formen »an was«, »mit was« und »für was« sind umgangssprachlich und sollten in Aufsätzen und Briefen ebenso vermieden werden wie in Fernsehsendungen und Radiobeiträgen.

Im norddeutschen Raum lässt sich eine starke Tendenz zum Auseinanderreißen der Pronominaladverbien feststellen.

Statt »Dagegen habe ich nichts« sagt mancher Hamburger gern: »Da habe ich nichts gegen!« Wenn man sich in Schleswig-Holstein einer Sache absolut sicher ist, dann sagt man nicht »Darauf kannst du Gift nehmen«, sondern »Da kannst du Gift drauf nehmen!«. Wobei »drauf« ja die verkürzte Form von »darauf« ist – die Präposition »da« also überflüssigerweise verdoppelt wurde. Und wenn man keine Ahnung hat, sagt man: »Da weiß ich nix von.«

Besonders kurios ist die norddeutsche Erwiderung auf das Wort »danke«. So wie der Franzose ein »merci« mit »de rien« (»für nichts«) erwidert und ein Spanier auf ein »gracias« mit »de nada« zu antworten pflegt, so erwidert der Norddeutsche ein »danke« mit den Worten: »Da nich' für!« – kurz für »Dafür brauchst du mir nicht zu danken«. Wer von weiter südlich kommt, findet das meistens recht seltsam. Da nimmt ein Hesse genauso Anstoß dran wie ein Bayer. Und so vermerkt denn auch der Duden, dass die Trennung der Pronominaladverbien umgangssprachlich und vor allem in Norddeutschland anzutreffen sei.

Die Neigung, das vorangestellte »wo« durch ein nachgestelltes »was« zu ersetzen, ist allerdings nicht nur im Norden vorhanden. »Von was ernähren sich Erdmännchen?«, fragt man sich auch andernorts, und wenn wieder einmal irgendwo demonstriert wird, stellt man sich nicht nur im Norden die Frage: »Gegen was demonstrieren die denn nun schon wieder?« Nach dem Tod des Palästinenserführers Jassir Arafat schrieb eine Internetzeitung prompt: »An was starb Arafat?«

Wer wissen möchte, woran es gutem Stil bisweilen gebricht und womit man seinen Ausdruck aufwerten kann, der werfe ein Auge auf nachstehende Tabelle: Sie enthält sämtliche »was«- und »wo«-Formen, die unsere Sprache kennt.

An was oder woran?	
Umgangssprachliche Form	**Standardsprachliche Form**
an was	woran
auf was	worauf
aus was	woraus
bei was	wobei
durch was	wodurch
für was	wofür
gegen was	wogegen
hinter was	wohinter
in was	worin
mit was	womit
nach was	wonach
neben was	woneben
über was	worüber
um was	worum
unter was	worunter
von was	wovon
vor was	wovor
zu was	wozu
zwischen was	wozwischen

Ich habe Vertrag

Fußball ist nicht nur »ding«, nein, es ist bedeutend mehr, es ist »ding, dang, dong«. So sprach einmal ein großer Trainer. Fußball und Sprache gehören zusammen wie Ernie und Bert, wie Dick und Doof, wie Erkan und Stefan. Das Deutsch der Spieler und Experten ist oft seltsam, manchmal aber auch sehr komisch.

Fußballer-Zitate sind legendär. Man denke nur an die Worte des Österreichers Andreas Herzog, der auf die Frage, ob er Oliver Kahn wegen eines mehrere Jahre zurückliegenden körperlichen Angriffs noch böse sei, erwiderte: »Nein, da ist ja inzwischen Schnee über die Sache gewachsen.«

Einige Sportsfreunde haben sich die Mühe gemacht, die besten Zitate zu sammeln und in Büchern oder auf Internet-Seiten zu präsentieren. Eine wahrhaft verdienstvolle Mühe. Denn wenn man mal einen schlechten Tag hat, braucht man nur auf eine Seite wie blutgraetsche.de zu schauen und sich die neuesten Sprüche durchzulesen, schon lacht man wieder. Zum Beispiel über diese Feststellung von Andreas Möller: »Speziell in der zweiten Halbzeit haben wir einen guten Tag erwischt.«

Dabei sind Fußballer ganz normale Menschen. Menschen wie du und ich. Menschen mit ganz alltäglichen Problemen. Sie tun sich schwer mit Fremdwörtern (Lothar Matthäus: »Wir sind eine gut intrigierte Truppe«), haben ihre Not mit dem Komparativ (Erik Meijer: »Es ist nichts scheißer als Platz zwei«), mit verdrehten Redewendungen (Fabrizio Hayer: »Ich weiß auch nicht, wo bei uns der Wurm hängt«), mit Zahlen (Thorsten Legat: »Unsere Chancen stehen 70:50«), mit der Geografie (Andreas Möller: »Mailand oder

Madrid – Hauptsache Italien!«) und natürlich auch mit Frauen (Lothar Matthäus in einem »Playboy«-Interview: »Die Frauen haben sich entwickelt in den letzten Jahren. Sie stehen nicht mehr zufrieden am Herd, waschen Wäsche und passen aufs Kind auf. Männer müssen das akzeptieren«). Und manchmal sind Fußballspieler von einer geradezu rührenden Ehrlichkeit, so wie Fredi Bobic: »Man darf jetzt nicht alles so schlecht reden, wie es war.«

Eine unter Fußballspielern sehr beliebte Formulierung lautet »Ich habe Vertrag«, zum Beispiel in einer Äußerung wie »Ich habe Vertrag bis 2007«. Viele Zuhörer wundern sich darüber und fragen sich, ob es nicht heißen müsse »Ich habe einen Vertrag« oder »Mein Vertrag läuft bis 2007«. Kann man das Wort »Vertrag« ohne Artikel gebrauchen? So etwas geht eigentlich nur bei unzählbaren Hauptwörtern: »Ich habe Zeit«, »Ich habe Urlaub«, »Ich habe Hunger« oder »Ich habe Vorfahrt«. Verträge aber kann man zählen, daher sind sie in der Einzahl nur mit Artikel zu haben. Vielleicht empfinden manche Spieler den Umstand, in vertraglicher Verpflichtung zu stehen, als derart bedrückend, dass sie »Vertrag« mit einer Krankheit gleichsetzen: »Mein Vater hat Asthma, meine Mutter hat Rheuma, und ich habe Vertrag.« (Dazu passt ein Zitat von Mario Basler: »Ich grüße meine Mama, meinen Papa und ganz besonders meine Eltern.«)

Fußball lebt aber nicht nur von den großen Worten der Spieler allein. Auch die Sportreporter tragen immer wieder zum Amüsement bei. Die sind ja im Grunde verhinderte Kriegsberichterstatter, und entsprechend martialisch ist ihr Vokabular. Das war früher noch schlimmer als heute, da »brannte es« regelmäßig im Strafraum »lichterloh«. Doch auch heute wird der Kriegsvergleich bisweilen noch überstrapaziert, so wie in diesem Beispiel von stern.de: »In dem

Match gegen Manchester United erlitt die Mannschaft die Mutter aller Niederlagen. Zwei Gegentore in der Nachkriegszeit vermasselten den sicher geglaubten Sieg.«

Da wird der Ball – liebevoll immer wieder »das Leder« genannt – auch schon mal ins gegnerische Tor »gemacht«: »Zapp, zapp – Italien macht den Ball ins Tor!« (Überschrift auf welt.de). Sportreporter sind aber nicht nur Kriegsberichterstatter, nein, im Grunde ihres Herzens sind sie Dichter. So gibt es immer wieder Fälle, in denen Kommentatoren versuchen, poetisch zu werden, und ihre Sprache mit Bildern schmücken. Diese Bilder hängen allerdings manchmal so schief, dass Loriot seine helle Freude dran gehabt hätte: »Die deutsche Nationalmannschaft hat in den letzten Minuten die Zündschnur in Richtung Publikum gelegt« (Gerd Rubenbauer). Auf »Spiegel Online« schwärmte ein Redakteur einmal: »Seine Spieler lagen dort bereits alle auf einem Haufen, den sie aus überbordenden Glücksgefühlen planlos gebildet hatten.«
Und natürlich müssen Sportreporter ständig übersetzen: das Geschehen auf dem Spielfeld in verständliche Sätze, ausländische Begriffe ins Deutsche. Unvergessen ist Heribert Faßbenders Übersetzungsleistung bei der vorletzten WM: »Und jetzt skandieren die Fans wieder: ›Türkiye! Türkiye!‹, was so viel heißt wie ›Türkei! Türkei!‹«

Im Umgang mit der Sprache sind die Medien oft nicht besser als die Fußballprofis, und wie schon Bruno Labbadia feststellte: »Das wird alles von den Medien hochsterilisiert.« Damit genug der Lästereien. Um es mit den Worten des berühmtesten Aphoristikers des Sports zu sagen: Ich habe fertig!

»Fußball ist inzwischen Nummer eins in Frankreich. Handball übrigens auch.« (Heribert Faßbender)

»Ich glaube, dass der Tabellenerste jederzeit den Spitzenreiter schlagen kann.« (Berti Vogts)

»Die Schweden sind keine Holländer – das hat man ganz genau gesehen.« (Franz Beckenbauer)

»Das habe ich ihm dann auch verbal gesagt.« (Mario Basler)

»Wir werden nur noch Einzelgespräche führen, damit sich keiner verletzt.« (Frank Pagelsdorf)

»Der Jürgen Klinsmann und ich, wir sind ein gutes Trio.« (Fritz Walter jun.)

»Ich bin körperlich und physisch topfit.« (Thomas Häßler)

»Auch größenmäßig ist es der größte Nachteil, dass die Torhüter in Japan nicht die allergrößten sind.« (Klaus Lufen)

»Wenn man ihn jetzt ins kalte Wasser schmeißt, könnte er sich die Finger verbrennen.« (Gerhard Delling)

»Ja, Statistiken. Aber welche Statistik stimmt schon? Nach der Statistik ist jeder vierte Mensch ein Chinese, aber hier spielt kein Chinese mit.« (Werner Hansch)

»Jede Seite hat zwei Medaillen.« (Mario Basler)

»Es ist schon an der Grenze zum Genuss, den Koreanern zuzusehen.« (Johannes B. Kerner)

»Ich habe nur immer meine Finger in Wunden gelegt, die sonst unter den Tisch gekehrt worden wären.« (Paul Breitner)

»Je länger das Spiel dauert, desto weniger Zeit bleibt.« (Marcel Reif)

»Wenn wir hier nicht gewinnen, dann treten wir ihnen wenigstens den Rasen kaputt.« (Rolf Rüssmann)

»Halten Sie die Luft an, und vergessen Sie das Atmen nicht.« (Johannes B. Kerner)

»Wir wollten in Bremen kein Gegentor kassieren. Das hat auch bis zum Gegentor ganz gut geklappt.« (Thomas Häßler)

»Da geht er durch die Beine, knapp an den Beinen vorbei, durch die Arme!« (Gerhard Delling)

»Es steht im Augenblick 1:1. Aber es hätte auch umgekehrt lauten können.« (Heribert Faßbender)

»Was nützt die schönste Viererkette, wenn sie anderweitig unterwegs ist.« (Johannes B. Kerner)

»Was Sie hier sehen, ist möglicherweise die Antizipierung für das, was später kommt.« (Wilfried Mohren)

»Man kennt das doch: Der Trainer kann noch so viel warnen, aber im Kopf jedes Spielers sind zehn Prozent weniger vorhanden, und bei elf Mann sind das schon 110 Prozent.« (Werner Hansch)

»Mein Problem ist, dass ich sehr selbstkritisch bin, auch mir selbst gegenüber.« (Andreas Möller)

»Die haben den Blick für die Orte, wo man sich die Seele hängen und baumeln lassen kann.« (Gerhard Delling)

»Ich hoffe, dass die deutsche Mannschaft auch in der 2. Halbzeit eine runde Leistung zeigt, das würde die Leistung abrunden.« (Günter Netzer)

»Sie sollen nicht glauben, dass sie Brasilianer sind, nur weil sie aus Brasilien kommen.« (Paul Breitner)

»Die Luft, die nie drin war, ist raus aus dem Spiel.« (Gerhard Delling)

»Wer hinten so offen ist, kann nicht ganz dicht sein.« (Werner Hansch)

»Ich bleibe auf jeden Fall wahrscheinlich beim KSC.« (Sean Dundee)

»Da haben Spieler auf dem Platz gestanden, gestandene Spieler.« (Günter Netzer)

»Da geht er, ein großer Spieler. Ein Mann wie Steffi Graf.« (Jörg Dahlmann)

»Da kam dann das Elfmeterschießen. Wir hatten alle die Hosen voll, nur bei mir lief's ganz flüssig.« (Paul Breitner)

Deutsch strikes back!

Begriffe wie Feedback und Flatrate, Blockbuster und Ranking, Lifestyle und Standing sind heute fast schon selbstverständlich. Aber brauchen wir sie wirklich? Für die meisten Dinge gibt es schließlich ein ebenso gutes deutsches Wort. Man muss nur danach suchen. Und wo es bislang keines gab, da kann man auch eines erfinden.

In letzter Zeit kommt es immer mal wieder vor, dass mich ein Unternehmen für eine Veranstaltung als »Dinner Speaker« buchen will. »Ich fürchte, da bin ich der Falsche«, antworte ich dann, »aber falls Sie mal einen Tischredner brauchen, melden Sie sich ruhig wieder!« Bislang hat sich noch keines der Unternehmen ein zweites Mal gemeldet. Offenbar brauchen die keine Tischredner. Was will man auch damit, wenn man für das gleiche Geld einen Dinner Speaker bekommen kann?
Englische Wörter hat es in der deutschen Sprache schon immer gegeben. Nach dem Zweiten Weltkrieg wurden es einige mehr, und viele haben wir begeistert akzeptiert, weil sie nützlich waren, modisch oder originell. Aber in den letzten Jahrzehnten sind so viele neue hinzugekommen, dass der Einzelne längst den Überblick verloren hat. Immer häufiger wird daher die Frage laut, ob wir all diese vielen englischen Wörter wirklich benötigen.

»Ein Wort wie Catering finde ich völlig überflüssig«, verriet mir eine Kollegin unlängst beim Kaffeetrinken, »ich sage Partyservice, das ist genau dasselbe. Ich brauche dafür kein englisches Wort!« In diesem Punkt irrte sie allerdings, denn sowohl »Party« als auch »Service« sind englische Wörter. Dass »Partyservice« in ihren Ohren kein Fremdwort ist, beweist, dass sie sich an dieses Wort gewöhnt hat. Was uns in Wahrheit an den Importvokabeln stört, ist nicht die Tatsache, dass sie englisch sind, sondern dass wir sie nicht kennen – der Mensch ist schließlich ein Gewohnheitstier. Wenn er sich aber einmal an etwas gewöhnt hat, dann hält er es bald für so selbstverständlich wie Pinguine in der Arktis.*

Immer mehr Menschen wünschen sich, dem Einfluss des Englischen auf unsere Sprache einen Riegel vorzuschieben. Politiker der CDU und der CSU wollen die deutsche Sprache gar unter gesetzlichen Schutz stellen. Doch wie soll das funktionieren? Wer soll entscheiden, welche englischen Wörter eine sinnvolle Ergänzung unseres Wortschatzes darstellen und welche überflüssig sind? Jeder hat dazu eine andere Meinung. Und die ist abhängig von der jeweiligen Gewöhnung. So habe ich mich derart an *Fastfood* gewöhnt, dass es mir schwerfällt, auf *Schnellkost* umzusteigen. Zum Frühstück esse ich nach wie vor *Cornflakes* und keine *Maisflocken*, und wenn mir der Sinn nach einem *Shake* steht, würde ich kein *Schüttelgetränk* bestellen. Mein Altpapier stopfe ich in einen *Container* und nicht in einen *Großbehälter*, und wenn ich einem *Skateboardfahrer* ausweichen muss, denke ich nicht: »Oh, ein *Rollbrettfahrer*!«

Aber was an einem *Event* toller sein soll als an einer *Veranstaltung*, ist mir nicht klar. Und ich sage auch nicht *Aircondition*, wenn ich die *Klimaanlage* meine. Ich gehe lieber *einkaufen* als *shoppen*, und über meine Texte setze ich statt einer *Headline* immer noch lieber eine *Überschrift*. Eine *Sitzung* wird für mich niemals ein *Meeting* sein und ein *Ortsgespräch* niemals ein *Citycall*. Ich trage auch immer noch

---

* Wobei anzumerken ist, dass Pinguine in der Arktis alles andere als selbstverständlich sind. Sie leben nämlich nur auf der Südhalbkugel, vor allem in der Antarktis, aber auch in Südafrika, Südamerika und in Australien.

Sportschuhe statt *Sneakers* und fürchte den *Abgabetermin* mehr als die *Deadline*.

Im Zeitalter der Globalisierung streben immer mehr Unternehmen nach Internationalität. So auch die Deutsche Bahn. Daher werden die Schalter bei der Bahn seit einiger Zeit nicht mehr *Schalter* genannt, sondern *Counter*. Die Warteschlangen vor so einem »Counter« sind zwar nicht kürzer als vor einem Schalter, aber das Anstehen fühlt sich viel internationaler an. Der Kunde spürt, dass eine neue Zeit von grenzenloser Weltläufigkeit und modernstem Service-Verständnis angebrochen ist, wenn er auf den Schildern im Schalterraum liest: »Counter wird geschlossen!« und »Gern bedienen wir Sie am Counter nebenan!«. Dasselbe gilt für die Fahrplanauskunft, die sich jetzt »ServicePoint« nennt (und bei der Bahn in den drei Schreibweisen ServicePoint, Service Point und Service-Point zu finden ist).

Manchmal kann man sich des Gefühls nicht erwehren, dass das Ersetzen deutscher Wörter durch englische reiner Etikettenschwindel ist. Aus meinem Sportunterricht kenne ich noch den Ausdruck Dauerlauf. In den 80ern setzte sich der Begriff »Jogging« durch. Das war im Prinzip nichts anderes als Dauerlaufen, aber es ließ sich besser vermarkten. Die Industrie überschwemmte Deutschland mit Jogginghosen. In »Dauerlaufhosen« hätte sie nicht halb so viel verdient.

Zu Beginn des Jahres hat der Verein Deutsche Sprache (VDS) die Aktion »Lebendiges Deutsch« ins Leben gerufen, deren Ziel es ist, griffige deutsche Pendants zu englischen Wörtern zu finden – oder zu erfinden. Eine Expertenjury wählt unter allen eingesandten Vorschlägen den lebendigsten aus und macht sich für seine Verbreitung stark. Auf diese Weise sind bereits diverse kluge Vorschläge zusammengekommen. So wird für den »Stalker« das praktische deutsche Wort »Nachsteller« empfohlen. Statt »Blackout« solle man »Aussetzer« sagen, und für den »Airbag« wurde das Wort »Prallkissen« gefunden. Als deutsches Gegenstück zum »Brainstorming« schlägt die Jury »Denkrunde« vor, und anstelle von »Laptop« empfiehlt sie das Wort »Klapprechner«. Als ich das Wort »Klapprechner« vor ein paar Jahren zum ersten Mal hörte, habe ich gelacht, denn ich assoziierte damit Dinge wie Klappstuhl, Klapptisch und Klapprad, aber keinen Computer. Inzwischen aber finde ich den Ausdruck »Klapprechner« gar nicht mehr so abwegig und bin auf dem besten Wege, mich richtig daran zu gewöhnen.

In seiner Mitgliederzeitung »Sprachnachrichten« und auf seiner Internetseite listet der VDS regelmäßig Meldungen über kleinere und größere Erfolge im Kampf gegen die Anglomanie. Im September 2005 konnte man lesen: »Das Museumsdorf in Cloppenburg verwendet statt des üblichen *Happy Hour* im Lokal ›Dorfkrug‹ den Ausdruck *Beste Stunden.*« Es gibt freilich noch andere Wege, mit der Übermacht der englischen Wörter fertig zu werden – zum Beispiel indem man sie orthografisch so verfremdet, dass man sie nicht mehr als englisch identifizieren kann. So wie in jener Kneipe in Berlin-Kreuzberg, in der laut Aushang jeden Dienstag zwischen 20 und 22 Uhr »Happyauer« ist! Das ist nur auf den ersten Blick komisch. Tatsächlich ist es nichts anderes als der Versuch, ein Fremdwort einzudeutschen. Auf mehr oder weniger ähnliche Weise sind schließlich auch »puschen« und »zappen« zu deutschen Wörtern geworden.

Einen weiteren Erfolg konnte der Sprachrettungsclub Bautzen vermelden, der an der Stationsbezeichnung »Stroke-Unit« im örtlichen Krankenhaus Anstoß genommen hatte. Die Klinik zeigte sich einsichtig und ergänzte die englische

Beschriftung um den deutschen Zusatz »Schlaganfall-Intensivstation«.

Im Internet präsentiert der VDS außerdem eine Liste mit 6000 englischen Wörtern und Abkürzungen, die Eingang ins Alltagsdeutsch gefunden haben oder sich im Fachjargon bestimmter Branchen tummeln. Hinter allen Einträgen findet man eine Übersetzung oder eine Erläuterung.

Leider können Institutionen wie der VDS nicht verhindern, dass ihnen für ihre Bemühungen auch aus der falschen Ecke applaudiert wird. Das Ersetzen englischer Begriffe durch deutsche ist nämlich bezeichnend für den Jargon der rechten Szene, vor allem in Bezug auf Computertechnik. Da wird das Internet zum »Weltnetz«, die Homepage zur »Heimatseite« und die E-Mail zum »E-Brief«. Ein Link ist ein »Verweis« oder »Verzweig« und der Chat-Room ein »Sprechraum«. Rechtsgerichtete Versandfirmen bieten »T-Hemden« statt T-Shirts an, »Kurzhosen« statt Shorts und »Nietenhosen« statt Jeans.

Der Grat zwischen altbacken und neumodisch, zwischen nützlich und überflüssig, zwischen zumutbar und geschmacklos ist – wie Grate das nun einmal an sich haben – schmal. Vielleicht wird man zum »Browser« eines Tages »Stöberer« sagen, wie von einigen Deutschliebhabern empfohlen. Und vielleicht sagen wir irgendwann »Blitzruf« statt »Hotline«. Vielleicht aber auch nicht. Vielleicht macht der technische Fortschritt Browser und Hotline überflüssig, ehe sich deutsche Wörter dafür durchsetzen können. Vielleicht verschwindet sogar Reality-TV aus dem Programm, ehe ein Gesetz zum Schutz der deutschen Sprache dafür die Begriffe »Wirklichkeitsfernsehen« oder »Echte-Leute-Fernsehen« vorschreibt. Das wäre doch kühl!

100 englische Fremdwörter und was man stattdessen sagen könnte

Account	Benutzerkonto, Zugang, Zugangsberechtigung
Anchorman	Hauptnachrichtensprecher
Appetizer	Appetitanreger, Appetithappen
Attachment	Anhang
auschecken	abmelden, ausbuchen
ausloggen	abmelden
Basement	Untergeschoss, Tiefparterre
Blackout (auch: Black-out)	Aussetzer, Filmriss, Erinnerungslücke
Blockbuster	Kassenschlager, Straßenfeger
Briefing	Einweisung, Einsatzbesprechung
Button	Abzeichen, Anstecker, Knopf
Call-by-Call	Sparvorwahl
canceln	abbestellen, abbrechen, absagen, löschen, streichen
Community	Gemeinschaft, Gemeinde
Consulting	Unternehmensberatung
Contest	Wettbewerb, Wettkampf, Vergleich
covern	neu einspielen, neu aufnehmen
Daily Soap	Seifenoper
Date	Treffen, Verabredung
Deadline	Fristende, Stichtag, Redaktionsschluss, Abgabetermin
Discounter	Billigladen, Supermarkt
Display	Anzeige, Sichtfeld, Bildschirm
downloaden	herunterladen
Dresscode	Kleidervorschrift
Dummy	Attrappe, (Versuchs-)Puppe, Unfallpuppe

100 englische Fremdwörter und was man stattdessen sagen könnte

Dumpingpreis	Schleuderpreis
Economy Class	Touristenklasse
Editorial	Einleitung, Leitartikel
Eyecatcher	Blickfang, Hingucker
Event	Veranstaltung, Ereignis, Hingeher
Fake	Fälschung, Schwindel, Vortäuschung, Vorspielung
Feature (journ.)	Beitrag, Bericht
Feature (wirtsch.)	Merkmal, Eigenschaft
Feedback	Echo, Rückmeldung, Resonanz
Feeling	Gefühl
Flatrate	Grundpreis, Pauschale
Flyer	Flugblatt, Handzettel
forwarden	weiterleiten
Freelancer	Freiberufler, freier Mitarbeiter
Fundraising	Geldbeschaffung, Spendensammlung
Ghostwriter	Auftragsschreiber, Redenschreiber
Give-away	Werbegeschenk, Gratisprobe
Headline	Schlagzeile, Überschrift
Image	Ruf
Jogging	Dauerlauf
Joke	Scherz, Spaß, Ulk, Witz
Kidnapping	Entführung
Knowhow (auch: Know-how)	Fachwissen, Sachverstand
Label	Marke, Plattenfirma
Laptop, auch Notebook	Klapprechner
Layout	Aufmachung, Gestaltung, Drucksatz
Lifestyle	Lebensart, Lebensstil

587

100 englische Fremdwörter und was man stattdessen sagen könnte

Lift	Fahrstuhl
Limit	Grenze, Grenzwert, Höchstgrenze
Lobby (Gesell.)	Interessengruppe, Interessenverband
Lobby (Arch.)	Foyer, Vestibül, Wandelhalle
Local Call	Ortsgespräch
Loser	Verlierer
Lounge	Salon, Wartesaal
Mainstream	Massengeschmack
Manual	Bedienungsanleitung, Betriebsanleitung, Handbuch
Meeting	Besprechung, Konferenz, Sitzung
Merchandising	Vermarktung
Message	Botschaft, Mitteilung, Nachricht
Model	Modell
Mousepad	Mausmatte
Nickname	Spitzname
Nonsense	Blödsinn, Quatsch, Unfug, Unsinn
Organizer	Terminplaner
Outing	Enthüllung
outdoor	draußen, im Freien
Outsourcing	Auslagerung, Ausgliederung
Payback Card	Rabattkarte
Posting	Mitteilung
Prepaid Card	Guthabenkarte
Primetime	Hauptsendezeit, beste Sendezeit
Public Relations (PR)	Öffentlichkeitsarbeit
Publicity	Bekanntheit, Aufmerksamkeit
Ranking	Rangfolge, Rangliste

100 englische Fremdwörter und was man stattdessen sagen könnte	
Rushhour	Stoßzeit, Hauptverkehrszeit
Sale	Ausverkauf, Schlussverkauf
Service-Point	Infostand
Shuttle-Service	Pendelverkehr
Snack	Imbiss, Happen, Zwischenmahlzeit
Sneakers	Sportschuhe, Turnschuhe
Softie	Weichei, empfindsamer, sanfter Mann, Zärtling
Soundtrack	Filmmusik
Stalker	Nachsteller
Standing	Ansehen, Rang
Standby (auch Stand-by)	Bereitschaft, Wartebetrieb
Statement	Aussage, Erklärung, Stellungnahme
Ticket-Hotline	telefonischer Kartenvorverkauf
Trailer	Vorschau
Update	Aktualisierung
Upgrade	Aufwertung
Wellness	Wohlbefinden, Wohlgefühl
Womanizer	Schürzenjäger, Weiberheld
Workaholic	Arbeitssüchtiger, Arbeitstier
Workflow	Arbeitsablauf

Sind Sie die Kasse?

Wer als Verkäufer arbeitet, der kennt sie zur Genüge: lästige Phrasen, seltsame Fragen und hilflose Floskeln. Dagegen hilft nur ein dickes Fell – oder man geht zum Gegenangriff über, so wie mein Buchhändler. Seine Methode ist zweifellos wirkungsvoll, aber nicht unbedingt zur Nachahmung zu empfehlen.

Der Buchhändler meines Vertrauens heißt Andreas und arbeitet schon seit vielen Jahren in der großen Buchhandlung am Rathausplatz, in der ich regelmäßig herumstöbere. Mit seinem Fachwissen beeindruckt er mich immer aufs Neue, ich bin mit der Zeit ein richtiger Fan von ihm geworden. Außerdem haben wir beide ein Faible für Wortspielereien. Andreas neigt allerdings manchmal zur Übertreibung, denn wann immer ihm eine Phrase über den Weg läuft, dann spießt er sie auf.
Ein Kunde steuert auf Andreas zu und fragt: »Entschuldigen Sie, wo finde ich wohl Frank Schätzing?« Andreas macht ein nachdenkliches Gesicht und erwidert dann freundlich: »Herrn Schätzing finden Sie vermutlich in Köln, meines Wissens wohnt er dort. Aber wenn Sie Bücher von ihm suchen: Die finden Sie auch hier, und zwar dort drüben bei den Bestsellern!« Der Kunde schaut verdutzt, murmelt ein »Ah ja, danke« und stolpert in die ihm gewiesene Richtung davon.

Auf meine Frage, ob er alles immer derart wörtlich nehme, erwidert Andreas: »Selbstverständlich, das bin ich meinen Kunden schuldig. Wenn nicht einmal wir Verkäufer ihre Fragen ernst nähmen, wer dann?« Sein maliziöses Lächeln verrät mir allerdings, dass er genau das Gegenteil meint: Wer solche Fragen ernst nimmt, der hat nicht alle Bücher im Regal. »Sie machen sich ja keine Vorstellung, mit welchen Fragen man als Buchhändler tagtäglich behelligt wird«, erklärt er mir. »Ich nenne Ihnen mal ein Beispiel: Unser Geschäft öffnet um 9 Uhr, das steht für jedermann lesbar draußen an der Tür. Wenn dann um 9.15 Uhr ein Kunde durch die – wohlgemerkt: offene – Tür tritt und fragt: ›Haben Sie geöffnet?‹, dann kann es durchaus passieren, dass ich ihm antworte: ›Nein, mein Herr, wir lüften nur!‹«

»Fühlen sich die Kunden dann nicht auf den Arm genommen?«, frage ich. »Dieses Risiko muss ich in Kauf nehmen!«, entgegnet Andreas. »Dann sind Sie so eine Art Till Eulenspiegel«, stelle ich fest. »Der hat die Menschen auch immer allzu wörtlich genommen.« – »Und er starb hochbetagt und von allen beweint«, fügt Andreas mit einem schelmischen Lächeln hinzu. »Nein, im Ernst: Die Fragen und Wünsche der Kunden können einen schon ganz schön närrisch machen. Da kommt die Eulenspiegelei ganz von selbst.«

»Was stört Sie denn besonders?«, will ich von Andreas wissen. »Nun, mich stören überflüssige Floskeln. Anfangs habe ich noch alles klaglos geschluckt, aber nach der tausendsten Wiederholung bleibt einem das Lachen im Halse stecken. Es fängt schon bei der ersten Ansprache an. Wenn jemand zu mir sagt: ›Sagen Sie, Sie können mir wohl nicht helfen?‹, dann sage ich zu ihm: ›Nun ja, wenn Sie das ohnehin schon wissen ...?‹ Oder nehmen wir ein anderes Beispiel, ein echter Dauerbrenner: ›Können Sie nicht mal Ihren Computer befragen?‹ Der Kunde ist ja König, daher tu ich ihm den Gefallen, beuge mich zum Computer hinunter und stelle ihm laut und vernehmlich die Frage. Nach ein paar Sekunden des Schweigens blicke ich wieder zum Kunden auf, zucke die Schultern und sage: ›Sie hören es selbst – er antwortet nicht.‹

Auch immer wieder gern genommen ist die Bitte: ›Können Sie's ein bisschen einpacken?‹ Ich erlaube mir dann nachzufragen: ›Was meinen Sie mit ›ein bisschen‹? Nur die Vorderseite oder nur die Rückseite?‹« – »Seien Sie froh, dass Sie nicht in Franken wohnen«, werfe ich ein, »dort pflegt man den Verkäufer zu fragen: ›Habt's ihr auch aweng a Düdn?‹, was so viel heißt wie: ›Hätten Sie wohl auch ein Tütchen?‹« – »Ach ja, so ein Tütchen ab und zu käme ganz gut«, seufzt Andreas mit einem verklärten Lächeln, »dann wären wir hier bei der Arbeit viel entspannter!«

Er saugt genüsslich die Lungen voll Luft, ehe er fortfährt: »Eine Kundin fragte mich unlängst: ›Ich habe gelesen, dass der Frank Schätzing schon mehr als eine Million Bücher verkauft hat, stimmt das?‹ Da musste ich die gute Frau erst einmal darüber aufklären, was sein Beruf ist: ›Herr Schätzing ist Autor und kein Buchhändler. Der verkauft keine Bücher, der schreibt sie. ICH verkaufe Bücher, aber bis man da auf eine Million kommt, das dauert, das kann ich Ihnen sagen!‹« – »Danke, dass Sie unsere Berufsehre gerettet haben«, sage ich, »aber da stellt sich natürlich die Frage, wie wörtlich man wörtliche Rede nehmen darf. Manch einer könnte in Ihrem feinsinnigen Humor womöglich die gebotene Höflichkeit vermissen.«
»Höflichkeit ist ein gutes Stichwort«, pflichtet Andreas mir bei, »leider ist sie alles andere als selbstverständlich. Schlimmer noch als Kunden, die sich nicht ausdrücken können, sind Kunden, die sich nicht zu benehmen wissen. Wir Buchhändler sind zwar Dienstleister, aber keine Automaten. Sie können sich denken, wie euphorisch es mich stimmt, wenn man mich fragt: ›Sind Sie die Kasse?‹ Ich antworte darauf dann gern mit einer Gegenfrage: ›Habe ich geklingelt?‹ In der Regel hilft das.« – »Tatsächlich?« – »Es kommt natürlich auf den Tonfall an. Ich bin dabei ja nicht

patzig. Manche Kunden empfinden es sogar als befreiend, wenn man sie einlädt, den staubigen Mantel des floskelhaften Sprechens abzulegen und über den Sinn und Nutzen von Phrasen nachzudenken. So wird aus Förmlichkeit Verbindlichkeit.« – »Das verbindet Ihren Beruf mit meinem«, stelle ich fest. Dann deute ich auf das Buch in meiner Hand und sage: »Ich würde dieses Buch gerne kaufen.« – »Dann tun Sie es doch einfach!«, entgegnet Andreas, »ich kann Sie nur dazu ermutigen!« – »Also gut, schon überredet, ich mach's«, sage ich lachend, »kann ich es dann auch gleich bei Ihnen bezahlen?« Andreas mustert mich kritisch von oben bis unten und sagt trocken: »Na, das will ich doch wohl hoffen!«

Mal hat's Sonne, mal hat's Schnee

Ja, was hat es denn heute? Es hat doch wohl nicht etwa Regen? Nein, es hat Sonne, Gott sei Dank! Aber morgen soll es Wolken haben und Schnee! Bei den einen hat's Glatteis, und bei den anderen kräuseln sich die Nackenhaare. Haben oder Nichthaben, das ist hier die Frage.

Es ist mal wieder einer dieser ungemütlichen Wintertage, wie ich sie so liebe: In der Nacht hatte es noch geschneit, am Morgen war der weiße Zauber schon wieder dahin, die Straßen voller Schneematsch, der Verkehr ein ängstliches Schleichen. Ich sitze, noch nicht ganz aufgetaut, im Büro und warte auf Inspiration. Eigentlich wollte ich eine gewichtige Kolumne zum Thema Kongruenz schreiben, das hätte gut zu diesem Wetter gepasst, doch dann landet plötzlich eine E-Mail in meinem Postfach, die noch viel besser passt:

Lieber Herr Sick, mein Sohn (7) hat in einer Schulaufgabe folgenden Satz gebildet: »Es ist Glatteis wegen des Winterwetters.« Gegen diesen Satz ist meines Erachtens nichts einzuwenden. Nun hat aber seine Lehrerin das »ist« durchgestrichen und in Rot ein »hat« darübergeschrieben und das Ganze als Fehler markiert. Ich bin jetzt etwas verunsichert, was denn richtig ist. Man ist sich eben in einem Land, das mit dem Slogan »Wir können alles außer Hochdeutsch« wirbt, nie so ganz sicher.

Donner und Doria! Das konnte mich nicht kaltlassen, allen angestrengten Gedanken über das komplexe Thema Kongruenz zum Trotz. Denn hier stand die Ehre eines siebenjährigen Knaben auf dem Spiel, der unter sprachlich widrigen Umständen im Badischen aufwächst und offenbar dringend meines Beistands bedarf.

Zunächst einmal ist festzuhalten, dass der Siebenjährige etwas kann, was den meisten erwachsenen Menschen südlich der Main-Donau-Linie äußerst exotisch erscheint: den Genitiv hinter »wegen« bilden. Welch wohlklingende Wortwahl: *wegen des Winterwetters*! Und dagegen nun der schnöde Dativ: *wegen dem Winterwetter*. Was klingt besser? Letztlich ist alles eine Frage der Gewöhnung – und des persönlichen Geschmacks. Erlaubt ist inzwischen beides. Aber darum geht es hier ja gar nicht.

Es geht um Haben oder Nichthaben, um die Frage aller Fragen: Kann »es« etwas »haben«? An dieser Frage scheiden sich die Geister. Nicht unter den Philosophen im Elfenbeinturm, sondern unter den Deutschsprechenden zwischen Flensburger Förde und den Dolomiten. Im Süden sagen viele: »Es hat«. Da hat es Regen, oder es hat 20 Grad, dann hat's plötzlich wieder Nebel, und gelegentlich hat es dort auch Glatteis. In Baden-Württemberg ist dies gang und gäbe, in der Schweiz sogar Standard. (Nicht das Glatteis, sondern das »Es hat«.)

Dies ist wohlgemerkt die süddeutsche Art, das Wetter zu beschreiben. In den nördlicheren Breiten unseres Sprachgebietes ruft diese Art eher Erstaunen hervor: »Es hat Glatteis? Ja, habt ihr sie noch alle?« Und schon gehen sie wieder aufeinander los, die Hanseaten und die Bayern, die Schwaben und die Rheinländer, die Wiener und die Berliner. So war es schon immer, und so wird es immer sein.

Uns interessiert an dieser Stelle natürlich vor allem, wie es in der Schulsprache aussieht. Hat die Lehrerin nun richtig gehandelt, indem sie den Satz anstrich und »ist« in »hat« verwandelte? Die Antwort lautet: ja und nein! Obwohl der siebenjährige Schüler in einer Region lebt, in der die Formulierung »Es hat Glatteis« glatt durchgehen würde, hat er sich für eine andere Konstruktion entschieden. Aus irgendeinem Grunde kam ihm »es hat« falsch vor, und so schrieb er lieber »es ist«, was verständlich ist, zumal die Hilfsverben »sein« und »haben« häufig in Rivalität zueinander stehen. Man denke nur an Beispiele wie: »Der Schrank hat dort gestanden« (Hochdeutsch) und »Der Schrank ist dort gestanden« (Süddeutsch). Oder an das französische »il y a« (wörtlich: es dort hat) und das englische »there is« (wörtlich: da ist). Vielleicht hat der Schüler auch an die Jahreszeiten gedacht; denn Sätze wie »Es ist Frühling« und »Es war Sommer« sind schließlich richtig.

Eine Formulierung nach dem Muster »Es ist Glatteis« oder »Es ist Nebel« sieht die Hochsprache jedoch nicht vor. (Außer als Antwort auf die Frage: »Was ist es?«) Entweder drückt man die Wetterlage durch ein Verb aus (es regnet, es schneit, es weht, es gießt, es friert, es scheint die Sonne, es stürmt) oder mithilfe eines Adjektivs (es ist regnerisch, es ist glatt, es ist neblig, es ist bewölkt, es ist windig, es ist sonnig, es ist stürmisch). In gehobener Sprache wird auch gern »es herrscht« verwendet: »Es herrscht ein böiger Wind aus Südwest.« Im Falle der Glatteis-Formulierung des Schülers hatte die Lehrerin zwar recht, das Hilfsverb »ist« anzustreichen, allerdings begab auch sie sich anschließend aufs Glatteis, indem sie stattdessen »hat« empfahl. »Es ist glatt wegen des Winterwetters« oder »Es herrscht Glatteis wegen des Winterwetters« wären bessere Empfehlungen gewesen.

Im Süddeutschen hat man's mit dem »haben« aber nicht allein, wenn es ums Wetter geht. »Es hat« wird generell anstelle des standardsprachlichen »Es gibt« verwendet: »In der Schweiz hat es hohe Berge« (statt: In der Schweiz gibt es hohe Berge), »In meiner Familie hat es keinen Zauberer« (statt: In meiner Familie gibt es nur Muggel). Wer kennt noch das schöne deutsche Chanson »Wunder gibt es immer wieder«*, mit dem Katja Ebstein 1970 beim Grand Prix in Amsterdam den dritten Platz errang? Ob sie sich beim deutschen Vorentscheid hätte durchsetzen können, wenn das Lied den Titel getragen hätte: »Wunder hat es immer wieder«? Wer weiß. Auf jeden Fall hätte es wohlmeinende Punkte aus der Schweiz gegeben.

Eines bleibt noch klarzustellen: Wenn man im Süden Deutschlands sagt: »Am Berg hat's Schnee«, dann ist das nicht falsches Deutsch, sondern ein himmlischer Hinweis, der das Herz eines jeden Skifahrers höher schlagen lässt. Nichts liegt mir ferner, als Dialekte zu verdammen. Ich will nur Licht in das Dunkel bringen, durch das wir gelegentlich tasten, wenn wir auf der Suche nach einem gemeinsamen sprachlichen Standard sind.

Die Kolumne über Kongruenz bekommen Sie beim nächsten Mal zu lesen, sofern es bis dahin nicht wieder einen dramatischen Zwischenfall wie diesen hat.

* Musik: Christian Bruhn, Text: Günter Loose.

Qualität hat ihren Preis

Jungen sind männlich und Mädchen weiblich? Einer ist keiner, und eine Mannschaft sind ganz viele? Wenn es doch so einfach wäre! Jede Sprache hat seine Tücken, vor allem das Deutsche mit ihren verwirrenden Wechseln zwischen den Geschlechtern und zwischen Einzahl und Mehrzahl.

Dieses hat seine Vorzüge, jenes seine Nachteile, manches hat sein Gutes, alles braucht seine Zeit, und jeder hat seinen Stolz. Diese und ähnliche Einsichten werden regelmäßig verkündet. Seltsamerweise hat noch nie jemand laut die Frage gestellt, von wem da eigentlich immer die Rede ist. Wer ist dieser Jemand, um dessen Vorzüge es geht, dessen Zeit gekommen und dessen Stolz unbestritten ist? Wer ist dieser »seiner«? Ist es der, dessen Name nicht genannt werden darf? Ist es Hassan der Hofhund? Oder Gott womöglich?

Des Rätsels Lösung liegt nicht im Mystischen, sondern in der Beziehung der Wörter zueinander. Das ominöse »sein« ist ein besitzanzeigendes Fürwort und bezieht sich auf die jeweils am Satzanfang genannte Sache oder Person. Wenn es heißt »Das wird schon seinen Grund haben«, dann bezieht sich »seinen« auf »Das«, und dieses »Das« wiederum auf etwas, das kurz zuvor erwähnt worden ist. Die beiden gehören zusammen, so wie Erde und Mond, und damit keiner von ihnen aus seiner Bahn fliegt, müssen sie sorgsam aufeinander abgestimmt werden.

Die Grammatikaner haben dafür ein schwer auszusprechendes Wort gefunden: Kongruenz. Das ist aus dem Lateinischen entlehnt und bedeutet *Übereinstimmung*. Wörter, die sich aufeinander beziehen, müssen im gleichen

Kasus, Genus und Numerus stehen. Sonst erkennt man am Ende nicht mehr, welches Fürwort zu welchem Hauptwort gehört, und begreift womöglich den ganzen Satz nicht.

»Man sagt zwar, Qualität hat seinen Preis, aber es muss doch auch eine preiswerte Qualität geben«, behauptet ein Anbieter von Wasserbetten. Nein, will man ihm spontan widersprechen, das sagt man eben nicht. Zwar mag es richtig sein, dass alles »seinen Preis« hat, aber wenn es um Qualität geht, dann wird das Pronomen weiblich, dann muss es selbstverständlich heißen: »Qualität hat ihren Preis«. Diese Erkenntnis scheint sich in der Werbebranche noch nicht ganz herumgesprochen zu haben. Aber die Werbung hatte ja schon immer »seine« liebe Not mit der Grammatik.
»Auch die kleinere Version des Sportwagens hat seinen Reiz«, kann man in einem Autoprospekt lesen. Das ist nicht nur unter grammatischen, sondern auch unter wirtschaftlichen Gesichtspunkten ärgerlich, denn hier wurde wertvolles Werbepotenzial verschenkt. Jeder Autohändler weiß, dass sich Autos noch besser verkaufen lassen, wenn man sie mit etwas Weiblichem drapiert. Hätte man »ihren Reiz« statt »seinen Reiz« hervorgehoben, hätte sich die kleinere Version des Sportwagens bei der männlichen Zielgruppe bestimmt noch größerer Beliebtheit erfreut.

Zu einer gewissen Verunsicherung führte auch ein Werbefilm von Mercedes-Benz, in dem es ausgerechnet um Sicherheit ging. »Die A-Klasse. Das sicherste Auto ihrer Klasse«, hieß es dort. Viele meiner Leser fragten mich, ob sich die Klasse nicht auf das Wort »Auto« beziehe und ob es folglich nicht »Das sicherste Auto seiner Klasse« heißen müsse. Man kann das Problem lösen, indem man nach Vergleichsfällen sucht: »Martin Luther – die eindrucksvollste Persönlichkeit seiner Zeit«. Hier haben wir einen (männlichen)

Luther, der mit einem weiblichen Wort (Persönlichkeit) gleichgesetzt wird. Weil Luther zuerst da war, bestimmt er das Geschlecht des Pronomens vor dem Wort »Zeit«. Umgekehrt klänge es eher befremdlich: »Martin Luther – die eindrucksvollste Persönlichkeit ihrer Zeit«. Im Falle der Mercedes-Benz-Werbung verhält es sich genauso: Das weibliche Modell und das sächliche Wort Auto sind gleichrangig, doch weil die A-Klasse zuerst genannt wurde, richtet sich das Pronomen nach ihr. Der Werbespruch ist also korrekt.

Nicht korrekt ist hingegen der Spruch, mit dem die »Lebenshilfe Berlin« die Organisation in ihren Seniorenwohnstätten beschreibt: »Jede Gruppe hat seinen eigenen Etat und wirtschaftet für sich selbst«. Jede Gruppe ist nämlich – grammatisch gesehen – weiblich, selbst wenn sie nur aus Männern bestehen sollte. Oder aus Kindern im Vorschulalter. Der Kindergarten »Hasselbachzwerge« schreibt in seiner Selbstdarstellungsbroschüre: »Jede Gruppe hat seinen eigenen Namen: Käfer-, Hasen-, Mäuse- und Elefantengruppe«. Das klingt zwar zunächst unerhört putzig, doch bei genauerem Hinhören fragt man sich, warum denn nicht jede Gruppe *ihren* eigenen Namen bekommen hat.

Ebenso theologisch vieldeutig wie grammatisch bedenklich ist die Auskunft eines Leichenbestatters, der seine Berufswahl mit den Worten begründete: »Jede Arbeit hat seinen Sinn.« Wenn ich in einem Diskussionsforum der Tierfreunde lese: »Jede Katze hat seinen eigenen Charakter«, dann vermute ich, dass der Katzenbesitzer offenbar einen Kater hat. Im Gästebuch der Berliner Senatskanzlei hinterließ ein begeisterter Berlinbesucher den Eintrag: »Jede Stadt hat sein eigenes Flair«.

Längst nicht immer kongruent verhalten sich Sprache und Biologie. Während Letztere beim Menschen – bis auf wenige Ausnahmen – nur zwei Geschlechter unterscheidet, kennt die Grammatik drei. Es gibt den Mann, die Frau – und das Mädchen! Eine Formulierung wie »Im anderen Abteil saß ein rothaariges Mädchen mit einer knallbunten Reisetasche. Ich grüßte kurz und setzte mich neben sie« ist grammatisch nur dann einwandfrei, wenn der Erzähler sich auch wirklich neben die knallbunte Reisetasche gesetzt hat. Das Mädchen ist nun einmal sächlich. Daran ändert sich auch nichts, wenn es in die Pubertät kommt. Auf der Internetseite www.kinder.de erfährt man im Kapitel über die Pubertät: »Jedes Mädchen hat ihren eigenen Rhythmus.« Dem kann man nur entgegenhalten: Jedes Geschlecht hat seinen eigenen Artikel!

Nicht nur ein plötzlicher Wechsel des Geschlechts ist heikel. Zu erheblichen Verständnisproblemen kann es auch bei schwankendem Numerus kommen, beim Durcheinander von Einzahl und Mehrzahl, so wie in diesem Bericht über Osteoporose:
»Jeder vierte Patient ist ein Mann. Sport und Medikamente schützen ihre Knochen.« Ein solcher Satz gibt Rätsel auf. Hieße es »seine Knochen«, dann wäre klar, wer gemeint ist: der Mann nämlich – oder aber der Patient, beides ergibt einen Sinn. Das Pronomen »ihre« deutet indes auf eine Mehrzahl hin, die man beim Patienten und beim Mann aber vergeblich sucht. Auch wenn die Zahl »vier« darin vorkommt, so ist »jeder vierte Patient« ein Singular. Die einzige Mehrzahl bilden »Sport und Medikamente«, qua Numerus können also nur sie es sein, die hier ihre Knochen schützen. Apropos Sport: In Fußballreportagen erleidet der grammatische Bezug regelmäßig Schiffbruch, wenn eben noch von der Mannschaft im Singular die Rede war und es

im nächsten Satz dann im Plural weitergeht: »Die Mannschaft war wirklich in Bestform heute, und man muss sagen, sie haben verdient gewonnen.« Dieses »sie« können auch die anderen gewesen sein. Die sprachliche Verwirrung ist komplett, wenn der Mannschaft dann auch noch das Geschlecht verrutscht: »Eine Mannschaft, die seinesgleichen sucht«.

Während der Fußball-WM wurde der schwedische Trainer ja überraschend als »der Mann mit den zwei Gesichtern« geoutet, und zwar von seiner eigenen Mannschaft. Auf »Spiegel Online« war zu lesen: »Lagerbäcks Mannschaft hatte in einem emotionalen Spiel seine zwei Gesichter gezeigt, übermotiviert und mit vielen Abwehrfehlern in der ersten Halbzeit.«

Jedes Ding hat seinen Preis
Da gibt es nichts zu diskutieren.
Nur die Qualität – wie man jetzt weiß –
Die hat nicht seinen, sondern ihren.

Kein Bock auf nen Date?

Stimmt es, dass unsere Schriftsprache unaufhaltsam vor die Hunde geht? Tatsache ist: Nie wurden so viele Fehler gemacht wie heute. Aber die Menschen haben auch noch nie so viel geschrieben. In Wahrheit ist unsere Schreibkultur höchst lebendig – dank E-Mail, Chat und SMS.

Einige Menschen neigen dazu, die modernen Kommunikationstechniken zu verteufeln, weil diese den Niedergang unserer Sprachkultur begünstigen würden. Es lässt sich nicht leugnen, dass es in E-Mails und auf vielen Internetseiten von Rechtschreibfehlern und Interpunktionsmängeln nur so wimmelt. Und was gerade junge Menschen in die Tastatur ihrer Handys hacken, zeugt nicht selten von gravierenden Missverständnissen der deutschen Orthografieregeln.

Man kann diese Entwicklung aber auch anders bewerten: Internet, E-Mail und SMS ist es zu verdanken, dass sich heute mehr Menschen in schriftlicher Form äußern als jemals zuvor. Waren wir einst ein Volk weniger Dichter und Denker, die einer überwältigenden Mehrheit von des Lesens und Schreibens unkundigen Menschen gegenüberstanden, so sind wir heute ein Volk weniger Dichter und Denker, die sich gegen eine schreibwütige Mehrheit behaupten müssen. Unsere Schriftsprache steht folglich nicht vor dem Niedergang – sie war noch nie so populär wie heute! Und es ist wie immer, wenn viele Köche gleichzeitig mitmischen: Jeder hat eine andere Vorstellung von der richtigen Rezeptur.

Vor der Einführung der SMS-Technik stand den meisten für kurzfristige Absprachen nur das Telefon zur Verfügung –

und der Vorteil des Telefonierens besteht ja darin, dass eventuelle orthografische Schwächen unerkannt bleiben. Menschen, die mit der Rechtschreibung Probleme haben, hat es immer schon gegeben. Sie fielen früher bloß nicht so auf, da ihnen die Technik fehlte, um ihre Probleme regelmäßig unter Beweis stellen zu können. Wer eine Wohnung suchte, etwas zu verkaufen hatte oder eine neue Bekanntschaft machen wollte, der ging zur örtlichen Zeitungsredaktion und gab eine Annonce auf. Diese Annonce wurde in der Regel redaktionell bearbeitet, das heißt in Aufbau, Länge und Ausdruck dem üblichen Anzeigenstil angepasst und nach den gültigen Regeln der Orthografie gesetzt.

Diese Möglichkeit besteht zwar noch immer, doch sie wird immer weniger genutzt und gilt vielen als antiquiert. Wer heute seinen Sperrmüll zu Geld machen will, der gibt eine Anzeige im Internet auf – vorzugsweise auf den Seiten der Auktionsplattform Ebay. Dort sitzt kein nettes Fräulein mehr, dem er seine Anzeige diktieren kann; dort muss er alles selbst machen: vom Hochladen der Fotos bis zur Produktbeschreibung. Folglich ist Ebay eine Fundgrube – nicht nur in sammelsurischer Hinsicht, sondern auch in orthografischer. Denn jeder schreibt eben so, wie er es für richtig hält. Und das hat bekanntermaßen nicht immer viel mit dem zu tun, was im Duden steht. Als Suchender muss man das berücksichtigen. Wer zum Beispiel Modelleisenbahnen sammelt und eine spezielle Dampflokomotive sucht, tut gut daran, nicht nur mit dem Stichwort »Dampflok« zu suchen, sondern es auch noch mit »Dampflock« zu probieren.

Einige Matratzen findet man schneller mit dem Suchwort »Matraze«, und wer Zubehör für seinen Computer sucht, der kann auch unter »Zubehöhr« fündig werden.

War einst die Kunst des Schildermalens den Handwerkern vom Fach vorbehalten, so kann heute dank moderner Fotokopier- und Drucktechniken jeder Ladenbesitzer seine

Angebotsschilder selbst herstellen – kostengünstig und in hauseigener Rechtschreibung. Früher wurden Handzettel, Visitenkarten und Speisekarten noch von Schriftsetzern gesetzt, die meistens über solide Kenntnisse der Rechtschreibung verfügten. Heute machen so etwas Computergrafiker, die sich für die Orthografie nicht zuständig fühlen: Wozu gibt es schließlich Korrekturprogramme?

Inzwischen ist auch der Beruf des Literaturkritikers bedroht. Denn die meisten Buchrezensionen, die heute gelesen werden, stammen gar nicht mehr von ausgewiesenen Literaturkennern, sondern von Laien. Internethändler wie Amazon bieten ihren Kunden ein Forum, in welchem jeder öffentlich seine Bewertung abgeben und ellenlange Kommentare schreiben kann. Meist geschieht dies ohne Punkt und Komma und nur selten unter Berücksichtigung der Regeln für Groß- und Kleinschreibung. Ein wenig seltsam ist es schon, wenn sich Laien mit mangelnden Kenntnissen der deutschen Schriftsprache über deutschsprachige Literatur auslassen.

All das ist jedoch kein Grund zu verzagen, beweist es doch nur, wie lebendig das Interesse der Deutschen am Gebrauch ihrer Schrift ist und wie niedrig die Schwellenangst vor dem Schreiben. Das soll nicht heißen, dass manches nicht verbessert werden könnte. Gerade das Vokabular der meisten sogenannten Simser (SMS-Verschicker) und der Chatter ist noch ausbaufähig. Das Gebot der Kürze macht zwar viele Kompromisse erforderlich (und führt bisweilen sogar zu originellen Kreationen), aber ein vollständiger Verzicht auf Grammatik wird weder dem Handy-Besitzer noch dem PC-Benutzer abverlangt. Viele scheitern bereits an der Unterscheidung zwischen »ein«, »eine« und »einen«. Der männliche und sächliche Artikel »ein« wird in der verkürzten Form der Umgangssprache zu »n«, die weibliche Form

»eine« wird zu »ne«. Die Form »nen« hingegen steht für »einen«.

Die verkürzte Auskunft »Muss Post, nen Paket holen« hieße ausgeschrieben »Ich muss noch zur Post, um einen Paket abzuholen« – was freilich grammatischer Unfug ist. Auch Nachrichtentexte wie »Hast nen Auto?« oder »Brauchste nen Rezept?« sind grammatisch unausgereift. Übrigens wäre gerade hier ein Apostroph ausnahmsweise einmal richtig: 'n oder 'nen. Aber beim Chatten geht es ja vor allem um Schnelligkeit, so wie es beim Simsen um das Einsparen von Zeichen geht.

Doch nicht alles lässt sich mit Sprachökonomie entschuldigen. Wenn *er* sich fragt, warum *sie* »kein Bock auf nen Date mit nen coolen Typ« hat, könnte es schlicht und einfach daran liegen, dass sie *keinen* Bock auf 'n Date mit 'nem Schwachmaten hat.

Was ist Zeit?

Nichts ist so rätselhaft wie die Zeit. Darum passt sie so gut zu unserer Sprache, denn auch die steckt voller Rätsel: Wie nah ist zeitnah? Wer putzt die Zeitfenster? Wie lang dauert ein Sekündchen? Ein paar Fragen über zeitlose Probleme mit kleinen Wörtern der Zeit.

> *Was ist Zeit? Was ist Zeit?*
> *Ein Augenblick, ein Stundenschlag*
> *Tausend Jahre sind ein Tag!*
>
> (Siegfried Rabe/Udo Jürgens)

Das Mysterium der Zeit hat mich beschäftigt, seit ich ein kleiner Junge war. Spätestens, seit ich »Peter Pan« gesehen hatte, in dem ein Krokodil eine Rolle spielt, das einen Wecker verschluckt hatte und infolgedessen ständig tickte. Seitdem tickte es auch bei mir. Die Zeit faszinierte mich, weil sie sich nicht beherrschen ließ. Nie verging sie so, wie man es wollte. Beim Spielen viel zu schnell und bis Weihnachten viel zu langsam.

In der Schule wollte man mir weismachen, Zeit sei eine exakt messbare Komponente unseres Universums; doch ich wusste es besser: Nichts ist so relativ wie die Zeit. Für unser Leben spielen Nanosekunden und Gigajahre keine Rolle, da geht es allein um gefühlte Zeit: 20 objektive Minuten beim Zahnarzt sind in gefühlter Zeit mindestens zwei Stunden. Dass eine Minute längst nicht immer aus 60 Sekunden besteht, weiß jeder, der schon mal die Ansage gehört hat: »Gib mir eine Minute, Schatz! Ich zieh mir nur eben ein anderes Kleid an!« Oder man klingelt unten an der Tür, und eine Stimme flötet vom Balkon herab: »Sekündchen, ich komme!« Während dieses »Sekündchens« kann man meistens problemlos noch ein bis zwei Telefonate führen.

Wie schwer es uns fällt, die Zeit zu bestimmen, zeigt sich an Wörtern wie »sofort«, »gleich« oder »später«. Ein guter Bekannter klärte mich einmal über die in seiner Abteilung übliche Unterscheidung auf. »Das erledige ich sofort« bedeute so viel wie »im Anschluss an meine Kaffeepause«, während »das erledige ich gleich« so viel wie »nachher, irgendwann am Nachmittag, wenn alle meine Ebay-Auktionen abgelaufen sind« bedeute. Die Aussage »das erledige ich später« stelle klar, dass mit einer Erledigung keinesfalls mehr am selben Tag zu rechnen sei.

In einigen Kulturen gibt es angeblich gar kein Wort für Zeit. Im Deutschen gibt es dafür umso mehr Wörter mit »Zeit«, man denke nur an Zusammensetzungen wie Zeitalter, Zeitbombe, Zeitdruck, Zeitlupe, Zeitpunkt, Zeitreise und Zeitzeuge. Und nicht zu vergessen: *Zeitfenster*. Das ist aus unserer Sprache heute nicht mehr wegzudenken. Früher betrat man einen *Zeitraum* oder hängte einen *Zeitrahmen* auf, heute öffnet man ein Zeitfenster. Die Moden wandeln sich eben – das ist der Lauf der Zeit. Mir soll's recht sein – solange ich dieses Fenster nicht putzen muss ...

Ebenfalls zurzeit sehr in Mode ist der Superlativ-Nachsatz »aller Zeiten«: Da ist vom »teuersten Film aller Zeiten« die Rede, von der »meistverkauften Platte aller Zeiten«, vom »kultigsten Auto aller Zeiten« und vom »jüngsten Formel-1-Sieger aller Zeiten«. Ich halte dies für den größten Unfug aller Zeiten. Denn wer wirklich alle Zeiten meint, der kann doch dabei die Zukunft nicht ausschließen, und wer könnte sicher sagen, dass es morgen nicht einen noch teureren

Film und einen noch jüngeren Formel-1-Sieger geben wird? Zugegeben: »Der teuerste Film aller bisherigen Zeiten« klingt nicht so beeindruckend. Aber in Zeiten allzu schneller Ausreizung von Rekordvokabeln kann es nicht schaden, sich beizeiten etwas Neues einfallen zu lassen. Den »aller Zeiten«-Nachsatz verwendete man übrigens schon zu früheren Zeiten: Adolf Hitler wurde spöttisch auch als Gröfaz bezeichnet, als »größter Feldherr aller Zeiten«. Allein aus diesem Grunde sollte man mit dem »größten Superlativ aller Zeiten« weniger leichtfertig und verschwenderisch umgehen.

Politiker lieben das Wort »zeitnah«, weil es gebildet klingt, auch wenn es in Wahrheit genauso unpräzise ist wie »bald« oder »demnächst«. Noch im letzten Jahrhundert führte »zeitnah« ein eher unscheinbares Dasein im Wirtschafts- und Bankenjargon. Der Berliner Bürgermeister Eberhard Diepgen verhalf ihm im Jahre 2001 zum gesellschaftlichen Durchbruch. Die Frage nach dem Zeitpunkt des Rücktritts des CDU-Fraktionsvorsitzenden Klaus Landowsky beantwortete Diepgen mit den Worten: »Die Entscheidung wird zeitnah folgen.«

Seitdem hat die Verwendung des Wortes »zeitnah« bei Politikern und in den Medien sprunghaft zugenommen. Immer wieder hört und liest man von »zeitnahen Lösungen« und »zeitnahen Umsetzungen«, und die Bahn verspricht »zeitnahe Auskünfte über Verspätungen und Anschlussmöglichkeiten«. Ob Politiker ihren ungeduldig wartenden Kindern wohl auch erklären, Weihnachten sei zeitnah? Dabei ist die Definition von »zeitnah« offenbar sehr dehnbar; sie reicht von »jüngst« bis »bald«. Gerade im Feuilleton wird »zeitnah« gern anstelle von »aktuell« gebraucht. Da ist von »zeitnahen Themen« die Rede oder von »zeitnaher Literatur«. Damit sind nicht die Themen und Bücher der nahen Zukunft gemeint, sondern die der Gegenwart.

Manchen ist dieses Wort schon so lieb geworden, dass sie ihm eigene Regeln andichten, zum Beispiel bei der Steigerung: »Der zeitnaheste Termin, den ich Ihnen anbieten kann, ist in vier Wochen«, erfuhr ich von der Sprechstundenhilfe meines Zahnarztes. Warum nicht einfach »der nächste« oder »der früheste«?

Ein gravierendes Missverständnis besteht auch hinsichtlich des unscheinbaren Wortes »zunächst«. Wie oft liest man in Zeitungsartikeln »Über die Brandursache war zunächst nichts bekannt« oder »Vom Täter fehlte zunächst jede Spur«. Ich wundere mich dann immer darüber, dass der Artikel die Auflösung schuldig bleibt. Denn wenn ich ein »zunächst« lese, erwarte ich ein »dann«. So wie hier zum Beispiel: »Zunächst sagte keiner ein Wort, dann fing sie leise an zu sprechen.« Entsprechend also: »Vom Täter fehlte zunächst jede Spur, nach intensiver Suche fand ihn die Polizei dann im Nebenzimmer.«

Das Wort »zunächst« ist gleichbedeutend mit »vorerst«, »fürs Erste«. Wenn man schreiben will, dass irgendetwas noch nicht bekannt ist, dann ist »bislang« oder »bisher« die richtige Wahl: »Über die Ursache ist bislang nichts bekannt.«

Sprache und Zeit haben eines gemein: Sie sind schwer zu begreifen, und sie geben uns immer wieder neue Rätsel auf.

Bitte verbringen Sie mich zum Flughafen!

Am Anfang war das Wort. Und vor das Wort drängte sich – die Vorsilbe! Seitdem ist die Sprache nicht einfacher geworden, dafür aber reicher. In der Regel stellen Vorsilben nämlich eine Bereicherung der Sprache dar. In einigen besonders vornehmen Fällen sind sie sogar eine Anbereicherung.

Seit dem Start ist Henry unleidlich. »Was ist denn los?«, frage ich. »Ich habe Blähungen!«, stöhnt mein Freund. »Reiß dich bloß zusammen«, sage ich, »sonst löst du unter den Passagieren eine Panik aus!« – »Ich hasse dich«, erwidert Henry. »Ich weiß«, sage ich, »du hättest eben auf das zweite Sandwich verzichten sollen.« In diesem Moment beugt sich die Stewardess, die mit dem Einsammeln des Plastikgeschirrs beschäftigt ist, zu uns herab und fragt: »Könnten Sie mir das Tablett wohl eben anreichen?« Henry lächelt gequält und sagt: »Würde es Ihnen unter Umständen genügen, wenn wir Ihnen das Tablett einfach reichen?« Die Stewardess setzt den berühmten »Äh-wie?«-Blick auf, und um uns allen weitere Peinlichkeiten zu ersparen, empfehle ich ihr, den Herrn neben mir einfach für den Rest des Fluges zu ignorieren.

»Was mischst du dich in meine Unterhaltungen mit blonden Frauen?«, entrüstet sich Henry, kaum dass die Stewardess außer Hörweite ist, »hast du nichts zu lesen dabei?« – »Ich dachte, du hast Blähungen, da wollte ich die junge Dame nur so schnell wie möglich aus der Gefahrenzone bugsieren ...« – »Die litt ja selbst an Blähungen, wie deutlich zu hören war«, erwidert Henry. »*Könnten Sie mir das Tablett wohl anreichen?* Das ist Silbenschaumschlägerei!« – »Vielleicht dachte sie an ›anreichern‹ oder etwas

Ähnliches.« Henry sieht mich mitleidig an: »Oder sie war vorher im Kloster, wo sie alles über das Anreichen des Kelches beim Abendmahl gelernt hat. Und weil sie es nicht erwarten konnte, in den Himmel zu kommen, wurde sie Stewardess.« – »Achtung, Henry, dein Niveau droht wieder mal abzusinken!«, ermahne ich ihn. Henry piekst mir in die Seite: »Da, jetzt machst du es schon selbst! *Absinken* hast du gesagt. Das ist gequirlter Unfug. Es gibt weder absinken noch aufsinken!« – »Ich wollte erst *absacken* sagen und habe mich dann im letzten Moment für *sinken* entschieden, und so wurde *absinken* daraus«, versuche ich mich zu verteidigen. »*Absenken* wird auch gern gebraucht«, fällt Henry ein, »vor allem im Zusammenhang mit Konstruktionsfehlern: ›Der Boden der Kongresshalle hat sich nachträglich abgesenkt.‹ Ein Bedeutungsunterschied zwischen senken und absenken lässt sich nicht nachweisen, daher kann man auf das ›ab‹ getrost verzichten.«

Meine Großmutter hatte es früher beim Scrabble-Spiel meisterlich verstanden, Wörter durch Vorsilben zu verlängern und damit hohe Punktzahlen zu erzielen. Inzwischen ist sie 94 und bettlägerig. In der Gebrauchsanleitung für ihr Heimpflegebett Marke »Theutonia II« habe ich den Satz gelesen: »Mit vier Lenkrollen ausgestattet, lässt sich das Bett auch mit darin liegendem Patienten im Zimmer verfahren.« Darüber habe ich mich sehr gewundert. Man kann sich in Paris verfahren oder im Ruhrpott, aber in einem Zimmer? Die Wörter »rollen« oder »hin- und herschieben« waren dem Verfasser offenbar zu profan. So ersann er das »Verfahren«.

In der Amtssprache ist es ein geläufiges Verfahren, alltägliche Verben mit Vorsilben zu versehen. Dadurch soll der Ton offizieller klingen, wenn nicht gar wichtiger. Tatsächlich klingt er dadurch eher seltsam, wenn nicht gar gruselig.

In Polizeiberichten wimmelt es von vorsilbigen Schauer-
geschöpfen. Wenn vom Transport von Verletzten die Rede
ist, so heißt es grundsätzlich: »Die verletzten Personen
wurden ins Krankenhaus verbracht.« Wir verwenden das
Verb »verbringen« eher in aktivischen Zusammenhängen
wie »Meinen letzten Urlaub habe ich in Frankreich verbracht« oder »Meine Nachbarin verbringt täglich viele Stunden vor dem Fernseher«. In diesen Sätzen wird immer nur
eines verbracht, nämlich Zeit, aber keine Person. Personen
werden »gebracht«. Wenn sie »verbracht« werden, dann bedeutet das etwas ganz anderes, nämlich »deportieren«. Und
das wiederum steht für »jemanden gegen seinen Willen an
einen anderen Ort bringen, gewaltsam fortschaffen«. Dass
die Polizei einen Verletzten nicht ins Krankenhaus bringen
lässt, sondern ihn dorthin »verbringen« lässt, wirft ein un-
günstiges Licht auf die Transportmethoden.

Vorsilben dienen dazu, ein Wort genauer zu bestimmen
oder ihm eine andere Bedeutung zuzuschreiben. Man denke nur an das Verb »schreiben«: Da gibt es einschreiben und
ausschreiben, vorschreiben und nachschreiben, aufschrei-
ben und zuschreiben, anschreiben und abschreiben. Und
natürlich verschreiben, und das gleich in mehreren Bedeutungen: Man kann ein Medikament verschreiben, Tinte
verschreiben, sich beim Schreiben verschreiben – und Poli-
zeibeamte können offenbar auch Berichte ver-schreiben,
jedenfalls hört sich ihr Stil danach an.

Wenn kein Bedeutungsunterschied vorliegt, ist die Vorsilbe überflüssig. So wie bei dem Wort »abbergen«, Fachjargon für »Rettung aus Seenot«. Schiffbrüchigen dürfte es
jedenfalls egal sein, ob sie geborgen oder abgeborgen werden – solange sie nur gerettet werden. Was bringt es an zu-
sätzlichem Nutzen, wenn der Fliesenleger Fugen »verfüllt«,

statt sie einfach zu füllen? Was haben wir davon zu halten, wenn ein Gerät als »sportlich beim Anstarten und im Betrieb« beschrieben wird? Denn was der Unterschied zwischen *starten* und *anstarten* sein soll, bleibt unklar. Dasselbe gilt für *warnen* und *vorwarnen*. Das nachträgliche Warnen ist jedenfalls genauso sinnlos wie das nachträgliche Programmieren, daher kann man auf ein »vor« vor diesen Wörtern getrost verzichten.

Politiker reden gern davon, dass sie eine Idee oder eine Entwicklung »befördern« wollen. Man wäre ja schon froh, wenn sie ihren Sprachstil förderten.

Was bringt es, wenn wir Dinge *ab*ändern wollen, statt sie einfach nur zu ändern? Ist es günstiger, eine Wohnung *an*zumieten, statt sie zu mieten? Steigen Löhne schneller, indem man sie *an*steigen lässt? Warum werden Tische in Restaurants nicht mehr wie früher gedeckt, sondern *ein*gedeckt?

Ein leises Stöhnen von Henry reißt mich aus meinen Gedanken. »Soll ich die Stewardess bitten, dir einen Kräutertrank zu bringen?«, frage ich mitleidig. Henry verzieht das Gesicht: »Damit sie mir einen Jägermeister *an*serviert? Nein danke, mehr Blähungen verkrafte ich heute nicht!«

Vorsilben im Test: Flüssig oder überflüssig?	
abändern	ändern
abklären	klären
abmildern	mildern
abmindern	mindern
absenken	senken
absinken	sinken
abzielen	zielen
anmieten	mieten
anbetreffen	betreffen
ansteigen	steigen
anwachsen	wachsen
auffüllen	füllen
aufoktroyieren	oktroyieren
aufzeigen	zeigen
ausborgen	borgen
ausleihen	leihen
befüllen	füllen
mithelfen	helfen
verfüllen	füllen
vorankündigen	ankündigen
vorprogrammieren	programmieren
vorwarnen	warnen
zuliefern	liefern
zuschicken	schicken

Alles Malle, oder was?

Die Sonne scheint bei Tag und Nacht – Eviva España! Sangria, Paella und Malle! Was wären wir Deutschen ohne unsere spanische Lieblingsinsel und ohne die iberische Küche? Spanisches nehmen wir ja gerne in den Mund – nur mit der Aussprache hapert's manchmal.

Sommerzeit, Ferienzeit – und wie jedes Jahr fliegen Hunderttausende Deutsche zu jener spanischen Insel, die von manchem schon liebevoll-imperialistisch als 17. Bundesland bezeichnet wurde. Dabei wissen längst nicht alle einmal, wie man den Namen dieser Insel richtig ausspricht: Viele nennen sie »Mal-lor-ka«, mit einem lieben, lustigen »l«-Laut in der Mitte. Dass das Doppel-l im (Hoch-)Spanischen für »lj« steht, kann man ohne entsprechende Vorbildung ja auch nicht wissen. Und selbst diejenigen, die über die entsprechende Vorbildung verfügen, sprechen in der verkürzten Form gern von »Malle«.

Offiziell wird das spanische »ll« (genannt »elje«) mit einem leicht anklingenden »l« gesprochen, so wie im deutschen Wort »Familie«. Aber für Spanien gilt dasselbe wie für Deutschland: Überall spricht man anders. In der Umgangssprache hat sich das Elje zu einem »j« verschliffen, sodass die Form »Majorka« inzwischen häufiger zu hören ist als »Maljorka«. In Südamerika ist es sogar noch ein bisschen anders, aber das führte hier buchstäblich zu weit. Bei der Paella ahnen die meisten Deutschen offenbar, dass dort irgendwo ein »j«-Laut hingehört. Das beliebte spanische Resteessen wird jedenfalls zumeist richtig »Paëlja« ausgesprochen, sowohl mit »l« als auch mit »j«.

Regelmäßig ins Schleudern kommt man im Spanischen ja beim Zählen. Erst haben wir Deutschen mühsam die italienischen Zahlen gelernt (uno, due, tre, quattro), nun müssen wir auch noch die spanischen lernen. Und die sind so verdammt ähnlich! Was heißt denn nun »zweimal Paella bitte« auf Spanisch? »Due ... nein ... dos paella per ... por ... favore.« Oder so ähnlich. Hauptsache, man wird verstanden.

Und das wird man ja, weil immer mehr Spanier inzwischen Deutsch sprechen. Zumindest in der Gastronomie. Die meisten Speisekarten sind ohnehin mehrsprachig. Dabei kommt es immer wieder mal zu Missverständnissen. Während man im Italienischen zwischen den Wörtern sta**g**ione (Jahreszeit) und sta**z**ione (Bahnhof) unterscheidet, gibt es im Spanischen dafür nur ein Wort: estación. Dies erklärt, weshalb der Wirt der Pizzeria »Don Quixote« am Ballermann auf seiner Karte keine Pizza »Vier Jahreszeiten« führt, sondern eine Pizza »Vier Bahnhofs«. Wer sich mit derartigen Feinheiten des Spanischen nicht auskennt, versteht da freilich nur Bahnhof – das dann aber gleich vierfach.

Neben Übersetzungsfehlern sorgen natürlich auch Hörfehler für Heiterkeit im deutsch-spanischen Kulturaustausch. Eines der berühmtesten Beispiele ist der bei deutschen Touristen so beliebte Schlager »Eviva España«*. Der deutsche Refrain basiert auf einem Hörfehler, denn »Eviva España« ergibt im Spanischen gar keinen Sinn. Der korrekte Konjunktiv lautet »¡Que viva España!« (»Möge Spanien hochleben!«), und so heißt es denn auch in der spanischen Ver-

---

* Die Sonne scheint bei Tag und Nacht / Eviva España!
  Der Himmel weiß, wie sie das macht / Eviva España!
  Die Gläser, die sind voller Wein / Eviva España!
  Und bist du selber einmal dort / willst du nie wieder fort.

  (wahlweise auch: »Und jeder ist ein Matador – España por favor«)

  Gesang: Imca Marina (1972) u. v. a.
  Text: Leo Rozenstraten/Hans Bradtke
  Musik: Leo Caerts jr.

sion des Liedes. Das soll uns aber nicht davon abhalten, weiterhin »Eviva España« zu singen, denn auch wenn es falsch ist, so klingt es doch schön! Spätestens seit »Winnetou«, den Karl May erdachte und beschrieb, ohne das Land der Rothäute mit eigenen Augen gesehen zu haben, und dessen Abenteuer 70 Jahre später in einem Land verfilmt wurden, in dem es niemals Indianer gegeben hat (in Jugoslawien nämlich), noch dazu mit einem Franzosen in der Titelrolle – spätestens seitdem wissen wir doch, dass die Vorstellung, die man sich von einem Land und seinen Bewohnern macht, nicht unbedingt den Tatsachen entsprechen muss, um von diesem Land und seinen Bewohnern begeistert zu sein.

Die Deutschen, die dauerhaft auf Mallorca leben (vornehm auch »die deutschen Residenten« genannt), schlagen sich indes mit ganz anderen Problemen herum. So wollte der Chefredakteur der »Mallorca Zeitung« beispielsweise von mir wissen, ob es eine Regel für die Ableitung von Städtenamen gebe. Wie heißen die Einwohner der Inselhauptstadt Palma? Werden sie auf Deutsch Palmaner genannt? Oder Palmaraner? Palmarianer? Oder gar Palmesen? Da war ich im ersten Moment ratlos. Eine Regel gibt es nämlich nicht, die meisten Formen sind historisch gewachsen; manchmal entstanden sie in Analogie zu anderen Formen, manchmal setzte sich auch einfach diejenige Form durch, die sich am besten aussprechen ließ.

Sicher weiß ich nur, dass die Bewohner Palmas nicht »Palmen« heißen. Die gibt es auf der Insel zwar auch, doch die bewegen sich nicht von der Stelle. In der Redaktion der »Mallorca Zeitung« orientiere man sich an den spanischen Formen, erklärte mir der Chefredakteur. Und auf Spanisch heißen die Bewohner von Palma de Mallorca »Palmesanos«.

Ich erwiderte, dass ich die Übernahme der spanischen Form für eine vernünftige Lösung halte, auch wenn sie ein bisschen nach italienischem Reibekäse klingt.

Auch im Spanischen gibt es für die Ableitungen keine festen Regeln. Die Bewohner der kanarischen Insel La Palma werden »Palmeros« genannt, und die Einwohner der Stadt Las Palmas auf Gran Canaria heißen »Palmense«. Da soll sich einer zurechtfinden! Die meisten sind ja schon froh, wenn sie die kanarischen und die balearischen Inseln auseinanderhalten können. (Die Eselsbrücke lautet: Auf **Malle** gibt's den **Balle**rmann, daher gehört die Insel zu den **Bale**aren.)

Zum Verwirrspiel zwischen »l« und »j« wusste ein Leser folgende hübsche Anekdote zu berichten: Als der Schauspieler Til Schweiger einmal zu Gast in der Harald-Schmidt-Show war und es um Tequila ging (das ja nur mit einem »l« geschrieben und deshalb auch im Spanischen mit »l« gesprochen wird), soll Schweiger den Gastgeber verbessert haben, als dieser richtig »Tekila« sagte. Im Spanischen würde das »l« wie ein »j« gesprochen, so Schweiger, deshalb heiße es »Tekija«. Da Schweiger dies sehr überzeugend vortrug, sprach die ganze Runde fortan von »Tekija«.

Auf einem Rummelplatz in Palma de Mallorca erlebte ich etwas, das mich schmunzeln ließ. Ich hatte Appetit auf etwas Süßes und reihte mich in die Warteschlange vor einem Crêpe-Stand ein. Vor mir war ein ungefähr achtjähriger mallorquinischer Junge dran. Als er gefragt wurde, was er auf seine Crêpe haben wolle, deutete er auf das Glas mit der Haselnusscreme und rief: »Nuteja!« So also rächt sich der Spanier für unser »Mal-lor-ka«. Er spricht das Doppel-l in »Nutella« wie ein »j«! Was dem Deutschen sein Malorka, das ist dem Spanier sein Nuteja. Damit wäre dann ja alles im

Lot. Die Touristin, die nach mir an der Reihe war und einen Pfannkuchen mit Grand Marnier und Schlagsahne bestellte, erkundigte sich in bestem Volkshochschul-Italienisch nach dem Preis: »Quanta costa?« Spanisch wäre »Cuánto cuesta« gewesen. »Cuánta costa« versteht man gleichwohl, allerdings heißt das etwas anderes, nämlich »Wie viel Küste?«. Eine seltsame Frage, auf die es aber auf Mallorca nur eine Antwort geben kann: Sehr viel!

Haarige Zeiten

Die Zunft der Friseure besticht immer wieder durch gnadenlose Originalität. Ihr Reichtum an Ideen schlägt sich nicht nur in ausgefallenen Frisuren nieder, sondern auch in den Namen ihrer Salons. Die einen spielen »Cuts and Mouse«, die anderen machen Kopfsalat mit Löckchen. Bestaunen Sie die Haarchitektur des frisierten Humors.

»Deine Haare sind ja ganz schön lang geworden«, stellt mein Freund Henry fest, als wir uns nach meinem Mallorca-Urlaub im Café treffen. »Ist der Vokuhila-Look* jetzt wieder in?« Darauf erwidere ich bloß: »Ich finde, solange der Mann noch Haare hat, kann er dies auch ruhig zeigen. Du trägst dein Hemd ja schließlich auch nicht immer bis oben zugeknöpft, Meister Petz.«
Henry schnaubt verächtlich: »Brustbehaarung ist männlich. Langes Haar hingegen ist hippieverdächtig!« – »Du weißt doch, jede Mode kommt früher oder später zurück!« – »Aber nicht immer will man das! Die Siebziger waren grausam!« – »Die Achtziger fand ich schlimmer!«, sage ich, »erinnere dich nur mal an die Föhnfrisuren aus ›Dallas‹ oder an Modern Talking!« – »An Modern Talking will ich mich nicht erinnern«, stöhnt Henry.

»Die Wahrheit ist, ich habe einfach keine Zeit, zum Friseur zu gehen«, sage ich. »Und wenn, dann wüsste ich auch gar nicht, zu wem ich gehen sollte.« – »Du warst doch immer bei diesem Figaro bei dir um die Ecke – wie hieß der Laden noch gleich ... Schni, Schna, Schnappi?« – »Du meinst ›Schnippschnapp‹?« – »Ja, genau!«, ruft Henry. Ich winke ab:

---

* Vokuhila: Kurzwort für »Vorne kurz, hinten lang«, spöttische Bezeichnung für Langhaarfrisuren in den 70er-Jahren.

»Der kann aber immer bloß den gleichen Fünf-Millimeter-Schnitt. Gegen ein bisschen mehr Einfallsreichtum hätte ich nichts einzuwenden.«

Offenbar in Schnippschnapp-Laune geraten, schnappt Henry sich ein Stadtmagazin und schlägt den Anzeigenteil auf: »Also, an Einfällen fehlt es unseren Friseuren nicht. Hier, wie wär's mit dem: ›Querschnitt‹ – klingt doch witzig!« – »Bist du sicher, dass das ein Friseur ist und kein Radiologe?« – »Hier hab ich einen für dich: ›Lockenbaron‹. Klingt doch nobel! Und der hier ist auch nicht schlecht: ›Glückssträhnchen‹. Wolltest du nicht immer schon mal blonde Strähnchen haben?« – »Aus dem Alter bin ich raus. Was ist mit dem da?« – »›Kopfgärtner‹? Das klingt zu harmlos! Bei deiner Matte brauchst du eher so einen wie den hier: ›Schopfgeldjäger‹.« Ich sauge geräuschvoll an meinem Eiskaffee, während Henry umblättert und erstaunt brummt: »Kaum zu fassen. Haben die etwa alle so originelle Namen?«

Die Namenserfindungen der Friseure sind tatsächlich eine Kunstform für sich. Wortspiele mit dem Wort »Haar« sind besonders beliebt: »Haut und Haar«, »Haar Genau«, »Haar Scharf«, »Haarlekin«, »Haarem« und »Vier Haareszeiten«. In fast jeder größeren Stadt findet man heute einen Laden mit dem Namen »Haarmonie«, und in Aachen auch einen namens »Haarmoni«, denn die Inhaberin heißt mit Vornamen Monika. In Köln gibt es nicht nur eine Philharmonie, sondern auch eine »Philhaarmonie«. Ja, Friseure sind kreativ, in Berlin ist einer sogar »CreHaartiv«. Im Grunde sind sie ja Künstler, und einige sind sogar Zauberkünstler, so wie die Inhaber des Ladens »Haarbracadabra«. Nicht jeder kann Rinderbaron in Südamerika werden, mancher bringt es bloß zum Friseur in Eschwege. Auf seine eigene »Haarcienda« braucht er trotzdem nicht zu verzichten.

Als ich kürzlich zum Hamburger Flughafen fuhr, zwang ich den Taxifahrer zu einer Vollbremsung, weil ich ein Friseurschild entdeckt hatte, das ich unbedingt fotografieren musste: »O Haara«. Geht's noch witziger? Ja, es geht! In Berlin gibt es einen Friseursalon namens »Mata Haari«. In Köln gab es auch mal einen Laden namens »Haarakiri« – aber der hat inzwischen wieder zugemacht. Vermutlich fanden die Kunden die Methoden doch zu radikal. Zu meinen Favoriten zählt der Berliner Salon »Haarspree«. In Wien gibt's einen Laden namens »Haarchitektur« und einen namens »GmbHaar«. Da lacht doch Kater Karlo: »Haar, haar, haar!«

Bei allem Einfallsreichtum gilt natürlich: Auch Friseure waschen nur mit Wasser – wie ein Laden in Paderborn beweist. Der nennt sich nämlich »Haar 2 O«. Gelegentlich darf auch das Arbeitsgerät des Friseurs als Namenspatron herhalten: Vom »Scherenschnitt« über den »Kammpus« bis hin zum »Fönix« ist alles vertreten. Wo herrscht im Stadion die beste Stimmung? Natürlich – in der »Fönkurve«! Und wie nennt sich der Salon von Meister Sörensen in Nordfriesland? Logisch: Frisörensen! Und was so ein kleiner Buchstabendreher ausmachen kann, zeigt sich auf grandiose Weise bei »Zopf oder Kahl«.

Je dichter die Konkurrenz, desto wichtiger ist es für den Friseur, im Trend zu liegen. Und heutzutage lechzt bekanntermaßen alles nach Internationalität. Das merkt man schon daran, dass sich viele Friseure selbst lieber als Hairstylisten bezeichnen. Entsprechend findet man auch immer mehr englisch klingende Namen. »Cut 'n' Curl« zum Beispiel oder »Delicut«. Lieben Sie Musicals? Dann kennen Sie bestimmt »My Hair Lady«! Wo lassen sich Filmemacher die Haare schneiden? Beim »Director's Cut«! Wer sich in Los Angeles auskennt, der weiß, wo sich »Bel Hair« befindet und wie man zum »Hairport« kommt. Und wie nennt sich wohl der Friseur in der Nähe eines Luftwaffenstützpunktes? Natürlich: »Hairforce«!

Auf dem Gebiet der deutsch-englischen Mischformen eröffnen sich dem wortgewitzten Figaro schier unbegrenzte Möglichkeiten: »Hin und Hair«, »Vorhair/Nachhair«, »Hairliche Zeiten« oder »Hair Gott« sind spektakuläre Zeugnisse denglischen Humors. Ebenso »United Haartists« oder »Kamm in«.

Henry kräuselt die Stirn: »Kamm in?« – »Genau!«, entgegne ich, »das ist Frisörisch und bedeutet dasselbe wie ›Haireinspaziert!‹« – »Oh Mann, ich krieg gleich einen Föhn!«, stöhnt Henry, »da sind mir die deutschen Wortspiele noch lieber. ›Neuer AbSchnitt‹ finde ich gut. Und ›Über kurz oder lang‹. Oder ›Kurz und Schmerzlos‹. So will man es als Kunde doch schließlich haben.« – »Für dich mag die Frisur eine Nebensache sein«, sage ich, »für andere ist es eine Haupt-Sache. Die gehen dann zu ›Hauptsache Haar‹. Oder zu ›Barbara's Barber Shop‹. Daneben gibt es natürlich noch die haarigen Klassiker: ›Rapunzel‹, ›Struwwelpeter‹ und ›Samson‹.« Henry zuckt zusammen: »Samson aus der Sesamstraße?« – »Natürlich nicht, sondern Samson aus der Bibel. Der mit den Superkräften.« – »Ach so, der von ›Samson und Dalida‹!« – »Fast. Delilah hieß sie, und sie schnitt ihm die Haare ab, woraufhin er seine Superkräfte verlor.«

»Aber wo wir schon bei der Bibel sind«, fahre ich nach einer kurzen Pause fort, »da fällt mir noch ein anderer haarträchtiger Name ein. Kennst du die Geschichte von David und Absalom?« – »Ich kenne nur David und Goliath«, sagt Henry. »Absalom war Davids Sohn«, erkläre ich, »er versuchte, seinen Vater zu stürzen. In der Entscheidungsschlacht verfingen sich seine Haare in einem Baum, und Absalom

wurde getötet.« – »Seine Haare wurden ihm also zum Ver-häng-nis ...« – »Genau. Ist doch eine tolle Geschichte! Wäre ich ein Friseur, würde ich meinen Laden AbSalon nennen! Das wäre gleich ein doppeltes Wortspiel!«
»Hübsche Idee, aber vermutlich zu intellektuell!«, sagt Henry. »Der Kunde braucht einfache Begriffe; solche, die ihm schon aus weiter Entfernung zurufen: Schau hair, ich bin ein Friseur, und ich bin witzig!« –»Du meinst so etwas wie ›Schnittstelle‹?«, frage ich. Henry nickt. »Oder wie ›Hairkules – Ihr starker Friseur‹?« Henry kichert. »Oder wie ›Kaiserschnitt‹?« Henry stöhnt laut auf. »Henry, beHAIRsche dich«, ermahne ich meinen Freund, »du verlierst ja völlig die Fasson!« Gerade als wir aufbrechen wollen, beugt sich der Gast vom Nebentisch zu uns herüber und sagt: »Entschuldigt, wenn ich mich einmische, aber wenn ihr einen wirklich guten Friseur sucht, dann kann ich euch diesen hier empfehlen!« Lächelnd reicht er uns eine Geschäftskarte. Henry schaut drauf und bricht in schallendes Gelächter aus. »Was ist denn so komisch?«, frage ich. »Ein prima Tipp! Mit dem können wir nichts falsch machen«, gluckst Henry, »der macht zumindest keine falschen Versprechungen!« Er reicht mir die Karte, und ich lese:

Der Friseur Ihres Vertrauens

Wächst ja wieder

Ruhrstraße 41
22761 Hamburg
Tel.: (040) 28058567

Verwirrender Vonitiv

Grammatik ist nicht jedermanns Sache, das Deklinieren schon gar nicht. Darum wird ein Fall immer beliebter: der Vonitiv. Der Name sagt Ihnen nichts? Sie kennen ihn bestimmt! Der Vonitiv ist der Tod von dem Genitiv.

Solche Schlagzeilen können einem den ganzen Tag verderben: »Mutter von vier Kindern erschlagen«. Das ist doch wirklich nicht zu fassen: Die Jugend wird wirklich immer brutaler! Vier Kinder rotten sich zusammen und erschlagen eine Mutter. Was um alles in der Welt hat sie nur dazu getrieben? Wessen Mutter war diese Mutter überhaupt? Und was geschieht mit den vier Mörder-Kids? Fragen über Fragen.

Fragen, die man sich nicht zu stellen brauchte, wenn die Schlagzeile anders lautete, zum Beispiel: »Mutter vierer Kinder erschlagen«. Das setzte beim Verfasser der Zeile allerdings Kenntnisse über den Gebrauch des Genitivs voraus.

Schon folgt der nächste Schock: »Außenminister von Japan ausgeladen«. Wie denn, wo denn, was denn, welcher Außenminister? Doch nicht etwa unser Bundesaußenminister? Die japanische Regierung hat unseren Außenminister ausgeladen? Was haben wir denn falsch gemacht? Waren wir nicht nett genug zu den Japanern? Liegt es daran, dass wir uns immer noch weigern, Walfleisch zu essen? Erst beim Lesen der Unterzeile erfährt man, dass es der japanische Außenminister ist, der ausgeladen worden ist, und zwar von der chinesischen Regierung. Darauf hätte man natürlich auch gleich kommen können, wenn dort gestanden hätte: »Japans Außenminister ausgeladen« oder »Japanischer Außenminister ausgeladen«.

Grundsätzlich ist gegen die Umschreibung des Genitivs mithilfe des Wörtchens »von« nichts einzuwenden. Unsere praktisch veranlagten Nachbarn, die Niederländer, haben den Genitiv schon vor Jahrhunderten abgeschafft, was dazu führte, dass »van« zum berühmtesten Wort der niederländischen Sprache geworden ist, gleich nach »kaas« und noch vor »strottehoofdontsteking« (Kehlkopfentzündung).

Doch Umschreibungen mit »von« können zu Missverständnissen führen. So wie in diesem Beispiel vom November 2005: »Zwei Minenräumer von Schweizer Organisation im Sudan getötet«. Nicht genug damit, dass sich die Sudanesen untereinander bekriegen, nun machen auch noch Schweizer Organisationen das Land unsicher und jagen tapfere Minenräumer in die Luft! Ausgerechnet die Schweizer: Erfinder der Neutralität und des Roten Kreuzes – von denen hätte man so etwas am wenigsten erwartet.

Nicht weniger irritierend war jene Meldung vom Mai 2005, in der es hieß: »In Pakistan ist ein ranghohes Mitglied der al-Qaida von Osama Bin Laden gefasst worden.« So mancher Leser dürfte sich gefragt haben, ob Osama Bin Laden die Seiten gewechselt habe und jetzt Jagd auf seine ehemaligen Verbündeten mache.

Bevor man sich für eine Konstruktion mit »von« entscheidet, sollte man sich vergewissern, dass sie nicht falsch interpretiert werden kann. Das Wort »von« stellt eine Beziehung zwischen zwei Wörtern her, aber nicht immer ist von vornherein klar, wie diese Beziehung aussieht. Und kompliziert – da doppeldeutig – wird es schnell, wenn ein Perfektpartizip ins Spiel kommt. Nehmen wir nur mal die Überschrift »Mörder von Susanne verurteilt«. Die wirft doch ein recht seltsames Licht auf unseren Rechtsstaat. Wenigstens aber auf die Methoden der Presse. Selbst wenn bei diesem Mord-

prozess alles mit rechten Dingen zuging, so ist es doch un-
üblich, die Richterin nur mit ihrem Vornamen zu nennen.
Die Feststellung, dass in Deutschland »immer weniger
Autos von Polen gestohlen« werden, ist hingegen beruhi-
gend – vor allem für die Polen, die nicht mehr um ihre Autos fürchten müssen, wenn sie die Grenze nach Deutschland überqueren.

An der Formulierung »Wenn ich König von Deutschland wär« ist nichts auszusetzen, es muss nicht »Wenn ich
Deutschlands König wär« heißen. Zumal die grammatische und inhaltliche Beziehung zwischen Deutschland und
König unmissverständlich ist. Aber bei der Frage »Wurde
Entführung von Patrick in Italien geplant?« ist der Zusammenhang zwischen der Entführung und Patrick alles andere als eindeutig. Eindeutig wäre er im Falle von »Patricks
Entführung« – im Falle des zweiten Falles also. Vielen mag
der Genitiv heute altmodisch und gespreizt erscheinen. Er
hat aber einen Vorzug, den man ihm nicht so leicht abspre-
chen kann: Er sorgt für Klarheit und Unmissverständlich-
keit. Ein weiteres mehrdeutiges Fundstück: »Bis heute ist
noch niemand für die Ermordung von Präsident Ndadaye
zur Verantwortung gezogen worden.« – Kein Wunder, wie
soll der Präsident jemanden zur Verantwortung ziehen
können, wenn er doch gar nicht mehr lebt?

Große Freude schließlich beim Lesen der letzten Schlagzeile des Tages: »Käfighaltung von Hühnern verboten«. Da
haben die fleißigen Eierlegerinnen und Körnerpickerinnen
ihr Schicksal offenbar selbst in die Hand genommen und
mutig ein Käfigverbot erlassen. George Orwells »Farm der
Tiere« lässt grüßen. Heute würde man wohl sagen: »Die
Farm von den Tieren«.

That's shocking!

Wenn die Queen erschüttert ist, ist sie dann schockiert oder geschockt? Wird bei Abstimmungen noch votiert oder nur noch gevotet? Darf man einen Menschen noch kontaktieren, oder sollte man ihn lieber kontakten? Unsere Sprache wird kürzer, schneller, englischer.

Philipp arbeitet in der Redaktion einer Lokalzeitung. Seit Jahren versucht er, Henry und mich zu Abonnenten zu machen, aber zum Glück ist uns bislang noch immer irgendeine Ausrede eingefallen, um diesem Unheil zu entgehen. Die Zeitung zählt nämlich nicht gerade zu den führenden intellektuellen Organen dieser Republik. Trotzdem bewundere ich Philipps Enthusiasmus. Bei jedem Treffen bringt er wieder ein paar Ausgaben mit, in denen angeblich »total relevante« Sachen stehen, die wir unbedingt lesen müssen.

»Hier, das wird dich interessieren: ein Kommentar unseres Chefredakteurs zur Rechtschreibreform!« Ich bedanke mich überschwänglich. Der hat mir gerade noch in meiner Sammlung gefehlt. »Steht auf Seite drei. Die wichtigsten Passagen sind gelb gemarkt«, sagt Philipp. »Gemarkt?«, frage ich erstaunt, »meinst du nicht eher *markiert*?« Philipp zuckt mit den Schultern: »Von mir aus auch markiert. Gibt es da einen Unterschied?« – »Nun ja, der Unterschied besteht zum Beispiel darin, dass das Wort ›markiert‹ existiert, während es ›gemarkt‹ nicht gibt«, sage ich, »jedenfalls nicht als Partizip. Es gibt ein altes deutsches Hauptwort *Gemarkt*, welches Grenze, Gebiet bedeutet. Aber das wird heute nicht mehr verwendet.« – »Also ist die Stelle wieder frei geworden. Dann kann man *gemarkt* doch jetzt für etwas anderes verwenden«, entgegnet Philipp. »Selbstverständlich«, sage ich, »die Frage ist nur, ob wir es wirklich benötigen, wenn es doch schon ›markiert‹ gibt.«

Im Deutschen enden zahlreiche Verben auf »-ieren«. Sie sind größtenteils lateinischen oder französischen Ursprungs. Das Wort »mokieren« zum Beispiel kommt vom Französischen »moquer« und hat nichts mit dem deutschen »mucken« zu tun. Sich über jemanden mokieren (nicht: muckieren) heißt: sich über jemanden lustig machen. Die französische Endung »er« (gesprochen wie ein langes e) wurde bei der Übernahme ins Deutsche zu »ieren«. In jüngerer Zeit wurde diese Endung bei manchen Wörtern abgeschliffen. Das ist vermutlich ein natürlicher Vorgang in der Umgangssprache, der sich mittlerweile auch in der Schriftsprache niederschlägt. Meistens geschieht dies unter dem Einfluss des Englischen, das für seine Knappheit berühmt ist.

Das in der Schweiz und in Österreich noch sehr geläufige Wort »kampieren« wird in Deutschland fast nur noch im militärischen Sinne gebraucht. Wenn Truppen irgendwo ihr Lager aufschlagen, dann kampieren sie. Doch wenn Familie Laumann ihr Zelt einpackt, dann fährt sie zum Campen, dann wird auf gut Deutsch gecampt und nicht kampiert. In der Schweiz kennt man übrigens auch noch die entzückenden Verben »parkieren« für »parken« und »grillieren« für »grillen«. In Philipps Zeitung findet man das Wort »grillen« gelegentlich auch in der übertragenen Bedeutung »streng verhören«, so wie man es aus amerikanischen Nachrichten kennt: »JBK grillt Hoyzer«, lautete die Überschrift zu einem Bericht, in dem beschrieben wurde, wie Johannes B. Kerner den in einen Wettskandal verwickelten Fußballschiedsrichter Robert Hoyzer in die Mangel nahm. Bedauerlicherweise gibt es von Philipps Zeitung keine Ausgabe für die Schweiz. Ich hätte gern gewusst, ob die Überschrift für die Schweizer Leser in »JBK grilliert Hoyzer« geändert worden wäre.

Oft besteht zwischen der längeren Form auf »ieren« und der kürzeren Form auf »en« ein Bedeutungsunterschied. Fixieren zum Beispiel ist etwas anderes als fixen. Und firmieren ist etwas anderes als firmen. Auch zwischen flankieren und flanken besteht ein Bedeutungsunterschied. Aber bis heute habe ich noch nicht begriffen, worin der Unterschied zwischen »schockieren« und »schocken« liegen soll. Philipp behauptet steif und fest, »geschockt« sei etwas anderes als »schockiert«. »Die Queen war geschockt« höre sich für ihn »irgendwie dramatischer« an als »schockiert«. Möglicherweise hört sich »schockiert« für Philipp etwas altmodisch an, aber umso besser passt es dann zur Queen. »Geschockt« ist auf jeden Fall umgangssprachlich, und wenn es in der Zeitung auftaucht, sind viele Leser schockiert. Früher sagte man übrigens mal »Das schockt total«. Das bedeutete ungefähr so viel wie das heutige »voll krass«.

Während des Dreißigjährigen Krieges, als viele deutsche Städte unter heftigem Artilleriebeschuss standen, wurde das Wort »bombardieren« eingeführt, das man sich von den Franzosen (bombarder) abgeguckt hatte, die es wiederum von den Italienern übernommen hatten.
Mit dem Sieg der Briten und Amerikaner im Zweiten Weltkrieg wurde auch das englische »to bomb« bei uns bekannt, zunächst in Zusammensetzungen wie »zerbombt« und »ausgebombt«. Das Werfen von Bomben wurde weiterhin »bombardieren« genannt. Erst in den letzten Jahren schreiben immer mehr Menschen Sätze wie »Bush bombt«, »Die USA bomben wieder« und »Stoppt das Bomben!«. Es

scheint, als wolle man das Verb »bombardieren« mit aller Macht aus unserem Wortschatz *bomben*.

»Die USA bombardieren Bagdad« höre sich für ihn zu sehr nach Wochenschau an, meint Philipp. Er findet »Bush bombt Bagdad platt« zeitgemäßer. Philipp ist in zeitgemäße Vokabeln vernarrt, vor allem, wenn sie englisch klingen. Mögen Kulturkritiker für besseres Deutsch votieren, Philipp *votet* für Denglisch. Und während mein Rechner unerwünschte Werbung noch blockiert, wird sie von Philipps Computer längst *geblockt*.

»Wenn es dich interessiert, kann ich ja dafür sorgen, dass mein Chefredakteur dich mal kontaktet«, sagt Philipp. »Ich ziehe es offen gestanden vor, kontaktiert zu werden«, erwidere ich höflich, »aber an Gesprächen über die reformte Rechtschreibung bin ich ohnehin nicht sonderlich interestet.« Philipp blickt mich verständnislos an. Henry klopft ihm auf die Schulter: »Nimm's ihm nicht übel, unser Freund ist momentan etwas stressiert.« Dann schaut er auf die Uhr und ruft: »So, Jungs, lange genug quatschiert, höchste Zeit, nach Hause zu marschen!«

Das Schönste, wo gibt

Dadaismus, Kubismus und Surrealismus sind lange passé. Wir leben im Zeitalter des Wowoismus. Das zeigt sich sofort, wo ein Nebensatz gebildet wird. Darum folgt an dieser Stelle ein Kapitel, wo es um das kleine Wörtchen »wo« geht. Für alle, die wo noch unsicher sind.

Turmbauer sind Menschen, die einen Turm errichten (zum Beispiel die Babylonier), Häuslebauer sind Menschen, die fleißig schaffen, um sich ein eigenes Haus leisten zu können (zum Beispiel die Schwaben). Und Satzbauer – nun, das sind die, wo einen Satz konstruieren. Dazu bedarf es keiner besonderen Herkunft oder Ausbildung, das lernt man in der Regel schon als Kind. Trotzdem ist das Zusammenbauen von Sätzen kein Kinderspiel.

Denn es gilt zu unterscheiden zwischen Hauptsätzen und Nebensätzen, und bei den Nebensätzen wiederum gibt es unzählige Untergruppen: Subjektsätze, Objektsätze, Infinitivsätze, Temporalsätze, Kausalsätze, Modalsätze und viele mehr. Das ist zum Glück weniger kompliziert, als es sich anhört, denn man muss nicht wissen, wie so ein Nebensatz heißt, um ihn richtig bilden zu können. Wir sind schließlich auch in der Lage, eine Mahlzeit korrekt zu verdauen, ohne zu wissen, ob nun gerade der Zwölffingerdarm, der Leerdarm, der Krummdarm, der Grimmdarm oder Mastdarm aktiv ist. Die meisten Menschen wissen vermutlich nicht einmal, dass sie so viele Därme haben. Und für den Satzbau gilt dasselbe wie für die Verdauung: Entscheidend ist, was am Ende dabei herauskommt.

Die häufigsten Nebensätze sind sogenannte Attributsätze. Sie haben die Aufgabe, ein Element des Hauptsatzes näher zu bestimmen. Um einen solchen Attributsatz einzuleiten,

633

bedient man sich eines Relativpronomens. Die bekanntesten sind »der«, »die« und »das«.

Einige Attributsätze werden auch mit dem Wort »wo« eingeleitet. Standardgemäß tritt es immer dann auf den Plan, wenn im Hauptsatz ein »da« oder »dort« auftaucht, welches eine nähere Bestimmung erfordert: »Heimat ist überall dort, wo man sich zu Hause fühlt«; »Da, wo ich herkomme, kennt man das nicht«. Die meisten Deutschen lieben dieses kleine Wörtchen »wo«, vermutlich, weil es so schön kurz und prägnant und gut auszusprechen ist. Daher verwenden sie es auch dort, wo Sprachpuristen lieber eine Fügung aus Präposition plus Pronomen sähen.

Das Land, *wo* Milch und Honig fließen*, ist nicht weniger märchenhaft als das Land, *in dem* einem die gebratenen Tauben in den Mund fliegen. Und der Punkt, *wo* Parallelen sich berühren, liegt ebenso in der Unendlichkeit wie jene Stelle, *an der* sie sich berühren. An dem ehemännlichen Versprechen »In dem Jahr, *wo* wir Weihnachten mal nicht zu deinen Eltern fahren, bekommst du von mir einen Pelzmantel« können allenfalls Tierschützer Anstoß nehmen. Denn die Verwendung des Wortes »wo« ist auch bei Zeitangaben zulässig. Wer sich auf den Moment freut, *wo* die Tänzerin aus der Torte springt, der kann dies reinen Gewissens tun. Er muss nicht auf den Moment warten, *in dem* das geschieht.

Doch nicht in allen Fällen stellt »wo« eine akzeptable Lösung dar. Wenn der zu bestimmende Zeitpunkt in der Vergangenheit liegt, ist »als« die bessere Wahl. Das Chanson

---

* Diese Wendung geht auf die Bibel zurück (2. Moses 3,8) und wird meistens im Singular wiedergegeben (»wo Milch und Honig fließt«). Mehr zur Singular/Plural-Problematik im folgenden Kapitel »Gebrochener Marmorstein«.

»Am Tag, als der Regen kam« heißt im französischen Original zwar »Le jour où la pluie viendra«, und dieses »où« ist das französische Wort für »wo«, doch im Deutschen hätte »Am Tag, wo der Regen kam« sehr seltsam geklungen.

Dessen ungeachtet hat sich »wo« in der Umgangssprache als eine Art Universalpronomen etabliert. Längst wird es auch dann gebraucht, wenn weder ein Ort noch ein Zeitpunkt gemeint sind. Eine Frage wie »Kennst du den Film, wo Arnold Schwarzenegger einen russischen Agenten spielt?« ist heute ebenso selbstverständlich wie die Klage »Man findet kaum noch eine Zeitung, wo auf Rechtschreibung geachtet wird«. Diese Praxis gilt (noch) nicht als salonfähig, auch wenn die Zahl ihrer Befürworter stetig wächst.

Ob »Othello« nun ein Stück ist, »wo« es um einen eifersüchtigen Mohren geht oder »in dem« es um einen solchen geht, bleibt dem Sprachgefühl des Einzelnen überlassen. Die heutige Grammatik lässt beides zu. Ob aber Othello derjenige ist, »der wo« seine Frau Desdemona am Ende erdrosselt, ist relativ unstrittig. In einigen Regionen dient das »wo« zur Verstärkung der Relativpronomen »der«, »die« und »das« und macht zum Beispiel aus der Oper, die wir letztens gesehen haben, die Oper, *die wo* wir letztens gesehen haben. In Hessen zum Beispiel. Im Internet kann man an einem Sprachtest »fer alle Hesse und die, die wo's wern wolle«, teilnehmen.

Im Süden wird das »wo« auch gern anstelle von »der«, »die«, »das« verwendet. In der Pfalz zum Beispiel. Die wu do unnä herkumme, wisse' B'scheid. Der in Neustadt an der Weinstraße geborene Fußballspieler Mario Basler soll auf die Frage, wie er sich mit seinem Teamkollegen Youri Djorkaeff (damals beide beim 1. FC Kaiserslautern) verständige, gesagt haben: »Ich lerne nicht extra Französisch für die Spieler, wo dieser Sprache nicht mächtig sind.« Ein weiterer berühmter Vertreter des Wowoismus ist Jürgen Klinsmann. Ihm wird das Zitat zugeschrieben: »Das sind Gefühle, wo man schwer beschreiben kann.« Als Hommage an Klinsmann lief auf SWR3 zur Fußball-WM ein Comedy-Programm mit dem Titel »Mir sin die, wo gwinne wellet«. Ins Hochdeutsche übersetzt: »Wir sind die, die gewinnen wollen«. Jürgen Klinsmann stammt übrigens aus Baden-Württemberg. Und die Baden-Württemberger sind bekanntlich die, wo alles können außer Hochdeutsch.

Gebrochener Marmorstein

Am 9. Juni 2006 starb der Sänger Drafi Deutscher im Alter von 60 Jahren. Er hinterließ »Cinderella Baby« und »Cindy Lou« und viele andere Hits. Unsterblichen Ruhm erlangte er jedoch mit einer Liedzeile, die bis heute heftig umstritten ist. Zu Unrecht, wie sich zeigen wird.

»Marmor, Stein und Eisen bricht« sang Drafi Deutscher 1965. Ein Schlager, der fast zu einer Art Volkslied geworden ist. Und der immer wieder gern zitiert wird, wenn es um Sprache und Schlager geht. Nicht nur wegen der bedeutungsvollen Worte »dam dam, dam dam«, sondern vor allem wegen der Titelzeile. Die enthält eine Aufzählung von drei Materialien: Marmor, Stein und Eisen. Für manche sind es nur zwei, denn Marmor und Stein seien in Wahrheit ein Wort: »Marmorstein« – so wie Tannenbaum und Fensterglas. Marmor sei ja schließlich eine Gesteinsart, folglich sei die Unterscheidung zwischen Marmor einerseits und Stein andererseits nicht besonders ergiebig. Aber darum geht es hier nicht. Es geht um das letzte Wort der Zeile, um das Verb »bricht«. Sprachpuristen werden nämlich nicht müde zu monieren, dass hier ein Fehler vorliege. Es müsse »brechen« heißen, sagen sie. Schließlich bestehe das Subjekt des Satzes aus mehreren Teilen, folglich müsse das Verb im Plural stehen: Marmor, Stein und Eisen brechen. Dam dam, dam dam.

Manche kennen eben nur Schwarz und Weiß. Die Dichtung indes kennt auch die vielen Farbtöne dazwischen. Bei der Aufzählung artverwandter Dinge wird in der Dichtung gelegentlich die Einzahl gebraucht. Dafür lassen sich diverse berühmte Beispiele nennen: Wer wollte behaupten, in dem

Lied »Hänschenklein« würde falsches Deutsch verbreitet, weil es dort heißt »Stock und Hut steht ihm gut« statt »stehen ihm gut«? Wer wollte den bekannten Vers des Dichters August Schnezler, »Gold und Silber lieb ich sehr, kann's auch gut gebrauchen«, in »kann sie auch gut gebrauchen« ändern?

Ein jeder kennt Redewendungen wie »Gleich und gleich gesellt sich gern« oder »Da ist Hopfen und Malz verloren«. Die heißen nicht etwa »Gleich und gleich gesellen sich gern« oder »Da *sind* Hopfen und Malz verloren«. Und viele erinnern sich auch noch an den traditionellen Wunsch beim Einzug: »Brot und Salz – Gott erhalt's«. Der lautete ja nicht »Brot und Salz – Gott erhalt sie«. Und nicht nur Uschi weiß: »Glück und Glas – wie leicht bricht das« – wer wollte ernsthaft behaupten, es müsse »Glück und Glas – wie leicht brechen die« heißen?

Drafi Deutscher selbst hat zu seinem Hit übrigens nur eine einzige Zeile beigetragen: Dam dam, dam dam. Den Rest besorgten der Textdichter Rudolf-Günter Loose und der Komponist Christian Bruhn. Letzterer ist nicht nur der Schöpfer zahlloser Erfolgsmelodien, sondern selbst ein ausgewiesener Sprachliebhaber; bisweilen hat er heftig mit seinen Textdichtern um die eine oder andere Zeile, die ihm nicht ganz sauber erschien, gerungen. Umso ärgerlicher empfand er den Vorwurf, dass ausgerechnet der Titel seines größten Erfolges (eben »Marmor, Stein und Eisen bricht«) einen Fehler enthalten solle. Die Liedzeile ging zurück auf einen alten Poesiealbumvers: »Marmor, Stein und Eisen bricht, aber unsere Freundschaft nicht«. Bruhn und Loose hatten ihn lediglich ein wenig abgewandelt und schlagertauglich gemacht. Das schien die Kritiker aber nicht zu interessieren. In Bayern war das Lied sogar verboten. Aufgrund der angeblich falschen Grammatik durfte es im Bayerischen Rundfunk nicht gespielt werden. Aus heutiger Sicht unvorstellbar, welch hohe Wellen ein harmloses Lied damals schlagen konnte. Konsequenterweise hätten die Bayern das Vaterunser gleich mit verbieten müssen, heißt es darin doch: »Denn Dein ist das Reich und die Kraft und Herrlichkeit in Ewigkeit« und nicht etwa »Denn Dein *sind* das Reich und die Kraft und Herrlichkeit in Ewigkeit«.

Unter Verweis auf die obigen Beispiele stellte Bruhn fest, dass in bestimmten Fällen eben auch der Singular vorkommt, und gab diesem auch gleich einen fachsprachlichen Namen: *Singularis materialis*.

Wenn Glück und Glas bricht und nicht brechen, dann brauchen auch die von Drafi Deutscher besungenen Baustoffe nicht mehrzählig zu brechen; ein einzähliges »bricht« genügt. Außerdem handelt es sich um Poesie. Die darf so etwas. Sonst wäre ja der schöne Reim verloren: »Aber unsere Liebe nicht«. Hätte Drafi Deutscher etwa singen sollen: »Marmor, Stein und Eisen brechen, aber unsere Liebe nechen«? Na also. Nun ist er tot, der große Drafi Deutscher. Dam dam, dam dam.

Ein Hoch dem Erdapfel

Man kennt sie als Herzogin, im Stanniol-Mantel, als grobe Country-Version, als Pomme Macaire, Gratin, Puffer, Kroketten oder als Pommes frites – die Kartoffel ist äußerst vielseitig. Deshalb trägt sie auch viele verschiedene Namen. Eine Geschichte über die Geschichte der erstaunlichsten Frucht der Welt.

Zur Feier des vorzeitigen Endes seiner Salat-Diät schleift Henry mich in ein neues Restaurant, das von seinem Gourmet-Führer mit mehreren Sternen und Euro-Symbolen ausgezeichnet worden ist. Die Karte verheißt erlesene Spezialitäten wie »Medaillons von der Kalbslende mit Bries auf Morchelsauce« und »souffliertes Steinbuttfilet an Trüffel-Kaviarschaum«. »Ich nehme das Putengeschnetzelte«, sage ich zum Ober und füge hinzu: »Wäre es möglich, statt Basmatireis Kartoffeln zu bekommen?« Der Ober zieht die Augenbrauen hoch, als hätte ich ihn gebeten, mir das Essen in einem Hundenapf zu servieren, und sagt: »Ich werde in der Küche mal nachfragen.«

»Du und die Kartoffel – eine lebenslängliche Liebesgeschichte«, feixt Henry, »ich bin immer wieder aufs Neue gerührt!« – »Mach dich nur über mich lustig! Kartoffeln sind eine Köstlichkeit! Aus einem mir unverständlichen Grunde sind sie in Verruf geraten, jedenfalls findet man sie auf den Speisekarten der Restaurants immer seltener. Pasta und Reis gibt es in allen erdenklichen Variationen, aber Kartoffeln sind eine echte Rarität geworden.« – »Sie gelten eben als typisch deutsch«, meint Henry. »Bei Kartoffeln denken viele an die sogenannte bürgerliche Küche, an Kohlrouladen, Saubohnen und dicke Mehlsoße. Das will heute keiner mehr.« – »Mmh, Kohlrouladen«, seufze ich, »bei dem Gedanken läuft mir das Wasser im Munde zusammen!«

»Soll ich den Ober zurückrufen? Du kannst ihn ja fragen, ob du anstelle der frischen Salatvariation nicht ein paar Kohlblätter bekommen könntest ...« Darauf gehe ich nicht weiter ein und frage Henry stattdessen, ob ihm bekannt sei, woher das Wort ›Kartoffel‹ stammt. Henry schüttelt den Kopf: »Über die Herkunft des Wortes habe ich mir nie Gedanken gemacht. Ich weiß nur, dass die Kartoffel ursprünglich aus Südamerika kommt und unter Friedrich dem Großen in Deutschland eingeführt wurde.«

Die Kartoffel, eine Verwandte der Tomate und des Paprikas, stammt aus den Anden. Dort wurde sie von den Inkas kultiviert, die sie *Papa* nannten. Spanische Eroberer brachten sie Mitte des 16. Jahrhunderts nach Europa, wo sie unter dem Namen *Patata* (eine Entlehnung aus der haitianischen Indianersprache) zunächst als Zierpflanze gezogen wurde.
Es dauerte rund 200 Jahre, ehe man ihren Nährwert erkannte und sie als Nutzpflanze anbaute. Über Spanien und Italien breitete sich die Kartoffel langsam nach Norden aus. Einige Sprachen übernahmen die spanische Bezeichnung Patata; im Englischen zum Beispiel wurde sie zu Potato abgewandelt. Andere Sprachen schufen eigene Namen. Die Italiener hielten die Kartoffel anfangs für eine Art Trüffel und nannten sie daher *tartufolo*. Unter diesem Namen gelangte das Nachtschattengewächs im 18. Jahrhundert nach Sachsen und Preußen, wo es zu *Tartuffel* und schließlich *Kartoffel* eingedeutscht wurde. Im deutschsprachigen Süden gab man ihm den Namen Erdapfel, eine in der Schweiz und in Österreich noch heute übliche Bezeichnung. Auch im Französischen (pomme de terre) und im Niederländischen (aardappel) hat sich der Erdapfel durchgesetzt. Manche aber sahen in der Kartoffel eher eine Birne. Im rheinhessischen und pfälzischen Dialekt wird die Kartoffel

Krumbeer, Grumbeer oder Grumbier genannt, was nichts mit krummen Beeren zu tun hat, sondern »Grundbirne« bedeutet. Dieser Name wurde sogar erfolgreich exportiert: Im Kroatischen heißt die Kartoffel »Krumpir«. Und die Tschechen sagen »Brambora«, das heißt »Brandenburgerin«, da die Kartoffel aus Brandenburg nach Böhmen gelangt war. Ältere Österreicher kennen noch den Begriff »Brambori« als Bezeichnung für Kartoffeln, die nichts taugen.

Inzwischen hat Henry sich mit großem Appetit über seine »Perlhuhnbrust gefüllt mit Mozzarella an glasierten Kirschtomaten und Maisplätzchen« hergemacht. »Nun ist Schluss mit dem Brimborium um deine Brambori«, sagt er, »fang endlich an zu essen!« Ich betrachte glücklich die goldgelben Erdäpfel auf meinem Teller. Möglicherweise aufgrund ihrer rundlichen Form, die mütterliche Assoziationen weckt, und sicherlich auch wegen ihrer besonderen Nahrhaftigkeit wurde die Kartoffel als eine weibliche Frucht angesehen. Dies spiegelt sich nicht nur im Geschlecht des Wortes Kartoffel wider, sondern auch in den Namen, die man den diversen Züchtungen gab: Sieglinde, Bintje, Camilla, Gloria, Linda, Nicola, Rosara oder Selma.

»Von mir aus können wir das nächste Mal in den ›Kartoffelkeller‹ gehen«, schlägt Henry vor. »Da kannst du so viele Kartoffeln essen, wie du magst.« – »Prima«, sage ich, »das hört sich gut an!« – »Also abgemacht. Wie wär's mit Freitag?« – »Am Freitag habe ich bereits eine Verabredung.« – »Oh, ich gratuliere! Mit einer festkochenden Linda oder einer mehligkochenden Karlena?« – »Sie heißt Suzanne und hat zum Glück nichts von einer Kartoffel«, sage ich. »Nicht einmal an den Stellen, wo's gern ein bisschen mehr sein darf?«, fragt Henry besorgt. Ich lege die Serviette beiseite und entgegne: »Der Gentleman genießt und schweigt.«

Regionale Bezeichnungen für die Kartoffel	Land/Region
Tartuffel/Kartoffel	Sachsen, Preußen
Krumbeer/Grumbeer/Grumbier/Krumbiere	Rheinhessen, Pfalz
Grombiera/Grumbiera Äbbiera/Ebbiera	Schwaben
Podaggn/Potacken/Bodaggen Ebbien/Äbbjen Erpfel	Franken
Estepl	Tschechien
Kartuffel	Westfalen
Tüfften	Mecklenburg
Nudel	Uckermark
Bodabira	Oberallgäu
Aper/Aber	Oberlausitz
Erdapfel	Schweiz, Österreich
Krumpan	Österreich
Krumpir	Kroatien
Brambora/Brambori	Tschechien, Österreich
Iárdappel Grummpien	Rumänien

Als ich noch der Klasse Sprecher war

Wieso wird der Stich einer Biene nicht Bienestich genannt? Und warum spricht man vom Gitarrensolo, wenn doch nur eine einzelne Gitarre zu hören ist? Die deutsche Sprache hat immer ein paar Buchstaben parat, um Fugen zwischen Wörtern zu füllen. Einige Menschen verzichten jedoch auf Fugenzeichen und verwenden lieber Fuge-Zeichen.

Auf einem jener Reklameblätter, die trotz »Keine Werbung!«-Aufklebers immer wieder in meinem Briefkasten landen, wurden unlängst »gebrauchte Oberklassewagen zu günstigen Preisen« angepriesen, und das machte mich stutzig. Als ich zehn oder elf war, wurde ich mal zum Sprecher der Klasse gewählt, das nannte man damals Klassensprecher. Mit einem »n« in der Mitte. Dieses »n« kennzeichnete nicht etwa einen Plural, denn ich war ja nicht Sprecher mehrerer Klassen, sondern nur einer einzigen Klasse. Trotzdem hieß es nicht Klassesprecher, obwohl ich zweifellos ein klasse Sprecher war.

Es gibt in der deutschen Sprache nicht nur ein Fugen-s, so wie beim Eignungstest und beim Zeitungsbericht, sondern auch ein sogenanntes Fugen-n. Dieses findet man zum Beispiel bei Zusammensetzungen mit weiblichen Hauptwörtern, die auf ein unbetontes »e« auslauten: Das Klappern der Mühle am rauschenden Bach wird zum Mühlenklappern, das Spiel der Miene zum Mienenspiel, das Zirpen der Grille zum Grillenzirpen, die Linde am Brunnen vor dem Tore zum Lindenbaum. Und ein Wagen der Oberklasse müsste demnach zum Oberklassenwagen werden. Die daraufhin von mir durchgeführte Blitzrecherche in unserem elektronischen Zeitungsarchiv kam allerdings zu einem anderen Ergebnis: Die Schreibweise »Oberklasse-Wagen« ist in der

Presse sehr viel häufiger anzutreffen als »Oberklassen-Wagen« oder »Oberklassenwagen«.

Hersteller von Medikamenten kann man zusammenfassend Medikamentenhersteller nennen. Manchmal werden sie allerdings auch unter der Bezeichnung »Medikamente-hersteller« geführt, besonders wenn vor den Medikamenten noch eine Bestimmung steht, wie zum Beispiel das Wort Aids. Wer Aidsmedikamente herstellt, ist einigen Presseberichten und Infobroschüren zufolge ein »Aids-Medikamente-Hersteller«.
Offenbar haben einige Menschen heutzutage eine Scheu davor, die Fuge zwischen den Wörtern mit einem »n« zu füllen. Stattdessen greifen sie lieber zum Bindestrich – einer halb-herzigen Verbindung, bei der eine wund-ähnliche Nahtstelle bleibt, die sich vermeiden ließe, wenn man herzhaft Fugenkitt auftrüge und ein »n« dazwischensetzte. Doch mit dem Wort »Aidsmedikamentenhersteller« sind viele vermutlich überfordert.

Der Duden führt in seiner Erklärung zu den Fugenzeichen das Beispiel »Sonnenstrahl« an und schreibt dazu, dass dies auf einen alten Genitiv zurückgehe: der Sonnen Strahl, so hat es früher mal geheißen, wie auch des Hirten Stab, daher Hirtenstab – und nicht Hirtestab. Auch das Wort »Klasse« ist sehr alt, es wurde im 16. Jahrhundert aus dem Lateinischen (classis) entlehnt. Das Fugen-n beim Klassenprimus und beim Klassenzimmer ließe sich demnach mit dem alten Genitiv des Wortes »Klasse« begründen: der Klassen Zimmer. Vielleicht wurde es aber auch einfach nur in Analogie zum Sonnenstrahl und zum Hirtenstab eingefügt.

Freilich sprechen wir heute nicht mehr so wie im 16. Jahrhundert. Wir sprechen ja nicht einmal mehr so, wie wir es noch vor 20 Jahren taten. Sprache verändert sich, und manches, was nicht mehr gebraucht wird, verschwindet. Dagegen ist nichts einzuwenden, doch muss auch die Frage gestattet sein, ob die neue Lösung tatsächlich schöner ist als die alte. Im Falle des Oberklasse-Wagens sprechen die anderen Zusammensetzungen, die sich mit dem Wort Klasse bilden lassen, eigentlich dagegen. Oder werden die Klassenbücher von heute – so es sie noch gibt – bereits nur noch Klasse-Bücher genannt? Sind die Schüler der Oberstufe keine Oberstufenschüler mehr, sondern nur noch Oberstufe-Schüler? Verzehren sie heute keine Pausenbrote mehr, sondern nur noch Pause-Brote? Das wäre bedauerlich. Denn dann gäbe es an den Universitäten auch bald keinen Breitensport mehr, sondern nur noch Breite-Sport, und wer wollte da noch mitmachen, das klingt ja wie ein Fitnessangebot für Menschen, die in die Breite gegangen sind.

Auch bei der Kohle kommt das Fugen-n aus der Mode. Während ältere Zusammensetzungen ausnahmslos mit »Kohlen-« gebildet werden (Kohlenkeller, Kohlenofen, Kohlenstaub, Kohlenstoff), fällt das Fugen-n bei jüngeren Zusammensetzungen mitunter weg: Kohlepapier, Kohleimport, Kohlekraftwerk. Es scheint hinter der Kohle also nicht mehr notwendig zu sein. Ernährungsbewusste Menschen stellen mir häufig die Frage, ob es denn nun Kohlenhydrate oder Kohlehydrate heiße. Zu Zeiten von Jacob und Wilhelm Grimm wäre die Antwort eindeutig gewesen, denn in ihrem Wörterbuch findet man nur Kohlenzusammensetzungen und keine Kohlezusammensetzungen. Doch in heutigen Wörterbüchern sind neben Kohlenhydraten auch Kohlehydrate enthalten. Beides ist demnach richtig.

Manchmal wird das Fugen-n vernachlässigt, manchmal wird es aber auch überstrapaziert. Auf diese Weise entstehen

Folgenkosten, wo Folgekosten schon schmerzlich genug sind, und Speisenkammern, wo Speisekammern genügen. Und ob nun »Speisekarte« oder »Speisekarte« richtig ist, darüber wird noch gestritten (der Duden lässt beides zu) – doch außer Zweifel steht, dass der Instrumentenkoffer als »Instrumentekoffer« einen unsoliden Eindruck macht. Und der »spezielle Textiltapete-Kleister«, den ein Händler führt, hält vermutlich nicht besser als normaler Textiltapetenkleister.

In einigen Fällen führt der Verzicht auf das Fugen-n sogar zu einer Sinnentstellung, so wie im Beispiel der Behindertentoilette, die auf zahlreichen Hinweisschildern kurioserweise als »Behinderte-Toilette« ausgewiesen wird.

Wenn Unbefugte sich an der Sprache zu schaffen machen und dabei unverfugte Lücken schaffen, dann entsteht Unfug.

Voll und ganz verkehrt

Wer ganze Arbeit leistet, der hat auch ein Recht auf vollen Lohn. Doch kaum jemand, der Vollzeit arbeitet, arbeitet die ganze Zeit. Wer ganze Stadien füllt, der füllt nicht volle Stadien, sondern leere. Manch einer hat volle acht Jahre studiert, ein anderer ganze acht Jahre. Wie es aussieht, sind voll und ganz nicht voll und ganz dasselbe.

Es gibt in unserer Sprache viele Wörter, die auf den ersten Blick dasselbe zu bedeuten scheinen, die aber bei genauerer Betrachtung alles andere als gleichbedeutend sind. So wie »scheinbar« und »anscheinend« oder »gut« und »schön«. Zu diesen Wörtern gehören auch »voll« und »ganz«. Zwar können sie durchaus dasselbe, nämlich »vollständig« oder »restlos«, bedeuten, so wie in diesen Beispielen: »Er war wieder ganz (= vollständig) gesund« – »Der Bus war voll (= vollständig) besetzt«.

Und doch sind »voll« und »ganz« nicht beliebig austauschbar. In der Standardsprache klingt die Aussage »Er war wieder voll gesund« ungewohnt. Dasselbe gilt für »Der Bus war ganz besetzt«. Was nicht heißen soll, dass nichts »ganz besetzt« sein könne. Im Jahre 50 vor Christus war immerhin Gallien ganz besetzt. Ganz? Nun, wir wissen es besser.* Auf keinen Fall aber war Gallien »voll besetzt«, auch wenn das Land voller Römer war.

Wenn der Chef auf der Betriebsfeier mit lustigen Geschichten und Gesangseinlagen glänzt, wie er sie schon lange

---

* Bei »Asterix« heißt es: »Ganz Gallien ist von den Römern besetzt«. Aber das kommt aufs Gleiche heraus.

nicht mehr zum Besten gegeben hat, dann raunen sich die Mitarbeiter zu: »Heute ist er wieder ganz der Alte!« Es ist nicht davon auszugehen, dass sie sich sagen: »Heute ist er wieder voll der Alte.« Vorstellbar wäre höchstens: »Mann, ist der Alte heute wieder voll!«

Es besteht also ein Unterschied zwischen »voll« und »ganz«. Das ist uns im Grunde auch allen klar, meistens entscheiden wir uns intuitiv für das Richtige. Aber eben nicht immer. In einigen Fällen, wenn »voll« und »ganz« zu Adjektiven umgerüstet und vor Zahlwörter gestellt werden, um die Vollheit oder Ganzheit einer Menge anzuzeigen, dann wird es schwierig, dann lässt uns unser Sprachgefühl bisweilen im Stich.

Heißt es nun: Die Zahnarztbehandlung dauerte volle drei Stunden – oder ganze drei Stunden? Viele glauben, dass hier kein Unterschied bestehe, doch das ist nicht ganz richtig, denn es gibt eine nicht unerhebliche Nuance in der Bedeutung. Wenn die Behandlung »volle drei Stunden« dauerte, dann dauerte sie »nicht weniger als« drei Stunden. Man könnte auch von »gut drei Stunden« sprechen. »Ganze drei Stunden« sind zwar nicht weniger als volle drei, doch werden sie anders bewertet, denn »ganze drei« bedeutet »nicht mehr als drei Stunden«.

Der Unterschied wird im folgenden Beispiel deutlicher: »Hunderte sind bei dem Grubenunglück verschüttet worden. Ganze drei Bergarbeiter konnten gerettet werden.« Gemeint ist: Leider gab es nicht mehr als drei Überlebende. Das Wort »volle« wäre an dieser Stelle unpassend; dafür passt es wiederum im nächsten Satz: »Die Rettungsmannschaften brauchten volle sechs Tage, um das Wasser abzupumpen.« Denn »volle« steht hier für »nicht weniger als«.

»Bei großer Wärme dehnt sich das Metall aus, und der Turm wächst um ganze 15 Zentimeter in die Höhe«, konnte man vor einiger Zeit in der »Neuen Post« über das rätselhafte Sommerwachstum des Eiffelturms lesen. Die mathematisch erstaunliche Schlussfolgerung des Redakteurs (»Dann ist er nicht mehr 324 Meter, sondern 339 Meter hoch«) verschaffte dem Artikel prompt einen Platz im »Hohlspiegel« (»Spiegel« 11/2006). Die Aussage ist aber noch unter einem anderen Aspekt interessant: Sind es denn nun wirklich »ganze« 15 Zentimeter oder womöglich »volle«? »Ganze 15 Zentimeter« bedeutet »nicht mehr als 15 Zentimeter«; und wer um diese Bedeutung weiß, für den hört es sich so an, als würde das Wachstum des Eiffelturms als mickrig abgetan. »Volle« wäre treffender, da es »nicht weniger als« bedeutet und 15 Zentimeter gewachsenes Metall immerhin eine ganze Menge sind.

Dass »voll« mehr sein kann als »ganz«, bekommt man gelegentlich am eigenen Leibe zu spüren. Ist es wirklich eine Auszeichnung, als »ganz in Ordnung« zu gelten? Das klingt eher nach einer drei minus. Erstrebenswerter scheint es doch, »voll in Ordnung« zu sein.

Der Butter, die Huhn, das Teller

Der, die, das, wer, wie, was? Die Verwirrung der Geschlechter ist nicht nur ein gesellschaftliches Thema, sondern auch ein sprachliches. Heißt es die Krake oder der Krake? Ist Python männlich oder weiblich? Trinken Sie ein Cola und lesen Sie das »Zwiebelfisch«!

»Chéri, bitte, 'ilfst du mir mit die Kleid?«, fragt mich meine Freundin Suzanne, als sie mir die Tür öffnet. »Du hast Nerven«, sage ich tadelnd, »die Oper beginnt in einer halben Stunde, und du bist immer noch nicht angezogen!« Suzanne zuckt mit den Schultern: »Isch kann misch einfach nischt entscheiden. Soll isch die rote Kleid oder die champagner Kleid anziehen – was meinst du?« – »Champagner klingt doch gut«, murmele ich, »wo steht er?« – »Crétin, isch rede von die Kleid! Aber wenn du was trinken willst, da neben die Stuhl steht eine Flasche Sauvignon!«
Ich mag französischen Wein, französischen Käse, französische Musik – und ganz besonders mag ich den französischen Akzent. Wie bei Suzanne. Ihre Art, die deutschen Artikel durcheinanderzuwirbeln, klingt für mich wie Poesie. Die Kleid, die Stuhl, der Auto – darüber kann ich mich stets aufs Neue amüsieren. Die unheilige Dreispaltigkeit des grammatischen Geschlechts im Deutschen bringt jeden, der unsere Sprache lernt, früher oder später an den Rand der Verzweiflung. Und auch die Deutschen selbst geraten zwischen männlichem, weiblichem und sächlichem Geschlecht immer wieder ins Straucheln. Denn was meine französische Freundin Suzanne kann, das kann meine deutsche Freundin Sibylle schon lange.

Jeden Samstag bringt Sibylle ihre leeren Flaschen zum Supermarkt, um sich »den Pfand« abzuholen. Für sie ist das

Pfand männlich. Zwecklos, sie von etwas anderem überzeugen zu wollen. Dafür ist das Motorfahrrad bei ihr weiblich: »Was, du hattest als Schüler keine Mofa? Das kann ich gar nicht glauben. Jeder, der cool war, hatte eine Mofa.« Tatsache ist, dass ich ziemlich uncool war. Das Einzige, was mich an Mofas interessierte, war ihr Genus. Sibylles Stärken liegen eher beim Genuss als beim Genus. »Jetzt musst du das Crème fraîche drunterrühren«, sagt sie beim Kochen zu mir. Und als sie feststellt, dass sie das Rezept offenbar nicht ganz richtig abgeschrieben hat, bittet sie: »Kannst du mir mal eben das Radiergummi geben?« Für Sibylle ist der Radiergummi nämlich sächlich. Der Kaugummi natürlich auch.

Damit steht sie übrigens nicht allein. Viele Deutsche weisen bestimmten Dingen ein anderes Geschlecht zu, als es im Wörterbuch angegeben ist. Im Wörterbuch steht zum Beispiel, dass das Wort »Puder« männlich sei: der Puder. Trotzdem sagen viele »das Puder« – möglicherweise in Analogie zu Pulver, da Puder und Pulver nicht nur ähnlich klingen, sondern auch ähnlich beschaffen sind. Ein weiterer Fall dieser Art ist »die Geschwulst«, die oft sächlich gebraucht wird – weil sie an »das Geschwür« denken lässt.

Am größten ist die Verwirrung der Geschlechter natürlich bei Fremdwörtern. Woher soll man zum Beispiel wissen, dass »Python« ein männliches Hauptwort ist? Es kommt aus dem Griechischen, und Griechisch haben die wenigsten Deutschen drauf. In solchen Fällen hilft man sich für gewöhnlich mit Analogien – sucht also nach vergleichbaren Wörtern. Und da der Python eine Schlange und *die Schlange* weiblichen Geschlechts ist, erscheint es eigentlich logisch, dem Python einen weiblichen Artikel voranzustellen – andere Schlangenarten wie Boa, Viper und Natter sind schließlich ebenfalls weiblich. Doch weder der Biologielehrer noch der Deutschlehrer würden »die Python« durchgehen lassen.

Auch der Krake ist eindeutig männlich – und wird dennoch von vielen als weiblich angesehen. So auch von Sibylle. »Es heißt entweder *die Krake* oder *der Kraken*«, behauptet sie. »Ich hab's doch gerade erst in ›Fluch der Karibik 2‹ gesehen, da haben sie's erklärt!« Leider hat sich Sibylle wie so oft gerade die falsche Antwort gemerkt. Aber so etwas passiert uns allen. Ich selbst musste mir erst vor Kurzem sagen lassen, dass es nicht »die Paprika« heiße, sondern »der Paprika«. Ich habe daraufhin im Wörterbuch nachgeschlagen: beides ist erlaubt (siehe auch Tabelle ab S. 655).

Einige Wörter treten sogar in drei Geschlechtsvarianten auf. »Triangel« zum Beispiel. Das dreieckige Schlaginstrument kann sowohl »die Triangel« genannt werden als auch »der Triangel«, und in Österreich heißt es »das Triangel«. Und wie steht's mit dem Wort Joghurt? Das ist standardsprachlich männlich (der Joghurt), kann aber auch sächlich sein (das Joghurt). Das ist eigentlich schon kompliziert genug – aber nicht für Sibylle. Sie sagt »die Joghurt«, und darin lässt sie sich auch nicht beirren: »Probier mal diese Joghurt, die ist echt lecker!« Und als sie noch auf Partys ging, da hat sie auch mal »die eine oder andere Zigarillo« geraucht. Allerdings, so räumt sie ein, sei ihr davon regelmäßig schlecht geworden.

Hauptsächlich sind es die zahlreichen englischen Fremdwörter, die bei der Einbürgerung Probleme bereiten. Die englische Grammatik behandelt alle Dinge sächlich, doch bei der Übernahme ins Deutsche bekommen diese Dinge oft ein männliches oder weibliches Geschlecht. Meistens orientiert man sich dabei an der deutschen Entsprechung. Weil »mail« Post bedeutet und »Post« im Deutschen weiblich ist, sagen die meisten Deutschen »die E-Mail«. Der »Brief« hingegen ist männlich, sodass »der Newsletter« einen männlichen Artikel bekommen hat. Dieses Prinzip lässt sich aber nicht immer anwenden. Oft übernehmen wir Wörter aus dem Englischen, für die es keine deutsche Entsprechung gibt – und folglich auch keine Geschlechtsvorgabe.

Außerdem wird dieses Prinzip auch nicht überall angewandt. Im süddeutschen Raum sowie in Österreich und der Schweiz wird der sächliche Artikel bevorzugt. Dort heißt es »das Mail«, und wer in Bayern eine Cola bestellt, der bekommt »ein Cola«. Wenn in der Schweiz eine Straßenbahn durch einen Tunnel fährt, dann fährt »das Tram« durch »das Tunell« – mit Doppel-l statt Doppel-n.

Man braucht aber gar nicht so weit nach Süden zu gehen, die Verwirrung der Geschlechter beginnt bereits viel weiter nördlich – auf hessischen Bauernhöfen zum Beispiel. In der Rhön ist das Huhn keinesfalls sächlich, sondern weiblich. Auch das entbehrt nicht einer gewissen Logik, denn das Huhn ist schließlich das weibliche Pendant zum Hahn. Während die Kartoffel in der osthessischen Mundart männlich ist, ist die Butter im Schwäbischen männlich (»d'r Budder«). Und der Teller ist sächlich (»d's Deller«). Der Butter und das Teller, auch das ist Deutschland. Die Petersilie treibt es besonders bunt, die ist in osthessischer Mundart sächlich (»doas Pädersille«) und im Bairischen männlich: »da Bädasui«. Und woraus sind schwäbische Osterhasen gemacht? Nicht aus weiblicher Schokolade, sondern aus männlichem »Schogglaad«! Derlei Kurioses findet man natürlich auch im Badischen, im Saarländischen, im Fränkischen und im Sächsischen. Mit dem allmählichen Rückgang der Dialekte geht freilich auch die Vielfalt bei der Geschlechterverteilung verloren.

»Tust du mir noch einen kleinen Kartoffel und etwas von dem Butter auf das Teller, Chéri?«, bittet mich Suzanne, als wir nach der Oper noch zusammen eine Kleinigkeit essen. Ich kann mir ein Lachen nicht verkneifen; Suzanne blickt mich irritiert an: »'Abe isch etwas Falsches gesagt?« – »Nein, nein«, erwidere ich, »alles bestens! Ein Schwabe hätte es nicht besser sagen können!«

Hauptwörter mit schwankendem Genus	
Baguette	standardsprachlich *das*, seltener auch *die*
Bast	standardsprachlich *der*, mundartlich auch *das*
Blackout (auch Black-out)	standardsprachlich *das* oder *der*
Blog	standardsprachlich *das*, seltener auch *der*
Bonbon	*der* oder *das*, österreichisch nur *das*
Bossa nova	fachsprachlich *die*, standardsprachlich *der*
Brezel	standardsprachlich *die*, österreichisch auch *das* (in Bayern: die Brezn)
Butter	standardsprachlich *die*, mundartlich *der*
Carport	standardsprachlich *der*, häufig auch *das*
Cola	standardsprachlich *die*, in Süddeutschland *das*
Countdown	standardsprachlich *der* oder *das*
Crème fraîche	standardsprachlich *die*, seltener auch *das*
Curry	standardsprachlich *der*, seltener auch *das*
Dress	standardsprachlich *der*, österreichisch *die*, umgangssprachlich auch *das*

Hauptwörter mit schwankendem Genus

E-Mail	standardsprachlich *die*, süddeutsch auch *das*
Erbteil	standardsprachlich *das*, fachsprachlich *der* (nach BGB)
Event	standardsprachlich *der*, umgangssprachlich auch *das*
File	standardsprachlich *das*, seltener auch *der*
Gelee	standardsprachlich *das*, seltener auch *der*
Filter	fachsprachlich meistens *das*, standardsprachlich *der*
Geschwulst	standardsprachlich *die*, seltener auch *das* (in Analogie zu Geschwür)
Gokart	standardsprachlich *der*, seltener auch *das*
Gratin	standardsprachlich *das*, seltener auch *der* (ausgehend vom franz. männlichen Artikel: *le* gratin)
Gully	standardsprachlich *der*, seltener auch *das*
Hinterteil	standardsprachlich *das*, seltener auch *der*
Huhn	standardsprachlich *das*, mundartlich auch *die*
Intro	standardsprachlich *das*, seltener auch *der*
Joghurt	standardsprachlich *der* oder *das*, umgangssprachlich auch *die*
Kaugummi	standardsprachlich *der*, daneben auch *das*
Keks	standardsprachlich *der*, österreichisch *das*
Ketchup (auch: Ketschup)	standardsprachlich *der* oder *das*
Knockout (auch: Knock-out)	standardsprachlich *der*, häufig auch *das*
Konklave	standardsprachlich *das*, fälschlich oft auch *die* (analog zu Exklave)
Körperteil	standardsprachlich *der*, sehr häufig auch *das*

Hauptwörter mit schwankendem Genus

Krake	korrekt: *der* Krake (norw.); fälschlich oft *die* Krake oder *der* Kraken
Laptop	standardsprachlich *der*, seltener auch *das*
Latte macchiato	*der* (für: der Milchkaffee) oder *die* (analog zu »die Milch« oder »die Latte«)
Mail	siehe ···> E-Mail
Manga (jap. Comic)	standardsprachlich *der,* häufig auch *das*
Modem	standardsprachlich *der*, häufig auch *das*
Mofa (Kurzwort für Motorfahrrad)	standardsprachlich *das*, umgangssprachlich auch *die*
Mus (Apfelmus, Pflaumenmus)	standardsprachlich *das*, mundartlich auch *der*
Newsletter	standardsprachlich *der*, seltener auch *das*
Paprika	*der* (das Gemüse oder Gewürz), *der* oder *die* (kurz für Paprikaschote)
Petersilie	standardsprachlich *die*, mundartlich auch *das* (Osthessen) und *der* (Bayern)
Pfand	standardsprachlich *das*, seltener auch *der*
Prospekt	standardsprachlich *der*, österreichisch auch *das*
Pub	standardsprachlich *das*, seltener auch *der*
Puder	standardsprachlich *der*, umgangssprachlich auch *das* (in Analogie zu Pulver)
Python	korrekt: *der* Python; fälschlich oft *die* Python (weil man an *die Schlange* denkt)
Radar	fachsprachlich *das*, standardsprachlich *der*
Radiergummi	standardsprachlich *der*, seltener auch *das*
Radio (Gerät)	standardsprachlich *das*, in Süddeutschland, Österreich und der Schweiz auch *der*
Rhabarber	standardsprachlich *der*, seltener auch *das*

Hauptwörter mit schwankendem Genus

Salsa	fach- und standardsprachlich *die*, umgangssprachlich auch *der*
Schlüsselbund	standardsprachlich *der* oder *das*, österreichisch nur *der*
Schorle (Apfelschorle, Weinschorle)	standardsprachlich *die*, seltener auch *das*
Sofa	standardsprachlich *das*, mundartlich auch *der*
Spatel	standardsprachlich *der* oder *die*, österreichisch *der*
Spray	standardsprachlich *das* oder *der*
Teller	standardsprachlich *der*, mundartlich auch *das*
Toast	standardsprachlich *der*, seltener auch *das*
Tram	standardsprachlich *die*, schweizerisch auch *das*
Triangel	standardsprachlich *der* oder *die*, österreichisch *das*
Tsunami	standardsprachlich *der* oder *die*
Tunnel	standardsprachlich *der*, schweizerisch *das* Tunell, in Schwaben mit Betonung auf der zweiten Silbe
Virus	fachsprachlich *das*, umgangssprachlich auch *der*
Vorderteil	standardsprachlich *der* oder *das*
Zigarillo	standardsprachlich *der* oder *das*, umgangssprachlich auch *die*
Zölibat	standardsprachlich *das*, theologisch *der*
Zoom	standardsprachlich *das* oder *der*

Entschuldigen Sie mich – sonst tu ich es selbst!

Einst bat man um Verzeihung, um Pardon oder um Entschuldigung. Heute heißt das »Schuldigung!« oder »Tschulljung!«, und man braucht auch nicht mehr umständlich darum zu bitten, sondern entschuldigt sich einfach selbst. Das ist zwar sehr praktisch, aber nicht unbedingt logisch.

Wer sich falsch verhält und in einer bestimmten Situation versagt, der lädt eine moralische Schuld auf sich. Niemand ist dagegen gefeit. Schon eine kleine Unachtsamkeit, eine Nachlässigkeit oder ein Versäumnis können zu einer Schuld führen. Prompt hat man ein schlechtes Gewissen und kann nachts nicht mehr schlafen. Deshalb hat man ein verständliches Interesse daran, diese Schuld möglichst schnell wieder loszuwerden. Man kann versuchen, sie wiedergutzumachen, indem man einen Geldbetrag spendet, einen Blumenstrauß kauft, barfuß nach Canossa geht oder sich öffentlich im Fernsehen bekennt. Es geht aber auch weniger aufwendig, indem man nämlich einfach um Entschuldigung bittet.

In früheren Zeiten sagte man »Ich bitte um Entschuldigung« oder »Bitte entschuldigen Sie mich«. Selbst das kurze Austreten zur Toilette wurde mit einem »Wenn Sie mich für einen kleinen Moment entschuldigen würden« zur formschönen Angelegenheit. Heute macht man es sich leichter. Inzwischen wird das Verb »entschuldigen« nämlich meistens reflexiv gebraucht: Ich entschuldige mich, du entschuldigst dich, er entschuldigt sich, wir entschuldigen uns usw.

Statt auf den Schuldfreispruch eines anderen zu warten, sprechen wir uns einfach selbst von der Schuld frei. Unangemeldet in eine Sitzung geplatzt? Kein Problem! Da sagt man einfach: »Ich entschuldige mich für die Störung!« Die anderen, die man aus dem Gespräch gerissen hat, werden gar nicht erst gefragt. Man entschuldigt sich kurzerhand selbst, und damit ist die Sache vom Tisch.

Das kommt aber nicht immer gut an. Nicht jeder begegnet uns mit Verständnis, wenn wir uns entschuldigen, denn mitunter steht dem Verständnis ein Missverständnis im Wege. Ich kann mich noch sehr lebhaft an einen Dialog zwischen einem Studenten und einem Professor erinnern, der sich während eines Geschichtsseminars zutrug. Der Student, auf dessen Referat wir alle warteten, hatte sich um 20 Minuten verspätet und sagte: »Tut mir leid, dass Sie warten mussten, ich entschuldige mich!«, worauf der Professor erwiderte: »Wie praktisch, dann brauche ich es ja nicht mehr zu tun!« – »Was denn?«, fragte der Student verwirrt. »Nun, Sie entschuldigen!«, antwortete der Professor und fuhr erklärend fort: »Ich hätte Sie ja ohne weiteres entschuldigt, und Ihre Kommilitonen hätten es sicherlich auch, aber Sie sind uns zuvorgekommen und haben es bereits selbst getan.« – »Was habe ich getan?«, fragte der Student. »Na, sich entschuldigt!«, entgegnete der Professor seelenruhig. Der Student verstand nun gar nichts mehr: »Äh, ja, und ... sollte ich das denn nicht? Ich habe Sie doch immerhin 20 Minuten warten lassen!« – »Eben«, schloss der Professor, »daher wäre es an uns gewesen, *Sie* zu entschuldigen, aber das hat sich nun erledigt.«

Heute ist der reflexive Gebrauch des Verbs »entschuldigen« Standard. Es ist also nicht falsch, »ich entschuldige mich« zu sagen. Denn nicht nur die Schreibweise von Wörtern ändert sich, auch die Bedeutung kann sich ändern. Laut Duden ist »sich entschuldigen« gleichbedeutend mit »um Nachsicht, Verständnis, Verzeihung bitten«, und man kann sich sowohl für etwas als auch wegen etwas bei jemandem entschuldigen. Manchem erscheint es dennoch ein wenig seltsam; und das kann man verstehen, wenn man sich die ursprüngliche Bedeutung des Wortes »entschuldigen« bewusst macht: »Entschuldigung« stand für die Aufhebung von Schuld. Sie konnte vom Schuld-Verursacher erbeten oder erfleht, vom Schuld-Opfer gewährt oder verweigert werden. Im Laufe der Sprachgeschichte hat die »Entschuldigung« aber noch andere Bedeutungen angenommen. So ist »Entschuldigung« in bestimmten Zusammenhängen gleichbedeutend mit »Begründung« und »Rechtfertigung«:

»Was können Sie zu Ihrer Entschuldigung vorbringen?«
»Das kann man als Entschuldigung gelten lassen.«

Nicht zu vergessen natürlich die Entschuldigung, die Eltern für ihre Kinder schreiben, wenn diese mit Fieber im Bett liegen und nicht am Unterricht teilnehmen können. Gelegentlich schreiben Schüler auch für sich selbst Entschuldigungen, zum Beispiel wenn sie im Playstation-Fieber liegen. In diesem Fall wird man das Sich-selbst-Entschuldigen allerdings nicht so einfach durchgehen lassen wie bei dem Studenten, der sich für sein Zuspätkommen selbst entschuldigt.

Ich finde es nicht schlimm, wenn sich jemand selbst entschuldigt. Man kann doch schon froh darüber sein, wenn heute überhaupt noch um Entschuldigung gebeten wird. Das ist nämlich alles andere als selbstverständlich. Aber wenn ich in einem alten Spielfilm höre, wie jemand sagt: »Ich bitte vielmals um Entschuldigung«, dann gerate ich ins Schwärmen.
Das Eingeständnis eines Fehlers oder Versagens ist nicht sehr angenehm, daher sind viele Menschen bemüht, sich selbst als Verursacher des Fehlers so weit wie möglich rauszuhalten. So bittet man bevorzugt nicht für sich selbst um

Entschuldigung, sondern für den Fehler. Man tut also so, als sei der Fehler ein eigenständiges Wesen, ein Hündchen, das nicht sauber pariert hat. Da erklärt uns zum Beispiel eine Lautsprecherstimme in der U-Bahn, dass aufgrund irgendwelcher Bauarbeiten mal wieder alles anders komme als geplant, und schließt mit den Worten: »Wir bitten die entstehenden Unannehmlichkeiten zu entschuldigen.« Das ist psychologisch sehr raffiniert. Nicht die Leitung der U-Bahn soll entschuldigt werden, sondern die bösen, bösen Unannehmlichkeiten. Bei denen liegt die Schuld, folglich können auch nur sie entschuldigt werden. Dass die U-Bahn-Leitstelle sich für eine Entschuldigung ihrer Unannehmlichkeiten einsetzt, ist sehr großherzig. So nett sind die bei der U-Bahn zu ihren Unannehmlichkeiten!

Das alles ist Ihnen zu haarspalterisch? Dann bitte ich Sie, mir zu verzeihen. Das kann ich übrigens noch nicht selbst. Wohlgemerkt: noch nicht. Aber wer weiß. Vielleicht heißt es irgendwann: »Ich verzeihe mir in aller Form, dass ich Sie belästigt habe!«

Wir sind die Bevölkerung!

Manchmal geschieht es, dass Wörter, die jahrelang in aller Munde waren, aus der Mode geraten. Manche geraten sogar in Vergessenheit. Andere werden aus dem Wortschatz gestrichen, weil sie den Kriterien der »political correctness« widersprechen.

So wie das Wort »Negerkuss«. Den Traum aus Eiweißschaum und Schokoladenglasur darf man inzwischen nur noch Schokokuss nennen, weil Negerkuss ein diskriminierendes Wort ist. Auch »Mohrenkopf« ist nicht mehr akzeptabel. Dass die österreichische Bezeichnung »Schwedenbombe« als diskriminierend empfunden würde, ist mir nicht bekannt. Irgendwo in Bayern sagt man auch »Bumskopf« dazu, und auch darüber hat sich noch keiner beschwert.

Die Empfindlichkeiten sind nicht überall gleich stark, so wurden noch am Tag der Deutschen Einheit des Jahres 2005 in Ost-Berlin auf einem knalligen Straßenverkaufsschild *Frische »Ost«-Negerküsse* angepriesen, wobei das Wort »Ost« in Anführungszeichen stand, weil der Händler die Unterscheidung zwischen Ost und West ausgerechnet am Tag der Deutschen Einheit offenbar für scherzhaft hielt. Die »Negerküsse« hingegen standen nicht in Anführungszeichen, mit denen schien alles in bester Ordnung zu sein.

Andere Wörter geraten in Verruf, weil sie für unheilige Zwecke missbraucht wurden. So erging es dem Wort »Volk«. Vielen war es nach 1945 nicht mehr genehm, da es von den Nationalsozialisten gehörig überstrapaziert worden war; angefangen vom »Volk ohne Raum« bis hin zum Volkssturm. Das Adjektiv »völkisch« war völlig unbrauchbar geworden, und viele Zusammensetzungen mit »Volk«

hatten einen bitteren Beigeschmack bekommen. Spätestens seit den Sechzigerjahren, als man dazu überging, die Geschichte nicht länger zu verdrängen, sondern aufzuarbeiten, gingen Politiker, Journalisten und Lehrer dem unbequemen Wort zunehmend aus dem Weg.

»Volk« hatte einen bitteren Beigeschmack, vor allem in Verbindung mit dem Adjektiv »deutsch«. Das »deutsche Volk« war zu lange marschiert und zu entschlossen gewesen, seinem »Führer« in den Untergang zu folgen. Nun war es außerdem geteilt. Das machte es noch schwieriger, vom »deutschen Volk« zu sprechen, da man sich jedes Mal klarmachen musste, welches Deutschland überhaupt gemeint war.

Doch ohne einen Sammelbegriff für die Menschen eines Landes oder einer Region kommt die Sprache auf Dauer nicht aus, es musste also ein Ersatzwort gefunden werden; eines, das unbelastet und unverfänglich war. So kam man auf »Bevölkerung«. Ein Wort, das Volk enthielt und Volk beschrieb, ohne allzu laut danach zu klingen. Es war perfekt! Und man brauchte es noch nicht einmal zu erfinden, denn es existierte bereits seit dem 18. Jahrhundert.

Ursprünglich allerdings hatte es eine andere Bedeutung, denn »Bevölkerung« kommt von »bevölkern«. Im Jahre 1732 wurde das schwach besiedelte Ostpreußen mit 40.000 Kolonisten aus deutschsprachigen Gegenden bevölkert. Die von Friedrich Wilhelm I. angeordnete »Bevölkerung Ostpreußens« war ein Vorgang, in dessen Folge das Volk Ostpreußens anwuchs.

Von seiner grammatischen Struktur ist das Wort »Bevölkerung« also kein Kollektivum (= Sammelbegriff) wie »Volk«, sondern beschreibt einen Vorgang: den Vorgang des Bevölkerns. Es bedeutet somit nicht »Volk«, sondern »Besiedelung«. Es bedeutet ja auch Bewässerung nicht dasselbe wie Wasser, Bestäubung nicht dasselbe wie Staub, Beschränkung nicht dasselbe wie Schranke und Beschwörung nicht dasselbe wie Schwur.

Streng genommen ist die Verwendung von »Bevölkerung« als Ersatzwort für »Volk« also grammatisch ungenau. Dennoch hat das Wort »Bevölkerung« die Bedeutung »Volk« übernommen. Derartige Wechsel kommen gelegentlich vor, man denke nur an die »Studierenden«, die immer wieder als Synonym für »Studenten« herhalten müssen, obwohl sie aus einem Partizip hervorgegangen und im Grunde nicht mehr mit Studenten gemein haben als Lauschende mit Lauschern und Trinkende mit Trinkern.

»Bevölkerung« wird doppelt so oft verwendet wie »Volk«, und zwar hauptsächlich in Texten mit aktuellem Bezug, während das Wort »Volk« oft ein Indikator für einen älteren Kontext ist. Sucht man im Internet nach dem »französischen Volk«, so findet man hauptsächlich Stellen mit historischem Bezug, zum Beispiel Texte über die Französische Revolution. Wenn es aber um die heutigen Franzosen geht, dominiert der Ausdruck »französische Bevölkerung«. Früher erhob sich das Volk, heute protestiert die Bevölkerung.

Dass das Wort »Bevölkerung« kein vollwertiges Volks-Synonym, sondern ein sprachlicher Notbehelf ist, zeigt sich an seiner begrenzten Verwendbarkeit. In Zusammensetzungen nämlich vermochte es das Wort »Volk« nicht zu ersetzen. Oder haben Sie jemals an einem Bevölkerungsbegehren teilgenommen, ein Bevölkerungsfest gefeiert oder einen Bevölkerungswagen gefahren?

In den Ohren der Jüngeren mag das Wort »Volk« altmodisch klingen, doch es ruft bei ihnen keine unangenehmen Assoziationen wach. Die Vorbehalte der Kriegs- und Nachkriegsgeneration sind veraltet und halten einer sprachkritischen Prüfung nicht mehr stand. Im Unterschied zum »Negerkuss« und zum »Mohrenkopf« steht das Wort »Volk« nicht auf der Liste der unzumutbaren Wörter. Stattdessen steht es zum Beispiel im Grundgesetz.

»Volk« ist ein stärkeres Wort als »Bevölkerung« – klanglich wie inhaltlich. Es hat mehr Gewicht und Wirkung. Einen eindrucksvollen Beleg liefert die jüngste deutsche Geschichte: Der Ruf der Demonstranten, die im Jahre 1989 auf die Straßen gingen, um gegen das System der DDR zu protestieren, lautete: »Wir sind das Volk!« Es ist fraglich, ob die Revolution in Ostdeutschland genauso eindrucksvoll verlaufen wäre, wenn die Demonstranten gerufen hätten: »Wir sind die Bevölkerung!«

Von Knäppchen, Knäuschen und Knörzchen

Abschied ist ein scharfes Schwert. Und Abschnitt ist ein hartes Brot. Der Rest ist Scherzl – oder Knust – oder Ränftl, oder wie man sonst noch zum Brotkanten sagt. Der »Zwiebelfisch« hat Brotreste gesammelt. Nun hat er so viel, dass er damit drei Jahre lang Enten füttern kann.

Brot ist eines der ältesten Kulturgüter überhaupt. Schon die alten Ägypter buken Brot und entdeckten das Geheimnis des Sauerteigs. Seitdem ist Brot zum Symbol für Speise schlechthin geworden. In der Bibel wird Brot als Gottesgeschenk beschrieben (himmlisches Manna), und seit dem letzten Abendmahl, das Jesus mit seinen Jüngern einnahm, steht Brot für den Leib Christi.

So ist es nicht verwunderlich, dass das Brot auch in unserer Sprache einen besonderen Platz einnimmt. Es kommt zum Beispiel in Dutzenden von Redewendungen vor, man denke nur an »Trocken Brot macht Wangen rot«, »Wes Brot ich ess, des Lied ich sing« und »Wer nie sein Brot im Bette aß, weiß nicht, wie Krümel piken«. Doch so richtig interessant wird das Brot für den Sprachforscher erst nach dem Verzehr, wenn von ihm nichts weiter übrig ist als ein – zumeist zähes oder hartes – Randstück (vom Brot natürlich, nicht vom Forscher). Dieses Randstück hat nämlich einen besonderen Namen. *Einen* Namen? Was red ich da! Dutzende Namen hat es!

Bereits im letzten Jahr begab ich mich auf die Suche nach regionalen Bezeichnungen für den Apfelrest und rief die Leser meiner »Zwiebelfisch«-Kolumne auf, mir ihren Ausdruck für den Apfelrest zu schicken. Mehr als 50 verschiedene Bezeichnungen kamen dabei zusammen.* Einige Leser schickten unaufgefordert auch gleich das Wort für den Brotrest mit. Da ahnte ich, dass die Vielfalt der Brotrest-Wörter mindestens genauso groß sein müsse wie die der Apfelrest-Wörter.

Wenige Recherchen genügten, um festzustellen, dass der Brotkanten für Wortsammler ein gefundenes Fressen ist. In diversen Internet-Foren wird aufs Amüsanteste darüber diskutiert. Schulklassen haben sich im Rahmen von Projekten auf die Suche nach Brotrest-Wörtern begeben. Dialektforschende Institute haben Landkarten erstellt, auf denen die regionaltypischen Ausdrücke in sämtlichen Schreibweisen verzeichnet sind. Und immer wieder tauchen neue Varianten auf.

In Norddeutschland überwiegen »Kanten« und »Knust«, von denen Letzteres auf das mittelniederdeutsche Wort knüst zurückgeht, welches »knotiger Auswuchs«, »Knorren« bedeutet. In Bayern herrschen »Ranftl« (verwandt mit *Rahmen* und *Rand*) und »Scherzl« vor, und in Sachsen sagt man »Rändl« und »Ränftl«. In den rheinischen Regionen wird es besonders drollig, da hört man, wenn man nach dem Brotrest fragt, ein Knuspern und Knäuspern wie im Märchen: »Knörzchen« wird er zum Beispiel in Hessen genannt, »Knieschen« in Rheinland-Pfalz, »Knützchen« am Niederrhein und »Knäbberchen« im Siegerland. Auffällig ist, dass viele dieser Wörter mit »Kn« beginnen. Der »Kn«-Anlaut ist in der deutschen Sprache bezeichnend für rundliche Gegenstände und Verdickungen. Knust, Knäppchen und Knörzchen gehören zur selben Wortfamilie wie Knauf,

---

* Siehe »Was vom Apfel übrig blieb« in »Der Dativ ist dem Genitiv sein Tod, Folge 2«, S. 403 f.

Knödel, Knobel, Knolle, Knopf, Knorpel, Knorren, Knospe, Knoten und Knubbel.

Mitunter wird ein Ausdruck sowohl für den Brotrest als auch für den Apfelrest verwendet, so wie beim Wort »Knust«, das im Allgemeinen den Brotrest bezeichnet, in Hamburg aber auch den Apfelrest. Bei anderen Begriffen (wie dem »Krüstchen«) herrscht Unklarheit darüber, ob damit nur der Brotrest oder nicht die gesamte Brotrinde gemeint ist.

Von der Wurst ist bekannt, dass sie zwei Enden hat. Das gilt aber nicht für die Wurst allein, sondern auch für das Brot. Während das erste Stück eines frischen Brotes meistens gern gegessen wird, bleibt das Endstück oft liegen. In einigen Gegenden wird daher zwischen einem »lachenden« und einem »weinenden« Ende unterschieden. So kennt man zum Beispiel im Münsterland die Ausdrücke »Lacheknäppchen« und »Weineknäppchen« für den vorderen und den hinteren Brotkanten, und im Oldenburger Raum den »Lacheknust« und den »Brummeknust«.

Die Form des Brotrestes erinnert in gewisser Weise an ein anderes, ebenfalls sehr beliebtes »Endstück«: das menschliche Gesäß. Daher kursieren in einigen Regionen zärtlich-scherzhafte Ausdrücke für den Brotrest, die daneben auch für den Popo gebraucht werden, zum Beispiel »Föttchen« im Rheinland, »Boppes« im Westerwald und »Ärschl« in Sachsen.

In diesem Zusammenhang darf eine Anekdote aus Österreich nicht fehlen. In Wien sagt man zum Brotrest »Buckl« (= Buckel). Und zur Käsekrainer, der beliebten Bockwurst, sagt man auch »Eitrige«. Das klingt nicht besonders appetitlich, aber schmecken soll sie trotzdem. Zu Wurst und Brot gehört natürlich auch ein Bier, vorzugsweise aus der Dose. Ein sehr bekanntes Bier in Wien, das »Ottakringer«, benannt nach dem 16. Wiener Gemeindebezirk, wird so zum »sechzehner Blech«. Und so lautet die in bestem Wienerisch vorgetragene Bestellung am Wiener Würstelstand: »Heast, Oida, gib mir a Eitrige mit an Buckl und an sechzehner Blech!« Für einen Nicht-Wiener eine mehr als rätselhafte Bestellung.

Eine häufig gestellte Frage lautet: Gibt es eine offizielle Bezeichnung für den Brotrest, die in allen Gegenden des deutschen Sprachraums gilt? Die Bäcker kennen das Wort »Anschnitt«, und daneben gibt es auch »Abschnitt«, beides sind Wörter der Hochsprache, doch sie sind nicht annähernd so klangvoll wie die mundartlichen Formen. Daher wird es ihnen kaum gelingen, die regionalen Varianten zu verdrängen, denn die sind bildhaft, liebevoll, ja geradezu zärtlich, so wie Knäppchen, Knärzi und Zipfeli. Das könnten auch Kosenamen für den geliebten Partner sein. Der wird ja gelegentlich auch »Lebensabschnittsgefährte« genannt. Das klingt genauso unpersönlich wie Brotabschnitt. Wenn wir an unserem Lebensabschnittsgefährten knuspern, dann sagen wir doch lieber »mein Schatz«, »mein Herzi«, »mein süßes Mäuschen« – so wie zum Brotrest »mein Scherzl«, »mein Knärzie«, »mein süßes Knäuschen«.

Region	Bezeichnung
Schleswig-Holstein/Hamburg	Knust/Knuust/Knuß
Niedersachsen/Bremen	Knust/Knuust/Knuuß/Knuz Kanten Knuf Kniestchen/Knützchen Tippchen
Mecklenburg-Vorpommern	Knust Kanten Knapseln
Brandenburg/Berlin	Knust Kanten Knippche Gombel/Gompel
Nordrhein-Westfalen	Knust Knapp/Knäppchen
Ostwestfalen	Tipp
Münsterland	Kanten Kläppchen Knabbel Knietzchen Macke/Mäckchen/Mäcksken
Ruhrgebiet	Knabbel/Knäbbelken/Knäppken Knorke Knorpe Knüppchen/Knüppken Knut Utzelkäpp
Niederrhein	Knetchen Knust/Knut/Knute/Knützchen/Knützje
Rheinland	Kösken/Köschken Kante/Kanten/Käntchen Knippchen/Knüppchen Koosch/Köösche/Kööschje Krüppchen Kruste/Krüstchen Kürchen/Kürsjen/Kürstchen Föttchen (*derb*)

Region	Bezeichnung
Siegerland	Knäbberchen/Knäppche
Sauerland	Knäppken Knüpp
Hessen	Knärzje/Knärtzsche Krüstchen
Nordhessen	Knorze/Knörzchen/Knerzchen/Knärnsche Knistchen/Knüstchen
Südhessen	Endstück Knorz/Knorzt/Knörzchen/Knörrnche Krestche/Krüstje
Thüringen	Feeze/Fietze Kanten Kniestchen/Kniezchen/Knützchen Kopp/Köpple/Küppchen/Küppel/Küppele Renftchen/Ränftchen
Rheinland-Pfalz	Knärz/Knärzche/Knärzel(che)/Knarzel(che) Knärzi/Knärzje/Knärzche Knorze/Knörzje Knirzel/Knirzche Knaus/Knause/Knäusche/Knaisel/Knaische/ Knaisje Kniesche Kneppche/Knippche/Kneppel Kruste/Krüstje Kruscht/Kreschtche/Krischtche/Kreschdel/ Krischdel Kurscht/Kürschtsche Korscht/Körschtche Karscht/Kärschtche/Kierschtche Schäbbelsche/Schäbbelchen Boppes *(derb)*
Sachsen-Anhalt	Kanten Rungsen
Sachsen	Rändl/Rindl Randkandn Ramftl/Rampftl/Rämpfdl/Ränftel/ Ränftl/Ränftchen

Region	Bezeichnung
Sachsen	Renft/Renftl/Renftel/Rempftel/Rempfel Rungsen Ärschl/Ärschel *(derb)*
Saarland	Kniesje/Knieschen/Kneisje/Kneischen/ Knüsje/Knüschen Koscht/Korscht Bäätsch
Baden-Württemberg	Knaus/Knäusle/Knäuschen
Schwaben	Endle Eck/Ecke Giggl/Giggale Kante/Käntle Gnäusle/Knäusel/Kneisle/Knäuzle Kneidel/Kneidele Knörzchen/Knörzerle/Knörzl/Knötzl/ Knerzl/Knärtzele Köschken Kruste Käppele/Küppele Ranka Riebel/Riabel/Riebele/Riebale Ränkel/Renkl/Rengele Rempfdle/Rempftchen/Renftl Rimpfele Rände Roiftle Storzl
Baden	Gnuscht Knecks Gnaisle/Kneisl Gniesle/Knissl/Knissli/Kniesli Knörbl Knippche Knerzl/Knärzl/Knärtzje Knork Knorst Knuusä/Knussel/Knäusli Awendel Ärschle *(derb)* Chnüssli

Region	Bezeichnung
Baden	Oschnitt
	Ranfte/Ränftl/Rämpfli
	Riebele
	Reifdle/Roiftle
Bayern	Ranft/Ranfdl
	Scherzl
Oberfranken	Baggerla
	Gnaerzla/Gnerzla/Knätzla
	Koebbla/Köbberla/Kopperla/Kübbele/Kübbl/
	Küppel
	Rankerl/Rankerla
	Rempfterla
Mittelfranken	Gnaerzla/Gnäddsla/Gnötzla/Knätzla
	Riefdla/Rieftla/Rieftle
	Rendala
	Sterzl/Stazzla
Unterfranken	Kantn
	Knurz/Knorz/Gnurz/Gnorz/Knörzle
	Knärzje
	Knübbele/Knübberle
	Kipf/Kipfchen/Kipfle/Kipfla
Oberpfalz	Rampfla/Rampferl
	Randl
	Renkerl
	Sterzl
Schwaben	Giggl/Gickl/Giggel/Giggele/Giggerle
	Kickel/Kiekerle
Schweiz	Aaschnitt
Thurgau	Aamündli
	Gupf
Basel	Grepfli/Gröpfli
	Muger/Mugerli
	Fuudi
	Gupf
Aargau	Chnuschperli/Knusperli

Region	Bezeichnung
Solothurn	Möckli
Zürich	Ahau/Ahäuel/Ahäuli
	Bödel
	Güpfli
	Ribel
	Zipfeli
St. Gallen	Chrüschtli
Luzern	Mögerli/Muggerli
Bern	Mürgu/Mürgel
	Aahou
	Butti
	Chäppi
Liechtenstein	Bödäli
Österreich	Raftl
	Scherzel/Scherzl/Scherzal/Scherzerl
	Schächzl
	Buckel/Buckl/Buggl
Ostpreußen	Pend/Pendt/Pent
	Schenutt/Schnutt
Schlesien	Christel/Kristel/Kristl
	Rampfla/Rampftla
	Ränftel
	Kantel
	Krunka
Sudetenland	Klaaberranftle
Rumänien	
Siebenbürgen	Dutz
Banat	Korscht
Luxemburg	Knaus

In der Breite Straße

In Deutschland gibt es viele breite Straßen, große Straßen und lange Straßen, und es gibt große Märkte, alte Märkte und neue Märkte. Nur müssen sie nicht überall gleich heißen. Der eine feiert Weihnachten auf dem Alten Markt, der andere Karneval auf dem Alter Markt.

Ein Leser aus Brandenburg wandte sich an mich wegen einer Formulierung, die er im Verkehrsfunk gehört hatte und die ihm sonderbar vorgekommen war. »Ein Blitzer steht auch in der Breite Straße«, lautete der Hinweis an die Raser in Berlin. Vielleicht waren auch die Raser in Potsdam gemeint, denn auch dort gibt es eine Breite Straße.
Der Leser stellte zunächst sich – und dann mir – die Frage, ob es nicht »in der Breiten Straße« heißen müsse. Diese Frage lässt sich aber nicht so einfach aus der Lamäng* beantworten.

Dazu bedarf es nämlich einiger Ortskenntnisse. In Berlin und Potsdam kenne ich mich leider nicht so gut aus und kann nicht viel darüber sagen, wie die Berliner und Potsdamer ihre Straßen behandeln. Ich selbst stamme aus Lübeck, und auch dort gibt es eine Breite Straße, die im Dativ ganz mustergültig zur Breiten Straße wird.

Die Hohe Straße in Köln hingegen widersetzt sich der Grammatik und bleibt unveränderlich. So sagt der Kölner ganz selbstverständlich: »Ich steh hier auf der Hohe Straße.« Und er sagt auch: »Ich geh auf den Alter Markt.« (Er

---

* Lamäng, nach frz. la main (= die Hand); »aus der Lamäng«: scherzhaft für »aus dem Stegreif«, »etw. aus dem Ärmel schütteln«.

spricht es allerdings etwas anders aus, es klingt eher wie »Ich jehe op d'r Alder Maat«, und außerdem wird es mehr gesungen als gesprochen.) Wer in Köln von der »Hohen Straße« spricht und auf den »Alten Markt« geht, der kennt sich zwar mit der hochdeutschen Grammatik aus, ist aber offensichtlich kein Kölner.

Auch in anderen Städten gibt es Lange Straßen und Alte Märkte, die nicht gebeugt werden. Besonders viele davon findet man in Nordrhein-Westfalen. In Dortmund zum Beispiel. Dort nahm die Polizei im August einen Fahrraddieb fest, »der den Beamten zuvor auf der Lange Straße als Fußgänger aufgefallen« war. In Düsseldorf kam es im Juni 2006 zu einem spektakulären Unfall: »Am Mittag stürzte ein Gerüst bei Abbrucharbeiten an einem Haus an der Breite Straße teilweise ein«, teilte die Düsseldorfer Feuerwehr mit. Und in Castrop-Rauxel feiert man alle Jahre wieder das »Sommerfest auf der Lange Straße«.
Das Straßenverzeichnis der deutschen Sprache steht sowohl voller gebeugter Breiter Straßen als auch voller ungebeugter Breite Straßen. Was es allerdings nicht gibt, ist eine Regel, die einem sagt, wann die Unterlassung der Beugung erlaubt ist und wann nicht.

In Hamburg gibt es eine Straße namens Lange Reihe, und wer dort bummeln geht oder ins Café, der tut dies *in* oder *an der Langen Reihe*. Dasselbe gilt für den *Neuen Wall*. Im Unterschied zum Kölner beugt der Hamburger seine Straßennamen, und darin ist er konsequent. So wird selbst der Stadtteil Rotherbaum im Dativ zum *Rothenbaum*: Beugung trotz Zusammenschreibung und historischem »th«, das ist wahrhaft hanseatisch! Wer also vom »Tennis am Rotherbaum« spricht, der mag zwar Ortsschilder lesen können, ist aber offensichtlich kein Hamburger. Für den alteingesessenen Hamburger ist der Stadtteil Uhlenhorst trotz seiner männlichen Konnotation (der Eulenhorst) weiblich; wer dort wohnt, der wohnt »auf der Uhlenhorst«.

Ob man auf den Alten Markt geht oder auf den Alter Markt, das ist nicht eine Frage von richtig oder falsch, sondern von Geschichte und Tradition. In einigen Gegenden ist der Name irgendwann erstarrt und wurde fürderhin nicht mehr gebeugt, in anderen blieb er lebendig und wird auch heute noch wie ein normales Hauptwort behandelt. Im Zweifelsfall gilt das, was die Eingeborenen sagen. Wenn die Berliner von »Bauarbeiten auf der Breite Straße« statt »auf der Breiten Straße« sprechen, dann will ich das gerne akzeptieren. Schließlich ist es ihre Breite Straße, so wie es auch »dem Kölner singe Alder Maat« ist.

Über das Intrigieren fremder Wörter

»Konkurenz ist für uns ein Fremdwort«, steht im Schaufenster eines Berliner Textilgeschäfts zu lesen, und man glaubt es dem Besitzer sofort, wenn man berücksichtigt, wie er das Wort »Konkurrenz« geschrieben hat. Weniger glaubhaft ist die Anzeige eines Regalherstellers, in der behauptet wird: »Ästhetik trifft Inteligenz«.

Fremdwörter stellen uns immer wieder vor besondere Herausforderungen. Man kann sie verkehrt buchstabieren, ihre Bedeutung missinterpretieren, sie falsch aussprechen (viele Menschen brechen sich regelmäßig bei dem Wort »Authentizität« die Zunge, sodass oft nur »Authenzität« herauskommt) – und vor allem kann man sie leicht verwechseln. Während der Fußball-WM hörte und las man häufig das Wort »Stadium«, wenn »Stadion« gemeint war. Einmal stolperte ich auch über das Wort »Erfolgscouch«. Das war allerdings nicht in einem Ikea-Katalog, sondern in einem Bericht über den erfolgreichen Coach der Schweizer Nationalmannschaft.

Meine Freundin Sibylle ist im Verwechseln von Fremdwörtern eine wahre Virtuosin. Sie würde vermutlich sagen: eine Virtologin. Wo ich »euphemistisch« sage, sagt sie »euphorisch«. Wo ich konzentrische Kreise sehe, sieht sie »konzentrierte Kreise«. Und wenn ich Sibylle von einem makellosen »Astralkörper« schwärmen höre, weiß ich, dass ich an einen Alabasterkörper denken muss. Immer wieder bringen sie die verflixten Fremdwörter »in die Patrouille«. Von ihrem Onkel, der wie ein Eremit in seinem Häuschen in der Toscana lebt, behauptet sie hartnäckig, er lebe wie ein »Emerit«. Und über sich selbst sagt sie, dass sie hin und wieder etwas »implosiv« reagiere. Schon als Kind sei sie

»ziemlich resistent« gewesen. Ich weiß nicht, wie Sibylle als Kind war, aber ich vermute, sie meint »renitent«. Da fällt mir Jörg Pilawa ein, der in einer NDR-Talkshow die Sängerin Gitte Haenning fragte: »War das nicht eine Zensur in deinem Leben?«

Auch meine Nachbarin Frau Jackmann streut gern mal das eine oder andere exotische Wort in ihre Rede ein. So erfuhr ich kürzlich von ihr, dass es in Gelsenkirchen ja nicht nur ein berühmtes Fußballstadion, sondern auch ein »Amphibientheater« gebe. Nach dem Einzug eines neuen Mieters war sie stundenlang damit beschäftigt, die Fußabdrücke im Treppenhaus zu beseitigen, die er mit seiner »Dispositionsfarbe« gemacht habe. Das war die reinste »Syphilisarbeit«! Und überall flogen diese lästigen »Stereopur-Flocken« herum! Ihrem geplagten Rücken zuliebe geht sie einmal pro Woche zum Masseur, der sie mit »esoterischen Ölen« einreibt. Außerdem nimmt sie jetzt regelmäßig Kalziumtabletten ein, das sei gut gegen »Osterpörose«.

Verwechselte Fremdwörter findet man ständig und überall. Ein Klassiker sind die »karikativen Zwecke«, die den karitativen Spendenaufruf zur sprachlichen Karikatur werden lassen. Einen besonders gemeinen Stolperstein stellt auch das Wort »integrieren« dar. Auf der Homepage der Fernsehsendung »Big Brother« las man über die unglückliche Teilnehmerin Manuela: »Sie hofft, dass sich das Verhältnis in Zukunft bessern wird und sie sich mehr und mehr ins Team intrigieren kann.« Wenn hier nicht »integrieren« gemeint war, dann hätte der Satz anders aufgebaut werden müssen: »... und sie mehr und mehr im Team intrigieren kann.« Von Sparta auf die Sporaden verirrt hatte sich jener Autoredakteur, der über die Ausstattung des neuen Dodge Viper schrieb, sie sei »alles andere als sporadisch«. Solange nur der

Redakteur vom Kurs abkommt und nicht das Auto, mag's ja noch gehen.

In Bayern hingegen scheinen die Dinge völlig aus dem Ruder zu laufen, da werden öffentlich Götzen angebetet. Als in der Gemeinde Gilching im November 2005 ein sogenannter Friedenspfahl aufgestellt wurde, meldete die Lokalausgabe der »Süddeutschen Zeitung«: »2,20 Meter hoher Basilisk in Gilching eingeweiht«. Ein Basilisk ist (wie jeder »Harry Potter«-Leser weiß) ein mythisches Schlangenwesen. Vielleicht hatte die Redakteurin am Vorabend einfach zu viel Basilikum gegessen, und womöglich hatte sie noch nie einen »Asterix«-Comic gelesen – jedenfalls kam sie nicht auf das Wort Obelix – pardon: Obelisk.

Gelegentlich bildet die Volksetymologie aus deutschen Bausteinen fremd anmutende Wörter. Einmal brannte in Hamburg-Tonndorf ein Imbiss ab. Schuld war der Wrasenabzug. Das Wort »Wrasen« ist norddeutsch und bedeutet Dunst. Die Tonndorfer Feuerwehr hat ein griechisches Wort daraus gemacht, denn in ihrem Bericht konnte man lesen: »Das Feuer war über den Phrasenabzug des Hähnchengrills in den Zwischendeckenraum gelaufen und hat dort durchgezündet.« Von einer solchen Vorrichtung können Sprachpfleger nur träumen! In meinem nächsten Leben werde ich Imbissbudenbesitzer!

Der Umgang mit Fremdwörtern verpflichtet uns freilich nicht zu größerer Sorgfalt als der Umgang mit dem Vokabular unserer Muttersprache. Fehler mit Fremdwörtern sind nicht schlimmer als Fehler mit deutschen Wörtern. Sie sind nur oft komischer.

Wenn zum Beispiel eine Agentur für Medien und Marketing in einem Pressetext behauptet, 42 Prozent der Deut-

schen fürchteten eine Rezension. So viele Schriftsteller –
und nur ein Marcel Reich-Ranicki? Wie soll der das bloß
schaffen? Oder wenn man über einen verfolgten Künstler
lesen muss, dass er »in erster Distanz freigesprochen« worden war. Der Volksmund sagt aus gutem Grund: Fremdwörter sind Glückssache.

Als vor ein paar Jahren der Rinderwahn umging, erzähl-
te ich Sibylle, dass man im Bioladen bei mir um die Ecke
»Götterspeise ohne Gelantine« bekommen könne. Da brach
sie in schallendes Gelächter aus und verbesserte mich:
»Das heißt Gelatine!« – »Tatsächlich? Dann habe ich dem
Knochenpulver mein Leben lang zu viel Galanterie beigemischt.« – »Siehst du, auch dir passiert mal ein Flap-
sus«, stellte Sibylle mit Genugtuung fest. »Gegen Irrtümer
ist niemand gefeit!«, pflichtete ich ihr bei. »Stimmt«, erwiderte Sybille vergnügt, »nicht mal eine Konifere wie
du!«

Fremdwort	Bedeutung
Alabasterkörper (m.)	wie gemeißelt, makellos schön
Astralkörper (häufiger: Astralleib)	»Seelenkleid«, Wort aus der Esoterik und christlichen Mystik; in speziellen Zuständen sichtbarer Seelenkörper
amphi	Griechische Vorsilbe mit der Bedeutung: beidseitig, um etwas herum
Amphibie (w.)	»doppellebiges« Kriechtier, ein zu Wasser und zu Lande lebender Lurch
Ästhetik (w.)	Lehre vom Schönen
ätherisch	ätherartig, flüchtig
esoterisch	Wortbedeutung: »nach innen gerichtet«; Adjektiv zu »Esoterik«: Lehre mit okkultistischen und astrologischen Elementen
Authentizität (w.)	Echtheit, Glaubwürdigkeit, Zuverlässigkeit
Bredouille (w.)	Bedrängnis, Verlegenheit, schwierige Situation
Patrouille (w.)	Spähtrupp, Soldaten auf Kontrollgang
Couch (w.; schweiz. auch m.)	Sofa
Coach (m.)	Trainer oder Betreuer eines Sportlers oder einer Sportmannschaft
Dispersion (w.)	chem. Begriff: gleichmäßige Verteilung eines Stoffes in einer Trägersubstanz (z. B. Farbpigmente)
Disposition (w.)	Verfügung, Planung, (genetische) Veranlagung, Einstellung
Emerit(us) (m.)	dienstunfähiger Geistlicher, im Ruhestand befindlicher Hochschullehrer
emeritieren	in den Ruhestand versetzen
Eremit (m.)	Einsiedler
euphemistisch	mildernd, beschönigend, verschleiernd

Fremdwort	Bedeutung
euphorisch	in gehobener Stimmung, heiter
Gelatine (w.)	Bindemittel aus Knochenpulver
Implosion (w.)	schlagartiges Zusammenfallen eines Hohlkörpers durch äußeren Überdruck
impulsiv	spontan handelnd, einer plötzlichen Eingebung folgend
Instanz (w.)	Verfahrensabschnitt (Gericht), zuständige Stelle (Behörden)
Distanz (w.)	Entfernung, Strecke, Abstand, Zurückhaltung
Intelligenz (w.)	geistige Fähigkeiten
integrieren	aufnehmen, einschließen
intrigieren	Ränke schmieden
karikativ	wie eine Karikatur, ironisierend
karitativ	mildtätig
Konifere (w.)	Nadelbaum
Koryphäe (w.)	Experte, herausragende Fachkraft
Konkurrenz (w.)	Wettstreit, Wettbewerb
konzentriert	aufmerksam, verdichtet, angereichert
konzentrisch	um einen gemeinsamen Mittelpunkt herum
Lapsus (m.)	Fehler, Versehen, Versprecher
Obelisk (m.)	frei stehender, rechteckiger, spitz zulaufender Steinpfeiler, Spitzsäule
Basilisk (m.)	1. Fabelwesen aus Schlange und Hahn mit todbringendem Blick 2. tropische Eidechse
Osteoporose (w.)	Knochenschwund
Phrase (w.)	Satz, (abgedroschene) Redewendung, Geschwätz
renitent	widerspenstig, widersetzlich
resistent	widerstandsfähig

Fremdwort	Bedeutung
Rezension (w.)	kritische Besprechung, Beurteilung
Rezession (w.)	konjunktureller Rückgang
spartanisch	streng, abgehärtet, einfach
sporadisch	vereinzelt, verstreut, gelegentlich, rar
Stadion (s.)	ovale Austragungsstätte sportlicher Wettkämpfe
Stadium (s.)	Zeitabschnitt, Entwicklungsstufe
Styropor (s.)	Markenname für den aus einzelnen Kügelchen zusammengepressten Kunststoff Polystyrol (Dämmmaterial, Verpackungsstoff)
Sisyphos (gr.), Sisyphus (lat.)	Gestalt der gr. Mythologie, die dazu verurteilt war, einen Felsstein immer wieder aufs Neue einen Berg hinaufzuwälzen
Syphilis (w.)	Geschlechtskrankheit
Virtuose (m.), Virtuosin (w.)	meisterlicher Könner auf einem künstlerischen Gebiet
Zäsur (w.)	Einschnitt
Zensur (w.)	Note, Bewertung

Wie gut ist Ihr Deutsch?

Wie sicher sind Sie in Rechtschreibung, Grammatik und Fragen des Stils? Hier können Sie Ihr Wissen testen: 60 neue Fragen aus dem Fundus der Irrungen und Wirrungen unseres Sprachalltags – teils leicht, teils knifflig. Nicht immer geht es um richtig oder falsch, manchmal wird unter mehreren Möglichkeiten die »optimalste« gesucht. Manchmal ist auch mehr als nur eine Antwort richtig. Wer alle »Dativ«-Bände aufmerksam gelesen hat, der ist bestens gerüstet! Viel Spaß!

1. 1965 war ein gutes Jahr, denn
a.) im Sommer jenes Jahres wurde ich geboren
b.) im Sommer jenen Jahres wurde ich geboren

2. Ich tät ja zu dir schwimmen, wenn ich ein Fischlein wär und auch noch den Konjunktiv beherrschte! Was empfiehlt die heutige Grammatik?
a.) Wenn ich ein Fischlein wär, schwämme ich zu dir.
b.) Wenn ich ein Fischlein wär, schwömme ich zu dir.
c.) Wenn ich ein Fischlein wär, schwümme ich zu dir.

3. Pass auf! Sieh dich vor! Anders gesagt:
a.) Gebe Acht!
b.) Gib Acht!
c.) Gieb Acht!

4. So schön kann doch kein Mann sein? Und ob! Vielen gilt Brad Pitt als der
a.) gutaussehendste Filmstar unserer Zeit
b.) bestaussehendste Filmstar unserer Zeit

c.) bestaussehende Filmstar unserer Zeit
d.) am besten aussehende Filmstar unserer Zeit

5. Des Öfteren kommt man in die Verlegenheit, »oft« zu steigern. Wie macht man es richtig?
a.) oft, öfters, am öftesten
b.) oft, öfter, am öftersten
c.) oft, öfter, am öftesten

6. Über all die vielen Info's, Video's, Snack's und Nudel'n kann man nur den Kopf schütteln. Was ist nämlich falsch daran?
a.) das Apostroph
b.) die Apostroph
c.) der Apostroph

7. Vor dem Genitiv ist niemand sicher. Auch »wir« nicht. Wie heißt es richtig?
a.) Erbarme dich unser!
b.) Erbarme dich unserer!
c.) Erbarme dich unsrer!

8. In der vergangenen Woche flog die Bundeskanzlerin nach Washington. Dort traf sie sich mit
a.) dem US-Präsident
b.) dem US-Präsidenten

9. Der Verfasser des Buches ist Ihnen bekannt? Dann kennen Sie bestimmt noch andere Bücher
a.) des Autors
b.) des Autoren
c.) des Autor

10. Dem Friedberg, der wo unser Bürgermeister ist, dem sein Schwager tu ich kennen. Und nun kommst du!
a.) Ich kenne den Schwager Friedbergs, unseren Bürgermeister.
b.) Ich kenne den Schwager Friedbergs, unseres Bürgermeisters.

11. Wo fühlte sich der Genitiv besonders wohl?
a.) im Gefolge Kaisers Karls des Großen
b.) im Gefolge Kaiser Karls des Großen
c.) im Gefolge Kaisers Karl des Großen

12. Das Hochhaus am Martin-Winter-Platz wurde im Rekordtempo gebaut, und zwar binnen
a.) wenige Monate
b.) weniger Monate
c.) wenigen Monaten

13. Scar, Medusa, Dschafar, Cruella de Ville – was wäre Disneys bunte Welt ohne ihre
a.) Bösewichte
b.) Bösewichter
c.) Bösewichtel

14. Wer vier Stück Kuchen kauft, der bekommt in der Regel
a.) vier Stücke
b.) vier Stücken
c.) vier Stücker

15. Henry verabredete sich mit Philipp und seiner neuen Freundin. Nicht Henrys neuer Freundin, sondern Philipps. Also traf sich Henry mit Philipp und
a.) dessen neue Freundin   d.) dessem neue Freundin

b.) dessem neuer Freundin   e.) dem seine neue Freundin
c.) dessen neuer Freundin

16. Den Wischmop schreibt man jetzt mit Doppel-p. Aber
wie schreibt man die Mehrzahl?
a.) Wischmopps   c.) Wischmöppe
b.) Wischmoppe   d.) Wischmöpse

17. Du willst es unbedingt wissen. Also gut, dann komme
ich wohl nicht
a.) umher, dir die Wahrheit zu sagen
b.) umhin, dir die Wahrheit zu sagen
c.) herum, dir die Wahrheit zu sagen

18. Es ist nicht deine Schuld! Denn
a.) da kannst du nichts für
b.) dafür kannst du nichts
c.) du kannst da nichts für

19. Jede Medaille hat zwei Seiten, nämlich
a.) Avis und Revis   c.) Avers und Revers
b.) Aureus und Obolus   d.) Recto und Verso

20. Wer etwas nach eigenem Ermessen tut, der handelt
nach eigenem
a.) Gutdünkel   d.) Gutding
b.) Gutdünken   e.) Gutdünkeln
c.) Gutdüngen

21. Das Wort »Kartoffel« geht zurück auf das italienische
Wort für
a.) Äpfel
b.) Trüffel
c.) Kastanien

22. Welche drei Wochentage gehen auf die Namen germanischer Götter zurück?
a.) Dienstag, Donnerstag, Freitag
b.) Dienstag, Mittwoch, Donnerstag
c.) Donnerstag, Freitag, Samstag

23. Wenn ein Meister seinen »Stift« sucht, meint er damit nicht unbedingt einen Kugelschreiber, sondern
a.) einen Lehrling
b.) eine Zange
c.) eine Schraube

24. Der Teufel hat viele Namen! Welcher gehört nicht dazu?
a.) Satanas   d.) Gottseibeiuns
b.) Beelzebub   e.) Satyr
c.) Mephistopheles f.) Diabolus

25. Nach wie viel Mal lügen verliert man seine Glaubwürdigkeit?
a.) Wer einmal lügt, dem glaubt man nicht, auch wenn er doch die Wahrheit spricht.
b.) Wer zweimal lügt, dem glaubt man nicht, auch wenn er doch die Wahrheit spricht.
c.) Wer dreimal lügt, dem glaubt man nicht, auch wenn er doch die Wahrheit spricht.

26. Wie lautet das Sprichwort richtig: Die Axt im Haus erspart
a.) den Gang zum Sägewerk
b.) den Zimmermann
c.) den Scheidungsrichter

27. Wenn der Vater dem Sohn eine Standpauke hält, dann liest er ihm sprichwörtlich
a.) die Meriten   c.) die Leviten
b.) die Levanten   d.) die Lafetten

28. Sei nicht so bescheiden! Stell dein Licht nicht unter den
a.) Schemel
b.) Scheffel
c.) Schädel

29. Deine Tochter ist dir insofern ähnlich,
a.) dass sie ununterbrochen redet.
b.) als sie ununterbrochen redet.
c.) weil sie ununterbrochen redet.
d.) als dass sie ununterbrochen redet.

30. Wer niemals in Bedrängnis gerät, der kommt auch nicht so schnell in die
a.) Bredouille (gesprochen: Bredulje)
b.) Bedrouille (gesprochen: Bedrulje)
c.) Patrouille (gesprochen: Patrulje)

31. Ein Wirkstoff, der subkutan verabreicht wird, der wird
a.) in die Venen gespritzt
b.) in die Augen geträufelt
c.) unter die Haut gespritzt

32. Nur einer der drei Apostrophe gilt heute noch als akzeptabel. Welcher?
a.) Alles für's Kind
b.) Kein Schweiß auf's Holz
c.) Jetzt geht's los

33. Hänschen ist sehr, sehr traurig, um nicht zu sagen
a.) tottraurig
b.) todtraurig
c.) tot traurig

34. Einen Menschen, der häufig seine Überzeugung wechselt, vergleicht man sprichwörtlich mit einem
a.) Kamelion   c.) Chamäleon
b.) Chameleon   d.) Chamälion

35. Nur eine der folgenden Schreibweisen für das Veranstaltungsgebäude ist nach gegenwärtiger Rechtschreibung korrekt. Welche?
a.) Congress Centrum   d.) Kongreß Zentrum
b.) Kongreß-Zentrum   e.) Congress-Centrum
c.) Kongresszentrum   f.) Kongress Zentrum

36. So viele Menschen haben eine an der Hauswand hängen – aber wie schreibt man sie richtig?
a.) Sattelitenschüssel
b.) Satellitenschüssel
c.) Satelittenschüssel

37. Die weibliche Form des Wortes »Zauberer« lautet
a.) die Zauberin
b.) die Zaubererin
c.) die Zaubrin

38. Erst habe ich mir die Schuhe ausgezogen, dann habe ich
a.) den Mantel aufgehangen
b.) den Mantel aufgehängt
c.) den Mantel aufgehenkt

39. Schöner alter Konjunktiv! Ich würde dir ja helfen, wenn du mich nur lassen würdest. Wenn du mich nur ließest, dann

a.) helfe ich dir   c.) hielfe ich dir
b.) hülfe ich dir   d.) hölfe ich dir

40. Erst hat's ihm in der Nase gekribbelt, dann hat er zweimal kräftig

a.) geniest
b.) genießt
c.) genossen

41. Es gibt viele Möglichkeiten, dem Supermarkt einen Besuch abzustatten. Welche Variante gilt als standardsprachlich?

a.) Ich gehe nach Aldi.   c.) Ich gehe zu Aldi.
b.) Ich gehe bei Aldi.   d.) Ich gehe zum Aldi.

42. Setzen Sie ein paar Kommas – oder auch nicht. Welcher Satz ist korrekt?

a.) Aufgrund von technischen Problemen muss die für heute geplante Veranstaltung leider entfallen.

b.) Aufgrund von technischen Problemen, muss die für heute geplante Veranstaltung leider entfallen.

c.) Aufgrund von technischen Problemen muss die, für heute geplante, Veranstaltung leider entfallen.

43. Wie war das noch mal – wann steht ein Komma vor »wie«?

a.) Meine Freunde haben den Abend genauso genossen wie ich.

b.) Meine Freunde haben den Abend genauso genossen, wie ich.

44. Welcher der folgenden Versuche, das Wort »selbstgemacht« zu betonen, ist unsinnig?

a.) Kosten Sie von unserer *selbstgemachten* Konfitüre!

b.) Kosten Sie von unserer »selbstgemachten« Konfitüre!

c.) Kosten Sie von unserer **selbstgemachten** Konfitüre!

d.) Kosten Sie von unserer SELBSTGEMACHTEN Konfitüre!

45. Heute sind alle Konzerte der Band ausverkauft. Noch vor zwei Jahren kamen gerade mal hundert Menschen. Im Saal saßen damals

a.) ganze hundert Zuhörer   c.) knapp hundert Zuhörer

b.) volle hundert Zuhörer   d.) gut hundert Zuhörer

46. Die Hauswand ist komplett beschmiert mit lauter hässlichen

a.) Graffiti   c.) Grafittos

b.) Grafitti   d.) Graffitis

47. Die Abkürzung m. E. steht für

a.) meines Erachtens

b.) mit Erfolg

c.) mehrere Erscheinungsorte

48. Die Abkürzung i. A. steht für

a.) im Allgemeinen

b.) im Auftrag

c.) in Anbetracht

49. In dem Film »Fluch der Karibik – Teil 2« taucht ein Seeungeheuer mit gewaltigen Tentakeln auf. Es wurde auch schon in der Sesamstraße besungen. Wie nennt man dieses Tier?

a.) die Krake

b.) der Krake
c.) der Kraken

50. Welche der folgenden Wortgruppen steht mit den standardsprachlich richtigen Artikeln?
a.) die E-Mail, das Blog, der Newsletter
b.) das E-Mail, das Blog, das Newsletter
c.) die E-Mail, der Blog, der Newsletter

51. Ein gar lustiger Imbissbudenbesitzer bietet »Snack's und Gebäck's« an. Wie heißt es richtig? Und vor allem: Wie schreibt man es richtig?
a.) Snack's und Gebäck   c.) Snacke und Gebäcke
b.) Snäck und Gebäck   d.) Snacks und Gebäck

52. Im letzten Wahlkampf wurde Gerhard Schröder von Angela Merkel herausgefordert. Merkel war auf gut Deutsch Schröders
a.) Herausfordererin
b.) Herausforderin
c.) Herausförderin

53. Dinge, die uns unangenehm sind, bereiten uns *Ungemach*. So zum Beispiel die Frage nach dem Geschlecht dieses altmodischen Wortes. Wie heißt es richtig?
a.) der Ungemach
b.) die Ungemach
c.) das Ungemach

54. Sand in die Wüste zu tragen ist genauso überflüssig wie
a.) Eulen nach Athen zu tragen
b.) Säulen nach Athen zu tragen
c.) Stelen nach Athen zu tragen

55. Haben Sie Angst vor Schlangen? Nicht alle beißen! Manche erwürgen ihre Opfer, wie zum Beispiel
a.) der Python
b.) die Python
c.) das Python

56. Alle haben's gewusst, nur der Lehrer nicht. Es wussten also alle außer
a.) der Lehrer   c.) dem Lehrer
b.) des Lehrers   d.) den Lehrer

57. Die Erben teilten den Hof unter sich auf. Das hatte der Bauer aber nicht gewollt. Sie handelten somit
a.) entgegen seines Wunsches
b.) entgegen seinem Wunsch
c.) entgegen seinen Wunsch

58. Die Echtheit des Dokuments stand außer Frage, es zweifelte niemand an seiner
a.) Autorität   c.) Identität
b.) Authentizität   d.) Integrität

59. Maria war die Mutter von Jesus. Anders ausgedrückt:
a.) Maria war die Mutter Jesu
b.) Maria war dem Jesus seine Mutter
c.) Maria war die Mutter Jesus
d.) Maria war die Mutter Jesus'

60. Der Zahnarzt rät, sich zweimal täglich die Zähne zu putzen, und zwar
a.) morgends und abends   d.) Morgen's und Abend's
b.) morgens und abends   e.) morgen's und abend's
c.) Morgens und Abends

Lösungen:

1. Richtig ist Antwort **a**; denn das Pronomen »jener, jene, jenes« wird – genau wie »einer, eine, eines« und »dieser, diese, dieses« – immer stark gebeugt. Im Genitiv wird »jenes Jahr« zu »jenes Jahres«.

2. Antwort **b** ist richtig: »schwömme« ist die heute übliche Form; »schwämme« gibt es gleichwohl, doch das ist veraltet. Die Form »schwümme« hat es nie gegeben.

3. Antwort **b** ist korrekt. Der Imperativ Singular von »geben« lautet »gib«.

4. Richtig sind die Antworten **c** und **d**: der bestaussehende oder der am besten aussehende Filmstar unserer Zeit.

5. Richtig ist Antwort **c**. Der Superlativ »am öftesten« wird allerdings nur umgangssprachlich verwendet, in der Hochsprache heißt es »am häufigsten«.

6. Antwort **c**: Der Apostroph ist männlich.

7. Richtig ist Antwort **a**, der Genitiv des Personalpronomens »wir« lautet »unser«. Die Formen »unserer«/»unsrer« gehören zum Possessivpronomen.

8. Richtig ist Antwort **b**: Im Dativ wird der Präsident zum Präsidenten.

9. Antwort **a** ist korrekt, lateinischstämmige Wörter auf -or erhalten im Genitiv Singular ein »s«, im Dativ und im

Akkusativ bleiben sie ungebeugt. Die Endung »-en« tritt nur im Plural auf: die Werke der Autoren.

10. Antwort **b** ist richtig. »Friedberg« und »Bürgermeister« gehören zusammen und müssen daher im selben Fall stehen (hier: Genitiv). In Antwort a stehen »Schwager« und »Bürgermeister« im selben Fall (Akkusativ), aber der Schwager und der Bürgermeister sind zwei verschiedene Personen.

11. Antwort **b** ist korrekt. Bei Verbindungen aus artikellosem Hauptwort (hier: Kaiser) und Namen wird nur der Name (hier: Karl) plus Apposition (hier: der Große) dekliniert, da die Verbindung als Einheit gesehen wird.

12. Richtig sind **b** und **c**. Die Präposition »binnen« steht heute meistens mit dem Dativ, in gehobener Sprache jedoch mit dem Genitiv.

13. Richtig sind **a** und **b**. Die Mehrzahl von Bösewicht lautet standardsprachlich Bösewichte. In der Dichtung findet man gelegentlich auch »Bösewichter«. So reimte Wilhelm Busch in »Max und Moritz«: »Und in den Trichter schüttet er die Bösewichter.«

14. Die Mehrzahl von »Stück« lautet »Stücke«, richtig ist daher Antwort **a**. »Stücken« und »Stücker« sind regionale Formen der Umgangssprache.

15. Richtig ist Antwort **c**. Das Genitivpronomen »dessen« bleibt immer unveränderlich, die Form »dessem« gibt es genauso wenig wie »derem«. Dafür wird das Wort »neue« gebeugt. Und »neue Freundin« wird im Dativ zu »neuer Freundin«.

16. Richtig ist Antwort **a**. Die Mehrzahl des aus dem Englischen stammenden Wortes Mopp lautet Mopps.

17. Richtig ist Antwort **b**: Es heißt »nicht umhinkommen, etwas zu tun«. Es gibt auch die Wendung »nicht drum herumkommen«, doch die ist umgangssprachlich.

18. Richtig ist Antwort **b**. Das Adverb »dafür« wird nur in der Umgangssprache auseinandergerissen, standardsprachlich bleibt es zusammen.

19. Richtig ist Antwort **c**, die Vorderseite einer Münze wird Avers genannt, die Rückseite Revers.

20. Richtig ist **b**, man handelt nach eigenem Gutdünken.

21. Richtig ist Antwort **b**, das Wort »Kartoffel« wurde vom italienischen Wort tartufolo abgeleitet, welches Trüffel bedeutet.

22. Richtig ist Antwort **a**: In Dienstag steckt der Name des Kriegsgottes Thingsus, in Donnerstag der des Wettergottes Donar, und Freitag ist der Tag der Göttin Freya. Sonntag und Montag wurden nach Sonne und Mond benannt, in Mittwoch klingt die Mitte der Woche an, Samstag geht zurück auf das hebräische Wort Sabbat.

23. Richtig ist Antwort **a**. »Stift« ist auch eine Bezeichnung für den Lehrling oder den Gehilfen.

24. Richtig ist Antwort **e**. Ein Satyr ist ein Waldgeist in der griechischen Sagenwelt.

25. Die deutsche Sprache verzeiht nichts, auch nicht eine einzige, winzige Lüge, daher ist Antwort **a** richtig.

26. Richtig ist Antwort **b**. Es handelt sich um ein Zitat aus dem dritten Akt von Schillers »Wilhelm Tell«.

27. Richtig ist Antwort **c**. Leviten waren Priestergehilfen (Diakone). Zu ihren Bußübungen zählte das Lesen des dritten Buches Mose, das daher auch »Levitikus« genannt wurde.

28. Richtig ist Antwort **b**, die Redewendung lautet »sein Licht nicht unter den Scheffel stellen«. Scheffel ist ein altes Gefäß zum Abmessen von Mehl und Getreide. Eine darunter gestellte Kerze war abgedeckt, ihr Leuchten erschien folglich schwächer.

29. Richtig ist Antwort **b**. Die Konjunktion »insofern« steht mit dem Korrelat (= Partnerwort) »als«.

30. Richtig ist Antwort **a**, das französische Wort für Verlegenheit, Bedrängnis, Klemme lautet »bredouille«.

31. Richtig ist Antwort **c**. Das aus dem Lateinischen abgeleitete Wort »subkutan« bedeutet »unter die Haut«.

32. Richtig ist Antwort **c**. Bei Verschmelzungen mit dem Wort »es« kann noch ein Apostroph gesetzt werden, auch wenn er mittlerweile als entbehrlich gilt. Bei Verschmelzungen mit dem Wort »das« (aufs, durchs, fürs, ins, ums) gilt der Apostroph indes schon seit hundert Jahren als überflüssig und wird als Fehler angestrichen.

33. Antwort **b** ist korrekt: todtraurig

34. Antwort **c** ist richtig. Daran hat sich auch durch die Rechtschreibreform nichts geändert.

35. Antwort **c** ist richtig.

36. Antwort **b** ist richtig. Das Wort »Satellit« leitet sich vom lateinischen »satelles« ab, das »Gefolgsmann«, »Leibwächter«, »Trabant« bedeutet.

37. Antwort **a** ist richtig, zum Zauberer gehört die Zauberin. Daneben gibt es auch noch die regional gebräuchlichen Formen der Zaubrer, die Zaubrerin. Die Form »Zaubererin« jedoch gibt es nicht. Als »Harry Potter«-Leser kann man die Frage nach dem weiblichen Pendant zum Zauberer auch noch kürzer beantworten: Hexe!

38. Antwort **b** ist richtig. Das Perfektpartizip des transitiven Verbs »hängen« lautet »gehängt«. Die Form »gehangen« gibt es nur beim intransitiven Verb »hängen«, und das wiederum gibt es nicht in Verbindung mit der Vorsilbe »auf«. Die Form »gehenkt« steht gleichfalls nie mit »auf«, sie gehört zu dem Verb »henken«, welches »durch den Strang hinrichten« bedeutet.

39. Richtig ist Antwort **b**, der Konjunktiv II von »ich helfe« lautet »ich hülfe«. Der ist allerdings aus der Mode gekommen. Heute bildet man den Konjunktiv von »helfen« mit dem Hilfsverb »werden«, regional auch mit dem Verb »tun« (ich tät dir ja helfen).

40. Antwort **a** ist richtig. Niesen ist ein regelmäßiges Verb und hat die mit weichem »s« gebildeten Formen »niesen, nieste, geniest«.

41. Antwort **c** ist richtig. Wenn es um die Richtung geht (wohin?), steht vor Personen- und Firmennamen die Präposition »zu«. Die anderen Formen sind umgangssprachlich.

42. Antwort **a** ist korrekt, der Satz kommt ohne Komma aus.

43. Antwort **a** ist richtig. Vor dem vergleichenden »wie« steht nur dann ein Komma, wenn ein Nebensatz folgt. Beispiel: Meine Freunde haben den Abend genauso genossen, wie ich ihn genossen habe.

44. Richtig ist Antwort **b**, die Variante mit den Anführungszeichen ist unsinnig. Im Unterschied zur Kursiv-, Fett- und Versalienschreibung dienen Anführungszeichen nicht der Betonung. Sie signalisieren, dass das Wort in einem anderen (oft ironischen) Sinne zu verstehen ist.

45. Antwort **a** ist richtig, denn »ganze« bedeutet »nicht mehr als«, »volle« hingegen »nicht weniger als«. »Knapp hundert« sind weniger als hundert, »gut hundert« bedeutet mindestens hundert, wahrscheinlich aber mehr.

46. Richtig ist **a**. Die Mehrzahl von Graffito lautet Graffiti.

47. Richtig ist Antwort **a**: Die Abkürzung m. E. steht für »meines Erachtens«.

48. Richtig ist Antwort **b**: Die Abkürzung i. A. steht für »im Auftrag« und wird vor den Namen gesetzt, wenn jemand ein Schriftstück auf Anordnung einer anderen Person unterschreibt.

49. Antwort **b** ist korrekt. Das aus dem Norwegischen stammende Wort »Krake« ist männlich, es heißt also »der Krake«. Die weibliche Form ist umgangssprachlich. Der Krake wird im 2. Fall zu »des Kraken«, im 3. Fall zu »dem Kraken« und im 4. Fall zu »den Kraken«. Der Plural lautet »die Kraken«. Die Form »der Kraken« gibt es nur im Genitiv Plural: Das Geheimnis der Kraken.

50. Richtig ist Antwort **a**: E-Mail ist weiblich, weil es für **die** (elektronische) Post steht, Newsletter ist männlich, weil auch **der** Brief männlich ist, und Blog (Kurzform von Weblog) wird vornehmlich sächlich gebraucht, weil es für **das** Internet-Logbuch steht.

51. Richtig ist **d**. Das englische Wort »snack« wird im Deutschen Snack geschrieben und erhält im Plural einfach ein »s«. Die Mehrzahl von Gebäck lautet Gebäcke, als Sammelbegriff verwendet man jedoch die Einzahl »Gebäck«.

52. Zwar hat Angela Merkel Gerhard Schröder letztlich aus der Regierung »hinausbefördert«, doch das macht sie nicht zu seiner Förderin. Richtig ist Antwort **b**: Herausforderin. Zugunsten einer leichteren Aussprache wird bei der Bildung der weiblichen Form auf die unschöne Silbendoppelung »erer« verzichtet.

53. Richtig ist Antwort **c**: das Ungemach. Das Gemach bedeutete ursprünglich »Bequemlichkeit«, das Ungemach bezeichnete entsprechend das Unbequeme, Unbehagliche. Später wurde »Gemach« dann auf die Räume übertragen, in denen man es bequem hatte. So kamen die Schlösser zu ihren Gemächern. Noch heute wird gelegentlich der Ausruf »gemach, gemach!« gebraucht, um vor übertriebener Eile zu warnen.

54. Richtig ist Antwort **a**. Die Eule galt in der Antike als Symbol für Weisheit und war auf vielen griechischen Münzen abgebildet. Da Athen eine sehr reiche Stadt war, hielten es die Nicht-Athener für unnötig, den Reichtum dieser Stadt noch zu mehren.

55. Richtig ist Antwort **a**. Das grammatische Geschlecht des Pythons ist männlich.

56. Richtig ist Antwort **c**: Die Präposition »außer« erfordert den Dativ.

57. Richtig ist Antwort **b**: Die Präposition »entgegen« regiert den Dativ.

58. Richtig ist Antwort **b**. Das aus dem Griechischen stammende Wort Authentizität bedeutet Echtheit.

59. Richtig ist Antwort **a**. Der Genitiv von Jesus lautet Jesu.

60. Richtig ist Antwort **b**. Die Adverbien »morgens« und »abends« werden (genau wie »mittags« und »nachts«) kleingeschrieben. Daran hat sich auch durch die Reform nichts geändert. Die Apostrophierung der Adverbialendung »s« ist eine Unsitte.

Zwiebelfisch-Abc

[a] Albtraum/Alptraum

Dieses Wort bereitet unzähligen Lehrern, Schülern, Redakteuren, Setzern und Korrekturlesern nicht nur Alpdrücken, sondern auch noch Albdrücken. Tatsächlich sind seit Verabschiedung der Rechtschreibreform beide Schreibweisen zulässig. Bis dahin, also bis zum 1. August 1998, durfte das Wort nur mit »p« geschrieben werden. Das erschien vielen aber nicht logisch, es wurde immer wieder argumentiert, dass der Nachtmahr doch nichts mit den Alpen zu tun habe, sondern mit Alben. Womit natürlich nicht Schallplatten oder Fotoalben gemeint waren, sondern die germanischen Geister, die Alben (auch Elben, heute: Elfen), die ursprünglich als Naturgeister der Unterwelt oder als Zwerge angesehen wurden, später von der Kirche als Dämonen und Gehilfen des Teufels stigmatisiert wurden, die sich den Menschen im Schlaf auf die Brust setzen und damit den sogenannten Alpdruck verursachten. Wie der Traum darf auch der Druck nun sowohl mit »p« als auch mit »b« geschrieben werden.

Das Wort Alb oder Alp wurde später verdrängt von den Begriffen Elf und Elfe, die zunächst auch noch als bösartig galten und erst im 18. Jahrhundert und in der Romantik zu anmutigen, lieblichen Zauberwesen verklärt wurden. »Alb« oder »Alp« blieb nur noch in den Zusammensetzungen Alptraum und Alpdruck sowie im Namen des Zwergenkönigs Alberich erhalten.

Es ist fraglich, ob es eine kluge Entscheidung der Rechtschreibreformer war, beide Schreibweisen nebeneinander gelten zu lassen. Ein Teil der Deutschen hält die eine Form für richtig, ein anderer Teil die andere. Der Rest ist verunsichert und benutzt das Wort überhaubt – pardon: überhaupt nicht mehr.

Obwohl ich selbst mit der alten Schreibweise »Alptraum« groß geworden bin und mich gut an sie gewöhnt hatte, halte ich es für vernünftig, eine Empfehlung zugunsten der neuen Schreibweise mit »b« auszusprechen. So hält es auch der Duden.

[a] angefangen haben/angefangen sein

Das Verb »anfangen« wird im Perfekt mit »haben« gebildet: Ich habe angefangen, du hast angefangen, er hat angefangen ...

Viele bilden es auch mit »sein« (Ich bin angefangen, ihr seid angefangen etc.), doch das ist umgangssprachlich. Als standardsprachlich gilt die Form mit »haben«.

Dasselbe trifft auch für das gleichbedeutende, aber in vielen Zusammenhängen und Ohren noch schöner klingende Wort »beginnen« zu, auch hier wird das Perfekt mit »haben« gebildet: Ich habe begonnen, du hast begonnen, er hat begonnen ...

[a] aufgrund/auf Grund

Was ist denn nun richtig, »aufgrund« oder »auf Grund«? Die Antwort lautet: beides! Leider. Bis 1998 schrieb man »aufgrund« zusammen, so wie »anhand«, »infolge« und viele andere Wörter, die aus der Verschmelzung einer Präposition und eines inhaltlich verblassten Hauptwortes hervorgegangen waren.

Doch die Verfasser der Rechtschreibreform fanden offenbar, dass der »Grund« vom Grunde des Wortes zu stark als eigener Bestandteil durchschimmert, als dass man ihn als ein verblasstes Substantiv bezeichnen könnte. So verordneten sie Getrenntschreibung, wie sie es auch im Falle von »im Stande«, »zu Folge«, »zu Grunde«,

»zu Gunsten«, »zu Lande«, »zu Lasten« und »zu Rande« taten.

Andere hielten dagegen, dass eigentlich nur Schiffe auf Grund laufen können, im Falle der kausalen Präposition »aufgrund« sei die Getrenntschreibung einfach Quatsch. Um dem Streit ein Ende zu bereiten, erklärte der Rechtschreibrat beide Schreibweisen für gültig und überlässt die Entscheidung somit jedem Einzelnen. Der Duden empfiehlt Zusammenschreibung.

[a] auf Mallorca/in Mallorca

Wenn eine Insel im geografischen Sinn gemeint ist, dann heißt es »auf«. Nur wenn die Insel zugleich ein Land im politischen Sinne ist, kann man auch »in« sagen. »Auf Kuba« bezeichnet die Insel, »in Kuba« bezeichnet den Staat. Ein Malteser kann sowohl *auf* als auch *in* Malta geboren sein, je nachdem, ob seine Nationalität oder seine geografische Herkunft betont werden soll. Die Handy-Botschaft »Du, Gabi, rat mal, wo ich gerade bin!? Da kommst du nie drauf: in Mallorca!« ist falsch, richtig muss es heißen »auf Mallorca«.

Dasselbe gilt für die Präpositionen »aus« und »von«. Man kann nur »Sonnige Urlaubsgrüße von Mallorca« verschicken, nicht »aus Mallorca«. Eine CD mit kubanischer Musik kann hingegen sowohl *von* als auch *aus* Kuba stammen: von der Insel oder aus dem Land. Ein Souvenir von Sylt oder Rügen hingegen kommt nicht aus Sylt oder aus Rügen, da die beiden Inseln schwerlich als Länder bezeichnet werden können. Ein korsischer Ziegenkäse ist nach diesem Verständnis ein Käse von Korsika, da die Insel Korsika kein Land im politischen Sinne ist. Etliche Korsen sehen das allerdings anders.

[b] behängt/behangen

War der Weihnachtsbaum mit bunten Kugeln behängt oder behangen? Die Antwort lautet: Er war behängt. Das Verb »hängen« gibt es in zwei Ausführungen, einmal als transitives Verb mit den regelmäßigen Formen *hängen, hängte, gehängt* und einmal als intransitives Verb mit den unregelmäßigen Formen *hängen, hing, gehangen.*

Das Verb »behängen« indes gibt es nur als transitives Verb. Transitive Verben sind Verben, die ein Objekt mit sich führen. Man kann immer nur etwas oder jemanden behängen, aber man kann nicht einfach so objektlos durchs Leben stolpern und behängen. Daher gibt es nur die regelmäßigen Formen *behängen, behängte, behängt.* Die Perfektform »behangen« existiert nicht. Ein mit Orden *behangener* General ist in korrektem Deutsch ein mit Orden *behängter* General.

[b] bergen/retten

Die Wörter »bergen« und »retten« sind nicht gleichbedeutend. Sonst brauchte das Motto vieler Feuerwehren und des Technischen Hilfswerkes nicht »Schützen, bergen, retten« zu heißen, die letzten zwei wären dann ja doppelt gemoppelt.

Der Unterschied hängt mit Leben und Tod zusammen: Gerettet werden Überlebende, geborgen werden Leichen. Verwundete werden demnach nicht geborgen, sondern gerettet, selbst wenn sie kurz darauf ihren Verwundungen erliegen.

Gerade wenn von Opfern die Rede ist, sollte man den Unterschied zwischen »bergen« und »retten« sehr genau nehmen, denn Opfer können sowohl Tote als auch Verletzte sein. Wer also schreibt: »Bis zum frühen Morgen war die Feuerwehr mit der Bergung der Opfer beschäftigt«, der gibt seinen Lesern damit zu erkennen, dass keines der Opfer mehr am Leben war.

Ähnliches gilt auch für den Unterschied zwischen einer »Trage« und einer »Bahre«. Wer auf einer Bahre vom Feld getragen wird, der ist tot. Wer nur verletzt ist, der wird auf einer Trage abtransportiert.

[d] durch/von

Die Präposition »durch« hat verschiedene Bedeutungen: eine räumliche (»durch die Wüste«), eine zeitliche (»durch den Winter«) und eine mediale.

Als mediale Präposition zeigt »durch« an, dass etwas mithilfe von etwas oder jemandem geschieht: Statt »per Kurier« kann man ein Paket auch »durch Boten« zustellen lassen, und ein Kranker kann ebenso gut »mittels neuer Medikamente« wie auch »durch neue Medikamente« geheilt werden.

Um zu prüfen, ob »durch« in einem bestimmten Kontext tatsächlich geeignet ist, braucht man es nur gedanklich durch »mittels« oder »mit Hilfe von« zu ersetzen. In vielen Fällen zeigt sich dann sofort, dass die Verwendung der Präpositionen »von« oder »bei« passender ist.

Die Stadt Dresden wurde im Krieg nicht *durch* Bomben getroffen, sondern von Bomben getroffen. Getroffen wird man immer nur von etwas, nicht durch etwas. Bei »verwundet«, »getötet«, »zerstört« geht beides: Man kann sowohl *von* einer Kugel als auch *durch* eine Kugel (unter Zuhilfenahme einer Kugel) getötet werden.

Die Aussage »Gesunde Zähne durch tägliches Zähneputzen« ist korrekt; denn man könnte statt »durch« auch »mithilfe von« schreiben, ohne dass der Sinn ein anderer würde.

Aus der Überschrift »Weniger Tote durch Motorradunfälle« ließe sich indes folgern, dass Motorradunfälle das Leben

sicherer machten. Je mehr Motorradunfälle, desto besser!
Gemeint ist freilich: »Weniger Tote bei Motorradunfäl-
len«.
Ebenfalls misslich formuliert ist der Hinweis »Betreten
durch Unbefugte verboten!«, wie er auf vielen Baustellen-
schildern zu lesen ist. Grundstücke und Gebäude werden
nicht *durch* Menschen betreten, sondern *von* denselben.
Allerdings ist auch die Anweisung »Betreten von Unbe-
fugten verboten« missverständlich und daher nicht zu
empfehlen. Die beste Lösung lautet einfach: »Betreten für
Unbefugte verboten!«.

[e] einmal mehr/wieder einmal

Der häufig verwendete Ausdruck »einmal mehr« ist ein
Anglizismus, der auf einem Übersetzungsfehler beruht.
»Mehr« ist ein unzählbares Mengenwort (»mehr Wasser«,
»mehr Geld«), man kann es nicht mit der Zahl eins mal-
nehmen.
Das englische »once more« muss auf Deutsch mit »wieder
einmal«, »erneut« oder »abermals« wiedergegeben werden.
Der Satz »Johannes wollte einmal mehr Geld verdienen«
ist nur dann richtig, wenn er bedeutet, dass Johannes eines
Tages mehr Geld zu verdienen hoffte, nicht aber, dass er
wieder einmal Geld verdienen wollte.

[e] Euro/Euros

Einmal um die ganze Welt, und die Taschen voller Geld.
Voller Euro natürlich. Oder voller Euros? Was ist richtig?
Mit dem Euro verhält es sich genau wie mit dem Dollar. Wo
man von »Dollars« sprechen kann, da kann man auch von
»Euros« sprechen. Dies gilt vor allem dann, wenn damit die
Scheine und Münzen gemeint sind, also die Währung zum
Anfassen: »Bald zahlt man in ganz Europa mit Euros«, »Ich
sammle Euros und Briefmarken«, »Er schwamm geradezu

in Euros«. Der Italowestern mit Clint Eastwood hieß zwar »Für eine Handvoll Dollar«, aber er hätte durchaus auch »Für eine Handvoll Dollars« heißen können. Wenn das Wort »Euro« hinter einer Zahl steht, somit also ein bestimmter Geldbetrag gemeint ist, erhält es in der Regel kein Plural-s: zwei Euro, 4,50 Euro (gesprochen: vier Euro fünfzig), zehn Euro, 99 Euro, eine Million Euro. Mit dem Dollar und dem Cent wird genauso verfahren – als Geldbetrag sind beide unveränderlich. Auch für den österreichischen Schilling galt dies: Man zahlte mit Schillingen, aber etwas kostete tausend Schilling.

Andere Währungen hingegen können im Deutschen auch als Beträge eine Pluralendung erhalten: Aus der spanischen Pesete (oder Peseta) wurden auf Deutsch sofort Peseten, wenn der Betrag größer als eins war – also fast immer, da man für eine einzelne Pesete nicht viel bekam. Auch die italienische Lira war hinter Zahlen ausschließlich als »Lire« anzutreffen. Die dänische Krone ist auch so ein Fall: eine Krone, 2,20 Kronen.

Einen sprachlichen Sonderfall stellte übrigens die gute alte Mark dar: Sie gab es nur im Singular. Manch einer bildete zwar scherzhaft die Pluralform »Märker«, aber offiziell ließ sich die Mark (sprachlich) nicht vermehren.

Dem Euro hingegen lässt sich ohne Weiteres ein -s anhängen. In einigen Gegenden Deutschlands ist die Neigung hierzu besonders stark. Der Kölner zum Beispiel spricht konsequent von Euros, auch bei Geldbeträgen: »Ein Kölsch? Macht zwei Euros!«

In der Umgangssprache erfreut sich derweil eine weitere Pluralform wachsender Beliebtheit: Da zahlt man auch schon mal in »Euronen«.

[g] Galerie/Gallery
Wer in Deutschland eine »Gallery« eröffnet, der spekuliert

möglicherweise gezielt auf Kundschaft aus dem Ausland. Vielleicht aber hatte er auch einfach nur kein Wörterbuch zur Hand, um sich der deutschen Schreibweise des Wortes zu vergewissern. Die kommt unterm Strich zwar auf die gleiche Buchstabenzahl, sieht jedoch eine andere Verteilung vor: nur ein »l«, dafür »ie« statt »y«: »Galerie«.

Entsprechend lautet die Berufsbezeichnung des Kunsthändlers »Galerist«, nicht *Gallerist*.

Dies wird oft verwechselt, was auch kein Wunder ist, zumal das »a« kurz gesprochen wird und sich so anhört, als folgte ihm ein Doppelkonsonant. Doch das ist eben nicht der Fall.

Auch Galionsfigur, Galeere und Galaxie werden nur mit einem »l« geschrieben. Nicht zu vergessen der Galopp.

Wer im Schulunterricht »Gallien« mit Doppel-l schreibt, der liegt richtig. Doch wer die Galapagosinseln oder Galizien mit Doppel-l schreibt, riskiert, dass seinem Lehrer die Galle überläuft.

[g] Geisel/Geißel

So ähnlich sich diese beiden Wörter auch sind, so unterschiedlich sind ihre Bedeutungen. Die Geisel mit weichem »s« geht zurück auf das mittelhochdeutsche Wort »gisel«, welches wiederum seinen Ursprung im Keltischen hat, und bedeutete ursprünglich »Leibbürge«. Es hatte also zunächst nichts mit Erpressung, Bankraub oder Flugzeugentführung zu tun, das kam erst später. Im antiken Griechenland war es durchaus üblich, die Söhne einer Stadt als Friedenspfand zu tauschen; eine Geisel sein zu dürfen, war demnach eine Ehre. Das Ehrenvolle spiegelt sich auch in den Namen Giselher, Giselbert und Gisela wider.

Die Geißel mit scharfem »s« geht zurück auf das germanische Wort »gaisilon«, welches »Stock«, »Stange« bedeutete. »Geißel« hatte ursprünglich mit schlagen zu tun, was sich noch heute in dem Verb »geißeln« zeigt, das »züchtigen«, »strafen« bedeutet. Der Stock wurde irgendwann zur Peitsche, und schließlich wurde die Wortbedeutung zu »Plage« erweitert. Die »Geißel des Krieges« oder die »Geißel der Menschheit« hat nichts mit Geiselnahme zu tun.

[g] Generale/Generäle

Der General kennt sowohl eine umgelautete als auch eine nicht umgelautete Pluralform. Man kann also sowohl *Generale* als auch *Generäle* sagen. Beide Formen sind gleichberechtigt. Verlage und Redaktionen legen sich üblicherweise in ihren jeweiligen Hausregeln auf eine Form fest, die dann für alle Mitarbeiter verbindlich ist. Der »Spiegel« zum Beispiel bevorzugt die Form »Generäle«.

Das Wort im Plural umzulauten bedeutet, es mehr als deutsches Wort denn als Fremdwort zu betrachten. Auch der Korporal, den es heute nur noch in der Schweiz gibt, hat zwei gleichberechtigte Pluralformen: Korporale und Korporäle.

[g] geniest/genossen

Auch wenn das Niesen eine entspannende Wirkung haben kann, gibt es nur wenige Menschen, die niesen genießen. Dafür gibt es umso mehr Menschen, die die Perfektformen der Wörter niesen und genießen verwechseln. Niesen ist ein regelmäßiges Verb und wird – genau wie die dazugehörige Nase – mit weichem »s« geschrieben: Ich niese, ich nieste, ich habe geniest.

Eine Zeitungsüberschrift wie »Einmal gepiekst – nie mehr genießt« (»Blitz«) bietet vielleicht Allergikern Anlass zur Hoffnung, Lehrern allerdings nötigt sie nur ein Kopfschütteln ab.

Das Verb »genießen« wird mit scharfem »s« geschrieben

und unregelmäßig gebeugt: Ich genieße den Urlaub, ich genoss den Moment, ich habe das Leben genossen.

Manch einer behandelt *niesen* wie ein unregelmäßiges Verb und sagt »Ich habe genossen«, wenn er »Ich habe geniest« meint. Die Verwechslung unregelmäßiger und regelmäßiger Formen ist keinesfalls selten, man denke nur an »gewinkt« und »gewunken«. In diesem Fall ist sie jedoch missverständlich, und schon so mancher Nieser ist irrtümlich für einen Genießer gehalten worden.

	1. Pers. Sing.	2. Pers. Sing.	3. Pers. Sing.
Präsens	ich niese	du niest	er, sie, es niest
Präteritum	ich nieste	du niestest	er, sie, es nieste
Perfekt	ich habe geniest	du hast geniest	er, sie, es hat geniest
Befehlsform		Nies(e) nicht so laut!	
	1. Pers. Plur.	2. Pers. Plur.	3. Pers. Plur.
Präsens	wir niesen	ihr niest	sie niesen
Präteritum	wir niesten	ihr niestet	sie niesen
Perfekt	wir haben geniest	ihr habt geniest	Alle haben kräftig geniest
Befehlsform		Niest nicht so laut!	

[g] gerne/gern

Einen Bedeutungsunterschied zwischen »gern« und »gerne« gibt es nicht, auch in stilistischer Hinsicht ist kein Unterschied festzustellen – beide Formen gelten als gleichwertig. Die Form mit Endungs-e ist die ältere. Wie bei vielen anderen Wörtern auch hat sich die Endsilbe im Lauf(e) der Zeit in der gesprochenen Sprache verschliffen. Da sich Sprache in einem ständigen, nie endenden Optimierungsprozess befindet, werden Endsilben, die keine grammatische Funktion erfüllen, früher oder später abgestoßen. So hört man heutzutage häufiger »gern« als »gerne«. Noch deutlicher wird die Entwicklung bei ferne/fern: Heute sieht man kaum noch jemanden »von ferne« winken, meistens heißt es »von fern«. Mitunter verhält sich Sprache aber auch genau andersherum und lässt Wörter länger werden, ohne dass es dafür einen erkennbaren Grund gibt. So geschehen mit »allein«, das man oft auch als »alleine« antrifft, was aber nicht der Standardsprache entspricht.

[g] geschleift/geschliffen
Das Verb schleifen im Sinne von »glatt oder scharf machen« wird unregelmäßig gebeugt: *schleifen, schliff, geschliffen*; er schliff die Sense; das Messer wurde geschliffen; ein geschliffener Diamant.

Das Verb schleifen in der Bedeutung »einebnen« wird hingegen regelmäßig gebeugt: *schleifen, schleifte, geschleift*; die Römer schleiften die Befestigungsanlage; die Mauern der Stadt wurden geschleift.

Auch »schleifen« im Sinne von »hinter sich herziehen« wird regelmäßig gebeugt: Der Mörder schleifte sein Opfer bis zur Brücke; ich habe den Koffer die ganze Strecke hinter mir hergeschleift.

[g] gestanden haben/gestanden sein
Wie wird das Perfekt von »stehen« gebildet – mit *haben* oder mit *sein*? Heißt es »Ich habe gestanden« oder »Ich bin gestanden«? Und wo wir gerade dabei sind: Wie verhält es sich mit »sitzen« (gesessen) und »liegen« (gelegen)?

Die Faustregel lautet, dass nur Verben der Bewegung mit »sein« konjugiert werden. Davon gibt es eine ganze Menge, hier sehen Sie einige Beispiele:

gehen, kommen, schlendern, spazieren, stolzieren, marschieren, stapfen, wandern, wandeln

laufen, rennen, eilen, hetzen, jagen, fliehen, flüchten
fahren, reisen, fliegen, reiten, segeln*, rudern*
rasen, rollen, brettern, dampfen, düsen, flitzen, sausen
klettern, steigen, klimmen, kraxeln
springen, hüpfen, hopsen
fallen, stürzen, stolpern, straucheln, eiern, kippen
aufwachen, aufstehen, auftauen, schlüpfen
ausbrechen, einbrechen, entweichen, entkommen
schwimmen*, tauchen*, sinken
watscheln, flattern, schleichen, traben, galoppieren, hop-
peln, tapsen, gleiten, rutschen, robben, kriechen, stampfen,
trampeln u. v. m.

Die Verben »stehen«, »liegen« und »sitzen« drücken keine
Bewegung aus, daher werden sie standardsprachlich mit
»haben« konjugiert: Ich habe gesessen, ich habe gelegen, ich
habe gestanden.
In Süddeutschland und in Österreich sagt man dennoch
»Ich bin gesessen«, »Ich bin gelegen« und »Ich bin gestan-
den«. (Was sich im Badischen, Schwäbischen und in der
Pfalz etwa so anhört: »Ich bin g'stande«, »Ich bin g'lege«,
»Ich bin g'sesse«, während es in Bayern eher so klingt: »I
bin g'standn«, »I bin g'legn«, »I bin g'sessn«.) Im Süden gilt
offenbar auch der Stillstand als Bewegung. Analog zur
Annahme: Auch Null ist eine Zahl. Kann man ja so sehen.
Beamte würden's sofort unterschreiben. Ich find's char-
mant, wie fast alles, was aus dem Süden kommt.

---

* Diese Verben können auch mit »haben« konjugiert werden, wenn nicht
  die Fortbewegung von Punkt A nach Punkt B im Vordergrund steht, son-
  dern die reine Betätigung:
  Ich habe im Urlaub getaucht.
  Vor dem Frühstück hat sie regelmäßig eine Stunde geschwommen.
  Bevor er mit dem Golfspielen anfing, hat er geritten.
  Früher haben Sklaven gerudert.

Der Vollständigkeit halber sei erwähnt, dass natürlich auch die Süddeutschen und die Österreicher »stehen« und »sitzen« in Verbindung mit »haben« kennen – und zwar im übertragenen Sinne: Erst hat er gestanden (= ein Geständnis abgelegt), dann hat er gesessen (= er war im Gefängnis).

Und schließlich wird das Verb »bleiben«, das gleichfalls eher eine Un-Bewegung als eine Bewegung beschreibt, auch standardsprachlich mit »sein« konjugiert: »Weil's so schön ist, wo der Pfeffer wächst, bin ich dort geblieben.«

[g] gucken/kucken

Das Verb »gucken« ist umgangssprachlich. Im norddeutschen Raum sagt man »kucken«, und man darf es sogar mit einem Anfangs-»k« schreiben, jedenfalls findet man diese Schreibweise im Wörterbuch.

Die Herkunft des Wortes lässt sich nicht genau klären. Möglicherweise stammt es aus der Kindersprache. Noch heute lernen unsere Kleinen das Hinschauen mithilfe des Ausrufs »Kuckuck«. Zum Beispiel: »Kuckuck, hier ist die Mami!«

Dass gerade die Norddeutschen »gucken« nicht nur in der Mitte, sondern auch vorne mit »k« sprechen (und bisweilen auch schreiben), liegt an der Nähe zum plattdeutschen Wort »kieken«, was dasselbe bedeutet, nämlich »schauen«: »Wat kiekste so?« – »Mutter, kiek mal ausm Fenster, Orje will nich jloben, datt de schielst!«

Üblich ist allerdings die Schreibweise mit »g«: ich gucke, du guckst, sie guckt, guck doch mal! Was gibt's da zu gucken? Entsprechend schreibt man »Guckloch«, »Guckfenster«, »Guckkasten«, »Ausguck« und »Hans Guckindieluft«.

[h] hängte/hing

Das Verb »hängen« gibt es in zwei Ausführungen: als transitives Verb und als intransitives. Ein transitives Verb kann ein Objekt nach sich ziehen, ein intransitives nicht. »Opa hängt das Bild auf« ist zum Beispiel transitiv, weil es hier außer dem Subjekt (Opa) noch ein Objekt (das Bild) gibt. »Das Bild hängt an der Wand« ist intransitiv. Die Wand ist nämlich kein Objekt, sondern eine adverbiale Bestimmung des Ortes. Das Bild hängt ganz von selbst und ganz für sich allein.

Im Präsens sind die Formen gleich, eine Verwechslung ist nicht möglich. Schwierig wird's in der Vergangenheitsform. Wenn der Pastor nach einem Telefongespräch den Hörer wieder einhängt, so heißt es im Präteritum korrekt: »Der Pastor hängte den Hörer wieder ein.« Nicht »hing«. Das wäre weder mit Sprachduktus noch mit Versrhythmus zu rechtfertigen. Auch »Die Mutter hing das Bild ihres Sohnes an die Wand« ist falsch.

Doch umgekehrt heißt es auch nicht: »Dem Pferd hängte vor Erschöpfung die Zunge aus dem Maul!« Hier ist »hängen« intransitiv und wird zu »hing«.

Auch im Perfekt gibt es zwei Formen: gehängt und gehangen. Das intransitive »ich hänge« wird im Perfekt zu »ich habe gehangen« (in Süddeutschland und Österreich auch: »ich bin gehangen«). Das transitive »ich hängte etwas irgendwohin« wird im Perfekt zu »ich habe etwas irgendwohin gehängt«.

Von transitiven Verben lässt sich fast immer auch ein Passiv bilden: Das Bild wird aufgehängt, das Bild wurde aufgehängt, das Bild ist aufgehängt worden. Der Bandit wird gehängt, der Bandit wurde gehängt, der Bandit ist gehängt worden.*

---

* Wird die Hinrichtung aufgrund eines Gerichtsurteils durch einen Henker vollzogen, so kann man statt »gehängt« auch »gehenkt« schreiben. In der Grundform ist das Verb »henken« allerdings veraltet.

Hier noch einmal die beiden Formen im direkten Vergleich in den drei wichtigsten Zeiten:

	hängen (intransitiv)	hängen (transitiv)
Präsens	Ich hänge fest	Ich hänge das Bild an die Wand
	Wir hängen in den Seilen	Wir hängen die Fahne zum Fenster raus
	Der Bandit hängt am Galgen	Man hängt den Banditen
	Ihr Leben hängt an einem seidenen Faden	Mutter hängt die Wäsche zum Trocknen auf die Leine
Präteritum	Ich hing fest	Ich hängte das Bild an die Wand
	Wir hingen in den Seilen	Wir hängten die Fahne zum Fenster raus
	Der Bandit hing am Galgen	Man hängte den Banditen
	Ihr Leben hing an einem seidenen Faden	Mutter hängte die Wäsche zum Trocknen auf die Leine
Perfekt	Ich habe festgehangen (süddeutsch auch: Ich bin festgehangen)	Ich habe das Bild an die Wand gehängt
	Wir haben in den Seilen gehangen	Wir haben die Fahne zum Fenster rausgehängt
	Der Bandit hat am Galgen gehangen	Man hat den Banditen gehängt
	Ihr Leben hat an einem seidenen Faden gehangen	Mutter hat die Wäsche zum Trocknen auf die Leine gehängt

[h] hierzulande/hier zu Lande

Immer häufiger zuckten hierzulande die Leser zusammen, wenn sie in Zeitungstexten oder in Büchern plötzlich »hier zu Lande« lasen. Und immer häufiger erreichten mich

E-Mails mit der Frage: Ist das etwa richtig? Schreibt man hier zu Lande auseinander?

Bis zur Einführung der neuen Rechtschreibung im Jahre 1998 gab es hierzulande überhaupt kein Vertun: Das Adverb »hierzulande« wurde als Einheit aufgefasst und folglich in einem Wort geschrieben. Niemand dachte bei »hierzulande« an das »Land«, niemand legte beim Sprechen auf jedes der Bestandteile eine eigene Betonung.

Die Verfasser der Rechtschreibreform sahen dies seltsamerweise anders. Sie fassten die Fügung als Wortgruppe auf und ließen damit auch Getrenntschreibung zu: Seitdem ist neben »hierzulande« auch die Schreibweise »hier zu Lande« erlaubt. Was mag die Reformer nur darauf gebracht haben, in dem Adverb nicht eine Worteinheit, sondern eine Wortgruppe zu sehen? Unterschieden sie womöglich zwischen »hier zu Lande« und »dort zu Lande« oder gar zwischen »hier zu Lande« und »dort zu Wasser«?

Zum Glück aber wurde damit die alte Zusammenschreibung nicht abgeschafft. Vielmehr sind beide Formen erlaubt, und in seiner aktuellen Ausgabe (2006) empfiehlt der Duden ausdrücklich die Zusammenschreibung. Denn so galt es früher, und so gilt es noch heutzutage. Und nicht »heut zu Tage« – von diesem Wort gleicher Bauart haben die Reformer glücklicher-, aber inkonsequenterweise die Finger gelassen.

[h] Hunderte/hunderte

Seit Verabschiedung der Rechtschreibreform ist es egal, ob man die unbestimmten Zahlwörter »Hunderte«, »Tausende« und »Dutzende« klein- oder großschreibt. Früher schrieb man sie groß: Dutzende Bücher, Hunderte Schüler, Tausende Besucher. Heute kann man auch dutzende Bücher, hunderte Schüler und tausende Besucher schreiben. Der Duden empfiehlt weiterhin die Großschreibung von Dutzenden,

Hunderten, Tausenden (und folglich auch von Aberhunderten und Abertausenden), weil man auch die unbestimmten »Millionen« und »Milliarden« großschreibt: »Um Hunderttausende Planeten kreisen Millionen Monde.« Die Kleinschreibung von Millionen und Milliarden lässt das amtliche Regelwerk nicht zu (siehe auch –> Million/Millionen).

Viel kniffliger ist indes die Frage, wie das jeweils Gezählte zu beugen ist. Werden bei der Polizei »Hunderte neue Beamte« in Dienst gestellt oder »Hunderte neuer Beamter«? Um es kurz zu machen: Beides ist möglich. Im ersten Fall steht das Gezählte (neue Beamte) im selben Kasus wie das Zahlwort (Hunderte), im zweiten Beispiel steht das Gezählte im Genitiv*. Beide Varianten sind korrekt. Die Genitiv-Variante wird freilich immer seltener gebraucht, weil der Genitiv insgesamt immer seltener wird. Außerdem kann er nur dann zum Einsatz kommen, wenn vor dem Gezählten (den Beamten) noch ein Adjektiv steht (neue). Stehen die Beamten allein, so lassen sie sich nicht in den Genitiv versetzen; dann heißt es »Hunderte Beamte«, und nicht »Hunderte Beamter«.

Am häufigsten jedoch ist eine dritte Variante anzutreffen, nämlich die mit Dativ und der Präposition »von«: Hunderte von Beamten. Sie gilt, da präpositional und genitivfeindlich, nicht als die eleganteste, doch ist sie am leichtesten zu beherrschen.

Richtig vergnüglich wird es, wenn auch das Zahlwort gebeugt werden muss und das Gezählte entsprechend mitgebeugt wird. Eine recht vertrackte Angelegenheit, vor der selbst studierte Germanisten mitunter kapitulieren. Man bringt ja auch nicht jeden Tag »Tausende freiwillige Jugendliche« in den Genitiv oder rechnet »mit Tausenden zusätzlichen Arbeitslosen« im Dativ. Das Ergebnis ist (buchstäblich!) von Fall zu Fall verschieden.

* Ganz genau im Genitivus partitivus, dem »Genitiv des geteilten Ganzen«.

Zahlwort im Nominativ:

Tausende ältere Deutsche spielen Volleyball.
(Gezähltes im selben Fall wie Zahlwort, hier Nominativ)

Tausende älterer Deutscher spielen Volleyball.
(Gezähltes im Genitiv)

Tausende von älteren Deutschen spielen Volleyball.
(Gezähltes hinter »von« im Dativ)

Zahlwort im Genitiv:

Für den Weltrekord bedarf es Tausender freiwilliger Jugend-
licher.
(Zahlwort und Gezähltes im Genitiv)

Für den Weltrekord bedarf es Tausender von freiwilligen
Jugendlichen.
(Gezähltes hinter »von« im Dativ)

Zahlwort im Dativ:

Die Regierung rechnet mit Tausenden zusätzlichen Arbeitslosen.
(Gezähltes im selben Fall wie Zahlwort, hier Dativ)

Die Regierung rechnet mit Tausenden zusätzlicher Arbeits-
loser.
(Gezähltes im Genitiv)

Die Regierung rechnet mit Tausenden von zusätzlichen
Arbeitslosen.
(Gezähltes hinter »von« im Dativ)

Zahlwort im Akkusativ:

Die Regierung stellt sich auf Tausende zusätzliche Arbeits-
lose ein.
(Gezähltes im selben Fall wie Zahlwort, hier Akkusativ)

Die Regierung stellt sich auf Tausende zusätzlicher Arbeits-
loser ein.
(Gezähltes im Genitiv)

Die Regierung stellt sich auf Tausende von zusätzlichen
Arbeitslosen ein.
(Gezähltes hinter »von« im Dativ)

[i] in 2010/im Jahre 2010

Die Präposition »in« vor einer Jahreszahl ist ein Anglizismus, der vor allem im Wirtschaftsjargon allgegenwärtig ist. Die deutsche Sprache ist jahrhundertelang ohne diesen Zusatz ausgekommen und braucht ihn auch heute
nicht.
Der Zweite Weltkrieg war nicht »in 1945« vorbei, sondern
1945. Ich wurde nicht »in 1965« geboren, sondern 1965.
Die Formulierung »Der Film wird voraussichtlich erst in
2006 in die Kinos kommen« zeugt nicht nur von schlechtem Stil, sie ist außerdem länger als die korrekte deutsche
Fassung, für die man das »in« ganz einfach streicht.
In bestimmten Zusammenhängen, in denen Missverständnisse aufkommen können, empfiehlt es sich, »im Jahre ...«
oder »des Jahres...« vor die Jahreszahl zu setzen.

Missverständlich:
»Die beiden Wissenschaftler haben auf ihrer Reise durch
Russland 2003 besonders wertvolle Gemälde gesichtet.«
Besser:
»Die beiden Wissenschaftler haben auf ihrer Reise durch

Russland im Jahre 2003 besonders wertvolle Gemälde gesichtet.«

[i] insofern als/insofern dass

Was fern ist, das ist in der Regel auch weit, daher besteht zwischen den Wörtern »insofern« und »insoweit« kein Bedeutungsunterschied. Werden sie von einer Konjunktion begleitet, so ist es »als«, nicht »dass«:

»Es war insofern komisch, als der Angesprochene kein einziges Wort zu verstehen schien.«

»Hamburg verdient seinen Ruf als schönste Stadt Deutschlands insoweit zu Recht, als es im Zentrum mehr Wasser und Grün zu bieten hat als jede andere Stadt.«

»Die Telefonistin war insofern unprofessionell, als sie jede Beschwerde persönlich nahm und pampig reagierte.«

Folgt »als« unmittelbar auf »insofern«, so steht zwischen den beiden Wörtern kein Komma, da sie eine sogenannte konjunktionale Einheit bilden:

»Du hast mehr geholfen als alle anderen, insofern als du sofort gehandelt hast.«

Gelegentlich wird auch »insofern weil« gesagt, was allerdings nicht standardsprachlich ist. Manche gehen gar so weit, dem »als« noch ein »dass« folgen zu lassen. Das ist aber insofern falsch, als die Konjunktion »als dass« den Irrealis zur Folge hat – also nicht eine Begründung einleitet, sondern etwas, das unter den zuvor genannten Bedingungen nicht eintreten wird. Meistens geht der Konjunktion »als dass« das betonende Wörtchen »zu« voraus:

»Es war zu schrecklich, *als dass* man es mit Worten beschreiben könnte.«

»Ich bin zu alt, *als dass* ich mir solche Strapazen noch zumuten wollte.«

Die folgende Aussage ist nicht korrekt:
»Es wurde insofern ein Fehlverhalten festgestellt, *als dass* der Athlet zu wenig Urin abgegeben hatte.«
Dem ungenügenden Maß an Urin steht hier ein Übermaß an Konjunktionen gegenüber.

Dabei sind »insofern« und »insoweit« ganz genügsam! Ehe man ihnen mehr Begleitung als nötig auflastet, verzichten sie lieber ganz darauf und genügen sich selbst:
»Ich fühlte mich wie Hänsel ohne Gretel, insofern ich furchtbare Angst hatte, mich zu verlaufen.«
»Es gab keinen Grund zur Besorgnis, insofern genügend Rettungsboote an Bord waren.«

[i] Inspektor/Inspekteur

Die Franzosen lieben unseren »inspecteur Derrick«, auch wenn er sich mittlerweile zur Ruhe gesetzt hat. Bei uns wurde er freilich »Inspektor« genannt, denn so lautet die deutsche Bezeichnung für einen »Verwaltungsbeamten auf der ersten Stufe des gehobenen Dienstes«. Dies gilt nicht nur für die Polizei; Inspektoren findet man auch in anderen Bereichen der Verwaltung, zum Beispiel in Baubehörden, da gibt es Bauinspektoren. Früher gab es auch Postinspektoren und Verkehrsinspektoren. Mancher Fürst leistete sich gar einen Orgelinspektor. Besonders reich an Inspektoren ist auch heute noch die Schweiz.
Einen »Inspekteur« gibt es im Deutschen gleichwohl. So werden bei der Bundeswehr die Leiter der Führungsstäbe der Teilstreitkräfte Heer, Luftwaffe und Marine und der Leiter des Sanitätswesens genannt. An oberster Stelle steht der Generalinspekteur der Bundeswehr.
Verunsicherung herrscht immer wieder hinsichtlich der Frage, ob die Waffenkontrolleure der Uno nun Inspektoren oder Inspekteure seien. Da der aus dem Französischen

kommende Ausdruck »Inspekteur« im Deutschen aber nur für die ranghöchsten Soldaten der Bundeswehr verwendet wird, werden die Uno-Kontrolleure richtigerweise Inspektoren genannt.

Wer übrigens im Internet nach »Derrick«-Bildern sucht und dabei auf lauter Aufnahmen von Bohrtürmen stößt, der braucht sich nicht zu wundern – »derrick« ist das englische und französische Wort für Bohrturm.

[j] je – je/desto/umso

Die Konjunktion »je« steht heute standardgemäß mit den Korrelaten (= Partnerwörtern) »umso« oder »desto«:

Je länger ich faste, **desto** mehr nehme ich zu.

Je weniger du redest, **umso** besser ist es.

In der Schriftsprache findet man dies gelegentlich auch umgekehrt:

Ich nehme **desto** mehr zu, **je** länger ich faste.

Es ist **umso** besser, **je** weniger du redest.

Früher konnte »je« auch mit einem zweiten »je« stehen:

Je kälter der Winter, je größer die Not.

Je besser wir uns kennen, je mehr gefällst du mir.

Die »Je-je«-Form gilt heute als veraltet. Man findet sie nur noch in kurzen festen Fügungen wie »je länger, je lieber« und »je länger, je mehr«.

Die Konstruktion mit doppeltem »umso« ist umgangssprachlich:

Umso mehr Leute kommen, umso enger wird es.

Umso größer der Aufwand, umso höher die Kosten!

[k] Kuwait/Kuweit

Schreibt man das mit Erdöl gesegnete Emirat am Persischen

Golf »Kuwait« oder »Kuweit«? An dieser Frage scheiden sich die Geister. Oder sind's die Gaister? Zunächst gilt eines klarzustellen: Ob »Kuweit« oder »Kuwait« – in beiden Fällen handelt es sich lediglich um eine Transkription (= lautliche Umschrift) des Arabischen. Die Araber schreiben das Land nämlich so:

الكويت

Die Frage, wie diese arabischen Zeichen am besten mit lateinischen Buchstaben wiederzugeben seien, muss jede Sprache für sich selbst beantworten. Das Englische hat sich für »Kuwait« entschieden. Viele deutschsprachige Nachrichtenagenturen haben die englische Form übernommen, manche Nachrichtensprecher imitieren sogar die englische Aussprache und sagen etwas in der Art wie »Kouwhaijt«. Der »Spiegel« schreibt Kuweit mit »ei«, weil der Ei-Laut im Deutschen üblicherweise mit »ei« dargestellt wird. Die Darstellung mit »ai« wie in »Mai« und »Kaiser« ist im Deutschen die Ausnahme.

Die Bewohner Kuweits heißen auf Deutsch »Kuweiter«, nicht »*Kuwaitis*«, dies ist wiederum nur die englische Form. Die Hauptstadt heißt auf Deutsch genauso wie das Land, nämlich Kuweit, zur Unterscheidung gelegentlich auch um den Zusatz »-Stadt« ergänzt, also Kuweit-Stadt, nicht aber *Kuwait City*, so heißt es auf Englisch.

[l] Ländernamen mit Artikel/Ländernamen ohne Artikel
Wann wird Ländernamen ein Artikel vorangestellt und wann nicht? Diese Frage beschäftigt viele Leser – sowohl in Deutschland als auch in Österreich und in Schweiz. In Schweiz? Schon stecken wir mittendrin in der Problematik. Ob ein Ländername mit Artikel oder nicht genannt wird,

hängt von seinem Geschlecht ab. Die allermeisten Länder sind sächlich, bei ihnen fällt der Artikel weg: Dänemark, Frankreich, Island, Großbritannien – allesamt artikellos. Gott sei Dank! Stellen Sie sich vor, wie lästig das bei Aufzählungen würde: »Mit der letzten Erweiterung kamen das Polen, das Ungarn, das Tschechien, die Slowakei, das Slowenien, das Lettland, das Litauen, das Estland, das Malta und das Zypern zur Europäischen Union.« – »Das« wäre ja unerträglich! So wurde bereits vor langer, langer Zeit auf den sächlichen Artikel verzichtet.

Ländernamen, die weiblich sind, haben den Artikel bis heute behalten. Von ihnen gibt es allerdings nur eine Handvoll:

die Dominikanische Republik, die Mongolei, die Schweiz, die Slowakei, die Türkei, die Ukraine, die Zentralafrikanische Republik

Ländernamen männlichen Geschlechts gibt es ebenfalls nicht besonders viele, und bei ihnen ist außerdem auch noch ein schwankender Genusgebrauch festzustellen. Die im Folgenden genannten Ländernamen können sowohl männlich als auch sächlich gebraucht werden. Werden sie männlich gebraucht, so stehen sie mit Artikel:

der Irak, der Iran, der Jemen, der Kongo, der Libanon, der Niger, der Sudan, der Tschad, der Vatikan

Der Name »Iran« wurde früher grundsätzlich als männliches Wort angesehen, daher hieß es immer »der Iran«. Heute gehen immer mehr Redaktionen und Verlage dazu über, »Iran« artikellos zu gebrauchen, da es im Persischen selbst keine Artikel gibt. Für viele Leser klingen Sätze wie »Anschließend flog der Minister nach Iran« und »In Iran hat erneut die Erde gebebt« ungewohnt. Es gibt jedoch keine Regel, die uns vorschreibt, die Aussprache und das Geschlecht eines Ländernamens aus der jeweiligen Landessprache zu übernehmen. Daher steht es jedem frei, »Iran« weiterhin mit männlichem Artikel zu gebrauchen und entsprechend »in den Iran« und »im Iran« zu sagen.

Ebenfalls mit Artikel werden all diejenigen Länder geführt, deren Namen im Plural stehen:

die Bahamas, die Niederlande, die Philippinen, die Salomonen, die Seychellen, die USA, die Vereinigten Arabischen Emirate

Tritt ein Attribut vor den Namen, dann wird auch bei Ländern sächlichen Geschlechts der Artikel plötzlich wieder sichtbar: das schöne Österreich, das moderne Frankreich, das alte China, das wiedervereinigte Deutschland.

[l] Loser/Looser

Schon immer gab es in der deutschen Sprache englische Wörter, die bestimmte Menschentypen bezeichneten. Man denke nur an den Gentleman oder den Dandy, das Girlie oder den Softie, den Yuppie oder den Hippie, den Star oder den Fan, das Fashion-Victim oder den Champion (nicht zu verwechseln mit dem französischen Champignon). Und seit einiger Zeit gibt es auch den Loser, wobei nicht ganz klar ist, worin er sich vom Verlierer unterscheidet. Dass das Verlieren eine Spezialität der angelsächsischen Kultur sein soll, lässt sich geschichtlich jedenfalls nicht nachweisen. Wir Deutschen hingegen haben mit dem Verlieren sehr viel mehr Erfahrungen gemacht, man schaue sich nur einmal die Ergebnisse des »Eurovision Song Contest« der letzten Jahre an.

Trotzdem nennen wir den Verlierer heute vorzugsweise einen Loser. Das ist immerhin ein weiterer Beleg für die Tatsache, dass das Deutsche im Vergleich mit dem Englischen als Verlierer dasteht – nicht nur weltweit, sondern auch bei uns im eigenen Land. Wenn schon englisch, dann aber bitte richtig: Trotz des langgezogenen u-Lautes wird der Loser nur mit einem »o« geschrieben. Wer ihn mit Doppel-o schreibt (»Looser«), macht sich selbst zum Loser-Typen in Sachen Orthografie.

[m] Million/Millionen

Der Singular lautet »Million«, der Plural »Millionen«. Solange also nur von einer Million die Rede ist, kann nicht von »einer Millionen« die Rede sein, es sei denn als Teil einer Zusammensetzung wie »in einer Millionen-Metropole« oder als eingeschobenes Zahlwort wie bei »einer Millionen Jahre alten Landschaft«.

Im Singular heißt es: eine Million, die Million.

Was wirst du mit deiner ersten Million anstellen?
Das habe ich doch schon eine Million Mal erklärt!
Das Haus kostet eine Million Euro.
Für die erste Million musste er sich noch sehr anstrengen, die zweite Million fiel ihm dann fast in den Schoß.

Die Suchmaschine Google liefert 71.000 Treffer, wenn man ins Suchfeld »eine Millionen« eingibt. Eine stattliche Fehlerquote. Aber wer wollte es den Deutschen verübeln, dass sie sich »Millionen« erträumen, und sei es auch nur eine einzige.

Im Plural heißt es: Millionen, die Millionen, zwei Millionen, mehrere Millionen.

Ich brauche keine Millionen, mir fehlt kein Pfennig zum Glück.

Es waren Millionen Sterne zu sehen, wenn nicht Milliarden.

[m] Model/Modell

Wenn ein Wort in zwei verschiedenen Schreibweisen existiert, dann denken die meisten Menschen, dass es einen Bedeutungsunterschied geben müsse. So wird heute gerne angenommen, dass »Model« mit einem »l« das Wort für Mannequin sei und »Modell« mit Doppel-l etwas künstlich Geschaffenes. Ein Trugschluss. Claudia Schiffer ist ebenso ein Fotomodel wie ein Fotomodell. Das Wort Modell ist lediglich älter, die englische Variante (gesprochen: moddl) kam – wie so oft – später dazu, um unsere Sprache an einer Stelle zu bereichern, die schon reich genug war. Das schöne französische Wort »Mannequin« ist zugunsten des kaugummizerkauten »Model« aus der Mode geraten. Dass auch das deutsche »Modell« vom englischen »Model« verdrängt wurde, lässt sich aber nicht allein mit der allgemeinen Beliebtheit englischer Wörter begründen. In den Siebzigerjahren geriet der Begriff »Modell« zunehmend in Verruf, da sich immer häufiger Callgirls als »Modelle« ausgaben. Da mochten die Mannequins sich nicht mehr Modelle nennen – was den Siegeszug des englischen Wortes begünstigte.

Daneben hat das Wort »Modell« natürlich noch eine Vielzahl weiterer Bedeutungen, die unbestritten sind: Vorbild, Muster (Athen war ein frühes Modell der Demokratie; Frauen, die einem Maler Modell stehen), Nachbildung in kleinerem Maßstab (Modelleisenbahn, Modellauto), Einzelanfertigung eines Kleides (das geblümte Modell), vereinfachte Darstellung eines Ablaufs oder eines komplexen

Zusammenhangs (das Modell unserer DNS), Typ, Fabrikat (Automodell).

Gelegentlich kommt es zu rührenden Missverständnissen, wenn jemand auf einer Party von sich erzählt: »Ich sammele alte Porschemodelle«, und ein anderer begeistert ruft: »Oh, warten Sie, da habe ich was für Sie!«, um kurz darauf mit einem Miniaturauto zurückzukehren. Zwischen Automodell und Modellauto liegen Welten – nicht nur maßstäblich und preislich, sondern auch hinsichtlich ihrer Tauglichkeit als Statussymbol.

[n] Netz/Netzwerk

Ein Netz ist ein Netz ist ein Netz. So ein Ding mit Knoten und Maschen eben, wie es die Fischer zum Fischen verwenden, wie es Artisten unterm Drahtseil aufspannen und wie es die Spinnen weben. Im übertragenen Sinne kann ein Netz noch sehr viel mehr bedeuten, zum Beispiel ein System aus sozialen Kontakten. Geheimdienste haben ein Netz von Informanten, und Osama Bin Laden hat ein Netz von Terroristen, die Qaida, das gefürchtetste Terrornetz der Welt.

Das Wort »Netzwerk« ist ein Anglizismus, genauer gesagt ein Übersetzungsfehler. »Network« bedeutet Geflecht, Netz, man könnte auch Maschen-, Knüpf- oder Flechtwerk sagen, wenn man die Zweisilbigkeit unbedingt erhalten will, aber eben nicht Netzwerk. »Railway network« heißt auf Deutsch immer noch Eisenbahnnetz, nicht *Eisenbahnnetzwerk.*
Die mehr am Englischen als am Deutschen orientierte Computerfachsprache hat den Begriff *Netzwerk* derart populär gemacht, dass viele glauben, wann immer etwas Technisches oder etwas von Menschen Organisiertes gemeint sei, müsse es *Netzwerk* heißen.

Bei Zusammensetzungen mit »-werk« im Sinne von »Arbeit«, »Schaffen« erfüllt das Bestimmungswort die Funktion, das Werk genauer zu beschreiben. »Backwerk« ist das Werk des Bäckers, »Feuerwerk« das Werk des Feuers, »Tagewerk« die Arbeit eines Tages und »Handwerk« das Werk der Hände. Demzufolge müsste ein »Netzwerk« das Werk eines Netzes sein, es ist aber das Netz das Werk eines Knüpfers oder Flechters. Es wäre genauso falsch, plötzlich von »Brotwerk« statt von »Backwerk« zu sprechen. Netz und Brot sind das Ergebnis, nicht aber die Zutaten oder Urheber eines Werks.

Die Computerwelt, die uns in so reichem Maße mit »Netzwerken« beglückt, hat den Begriff aus der klassischen Nachrichtentechnik übernommen, in der ein »Netzwerk« die Zusammenschaltung elektrischer Bauelemente bezeichnet, die ein Eingangssignal zu einem Ausgangssignal verarbeitet. Hier mag der Begriff seine Berechtigung haben, daher steht er auch im Wörterbuch. Ein solches Netzwerk ist im Englischen übrigens ein »circuit« und kein »network«.

[n] Neugier/Neugierde

Zwischen »Neugier« und »Neugierde« besteht zwar ein klanglicher, aber kein qualitativer Unterschied. Beide Formen sind standardsprachlich korrekt und als gleichwertig anzusehen.

Dasselbe gilt auch für die Wörter »Begier« und »Begierde«; auch hier sind beide Formen richtig und gleichbedeutend. »Begierde« ist allerdings die häufigere Form, »Begier« gilt als gehoben und ist dementsprechend selten anzutreffen.

Indes gibt es das Wort »Gierde« nicht allein, unsere Sprache kennt nur die »Gier«. Andere »gierige« Zusammensetzungen wie Beutegier, Blutgier, Geldgier, Habgier, Mordgier, Raffgier gibt es nur mit »Gier«, nicht mit »Gierde«.

Einen klangähnlichen Fall stellt das Wortpaar Zier/Zierde dar. Auch hier sind zwei bedeutungsgleiche Formen existent, von denen die eine ebenso gut und richtig wie die andere ist.

[o] offiziell/offiziös

»Offiziell« bedeutet amtlich, förmlich, feierlich. Das wissen die meisten Menschen auch, daher wird dieses Wort selten falsch gebraucht.

Anders verhält es sich dagegen mit »offiziös«. Hier glauben viele, es handele sich noch um eine Steigerung des Wortes »offiziell« und sei also geradezu höchst offiziell. Doch genau das Gegenteil ist der Fall: Offiziös bedeutet halbamtlich, nicht verbürgt, also eher inoffiziell als offiziell.

Wenn sich ein Journalist auf »offiziöse Quellen« beruft und dies auch wirklich meint, so hat er entweder einen Insider-Tipp bekommen oder einfach nur irgendwo ein Gerücht aufgeschnappt, das zu überprüfen er noch keine Gelegenheit hatte.

[p] Platzangst/Raumangst

Das Wort »Platzangst« wird umgangssprachlich oft im Sinne von Angst vor Enge, vor Gedränge und vor geschlossenen Räumen gebraucht. Viele Menschen sagen zum Beispiel, dass sie in Fahrstuhlkabinen Platzangst bekämen. Hier wird Platzangst folglich mit Angst vor »zu wenig Platz« gleichgesetzt.

Tatsächlich aber ist Platzangst etwas anderes, nämlich die Angst vor weiten, offenen Plätzen, vor »zu viel Platz« also. Der Fachterminus für Platzangst lautet Agoraphobie. *Agora* ist griechisch und bezeichnet einen öffentlichen Platz.

Die Angst vor geschlossenen Räumen wird in der Fachsprache Klaustrophobie genannt, darin steckt das lateinische Wort *claudere*, welches »abschließen« oder »einschließen«

bedeutet. Die deutsche Bezeichnung für Klaustrophobie lautet Raumangst.

Dieses Wort ist den wenigsten bekannt, es steht nicht einmal im Duden. Die meisten Menschen sprechen von »Platzangst«, wenn sie Klaustrophobie meinen. Dafür gibt es zwei Gründe: Erstens ist die Angst vor Enge weiter verbreitet als die Angst vor Weite. Zweitens hat das Wort »Platzangst« einen dramatischeren Klang, der eher an das Verb »platzen« als an einen Platz denken lässt.

[p] postum/posthum

Dies dürfte manchen Wortklauber überraschen: *postum* und *posthum* bedeuten tatsächlich dasselbe! Und zwar »nach jemandes Tod erfolgt« (zum Beispiel eine Auszeichnung) oder »nach jemandes Tod erschienen, nachgelassen«. Dass nur »posthum« dies bedeutete, während »postum« mit »nachträglich« gleichzusetzen sei, ist ein Missverständnis.

Die Form ohne »h« ist die ältere. Sie wurde im 18. Jahrhundert aus dem lateinischen Wort »postumus« abgeleitet, welches »zuletzt geboren, nach dem Tod des Vaters geboren« bedeutet. Im Erbrecht gibt es den Begriff des Postumus, das ist der Spät- oder Nachgeborene.

Die Form mit »h« ist eine Nebenform, die sich volksetymologisch an das lateinische Wort »humus« (= Erde) und das davon abgeleitete »humare« (= beerdigen; daher: exhumieren = wiederausgraben) anlehnt. Weil man durch Verknüpfung mit »Humus« den Friedhofsgeruch förmlich riechen und sich somit die Bedeutung des Wortes *postum* besser merken konnte, schrieb man es vorzugsweise mit »h«. Diese volkstümliche Variante hat sich durchgesetzt und die lateinische Form stark zurückgedrängt.

Wer heute »postum« statt »posthum« schreibt, der begeht aber keinen Fehler. Denn der Friedhofshumus ist dem Wort erst nachträglich beigemischt worden, die »reine« Form kommt ohne »h« aus und wird auch ganz normal auf der ersten Silbe betont: Postum – wie Punktum.

[r] raus, rein, runter, rüber, rauf und ran

Die Präpositionen raus, rein, runter, rüber, rauf und ran werden nicht apostrophiert: »Komm sofort da runter!«, nicht: »*Komm sofort da 'runter!*«

Zwar steht das »r« für die Vorsilbe »her«, doch ist diese Verkürzung auf einen Buchstaben bereits so alt, dass der Apostroph schon lange nicht mehr gesetzt wird.

Bei Zusammensetzungen mit Verben erfolgt ausnahmslos Zusammenschreibung: raussehen, reinsetzen, rüberkommen, runterklettern, raufschauen, rangehen.

[r] Referenz/Reverenz

Der Teufel steckt bekanntermaßen im Detail. In diesem Falle ist es ein kleiner unscheinbarer Lippenlaut, der eine große Wirkung hat.

Spricht man ihn weich wie ein »w«, dann ist's die Reverenz, und die bedeutet »Ehrerbietung« und »Verbeugung«. Der Königin erweist man eine Reverenz, indem man sich vor ihr verneigt oder einen Hofknicks macht.

Spricht man den Lippenlaut hart, dann wird die Verneigung zur Empfehlung: Referenz bezeichnet eine Art Zeugnis, das man als Empfehlung vorweisen kann. Früher konnte auch die Auskunft gebende Person selbst damit gemeint sein. Meistens wird die Referenz in der Mehrzahl gebraucht: »Hat der Bewerber irgendwelche Referenzen vorzuweisen?«

Wer keine Referenzen vorzuweisen hat, muss dem Personalchef eine sehr kniefällige Reverenz erweisen, wenn er den Job bekommen will.

Die Reverenz gelangte im 15. Jahrhundert in unsere Sprache, eine Übernahme aus dem Lateinischen: »reverentia«

heißt »Scheu«, »Ehrfurcht«. Auch zu finden im englischen »reverend«, mit dem Geistliche angesprochen werden (»Hochwürden«). Die Referenz kam erst später ins Deutsche, im 19. Jahrhundert, und zwar aus dem Französischen. »Référer« heißt »berichten«, »Bericht erstatten«, und damit wiederum ist auch das bei Schülern und Studenten so beliebte (oder gefürchtete) Referat verwandt.

[s] schmelzen/schmilzen

Viele Menschen verwenden das kuriose Verb »schmilzen« und seufzen entzückt: »Ich *schmilze* dahin.«

Tatsächlich aber gibt es nur das Wort »schmelzen«, und in der ersten Person Singular muss es heißen: »Ich schmelze dahin.«

In der zweiten und dritten Person Singular findet allerdings tatsächlich eine Klangveränderung statt: Du schmilzt, das Eis schmilzt. »Schmelzen« gehört nämlich zu den unregelmäßigen Verben, die ihren Stammlaut in der zweiten und dritten Person Singular sowie im Präteritum und im Perfektpartizip verändern.

Darüber hinaus kann »schmelzen« sowohl transitiv (ich schmelze die Butter) als auch intransitiv (ich schmelze selbst) sein.

In früheren Zeiten wurde das transitive Verb regelmäßig gebeugt, da hieß es dann zum Beispiel »die Sonne schmelzte das Eis« oder »der Goldschmied hat das Gold geschmelzt«. Diese Formen haben sich allerdings nicht durchgesetzt. Erstaunlicherweise, muss man sagen, denn eigentlich befinden sich die regelmäßigen Formen seit Jahrhunderten auf dem Vormarsch. »Schmelzen« ist also ein Beispiel dafür, dass sich das Unregelmäßige in der deutschen Sprache durchaus behaupten kann.

	Erste Person	Zweite Person	Dritte Person
Präsens Singular	ich schmelze	du schmilzt	er, sie, es schmilzt
Präsens Plural	wir schmelzen	ihr schmelzt	sie schmelzen
Präteritum Singular	ich schmolz	du schmolzest	er, sie, es schmolz
Präteritum Plural	wir schmolzen	ihr schmolzet	sie schmolzen
Perfekt (transitiv)	ich habe das Eis geschmolzen	du hast das Eis geschmolzen	er, sie, es hat das Eis geschmolzen
Perfekt (intransitiv)	ich bin geschmolzen	du bist geschmolzen	er, sie, es ist geschmolzen

[s] Schuld/schuld

Wenn jemand nicht weiß, wie er mit Schuld umzugehen hat, so ist das nicht unbedingt seine Schuld. Denn man kann sowohl im Kleinen schuld sein als auch große Schuld haben.

Wenn vor der »Schuld« ein Artikel oder ein Possessivpronomen steht, dann ist »Schuld« ein Hauptwort und wird großgeschrieben:

Wer trägt die Schuld?
Wessen Schuld ist es gewesen?
Gib nicht mir die Schuld!
Es ist allein deine Schuld.

Bis 1998 galt die Regel, dass »Schuld« nur in den oben genannten Fällen großgeschrieben wird. Stand das Wort ohne Artikel oder Pronomen, wurde es kleingeschrieben. Dies wurde durch die Rechtschreibreform geändert. Heute wird

»Schuld« immer großgeschrieben, wenn es den Charakter eines Hauptwortes hat:

Wer hat Schuld?
Daran haben nicht die Schüler Schuld, sondern die Lehrer.
Gib nicht immer mir Schuld, sondern dir!
Daran tragen allein die Politiker Schuld.

Und nur noch dann, wenn Schuld – wie »schuldig« – mit den Formen von »sein« gebraucht wird und somit eindeutig ein Eigenschaftswort ist, wird es kleingeschrieben:

Wer ist schuld?
Daran sind nicht die Schüler schuld, sondern die Lehrer.
Ich bin nicht schuld daran, du bist schuld!
Die Politiker sind an allem schuld.

Der Weg über die Eselsbrücke lautet: Schuld hat man groß, schuld ist man klein.
Im Rheinland und in einigen anderen Gegenden wird gelegentlich auch die kuriose Formulierung »etwas in Schuld sein« gebraucht: »Wir sind's nicht in Schuld, die anderen sind's in Schuld!« Dabei handelt es sich um eine regionale Form der Umgangssprache.

[s] soweit/so weit
So + weit wird nur dann in einem Wort geschrieben, wenn es sich um eine Konjunktion handelt und dasselbe bedeutet wie »soviel«, »sofern« oder »wie«:
Soweit/Soviel ich weiß, ist der Chef bis Ende des Monats im Urlaub.
Sie hat anscheinend großes Glück gehabt, soweit/soviel man uns erzählt hat.

In allen anderen Fällen wird »so weit« auseinandergeschrieben:

Ich hatte keine Ahnung, dass der Weg so weit sein würde.
Man sollte nur so weit gehen, wie man es vor seinem Gewissen verantworten kann.
So weit wie an diesem Tag war er noch nie gesprungen.
Mein Nachbar wohnt doppelt so weit von der Arbeit entfernt wie ich.
Wir sind so weit gekommen, dass es dumm wäre, jetzt einfach umzukehren.

In diesem Beispiel sieht man den Unterschied vielleicht am deutlichsten:

Wir marschieren, so weit wir können, soweit der Weg und das Wetter es zulassen.

[s] Staub saugen/staubsaugen

Die mit dem Staubsauger verbundene Tätigkeit kann man auf zwei Weisen schreiben, in einem Wort oder in zweien. Dabei gibt es einen Bedeutungsunterschied. Schreibt man es in zwei Wörtern (Staub saugen), so ist der Staub das Objekt, das gesaugt wird: »Ich kann dich nicht verstehen, Schatz, ich sauge gerade Staub!« Schreibt man es in einem Wort (staubsaugen), so kann das gesaugte Objekt beispielsweise ein Teppich oder eine Polstergarnitur sein: »Ich staubsauge den Teppich« (nicht: Ich sauge den Teppich staub). Entsprechend gibt es auch zwei unterschiedliche Perfektformen, die beide regelmäßig gebildet werden: Staub gesaugt und gestaubsaugt (nicht »gesogen«). Beim Satz »Ich habe den Teppich und die Sessel gestaubsaugt« sind Teppich und Sessel die gesaugten Objekte. Beim Satz »Ich habe in der ganzen Wohnung Staub gesaugt«

ist wiederum der Staub das Objekt, der Zusatz »in der ganzen Wohnung« ist eine adverbiale Bestimmung des Ortes.

Die Vollzugsmeldung »Ich habe überall gestaubsaugt« ist nach dieser Logik nicht ganz staubrein, richtig wäre »Ich habe überall Staub gesaugt«, denn »überall« ist kein Objekt, sondern ein Adverb.

[t] Teil (der/das)

Das Wort »Teil« gibt es in zwei Bedeutungen, als männlichen Teil und als sächliches Teil. Während »der Teil« immer als Untermenge eines Ganzen zu sehen ist, steht »das Teil« für etwas Losgelöstes, für ein einzelnes Stück.

Der Teil (Teil eines Ganzen):

der Erdteil, der Landesteil, der Stadtteil, der Elternteil, der Bestandteil, der (vordere/hintere) Zugteil, der Mittelteil (z. B. mittlerer Abschnitt eines Buches)

Das Teil (loses Stück):

das Puzzleteil, das Ersatzteil, das Einzelteil, das Altenteil, das Oberteil, das Plastikteil, das Wrackteil

Das Wort »Wrackteil« wird meistens sächlich gebraucht, wenn nämlich ein einzelnes Stück gemeint ist, das am Straßenrand liegt oder irgendwo an einen Strand gespült wird. »Wrackteil« kann aber auch männlich gebraucht werden, wenn zum Beispiel der vordere oder der hintere Teil eines Wracks gemeint ist. Um es auf eine stark vereinfachte Formel zu bringen:

Männliche Teile kann man erforschen, sächliche Teile kann man abtrennen, einbauen, anziehen oder wegwerfen.

Der Bedeutungsunterschied zwischen dem männlichen Teil und dem sächlichen Teil wird allerdings nicht bei allen Zusammensetzungen durchgehalten. So wird das Wort »Erbteil« meistens mit sächlichem Artikel gebraucht, obwohl damit nicht irgendein Ding gemeint ist, das man in die Hand nehmen kann (auch wenn oft nicht viel mehr zu holen ist). Erbteil bedeutet Anteil vom Erbe, und das Wort »Anteil« ist schließlich auch nicht sächlich. Die Juristen, die es mit der Sprache bekanntlich oft genauer nehmen als alle anderen, verwenden das Wort »Erbteil« entsprechend mit männlichem Artikel. Im BGB heißt es »der Erbteil«.

Nach obiger Definition müssten auch die Wörter Körperteil, Vorderteil und Hinterteil männlich sein, da sie Teile eines Ganzen sind. Sie werden aber sehr häufig mit sächlichem Artikel gebraucht, das Wort »Hinterteil« sogar fast ausschließlich. Obwohl es doch »der Hintern« heißt. Offenbar wird »das Hinterteil« nicht als Teil eines Ganzen verstanden, sondern losgelöst vom Rest des Körpers begutachtet. Möge sich jeder seinen Teil (nicht: sein Teil) dazu denken.

[t] Tür / Türe

Wenn der Dezember kommt, dann steht Weihnachten vor der Tür. Bei einigen steht Weihnachten allerdings auch vor der Türe. Das führt bei vielen Deutschen zu Verwirrung. Vor allem, wenn sie zum Beispiel an Bord derselben Lufthansa-Maschine (»Thüringen«) sowohl den Hinweis »Bitte Tür schließen« beachten als auch der Aufforderung »Bitte Türe vorsichtig öffnen« nachkommen sollen. Wie ist es denn nun richtig? Türe oder Tür?

Tatsächlich gibt es beide Formen. Auf Hochdeutsch heißt es »Tür«, ohne »e«, so ist es üblich und gilt als Standard. Die Form mit »e« existiert vor allem in Mitteldeutschland. Ob der Hinweis an der Toilettentür(e) in besagter Lufthansa-Maschine allerdings bewusst mit Rücksicht auf das namensgebende Bundesland gewählt wurde, ist zu bezweifeln.

Für die Dichter und Verseschmiede in diesem Lande ist die Existenz zweier Formen indes ein Segen, denn sie erhöht die Reimmöglichkeiten. Anbei ein kleines Beispiel, nicht gerade von goethescher Qualität, aber das Prinzip durchaus erhellend:

> Vor der Türe, vor dem Tore
> Warte ich auf Hannelore.
> Vor dem Türchen, vor dem Törchen
> Wart ich auf das Hannelörchen.
> Vor dem Tore, vor der Tür
> Steh ich nun seit Stunden hier.
> Keine Spur von Hannelor
> Wie viel Zeit ich schon verlor!
> Geh ich halt nach nebenan
> In die Kneipe, rein zur Tür
> Wo bei einem frischen Bier
> Ich genauso warten kann
> Und mich besser amüsiere
> Als vor Hannelörchens Türe.

[ü] überführt/übergeführt

Man kann sowohl einen Täter überführen als auch einen Leichnam. Der Unterschied liegt in der Betonung: Bedeutet das Verb »jemanden an einen anderen Ort bringen«, liegt die Betonung auf der Vorsilbe »über«.

Die Vergangenheitsformen lauten in diesem Falle:

Man führte den Schwerverletzten in ein Krankenhaus über. (Aktiv/Präteritum)
Er wurde in ein Krankenhaus übergeführt. (Passiv/Präteritum)
Man hat den Schwerverletzten in ein Krankenhaus übergeführt. (Aktiv/Perfekt)
Er ist in ein Krankenhaus übergeführt worden. (Passiv/Perfekt)

Wird »überführen« hingegen im Sinne von »den Beweis einer Schuld erbringen« gebraucht, so liegt die Betonung stets auf der dritten Silbe. Die Vergangenheitsformen lauten hier:

Man überführte den Täter. (Aktiv/Präteritum)
Der Täter wurde überführt. (Passiv/Präteritum)
Man hat den Täter überführt. (Aktiv/Perfekt)
Der Täter ist überführt worden. (Passiv/Perfekt)

Die festen Formen der zweiten Bedeutung finden allerdings zunehmend Anwendung auf die erste Bedeutung. Der Duden erklärt es für zulässig, dass man auch bei der Überführung im Sinne eines Transportes die Formen »überführte« (statt »führte über«) und »überführt« (statt »übergeführt«) verwendet.
Ein Leichnam kann demnach also sowohl übergeführt als auch überführt werden. Die Betonung liegt in jedem Fall auf einem »ü«.

[v] verschieden/unterschiedlich

Die Wörter »unterschiedlich« und »verschieden« werden oft synonym, also gleichbedeutend verwendet. »Verschieden« kann nämlich sowohl »mehrere, manche, diverse« als auch »von anderer Art« bedeuten. Zwischen den beiden Aussagen »Henry und ich waren verschiedener Meinung« und »Henry und ich waren unterschiedlicher Meinung« besteht kein Bedeutungsunterschied. In jedem Falle waren Henry und ich nicht derselben Meinung.

Gelegentlich aber kann die Verwendung von »verschieden« zu Missverständnissen führen. Die Aussage »Sie hatten verschiedene Interessen« kann in zwei Richtungen gedeutet werden, nämlich sowohl als »Sie hatten diverse Interessen (z. B. reiten, malen, kochen)« wie auch als »Sie hatten nicht dieselben Interessen«. Um in solchen Fällen klarzumachen, dass »verschieden« nach der ersten Lesart aufgefasst werden soll, bedient man sich gerne der Steigerung: »Sie hatten die verschiedensten Interessen.«

Ein weiteres Beispiel für den Unterschied zwischen »verschieden« und »unterschiedlich«: Wenn die Polizei nach einem Einbruch am Tatort *verschiedene* Fingerabdrücke findet, kann sie nicht sofort daraus schließen, ob ein oder mehrere Täter am Werk gewesen sind. Erst wenn sich herausstellt, dass es sich um *unterschiedliche* Fingerabdrücke handelt, ist klar, dass mindestens zwei Täter ihre Finger im Spiel hatten. Ein einzelner Mensch kann durchaus verschiedene (das heißt: diverse, mehrere) Fingerabdrücke hinterlassen, aber nicht unterschiedliche.

Diesem ungleichen Wortpaar wohnt eine ähnliche Problematik inne wie bei dasselbe/das Gleiche und bei gleich/identisch.

Das Wort »verschiedentlich« bedeutet »mehrmals«, »öfters« und ist somit nicht dasselbe wie »verschieden«. Es handelt sich um ein Adverb, das nicht gebeugt oder attributiv gebraucht werden kann:

»Sie haben verschiedene (nicht: verschiedentliche) Modelle geprüft.«

»Er war bereits verschiedene (nicht: verschiedentliche) Male gewarnt worden.« Stattdessen aber auch: »Er war bereits verschiedentlich gewarnt worden.«

[v] verstorben/gestorben

In tiefer Trauer gibt Familie Heckeldorn das Dahinscheiden ihrer geliebten Yorkshire-Terrier-Hündin Tiffany bekannt, die am Sonntag nach dem Genuss eines 16 Zentimeter langen Marzipanbrotes »verstorben« sei.

Jetzt ist Tiffany im Hundehimmel, und das Leben geht weiter. Der Familie Heckeldorn bleiben viele schöne Erinnerungen an ihre herzallerliebste Tiffany, und allen anderen bleiben zwei Fragen. Erstens: Wie viel Marzipanbrot sollte man einem Schoßhündchen maximal verabreichen? Zweitens: Gibt es einen Unterschied zwischen »gestorben« und »verstorben«?

Zumindest die zweite Frage verdient an dieser Stelle eine Erörterung. Natürlich gibt es einen Unterschied, genau genommen sogar zwei: einen grammatischen und einen stilistischen. »Gestorben« ist das Perfektpartizip von »sterben«, »verstorben« ist das Perfektpartizip von »versterben«. Während die Präsensformen des Verbs »versterben« heute kaum noch gebraucht werden, sind die Vergangenheitsformen recht häufig.

Er verstarb im Alter von 83 Jahren.
Plötzlich und unerwartet ist unsere liebe Omi am vergangenen Donnerstag verstorben.

Die Wörter »verstarb« und »verstorben« gelten als gehoben. Für die meisten Menschen ist der Tod ein unangenehmes Thema; wer mit jemandem über den Tod eines Angehörigen sprechen muss, wählt seine Worte mit Bedacht und zieht stilistisch lieber ein höheres Register, um nicht als respekt- oder gefühllos missverstanden zu werden. »Verstorben« mag betulicher klingen als »gestorben«, von vielen wird es aber auch als würdevoller verstanden.

Es ist legitim, »verstorben« zu benutzen, wenn man die Gefühle anderer (oder seine eigenen) schonen will. Dies gilt vor allem für Traueranzeigen, Grabreden, Kondolenzschreiben und Nachrufe.

In Aufsätzen oder Berichten über Personen, deren Tod bereits einige Zeit zurückliegt, ist es jedoch nicht nötig, »verstorben« zu schreiben. Napoleon ist nicht etwa am 5. Mai 1821 auf St. Helena »verstorben«, sondern gestorben. Und Charlie Chaplin »verstarb« nicht etwa im Alter von 88 Jahren, sondern er starb im Alter von 88 Jahren.

Stellt sich die Frage nach der Todesursache, kann hierzu nur das Verb »sterben« herangezogen werden:

Woran ist Ihre liebe Frau Mutter gestorben? (nicht: verstorben)
Der Regisseur starb (nicht: verstarb) am 18. August an einer Lungenentzündung.

Als Attribut und als Hauptwort sind indes nur die von »verstorben« abgeleiteten Formen gebräuchlich:

Am vergangenen Mittwoch wurde der verstorbene Präsident (nicht: der gestorbene Präsident) in einem feierlichen Staatsakt beigesetzt.
Ich kannte den Verstorbenen (nicht: den Gestorbenen) nur flüchtig.

[v] verwendet/verwandt

»Bei der Herstellung unserer Speisen werden nur hochwertige Pflanzenöle verwandt«, verspricht ein Restaurantbesitzer. Prompt weist ihn ein Gast darauf hin, es müsse »verwendet« heißen. »Verwandt« sei er mit seiner Cousine und seiner Tante, aber nicht mit Pflanzenöl. »In der Gastronomie sollte ruhig etwas mehr Sorgfalt auf Sprache verwendet werden«, sagt er seiner Begleiterin, die übrigens Angewandte Sprachwissenschaften studiert hat, und nicht etwa Angewendete Sprachwissenschaften. Der Duden erkennt keinen Unterschied zwischen den Partizipien »verwendet« und »verwandt«. Das Verb »verwenden« in der Bedeutung »gebrauchen« wird im Präteritum mal zu »verwendete«, mal zu »verwandte«. Im Perfekt seien sowohl »verwendet« als auch »verwandt« gebräuchlich. »Die Designerin verwandte ausschließlich farbige Stoffe« ist genauso richtig wie »Die Designerin verwendete ausschließlich farbige Stoffe«.

Der Gast hat demnach vorschnell reagiert, der Wirt braucht seinen Hinweis nicht zu ändern.

Anders verhält es sich dagegen mit »gewendet« und »gewandt«: Zwischen diesen beiden Partizipien besteht tatsächlich ein Unterschied, was daran liegt, dass es zwei verschiedene Formen des Verbs »wenden« gibt: eine transitive (etwas wenden, z. B. ein Auto wenden, Fleisch in der Pfanne wenden) und eine reflexive (sich wenden, z. B. der Gast wandte sich mit Grausen, sie hat sich an mich gewandt).

[v] vor Ort/am Ort des Geschehens

Der Ausdruck »vor Ort« ist ein treffliches Beispiel für die große deutschlandweite Karriere eines kleinen, sehr speziellen Idioms. »Vor Ort« entstammt der Bergmannssprache. Das Wort »Ort« gab es schon im Althochdeutschen, dort hieß es so viel wie Punkt, Spitze (und gemeint war die Spitze einer Waffe), äußeres Ende, Rand. Von Punkt und Spitze ist es nicht weit zu Stelle und Platz, und so verbreiterte sich die Bedeutung des Wortes »Ort« allmählich zur Ortschaft. In der Bergmannssprache hat sich die alte Bedeutung »Spitze«, »Endpunkt« gehalten. Der »Ort« bezeichnet das Ende einer Abbaustelle, also jenen Punkt, bis zu dem sich die Bergleute vorgearbeitet hatten. Wer »vor Ort« war, der befand sich dort, wo gerade gebohrt, gegraben oder geschaufelt wurde – also meistens unter Tage, mitten im Geschehen.

Irgendwann ist dieses »vor Ort« aus den Tiefen des Bergbaus in die Höhen des Journalismus aufgestiegen. Plötzlich waren Reporter »vor Ort«, und zwar nicht nur, wenn sie über ein Grubenunglück zu berichten hatten, sondern praktisch ständig und überall. Heute hat das zugegebenermaßen praktische »vor Ort« das etwas umständlichere »am Ort des Geschehens« weitestgehend verdrängt. »Unser Reporter berichtet live vor Ort« ist zweifellos kürzer als »Unser Reporter berichtet live vom Ort des Geschehens«.

Aber ist kürzer tatsächlich besser? Seit Jahrzehnten schon ereifern sich Sprachpfleger über den Gebrauch des Ausdrucks »vor Ort«. Ihr Eifer blieb jedoch wirkungslos. Die kompakte Wortverbindung aus der Bergmannssprache hat sich durchgesetzt und ist heute aus der Nachrichtensprache nicht mehr wegzudenken. Dass Fachbegriffe und Wortverbindungen aus bestimmten Bereichen entlehnt und verpflanzt werden, ist keineswegs ungewöhnlich. So wie sich der »Ort« von der ursprünglichen Schwertspitze zum Standpunkt und zur Siedlung erweitert hat, so hat sich »vor Ort« von seiner Unter-Tage-Bedeutung zu einer allgemeinen »Am-Ort-des-Geschehens«-Definition ausgedehnt.

Vor holprigen Konstruktionen wie »jemanden von vor Ort informieren« ist allerdings abzuraten.

[w] wohlgesinnt/wohlgesonnen
Die richtige Form heißt »wohlgesinnt«: Ich bin dir wohlgesinnt; er war mir wohlgesinnt.

Im Unterschied zu den Perfektpartizipien »ersonnen«, »ver-
sonnen« und »besonnen« handelt es sich bei »wohlgesinnt«
um ein Adjektiv. Ein Verb »wohlsinnen« (Ich wohlsinne, du
wohlsinnst ...) gibt es nicht, daher gibt es auch die Formen
»wohlsann« und »wohlgesonnen« nicht. »Wohlgesinnt« ist
aus dem Hauptwort »Sinn« entstanden.
Auch andere Gesinnungszustände werden mit »gesinnt«
gebildet: feindlich gesinnt, freundlich gesinnt, übel gesinnt,
froh gesinnt.
Man kann also über ein bestimmtes Thema nachgesonnen
haben und anschließend fröhlich gesinnt sein.

[z] zurückgehen/zurück gehen

Zusammensetzungen mit »zurück« werden grundsätzlich
zusammengeschrieben:

zurückblicken, zurückgehen, zurückkehren, zurückschla-
gen, vor etwas zurückschrecken, sich zurücksehnen, zu-
rückspulen, zurückwerfen etc.

All diese zusammengesetzten Verben haben nur einen
Hauptton, nämlich auf der Silbe »rück«. Dies gilt auch für
die Perfektformen:

Du hast zurückgelächelt, er hat sich völlig zurückgezogen,
das hat uns um Jahre zurückgeworfen, sie sind zurückmar-
schiert

Wenn jedoch auf dem Verb, welches »zurück« folgt, eine eigene Betonung liegt, so wird getrennt geschrieben, so wie
in diesem Beispiel: »Hin sind wir mit dem Taxi gefahren,
zurück gehen wir.«

Register

»Bastian Sick ist Kult.«

Frankfurter Allgemeine Zeitung

Bastian Sick. Happy Aua. Paperback. KiWi 996   Bastian Sick. Happy Aua 2. Paperback. KiWi 1065

Gordon Blue, gefühlte Artischocken, strafende Hautlotion – nichts, was es nicht gibt! Bastian Sick hat sie in seinen Bilderbüchern aus dem Irrgarten der deutschen Sprache zusammengetragen und kommentiert: missverständliche und unfreiwillig komische Speisekarten, Hinweisschilder, Werbeprospekte u. ä. – die bizarrsten Deutschlesebücher der Welt.

Zum Lesen, Lachen und Nachschlagen